Martin Heidegger

Hugo Ott

Martin Heidegger

Unterwegs zu seiner
Biographie

Campus Verlag
Frankfurt / New York

CIP-Titelaufnahme der Deutschen Bibliothek

Ott, Hugo:
Martin Heidegger: unterwegs zu seiner Biographie / Hugo Ott.
– Frankfurt (Main); New York: Campus Verlag, 1988
ISBN 3-593-34035-6

Umschlaggestaltung: Atelier Warminski, Büdingen
Satz: Fotosatzstudio »Die Letter«, Hausen/Wied
Druck und Bindung: Druckhaus Beltz, Hemsbach
Printed in Germany

Inhalt

Heideggers Wirken nach dem Rektorat

Heidegger auf dem Prüfstand einer neuen Zeit

Einleitung

Jetzt solle ich aber meine Studien über Martin Heidegger, die in eher entlegenen (»in der Provinz«) Zeitschriften veröffentlicht sind, in einem Buch zusammenfassen, noch besser: sie integrieren in einer größeren Darstellung, so der vielfache Rat, der mir seit geraumer Zeit zuteil wurde. Solcher Wunsch wurde dringlicher, als Victor Farias' *Heidegger et le nazisme* (1987) erschienen war und in das internationale Echo mehr und mehr auch meine Aufsätze Eingang fanden – in vielfältiger Form, jüngst sehr umfassend und höchst kompetent durch Thomas Sheehan »Heidegger and the Nazis« in *The New York Review of Books*[1].

In der Tat: seit meinen ersten Untersuchungen vor fünf Jahren über das Rektorat von Heidegger bin ich immer stärker in die Thematik eingedrungen.[2] Ausgelöst wurde dies alles durch die 1983 erfolgte Neuausgabe der Rektoratsrede »Die Selbstbehauptung der deutschen Universität« – zusammen mit der Erstveröffentlichung *Das Rektorat 1933/34. Tatsachen und Gedanken* – gewissermaßen der letztgültige, von seinem Sohn Hermann herausgegebene Rechenschaftsbericht des Philosophen, der »zu gegebener Zeit« publiziert werden sollte.[3] Das war der Beitrag zum 50. Gedenkjahr der Machtergreifung Hitlers. Freilich: für den Leser des *Spiegel*-Gesprächs »Nur noch ein Gott kann uns retten«[4] wurde hier nicht allzuviel Neues bekannt gemacht. Immerhin:

---

[1] 15. Juni 1988, S. 38–47.
[2] Es handelt sich um meine drei zusammenhängenden Aufsätze 1983, 1984a und 1984b.
[3] Martin Heidegger 1983.
[4] Bereits 1966 geführt mit der Vereinbarung, es erst nach Heideggers Tod zu veröffentlichen. So erschien das Gespräch am 31. Mai 1976.

mit dem Anspruch, »Tatsachen« verbindlich festzuschreiben (postum!), konnte der Historiker zur Prüfung anhand erreichbarer Quellen aufgefordert sein – gleichsam zum »Gegenlesen«. Es war damit ein Stein in ein seit langem ruhiges Wasser geworfen worden. Schier vergessen schienen die heftigen Auseinandersetzungen, die der Doktorand Jürgen Habermas 1953 durch die ausführliche Besprechung von Heideggers soeben erschienener *Einführung in die Metaphysik* in der *Frankfurter Allgemeinen Zeitung* auslöste, wobei es vor allem um Heideggers philosophische Wertung des Nationalsozialismus ging: eine Kontroverse, die in der *FAZ* und in der *Zeit* ausgetragen wurde, durch einen Leserbrief Heideggers in der *Zeit* gekrönt. Die grundlegende Dokumentation von Guido Schneeberger *Nachlese zu Heidegger. Dokumente zu seinem Leben und Denken* (Bern 1962) schlummerte eher in den Bibliotheken – der Autor galt als Außenseiter.

Der Wurf von 1983 sollte Kreise ziehen. Verstärkt wurde diese Aktivität durch das Buch von Heinrich Wiegand Petzet *Auf einen Stern zugehen. Begegnungen und Gespräche mit Martin Heidegger 1929–1976*[5] – just im »Jubiläumsjahr« 1983 auf den Markt gebracht, ein aus jahrzehntelanger sehr vertrauter Wegbegleitung erwachsener Umriß der Gestalt Heideggers in einem biographischen Ansatz: für den Historiker wiederum insofern von Gewicht, als sich bei Petzet mehrere von Heidegger autorisierte Statements zu seinem politischen Engagement und zur Behandlung seines Falles nach 1945 finden. Des weiteren ist darin der Rechenschaftsbericht »Tatsachen und Gedanken« vielfältig eingearbeitet: Verstärker-Effekt. Bei der Beschäftigung mit Heideggers »politischer« Lebensphase wurde bald deutlich, daß »Tatsachen«-Behauptungen so nicht aufrecht erhalten werden konnten und daß sich das Bild immer stärker veränderte – so sehr, daß es ins schiere Gegenteil changierte.

Sehr rasch wurde ich belehrt: Wer sich Heidegger kritisch nähert, gar korrigierend das feste Gefüge erschüttert, wird unweigerlich ins gegnerische Lager eingeordnet. Zu allem Überfluß wagte ich es, 1984 in zwei öffentlichen Vorträgen an der Universität Freiburg meine Ergebnisse mitzuteilen:[6] dies kam einem Sakrileg nahe. Freiburg, die eigentliche Wirkungsstätte Heideggers, sei »entweiht« worden, so berichtete mir

---

[5] Petzet 1983.
[6] Neben einem Referat über Heideggers Rektorat 1933/34 der Vortrag über die Zeit nach 1945, veröffentlicht unter dem Titel: »Martin Heidegger und die Universität Freiburg nach 1945« (Ott 1985).

später ein namhafter amerikanischer Heidegger-Forscher, sei seitdem »an unholy place«, nicht seine eigene Bewertung, vielmehr die nach den USA kolportierte Version wiedergebend. Alle gegenteiligen Beteuerungen meinerseits fruchteten nicht viel. Da bleibt einer abgestempelt, ja gebrandmarkt. Manche wohlmeinenden Ratschläge erreichten mich: die Sache doch sein zu lassen – auch im Interesse des inneruniversitären Friedens. Und überhaupt: mit welchem Recht ich, nicht philosophisch ausgerichtet, mich zum Richter aufschwinge. Auch das Argument von der Gnade der späten Geburt feierte fröhliche Urständ. Daß mir bei alledem ein gerüttelt Maß an Feindseligkeit zuteil wurde, bedarf eigentlich keiner besonderen Erwähnung. Und dies wird dauern.

Wenn ich dennoch am Thema blieb und vor allem auch die frühen Lebensabschnitte Heideggers einbezog[7], dann aus der Erkenntnis, daß die Quellengrundlage sich mehr und mehr verstärkte, je weiter ich nachforschte. Und dies trotz der bekannten restriktiven Bedingungen: Sperrung des Heidegger-Nachlasses im Deutschen Literaturarchiv Marbach auf unbestimmte Zeit – Sperrung des Bultmann-Nachlasses (Korrespondenz Rudolf Bultmann/Martin Heidegger) in der Universitätsbibliothek Tübingen und dergleichen mehr.[8] Doch: es fanden sich genügend andere Bestände, die es rechtfertigten, auf ein Heidegger-Buch hinzuarbeiten, auch wenn der Charakter der Vorläufigkeit bestehen blieb. Ein Akademie-Stipendium der Stiftung Volkswagenwerk (1986) ermöglichte die ruhige Suche nach weiteren Quellen und deren Auswertung. Dazu zählt in erster Linie die Korrespondenz Jaspers/Heidegger aus dem Jaspers-Nachlaß (Deutsches Literaturarchiv Marbach), dessen Einsicht durch Hans Saner möglich gemacht wurde. Diese zentrale Korrespondenz steht dem Vernehmen nach unmittelbar vor der Veröffentlichung.

In zahlreichen Archiven (Bundesarchiv Koblenz, Generallandesarchiv Karlsruhe, Hauptstaatsarchiv Stuttgart, Staatsarchiv Freiburg, Erzbischöfliches Archiv Freiburg, Stadtarchiv Freiburg, eingeschränkt auch Universitätsarchiv Freiburg – um nur die wichtigsten zu erwähnen) und Bibliotheken (besonders in der Universitätsbibliothek Marburg) ergaben Akten und Nachlässe neue Erkenntnisse. Z. B. der

---

[7] Vgl. Ott 1984 c und 1986.
[8] Antje Bultmann Lemke, »Der unveröffentlichte Nachlaß von Rudolf Bultmann«, in: Bernd Jaspert (Hg.), *Rudolf Bultmanns Werk und Wirkung*, Darmstadt 1984, S. 194–207, hier 203.

Nachlaß Dietrich Mahnke in Marburg, auf den mich mein Freiburger Kollege Eduard Sangmeister hinwies. Mit seiner Erlaubnis konnte ich die Korrespondenz Husserl/Mahnke auswerten. Es kam bei dieser Suche auch zu weniger erfreulichen Funden. So stieß ich schon 1984 im Staatsarchiv Freiburg auf den »Fall« Hermann Staudinger: mußte überrascht zur Kenntnis nehmen, daß der Rektor Heidegger 1933 einen hochangesehenen Wissenschaftler seiner Universität (Staudinger erhielt später – 1953 – den Nobelpreis für Chemie) wegen politischer Unzuverlässigkeit denunzierte und aus dem Lehramt drängen wollte. Schon damals trieb mich die Frage nach Heideggers Mentalität um: denn ich fand nicht ohne weiteres den Schlüssel zum Verständnis für solch abwegiges Verhalten. Die Ergründung von Heideggers Mentalität ist ein Hauptanliegen meines Buches. Dazu verhelfen vor allem Unterlagen, die aus privaten Nachlässen stammen.

Heidegger stand, zumal in der Frühzeit, mit Menschen in Beziehung, die für ihn wichtig waren, jedoch in den kargen autobiographischen Aufzeichnungen nicht erwähnt werden: z. B. Engelbert Krebs, mit dem er seit 1912 fast freundschaftlich verbunden war, so sehr, daß Krebs 1917 das Brautpaar Heidegger/Petri kirchlich traute. Freilich: diese Nähe schwand allmählich und wurde zu immer größerer Distanz. In diesen frühen Freundschaftskreis war Ernst Laslowski eingebunden, seit 1911 wohl der unmittelbare Freund, der die schwierige Lebensphase Heideggers nach dem Abbruch des Theologiestudiums bis hin zur wissenschaftlichen Karriere mitsorgend begleitete. Der Nachlaß Krebs (ehemals im Dogmatischen Seminar der Universität Freiburg aufbewahrt, jetzt in der Universitätsbibliothek Freiburg) wurde mir zu einer wichtigen Quelle. Nicht minder die Briefe Laslowskis an seinen Freund (1911–1917), die ich in der Bibliothek des Deutschen Caritasverbandes in Freiburg durch Vermittlung von Herrn Dr. Wollasch einsehen konnte. Sehr zentral waren die Tagebücher von Josef Sauer, Professor für Christliche Archäologie und Patrologie an der Universität Freiburg: nicht nur wegen der entscheidenden Informationen, die mir für die Zeit des Rektorats von Heidegger vermittelt wurden, auch für die frühe Phase. Denn: frühe wissenschaftliche Veröffentlichungen Heideggers erschienen in der *Literarischen Rundschau* (Verlag Herder), die von Sauer redigiert wurden. So ergab sich bereits 1911 eine intensive Begegnung zwischen Sauer und Heidegger: Briefe des jungen Studenten, der einer wesentlichen wissenschaftlichen Laufbahn entge-

genging, an Sauer erweisen den Umriß des ersten philosophischen Ansatzes. Als dann im Frühjahr 1933 Heidegger in das Rektorat strebte
und dieser Weg von Sauer kritisch verfolgt wurde, geschah dies auf der
Basis jahrzehntelanger Bekanntschaft. Von dort gewinnt das Tagebuch
Sauers seine Tiefenschärfe. Dem Neffen von Professor Sauer, Herrn
Domkapitular Dr. Sauer, bin ich für die Möglichkeit der Auswertung
zu Dank verpflichtet.

Die zuletzt genannten Persönlichkeiten waren vor allem Wegbegleiter des »katholischen« Martin Heidegger. Sie gehören in den großen
Kontext einer inferioren katholischen Position in Forschung und Wissenschaft des wilhelminischen Deutschland. Aus solcher Inferiorität
emporzusteigen, erforderte höchste Anstrengung. Kurz vor Weihnachten 1923 schrieb der Marburger Theologe Rudolf Bultmann seinem
Freund Hans v. Soden, Professor für neutestamentliche Exegese in
Breslau, sein Seminar (Die Ethik des Paulus) sei diesmal besonders
lehrreich, »weil unser neuer Philosoph Heidegger, ein Schüler Husserls, daran teilnimmt. Er kommt aus dem Katholizismus, ist aber ganz
Protestant.« Er habe nicht nur vortreffliche Kenntnis der Scholastik,
sondern auch Luthers.[9] Die Wegstrecke, die Heidegger in seiner katholischen Phase durchlief, um zum Ende als »Protestant« zu gelten,
scheint von großem Gewicht zu sein: ihr bis in die Verästelungen nachzugehen, war Aufgabe des ersten großen Kapitels. Die überragende
Gestalt von Edmund Husserl, zu dem Heidegger in fruchtbarer Spannung, in Verehrung und Freundschaft, aber auch in Haß-Liebe stand,
spielt die tragende Rolle. Daß ich manche Erkenntnisse gewinnen
konnte, verdanke ich der Generosität von Professor Dr. S. IJsseling,
des Direktors des Husserl-Archivs an der Katholischen Universität zu
Löwen. Erste Spuren, die in den entscheidenden Jahren 1917 bis zur Berufung Heideggers nach Marburg zu suchen waren, finden sich in den
Arbeiten der amerikanischen Heidegger-Experten Thomas Sheehan[10]
und Theodore Kisiel.[11]

Der Marburger Zeit Heideggers, so wichtig sie ist, wurde nur ge-

---

[9] Zit. bei Bultmann Lemke a. a. O. [Anm. 8], S. 202.
[10] *Heidegger, The Man and the Thinker*, Precedent 1981.
[11] Besonders: »The Missing Link in the Early Heidegger«, in: Joseph Kockelmans (ed.), *Herme-*
neutic Phenomenology: Lectures and Essays, Washington, D. C. 1988, S. 1–40; »War der frühe
Heidegger tatsächlich ein ›christlicher Theologe‹?«, in: Gethmann-Siefert/Meist 1988. Ich bin
Herrn Kollegen Kisiel sehr dankbar, daß er mich früh an den Manuskripten dieser Arbeiten
teilnehmen ließ und mir so wertvolle Hinweise vermittelte.

ringe Aufmerksamkeit gewidmet: für mich sind diese Jahre von 1923 bis Mitte 1928 eher eine Episode im Leben Heideggers, der sehr genau wußte, als Husserls Nachfolger wieder in Freiburg aufziehen zu können, der das ungeliebte Marburg hinnahm, immer wieder gestärkt durch den Aufenthalt auf der »Hütte« in Todtnauberg. *Sein und Zeit* ist im Todtnauberger Tal geschrieben, woher sich auch die berühmte Widmung an den Lehrer Edmund Husserl erklärt.

So war ich beständig auf der Suche nach Kriterien, Heidegger von innen her zu erschließen. Solche Gänge gleichen Gratwanderungen: welche Grenzen sind zu beachten? Wann beginnt der Bereich der Intimität? Das Phänomen der Beziehung Heideggers zur Marburger Philosophie-Studentin Hannah Arendt beispielsweise habe ich nicht einbezogen, was nicht bedeutet, daß diese wichtige Beziehung für Heideggers Biographie ohne Belang sei. Wenn einmal die wichtigsten Quellen zugänglich sein werden, muß der Frage nachgegangen werden.[12] Hier ergab sich für mich zum gegenwärtigen Zeitpunkt jedenfalls eine Grenze in Anbetracht der Quellenlage. Andererseits schien mir unabdingbar, auf die Entfaltung der Partnerschaft von Martin Heidegger und Elfride Petri, auf die Eheschließung, auf die Problematik der konfessionsverschiedenen Ehe einzugehen, weil von dorther Einsichten in den biographischen Prozeß gewonnen werden konnten. Wichtig waren mir die Verklammerungen: daß Heidegger offensichtlich vom Glauben der Herkunft nie frei kam; daß er gerade unter diesem Signum in beständiger Zerrissenheit lebte. Oder die personellen Verklammerungen: die Persönlichkeit des späteren Freiburger Erzbischofs Dr. Conrad Gröber, der ihn auf den Weg des Denkens gebracht hat und ihm immer wieder an den entscheidenden Wegmarken begegnete, und die Persönlichkeit von Edmund Husserl. Wertvolle Hinweise im beständigen wissenschaftlichen Kontakt verdanke ich Herrn Professor Dr. Karl Schuhmann (Universität Utrecht), der mir auch die erweiterte Fassung seiner »Husserl-Chronik« im Manuskript zugänglich machte.[13]

Meine hinführende biographische Studie ist nach einem von Heidegger selbst gewonnenen Prinzip strukturiert, nämlich, daß er in der Mitte des Lebens (1935) mit zwei Pfählen zu schaffen habe – mit der

---

[12] Vgl. Elisabeth Young-Bruehl, *Hannah Arendt. For Love of the World,* New Haven/London 1982 (deutsch bei S. Fischer: Frankfurt/Main 1986).
[13] *Husserl-Chronik. Denk- und Lebensweg Edmund Husserls,* Den Haag 1977.

Glaubensproblematik und dem politischen Scheitern. Es muß jedoch stets der Prozeßcharakter beachtet werden. Deshalb mein Bestreben, die umgreifenden Zusammenhänge im Leben Heideggers zu verdeutlichen dort, wo diese mir aus dem innersten Bezirk entgegentreten.

Und so habe ich beispielsweise in der ersten Wegweisung anhand einer besonders intensiven Beziehung zwischen Heidegger und dem Historiker Rudolf Stadelmann (bislang nicht sonderlich beachtet) die unauflösliche Bindung zwischen 1933 und 1945 zu erklären versucht: Der revolutionäre Aufbruch von 1933, das geschichtliche Ereignis im Verständnis von Heideggers Seins-Denken, ist nicht in den Untergang gefallen, sondern steht noch als Aufgabe vor den Deutschen, ist aufgehoben in der Sprache Hölderlins. Aus derartigen tiefgründigen Selbstzeugnissen läßt sich die mentale Disposition des Philosophen in ganz spezifischer Weise erhellen.

Mein Anspruch, unterwegs zu einer Biographie Heideggers zu sein, mag unbescheiden klingen, zumal die philosophiegeschichtliche Komponente weithin ausgeklammert bleibt. Er nimmt sich selbst zurück, wenn die lange und sehr schwierige Strecke des Lebensweges bedacht ist. Es ist immer darauf abgehoben worden, Heideggers Diktum müsse beherzigt werden, nämlich, sein Leben sei gänzlich uninteressant, nur sein Werk sei wichtig. Die kargen Selbstzeugnisse sind mehrfach publiziert, gelten immer noch als Leitlinie, über die nicht hinausgegangen werden sollte. Auf dieser Ebene verharrt z. B. Heideggers Schüler Walter Biemel: *Martin Heidegger in Selbstzeugnissen und Bilddokumenten* (Reinbek 1973). Auch Winfried Franzen hat in seiner Einführung in die Philosophie Heideggers (besonders wertvoll auch als bibliographisches Hilfsmittel) dieses Gerüst übernommen.[14]

Die Zeugnisse von Wegbegleitern liegen in reicher Zahl vor: Die wichtigsten sicher die von Karl Jaspers[15] und Hans-Georg Gadamer.[16] Beide sind Heidegger in den frühen zwanziger Jahren begegnet und ihm verbunden geblieben, wenn auch in sehr verschiedener Weise. Wichtig sind auch die Blätter des Gedenkens, die Günter Neske – ein Verleger von Martin Heidegger – im Band *Erinnerung an Martin*

---

[14] *Martin Heidegger,* Stuttgart 1976.
[15] *Philosophische Autobiographie,* Erweiterte Ausgabe München 1977. – *Notizen zu Martin Heidegger,* hg. von Hans Saner, München/Zürich 1978.
[16] *Philosophische Lehrjahre,* 1977.

Heidegger versammelt hat.[17] Zu den Weggenossen gehört in einem bestimmten Sinn auch Otto Pöggeler, der früh schon den alternden Philosophen beobachtet und bereits 1963 den *Denkweg Martin Heideggers* veröffentlicht hat[18] – unentbehrlicher Leitfaden gerade für den philosophisch nicht gebildeten Interessierten. Überhöht werden jedoch alle diese Bezeugungen durch Karl Löwith, der aus Zeitzeugenschaft niederschrieb, was er von und durch Heidegger erlebte: *Mein Leben in Deutschland vor und nach 1933*, bereits 1940 verfaßt, 1986 publiziert.

Der Leser meines Buches mag wohl überrascht sein, wie selten ich auf Victor Farias Bezug nehme. Das hat seine Gründe. Nicht als ob ich das Buch nicht kennte – in der bisherigen aus dem Spanischen und Deutschen in das Französische übersetzten Version –, im Gegenteil: meine Besprechung in der *Neuen Zürcher Zeitung*[19] hat sogar in französischer Übersetzung Eingang in den romanischen Sprachraum gefunden.[20] Aber: mein Ansatz, beruhend auf der ansehnlichen Zahl von Studien, in denen ich mich seit 1983 der Fachwelt gestellt habe, aufgebaut auf einem Quellenmaterial, das weitgehend Neuland erschließen hilft, ist dem Ansatz von Farias sehr entgegengesetzt. Ich war deshalb der Meinung, meinen Weg weitergehen zu sollen, zumal – dem Vernehmen nach – die deutsche Ausgabe von *Heidegger et le nazisme* sich vor allem quantitativ von der französischen Edition unterscheiden wird.

In Frankreich, wo Heideggers Denken nach 1945 in ganz spezifischer Weise eingewurzelt ist, wobei das politische Profil des Philosophen eher verblaßte und überstrahlt wurde durch die denkerische Bedeutung, hat das Buch von Victor Farias erdbebenartig gewirkt und eine – vor allem publizistische – Diskussion ausgelöst, die nicht mehr überschaut werden kann. Einer der wichtigsten Vermittler von Heideggers Denken für die französische Welt, der in Lyon tätige Jean Beaufret († 1982), an den Heidegger 1946/47 den Brief »Über den Humanismus« gerichtet hat, ist jetzt in ein arges Zwielicht geraten und damit als Heideggers Adressat und Gesprächspartner äußerst fragwürdig gewor-

---

[17] Neske 1977.

[18] Eine zweite, um ein umfangreiches Nachwort erweiterte Auflage erschien 1983.

[19] 28./29. November 1987 Nr. 277 unter dem Titel »Wege und Abwege. Zu Victor Farias' kritischer Heidegger-Studie.«

[20] In: *Le débat*, no. 49. mars-avril 1988, 185–191, unter dem Titel: »Le Débat du Débat – Chemins et fourvoiements«.

den, seit der Historiker Robert Faurisson (Universität Lyon II), der unsägliche Propagandist der »Auschwitz-Lüge«, Briefe Beaufrets veröffentlicht hat. In der Zeitschrift *Annales d'Histoire Révisionniste* (Nr. 3, 1987) sind diese von Beaufret an Faurisson gerichteten Briefe aus dem Jahr 1978 publiziert, in denen Faurisson Unterstützung für seine Forschungsarbeit erfährt und Ermunterung, auf dem Wege weiterzugehen. Es sei im Grunde auch sein, Beaufrets, Weg; nur habe er sich nicht schriftlich geäußert, sondern seinen Standpunkt nur mündlich vertreten, auf daß er von der losgelassenen Meute nicht behelligt werde. An der Authentizität dieser Beaufret-Briefe dürfte inzwischen kein Zweifel mehr bestehen. Folgerichtig kann Faurisson seinen einleitenden Aufsatz in der Frühjahrsnummer (Nr. 4, 1988) der eben genannten Zeitschrift unter das Motto stellen: »A la mémoire de Martin Heidegger et de Jean Beaufret, qui m'ont précédé en révisionnisme«. Diese von Faurisson erfolgte Vereinnahmung Heideggers als ein Wegbereiter der »Auschwitz-Lüge« ist selbstverständlich willkürlich und nicht gerechtfertigt. Indes werfen die Beaufret-Briefe ein schlimmes Licht auf das Umfeld, in dem die Heidegger-Rezeption in Frankreich gedieh.

Im November 1984 bereits habe ich in einem Beitrag für die *Neue Zürcher Zeitung* unter dem Titel »Der Philosoph im politischen Zwielicht. Martin Heidegger und der Nationalsozialismus« eine erste Zwischenbilanz gezogen.[21] Ich schloß damals: »Heideggers Bemühen, seine Zeit als Rektor bis zur Winzigkeit herunterzuholen und sie gleichsam vergessen zu machen angesichts einer ›Widerstands‹-Haltung, muß als gescheitert gewertet werden. Solches Bemühen freilich entspricht nicht der Größe seines philosophischen Denkens.« Ich habe dieser Bewertung auch heute nach weiterem eindringlichen Studium nichts entgegenzustellen.

Mannigfachen Dank müßte ich hier abstatten – all denen, die mich kritisch begleiteten und mich unterstützten. Ich kann nur wenige erwähnen. Zu Beginn des Jahres 1986 durfte ich für mehrere Wochen als Gast in der Erzabtei Beuron weilen und konnte dort die erste Fassung des Manuskripts schreiben. Manche Gespräche mit Konventualen des Klosters waren hilfreich. Herr Adalbert Hepp, der zuständige Lektor im Campus Verlag, seit längerer Zeit darum bemüht, daß ich dieses Heidegger-Buch schreibe, war ein toleranter und kooperativer Ansprechpartner. Die Mitarbeiter an

---

[21] 3./4. November 1984 – Nr. 257.

meinem Lehrstuhl, sonst mit nüchternen Projekten der Wirtschaftsgeschichte befaßt, halfen intensiv bei den Korrekturen mit. Mein Assistent, Herr Uwe Kühl, hat viel koordinierende Arbeit geleistet. Besonders danken möchte ich meiner Sekreträrin, Frau Inge Wissner, durch deren Einsatz das Buch rechtzeitig auf den Weg gebracht wird.

Merzhausen bei Freiburg – im Spätsommer 1988   Hugo Ott

Wegweisungen

Erste Wegweisung:
»Die Stimme des Dichters aus seinem Turm«

»Seltsam.« Eine Stunde, ehe der Brief anlangte, habe er »über das geschichtliche Selbstbewußtsein« nachgesonnen und dabei lebhaft an den Briefschreiber gedacht: so Martin Heidegger am 20. Juli 1945 an Rudolf Stadelmann, Professor für Neue Geschichte in Tübingen und kommissarischer Dekan der Philosophischen Fakultät der Eberhard-Karls-Universität Tübingen. Was den Denker in jenen schweren Tagen zwischen Hoffen und Bangen als Botschaft aus der Hölderlin-Stadt erreichte, war die vorsorgliche Überlegung Stadelmanns, den in existentielle Schwierigkeiten geratenen Martin Heidegger in Tübingen unterzubringen, wo zwei philosophische Lehrstühle zu besetzen waren, darunter der für Systematische Philosophie, den Theodor Haering aus politischen Gründen jetzt verlassen mußte. Auch Martin Heidegger war gefährdet – in Freiburg, der durch den Luftangriff vom 27. November 1944 schwer geschlagenen Stadt. Das hatte sich rasch herumgesprochen.

Für Heidegger jedoch war dieser nüchterne Brief mehr als nur die fürsorgliche Anfrage seines wohl getreuesten Gefolgsmannes aus der Zeit des Rektorats 1933/34 – Rudolf Stadelmann, Schüler des Historikers Gerhard Ritter, lehrte damals als Privatdozent in Freiburg, geschichtsphilosophisch interessiert –, nein, diese Zeilen aus Tübingen »trafen ein wie die Stimme des Dichters aus seinem Turm am heimatlichen Strom«. Und Heidegger ließ den getreuen Eckart wissen, er habe das letzte halbe Jahr »im Geburtsland und zeitweise in der nächsten erregenden Nähe des Stammhauses meiner Väter im oberen Donautal unterhalb der Burg Wildenstein« geweilt, wo sein Denken die bloße

Interpretation Hölderlins – Ister (= Donau) hatte er 1942 in einer Vorlesung ausgelegt – weit hinter sich gelassen habe und »zu einem Gespräch mit dem Dichter geworden« sei – »seine lebhafte Ruhe ist das Element meines Denkens.« So geriet dieser Brief fast zu einer Vorlesung. Und daß diese wenigen Sätze ausgefüllt sind mit Zitaten aus Hölderlin und Rilke, braucht nicht betont zu werden. Heidegger mochte in Gedanken hinzuspielen, was er in der »Ister«-Vorlesung 1942 als Bemerkung beigefügt hatte (im edierten Band nicht enthalten)[22]:

»Vielleicht muß Hölderlin, der Dichter, zum bestimmenden Geschick der Auseinandersetzung werden für einen Denkenden, dessen Großvater um dieselbe Zeit der Entstehung der ›Isterhymne‹ und des Gedichtes ›Andenken‹ nach der Urkunde in ovili (im Schafstall einer Meierei) geboren wurde, die im oberen Donautal nahe dem Ufer des Stromes unter den Felsen liegt. Die verborgene Geschichte des Sagens kennt nicht Zufälle. Alles ist Schickung.«[23]

In dieser selbstmythisierenden Hölderlin-Ideologie war Heidegger jetzt im Sommer 1945, in den Monaten der politischen Katastrophe, noch stärker verfangen, die dunklen Töne mit feierlicher Gebärde verkündend. Stadelmann möge daraus ermessen, was die Anfrage ihm, Heidegger, bedeute: Tübingen! Ein Jugendtraum ginge in Erfüllung, wenn er »in der eigenen Heimat im Element Hegels, Schellings und vor allem Hölderlins« sein »eigentliches Denken in seine gemäße Gestalt bringen dürfte.« In der Tat: Tübingen, so schrieb er in einem späteren Brief an Stadelmann, könnte ihn »atmosphärisch sehr locken«. Im übrigen sei er der Überzeugung, »daß aus unserem schwäbischen Land der abendländische Geist erwachen« werde. Zumal ja auch Romano Guardini bald in Tübingen weilen werde. Welche Konstellation! Auch wenn Heidegger über lange Jahre – besonders während der Phase des Dritten Reiches – zu dem Religionsphilosophen Guardini in keiner Beziehung stand, jetzt war es sehr geboten, sich in Erinnerung zu bringen. Und so schrieb Heidegger an Romano Guardini am 6. August 1945, ihn für Freiburg interessierend, wo der von den Nationalsozialisten entfremdete Lehrstuhl für christliche Philosophie wiederhergestellt wurde.

Briefe dauerten lange in jenen Zeiten. Aber Guardini ließ mit der Antwort sehr warten: am 14. Januar 1946 erst, als Heideggers Schicksal

---

[22] Band 53 der Gesamtausgabe: *Hölderlins Hymne »Der Ister«*, hg. von Walter Biemel 1984.
[23] Zitiert nach Pöggeler 1988, S. 41.

sich entschied: »Wie gerne würde ich mit Ihnen über die verschiedensten Dinge sprechen. Es ist so lange her, seit wir uns das letzte Mal gesehen haben. Ich erinnere mich noch genau an meinen Besuch in Zähringen und an Ihr schönes Studierzimmer«. Und zum bereits begonnenen Jahr, »das wohl über unser Sein und Nichtsein entscheiden wird«, übermittelte er gute Wünsche.[24] Romano Guardini, den es wieder in eine große Stadt als Stätte der geistigen Wirksamkeit zog – nach München natürlich. Mit Tübingen nahm er nur vorlieb, bis sich die Tore der bayerischen Metropole wieder öffneten. Dieses Tübingen, vom Krieg verschont, das den Zusammenbruch nicht so vor Augen führte wie andere deutsche Städte, wo es sich eher vereinbaren ließ, über Ästhetik zu lesen im Angesicht verhungernder Kinder!

Doch verfolgen wir die Korrespondenz mit Stadelmann weiter: Freilich sei in Freiburg, wo ihn nicht mehr viel halte, über seine Zukunft noch nicht entschieden, obgleich man – »nicht die Alliierten, sondern die Eigenen« – Belastendes in seinem Rektorat entdecke, »das alles andere war als ein Eintreten für die Partei und Parteidoktrin.« Vielmehr, so fuhr Heidegger fort, sei er seit seiner Amtsniederlegung – 1934 – in steigendem Maße gehemmt und angepöbelt worden und »hart an Schlimmerem« vorbeigekommen. Hier jedenfalls werden schon die Leittöne angeschlagen, die Heideggers apologetische Komposition in Zukunft charakterisieren sollten, wie überhaupt Dichte und Intimität dieses Briefes – weitere folgten in den nächsten Monaten – von einer außerordentlichen Aussagekraft sind: unter Vertrauten.[25]

Was der Philosoph an jenem 20. Juli 1945 – eigentlich auch ein nationaler Gedenktag! – nach Tübingen mitteilte, stand jedoch in einem größeren Zusammenhang: Er sann »über das geschichtliche Selbstbewußtsein, dessen Wesen und Vermögen nach«, lebhaft an Stadelmann denkend. Das bedarf einer Erklärung. In der Tat: der Privatdozent Stadelmann hatte damals im Wintersemester 1933/34 unter Heideggers Rektorat die Öffentliche Vorlesungsreihe *Aufgaben des geistigen Lebens im nationalsozialistischen Staat* an der Universität Freiburg eingeleitet – ausgerechnet am 9. November, am Gedenktag des Marsches

---

[24] Nachlaß Romano Guardini, Bayerische Staatsbibliothek München.

[25] Dieser Brief sowie die nachfolgenden Zitate aus Nachlaß Rudolf Stadelmann, Bundesarchiv Koblenz R. 183. – Zu Rudolf Stadelmann, der schon 1949 erst 47 Jahre alt gestorben ist, vgl. *Rudolf Stadelmann zum Gedächtnis*, Gedenkrede von Eduard Spranger, Tübingen 1950. – Den sehr persönlich gehaltenen Nachruf von Hermann Heimpel in *Historische Zeitschrift* 172, 1951, S. 285–307.

zur Feldherrnhalle – unter dem Thema »Das geschichtliche Selbstbewußtsein der Nation«[26]. Darin stimmt er das hohe Lied der nationalsozialistischen Revolution an, einem unglaublich naiven Germanenkult
huldigend, reichlich unterfüttert mit Zitaten aus Adolf Hitlers *Mein
Kampf.* Er verkündet ein mythisches Geschichtsdenken – »Nicht in
der Geschichte, sondern im Mythos erkennt sich der Genius der Nation« –, ganz der gelehrige Schüler Heideggers bis in die sprachliche
Formulierung hinein. Also: Diese Vorlesung vom 9. November 1933 zi-
tierend denkt Heidegger jetzt nach über das geschichtliche Selbstbewußtsein, so als ob in den zwölf Jahren dazwischen nichts geschehen
sei: Er sinnt nach über dessen »Wesen und Vermögen«. Welch ein Zitat,
das dieser Brief vom 20. Juli 1945 enthält! Der Rektor Martin Heidegger selbst hatte jene Vorlesungsreihe des Wintersemesters 1933/34 am
22. Februar 1934 mit dem Thema »Die Notwendigkeit der Wissenschaft« beschlossen.[27]

Nun könnte ein solcher Brief noch auf sich beruhen bleiben, ent-
hielte er nicht Schlußsätze, die aufhorchen lassen und ratlos machen:
»Alles denkt jetzt den Untergang. Wir Deutschen können deshalb
nicht untergehen, weil wir noch gar nicht aufgegangen sind und erst
durch die Nacht hindurchmüssen.« Ringsum Chaos, Ruin, unsägliche
Not, Vertreibung, Schuld, ja tatsächlich Untergang, wenn denn dieses
Wort noch eine Aussage und einen Sinn enthält. Dann diese Sätze, die
aus dem Schoß seines Denkens geboren sind, gewachsen auf einem
Grund, der nur für Erwählte betretbar ist, zugesprochen einem Vertrauten, der Heidegger schon immer verstanden hat. Teilte Stadelmann
auch jetzt diesen unglaublichen Realitätsverlust mit Heidegger, zu dem
er einst als Gefolgsmann in echter Gefolgschaftstreue wie zu einem
Führer emporgeblickt hatte? Bei diesem brieflichen Dialog mochte die
Erinnerung an jene männerbündisch gefärbte Lagermentalität vom
Herbst 1933 wach werden: etwa an das berühmte Todtnauberger Wis-
senschafts-Lager im Gesichtskreis der »Hütte«, dessen Heidegger

---

[26] 1934 als Heft 47 der Serie »Philosophie und Geschichte« bei J.C.B. Mohr in Tübingen
erschienen. – Eine überarbeitete und von Verstiegenem gereinigte Fassung in Stadelmann 1942,
S. 5 – 31.

[27] Bisher nicht publiziert. Eine Veröffentlichung ist, soweit ich das Programm der Gesamtausgabe überblicke, bedauerlicherweise nicht vorgesehen, denn vermutlich hat Heidegger darin auf
die vorausgegangenen Vorträge Bezug genommen (darunter z.B. der arge, am 7.12.33 gehaltene Vortrag von Erik Wolf, »Richtiges Recht im nationalsozialistischen Staate«, *Freiburger
Universitätsreden,* Heft 13, Freiburg i.Br. 1934).

nachmals in seiner 1983 postum veröffentlichten Rechtfertigungsschrift – einseitig und unzureichend – gedenkt, dann freilich Stadelmann nicht erwähnend, wiewohl dieses Lager – wir werden es noch genauer kennenlernen – einen hohen Stellenwert sowohl in der Beziehung als auch im Revolutionsverständnis beider Männer besaß. Vieles
ist verschlüsselt, gewiß.

Die Stimme des Dichters aus seinem Turm war zum umhüllenden
und bergenden Schutzmantel geworden. Was Heidegger seinem Helfer
nach Tübingen nicht näher ausführte, nämlich, wie er ins obere Donautal gelangt war. Heidegger war noch im Dezember 1944 aus dem zerstörten Freiburg in seine Heimat Meßkirch gezogen und hatte sich im
März 1945 zu dem Torso der Freiburger Philosophischen Fakultät ge-
sellt, der vor der herannahenden Westfront ins obere Donautal geflo-
hen war – auf den Wildenstein und in die umliegenden Dörfer, ganz nahe bei der Benediktiner-Erzabtei Beuron. In dieser Landschaft erwartete Heidegger, Gast eines prinzlichen Ehepaares von Sachsen-Meiningen, die Ankunft der französischen Truppen. Im Angesicht des »Ister«,
der sich mäanderartig durch den Kalkstein der Schwäbischen Alb sein
Bett gegraben hat, trat er ins Zwiegespräch mit Hölderlin. Die Idylle
also des oberen Donautals, Ort des sicheren Überlebens, während fast
überall in Deutschland die apokalyptischen Reiter das Verderben
brachten, wird von Heidegger, nach Freiburg zurückgekehrt, weiter-
webend fortgedacht. Er lebt in dem, was er am 27. Juni 1945 einem seltsam zusammengewürfelten Auditorium – dem sächsisch-meiningi-
schen Prinzenpaar, Fakultätskollegen, Studenten, Bediensteten – im
Forsthaus zu Hausen bei Beuron vortrug, ein Hölderlin-Wort zugrun-
delegend: »Es concentrirt sich bei uns alles auf's Geistige, wir sind arm
geworden, um reich zu werden.«[28] Es sollte übrigens seine letzte Vorlesung in der Position eines ordentlichen Professors der Philosophie
sein.

Im Fortgang der Korrespondenz zwischen Heidegger und Stadelmann, die auf dem Hintergrund der in Freiburg sich abzeichnenden
Amtsenthebung Heideggers zu sehen ist, gelangt der Philosoph zu weiteren grundsätzlichen Feststellungen: Sie kreisen um die Frage der Heidegger-Rezeption durch französische Intellektuelle und um die Position des Heideggerschen Denkens und der deutschen Gegenwart.

---

[28] Vgl. Ott 1985.

Nach Heideggers Urteil stellte sich eine paradoxe Situation dar: In Frankreich, zumal in Paris, und bei der Militärregierung in Baden-Baden wurde er als »Modephilosoph« gegen die engstirnigen und illiberalen »Landsleute« hochgehalten. Er wurde zu Beiträgen in wichtigen französischen Zeitschriften eingeladen.

Mit verhaltenem Stolz berichtete er nach Tübingen, die Franzosen wüßten, daß seine philosophische Arbeit in Frankreich »das Denken und vor allem die Haltung der Jugend in geistigen Dingen bestimmt und erregt«. Kürzlich sei er von der *Revue Fontaine* aufgefordert worden, noch nicht übersetzte Schriften, unveröffentlichte Arbeiten und Vorlesungen zur Verfügung zu stellen. In der Tat hatte Ende September 1945 der junge Leutnant Edgar Morin, damals der KPF nahestehend, einen Brief des Herausgebers der *Revue Fontaine*, Max-Pol Fouchet, Heidegger persönlich überbracht, autorisiert sogar vom Chef des Presse- und Informationsamtes in Baden-Baden, General Arnaud.[29] Ja, Heidegger wurde gebeten, Stellung zu beziehen, zur gegenwärtigen politischen Lage oder zur Philosophie in Frankreich.

»Solche Einflußnahme unseres Denkens in Frankreich wage ich erst dann, wenn gleichzeitig mir die Möglichkeit gegeben wird, für die Deutschen meine Arbeit zugänglich zu machen.« (Brief vom 30. November 1945). Die Landsleute indes wollten ihn nicht mehr haben. Das Klima in der Universität Freiburg wurde immer eisiger. Die eigene Fakultät hielt sich bedeckt, während man sich »in den Kreisen der Theologischen Fakultät und des Erzbischofs« inzwischen eines anderen besonnen habe und verstehen lerne, »daß hinter dem vermeintlichen ›Nihilismus‹ etwas ganz anderes steht, da ja doch auch der weise Meister Eckhart schon vom Nichts der Gottheit gesprochen«. In diesen Kreisen aber weilten Gefährten seiner frühen katholischen Jahre – wir werden sie noch genauer kennenlernen –, der Erzbischof Dr. Conrad Gröber etwa, sein Meßkircher Landsmann, steter Förderer von den Anfängen, der »väterliche Freund«, der ihn auf den Weg des Denkens gebracht hatte, ihm »Stab und Stecken« reichend. Jetzt, da viele ihn verließen, ihm die Lehrkanzel entrissen wurde, fand Heidegger nach manchen Kehren auch wieder zur Tür der katholischen Herkunft, zumin-

---

[29] Die einschlägigen Papiere in meinem Besitz aus dem Nachlaß von Clemens Bauer. Edgar Morin ist 1946 durch das Buch *L'an zero de l'Allemagne* bekannt geworden. Später schwor er der KP ab. Heute ist er als Forschungsdirektor am ›Centre National de la Recherche Scientifique‹ in Paris tätig.

dest dort anpochend, ohne dann doch in den katholischen Raum einzutreten, d.h. reuig zurückzukehren.

In dieser komplexen Isolation gab es für ihn eigentlich nur noch die Trotzreaktion: Er könne zuwarten, doch sei die Frage, »ob die *Jugend* und ob die *heutige geistige Lage der Deutschen* warten können« (30. November 1945). Als die existentielle Not für Heidegger in den Tagen vor Weihnachten 1945 sich überdeutlich abzuzeichnen begann, griff er nach dem letzten Rettungsanker: der früheren Freundschaft mit Karl Jaspers eingedenk bat er um eine gutachterliche Äußerung dieses Fachkollegen, mit dem der Kontakt über Jahre hinweg abgebrochen war, der jetzt hochgefeiert auf seinen Heidelberger Lehrstuhl zurückgekehrt war und eine Praeceptor Germaniae-Funktion in Heidelberg ausübte. Doch das vorweihnachtliche Gutachten von Jaspers (22. Dezember 1945) fiel für den einstigen Freund und Konkurrenten vernichtend aus: Nicht geeignet für die Erziehung der akademischen Jugend, da Heideggers Denkungsart ihrem Wesen nach unfrei, diktatorisch, kommunikationslos sei und gegenwärtig in der Lehrwirkung verhängnisvoll wäre.[30] Heidegger, aus dem Lehramt gestoßen, verabschiedete sich am 23. Januar 1946 von der Tübinger Korrespondenz mit Stadelmann: »Ich habe das Gefühl, daß noch einmal hundert Jahre der Verborgenheit nötig sind, bis man ahnt, was in Hölderlins Dichtung wartet«, mit einem Vers Hölderlins aus *Mnemosyne* schließend:

> › ... *Lang ist*
> *Die Zeit, es ereignet sich aber*
> *Das Wahre*‹.

---

[30] Das Original des Gutachtens in meinem Besitz.

Zweite Wegweisung:
Der beständige Advent

Eigentlich erhielt die in der einschlägigen Publizistik oft ventilierte (vordergründige) Argumentation Heideggers zu seiner Verteidigung erste Konturen im Mai 1945, nur wenige Tage nach der kampflosen Übergabe Freiburgs an die französischen Truppen. Dabei weilte der Professor – wir haben es soeben ausgeführt – während dieser schweren Umbruchzeit gar nicht in der Universitätsstadt, sondern im oberen Donautal, dort, wo er den Wurzelgrund seiner Existenz hatte und sah. Doch in die fast idyllische Ruhe der jungen Donau drang die Kunde, das Haus am Rötebuck in Freiburg solle als Parteiwohnung beschlagnahmt werden, denn Heidegger gelte der französischen Kommandantur als »nazi typique«.

Frau Elfride Heidegger versuchte stellvertretend für ihren Mann, die Gefahr abzuwenden, darauf insistierend, der Philosoph sei mitnichten so sehr in das Dritte Reich verstrickt gewesen, daß derartige Maßnahmen gerechtfertigt seien. Nach der Rückkehr von seinem jetzigen Dienstort werde Heidegger sich eingehender äußern.

Das tat er im Juli 1945, jetzt freilich schon im Visier der *épuration*, vorgeladen vor den sogenannten Bereinigungsausschuß der Universität Freiburg, welcher von den Franzosen initiiert worden war im Rahmen der universitären Autonomie. Heidegger mußte sich nach mehreren Seiten verteidigen. In den folgenden Monaten formulierte er Stück für Stück die entlastenden Momente, die er dann im November 1945 in eine zusammenfassende Stellungnahme umgoß, in der Kern und Gerüst aller nachmaligen Verlautbarungen enthalten waren, sei es das 1966 aufgenommene, auf seinen Wunsch hin erst nach seinem Tod 1976 veröffentlichte *Spiegel*-Gespräch »Nur noch ein Gott kann uns retten«, sei es der 1983 postum publizierte Rechenschaftsbericht über das Rektorat, mit dem bezeichnenden Untertitel *Tatsachen und Gedanken*. Der Denker Martin Heidegger ist also postum in ganz besonderer Weise gegenwärtig.

All dies indes spielt nicht nur auf der nationalen Bühne, nein, die internationale weltweite Szenerie bildete und bildet den Schauplatz. Es gibt ein weites Netz von Heidegger-Kreisen, neuerdings in Heidegger-Gesellschaften organisiert. Sie werden tätig, wenn es gilt, aufkommenden Attacken zu begegnen. So verwunderte den Insider auch nicht, daß *Tatsachen und Gedanken* sehr schnell durch Übersetzungen im franko- und anglophonen Sprachraum Verbreitung fand – gleichsam als das letzte Wort des Philosophen, zugesprochen all jenen, die seine politische Verstrickung anders und schwerwiegend sehen.

Nun steht außer Frage, daß die Tendenz zur Verharmlosung der politischen Vergangenheit des Philosophen seit langem nicht mehr durchgehalten werden konnte, wenn einschlägige Forschungsergebnisse zur Kenntnis genommen wurden. Persönlich mit diesbezüglichen Untersuchungen befaßt, motiviert, wie schon erwähnt, durch eben jene 1983er Veröffentlichung, stellte ich fest, daß die Rezeption der methodisch gesicherten Erkenntnisse nur langsam, spärlich und gefiltert verlief – im Grunde blieben weite Gebiete regelrecht abgeschottet.[31]

Heideggers Argumentationslinie in *Tatsachen und Gedanken* ist unhaltbar sowohl hinsichtlich des Chronologischen, des Faktischen als auch des Begründungszusammenhangs. Heidegger ist – beispielsweise – nicht mehr oder weniger zufällig und sich gewissermaßen für die Freiburger Universität opfernd (um Schlimmeres zu verhüten) ins Amt des Rektors gelangt, wie von ihm behauptet. Vielmehr: nach genauem Plan eines kleinen Kaders nationalsozialistischer Professoren an der Universität Freiburg sollte er, jetzt ihr Vertrauensmann für das Karlsruher Ministerium und die Berliner Stellen, in die führende Position gebracht werden. Ja, selbst der Termin seines Eintritts in die NSDAP wurde unter taktischen Gesichtspunkten festgelegt.

Heidegger war der nationalsozialistischen Bewegung schon länger verbunden, vor allem über die studentischen Gruppierungen des

---

[31] Dies gilt vor allem für Frankreich, genauer gesagt: Was sich in diesem Land seit einiger Zeit bewegt, ausgelöst durch das dort 1987 erschienene Buch von Victor Farias, *Heidegger et le nazisme*, wäre eine eigene Untersuchung wert.

Nationalsozialistischen Deutschen Studentenbunds (NSDStB). Er kannte zum Beispiel den Führer der Deutschen Studentenschaft (diese Organisation war längst vor 1933 unter die Kontrolle der national-sozialistischen Studenten geraten), Gerhard Krüger, oder den Karls-ruher Dr. Stäbel, Kreisführer des NSDStB Kreis VI (Südwestdeutsch-land).

Mit feiner Witterung nahm der in Badenweiler lebende Dichter Re-né Schickele, »citoyen français und deutscher Dichter« (Selbstcharakte-risierung), die innere Wandlung Heideggers auf, am 2. August 1932 in seinem Tagebuch notierend: »In Freiburger Universitätskreisen erzählt man sich, Heidegger verkehre nur noch mit Nationalsozialisten (Kann's nicht glauben, muß bei nächster Gelegenheit nachfragen).«[32] Aber: was hatte diese parteipolitische Nähe mit seinem Denken zu tun? Die Grundfrage schlechthin, immer und immer wieder gestellt.

Für den *Denker* Heidegger war der Advent 1932, die Zeit christli-cher Hoffnung auf das Kommen des Herrn, säkularisiert die Erwar-tung einer Wende: »Ob es gelingt, für die kommenden Jahrzehnte der Philosophie einen Boden und einen Raum zu schaffen, ob Menschen kommen, die in sich eine ferne Verfügung tragen?« – so schrieb er am 8. Dezember 1932 an Karl Jaspers nach Heidelberg.[33] Wer wohl sollten diese Menschen sein, »die in sich eine ferne Verfügung tragen«? Und was wohl bedeutete diese dunkle »ferne Verfügung«? Jaspers vermoch-te dies alles nicht zu identifizieren. Wie sollte er auch, da dem eher Nüchternen diese denkerische, fast magisch zu nennende Dimension Heideggers verborgen blieb. Die Rektoratsrede des Philosophen vom 27. Mai 1933 indes nimmt die »ferne Verfügung« ganz zentral auf (drei-mal verwendet), sie mit dem Anfang im Aufbruch der griechischen Phi-losophie verwebend.[34]

»Der Anfang *ist* noch. Er liegt nicht *hinter uns* als das längst Gewesene, sondern er steht *vor* uns. Der Anfang *ist* als das Größte im voraus über alles Kommende und so auch über uns schon hinweggegangen. Der Anfang ist in unsere Zukunft eingefallen, er steht dort als die ferne Verfügung über uns, seine Größe wieder einzuholen.«

---

[32] René Schickele, *Werke in drei Bänden*, Köln/Berlin 1959, S. 1040.
[33] Nachlaß Karl Jaspers im Deutschen Literaturarchiv Marbach a. N.
[34] Die Rektoratsrede erschien als Heft 11 der Freiburger Universitätsreden 1933 und zugleich im Verlag G. W. Korn, Breslau. – Sie erlebte dort 1934 eine 2. Auflage. – 1983 wurde sie, leicht überarbeitet, von Hermann Heidegger zusammen mit dem Rechenschaftsbericht Martin Heideggers bei Vittorio Klostermann neu herausgegeben (Heidegger 1983).

Jetzt im revolutionären Aufbruch des neuen Reiches war für Heidegger fraglos, wer die Menschen waren, die »in sich eine ferne Verfügung tragen«. Er, der Denker des Anfangs, »des ursprünglich zu eröffnenden Seins«, konnte daher auch nicht irren, – und das ist von zentraler Bedeutung, da er, vielleicht allein und einzig die innere »Wahrheit und Größe« der Bewegung denkerisch erfuhr (1935: *Einführung in die Metaphysik),* die sich denen, die Nationalsozialisten hießen, jedoch nicht (mehr) eröffnete. Alles Lamentieren und Räsonieren, alle vordergründig nur zu erklärenden Schuldvorwürfe, die nach 1945 ihm entgegenschlugen: »gleichgültig«, »unfruchtbares Wühlen«, »nicht einmal winzig« zu nennen, wie Heidegger in der 1983er Veröffentlichung vernichtend für seine Kritiker verlautbart – ein für allemal!

Denn nicht um solch Vordergründiges kann es sich handeln, vielmehr muß Heideggers Denken in der Kategorie des Adventlichen, ein durchgängiges Motiv bei ihm, in die Mitte gelangen: Das beansprucht der Philosoph in den wenigen Zeugnissen, die er nach 1945 an die Öffentlichkeit gelangen ließ, etwa in einem Leserbrief an *Die Zeit* vom Sommer 1953: Wer das Handwerk des Denkens gelernt habe, habe ihn in seinen Vorlesungen verstanden – »die Hörenden unter den Hörern«[35] – oder in einem Leserbriefentwurf an die *Süddeutsche Zeitung* vom 24. Juni 1950 (nicht abgeschickt), als er massive Vorwürfe gegen ihn aus dem Münchner Stadtrat und dem Bayerischen Landtag zurechtrücken wollte.

Sicher zählte Heidegger hierzu seine 1940/41 vorgetragene Interpretation der Hölderlin-Hymne »Wie wenn am Feiertage …«, deren zentrale Verse ausgelotet werden: »Jetzt aber tagts! Ich harrt und sah es kommen,/Und was ich sah, das Heilige sei mein Wort.« – Da wird sehr im Unterschied zur Rektoratsrede von 1933 das Heilige gefaßt, das in seinem Kommen einen anderen Anfang einer anderen Geschichte gründe. Das Heilige entscheide anfänglich zuvor über die Menschen und über die Götter, dieser Advent also, ist für Heidegger Geschichte, eigentliche Geschichte. Geschichte aber ist selten, ist der *kairos,* »wenn je das Wesen der Wahrheit anfänglich entschieden wird.« Wahrheit aber ist die Entbergung des Seins. Als Heidegger Hölderlin deutete, immer wieder seit 1936, blieb diese künftige Geschichte,

---

[35] *Die Zeit* Nr. 39, 24. 9. 1953.

immer noch Advent. Er schloß 1940/41 die Vorlesung: »Dies Wort ist, noch ungehört, aufbewahrt in die abendländische Sprache der Deutschen.«[36]

Noch wuchtiger meißelt der Sprachgewaltige seine Sätze in einem Brief an Karl Jaspers vom 8. April 1950 – mühsam genug hatte der seit 1948 in Basel lebende und lehrende einstige Freund vor Jahresfrist die Brücke nach Freiburg geschlagen, um dem des Lehramts Enthobenen die Hand zu reichen –:

»Trotz allem, lieber Jaspers, trotz Tod und Tränen, trotz Leid und Greuel, trotz Not und Qual, trotz Bodenlosigkeit und Verbannung, in dieser *Heimatlosigkeit* ereignet sich nicht nichts; darin *verbirgt sich ein Advent*, dessen fernste Winke wir vielleicht doch noch in einem leisen Wehen erfahren dürfen und auffangen müssen, um sie zu verwahren für eine Zukunft, die keine historische Konstruktion, vor allem nicht die heutige, überall technisch denkende, enträtseln wird.«

1932, 1939/40, 1950 – ein Kontinuum für jeden, der mitdenken kann. Für Jaspers waren solche Sätze Ausdruck einer ahnenden und dichtenden Philosophie. Der Advent im ausgehenden Jahr 1932 schien sich zu verwirklichen, als die deutschen Universitäten zum Sommersemester 1933 rüsteten und Heidegger, inzwischen der Vertrauensmann des kleinen Kaders nationalsozialistischer Hochschullehrer der Freiburger Universität für die Regierungs- und Parteiebene in Karlsruhe wie in Berlin, nach Informationen trachtete, wie denn die Universitäten im allgemeinen Strukturwandel der Gleichschaltung behandelt werden sollten. Heidegger, am 18. März 1933 zum letzten Mal zu einem längeren Besuch bei Jaspers in Heidelberg, sei schneller als ursprünglich geplant abgereist. »Man muß sich einschalten«, habe er angesichts der sich überschlagenden Entwicklung der nationalsozialistischen Realität gesagt, wie Jaspers in seiner Autobiographie festhält. Er habe sich gewundert und nicht weiter gefragt. Unwahrscheinlich, daß in Heidelberg das Thema schlechthin tabuisiert war. Sonst verstünden sich die Eingangssätze des Heideggerschen Briefes, in dem er für den Heidelberger Aufenthalt dankt, vom 3. April 1933 nicht, in denen das Tableau entfaltet wird: »Ich hoffte immer noch, irgendwelche bestimmte Nachrichten über die Pläne der Umgestaltung der Universitäten zu erhalten. Baeumler schweigt sich aus; sein kurzer Brief macht den Eindruck, als sei er verärgert. Von Krieck in Frankfurt ist gleichfalls nichts zu erfah-

---

[36] *Hölderlins Hymne: Wie wenn am Feiertage*, Frankfurt/M. 1941 (bei Vittorio Klostermann).

ren. Karlsruhe rührt sich nicht.« Da muß doch sehr erheblich diskutiert worden sein, auch darüber, welcher Stellenwert der Philosophie künftig zufalle: »So dunkel und fragwürdig Vieles ist, so spüre ich immer mehr, daß wir in eine neue Wirklichkeit hineinwachsen und daß eine Zeit alt geworden ist. Alles hängt daran, ob wir der Philosophie die rechte Einsatzstelle vorbereiten und ihr zum Werk verhelfen.«

Dieser Advent des Jahres 1932, der Menschen heraufführte, die eine »ferne Verfügung« in sich trugen: den Führer und seine Mitführer. Da fallen die entscheidenden Namen: Alfred Baeumler und Ernst Krieck – neben Martin Heidegger. Baeumler »schweigt sich aus« – verärgert. Auch bei Krieck ist nur Funkstille! – Mit diesen Namen werden wir noch zur Genüge konfrontiert.

Dritte Wegweisung:
Dialog ohne Kommunikation

Das Bild von dem träumenden Knaben schien Heidegger sehr zuzusagen, ein Bild, mit dem Jaspers im Frühjahr 1950 in einem Brief an seinen früheren langjährigen Freund dessen Verhalten »den nationalsozialistischen Erscheinungen gegenüber« zu kennzeichnen versuchte: »Wie ein Knabe, der träumt, nicht weiß, was er tut, wie blind und wie vergessend auf ein Unternehmen sich einläßt, das ihm so anders aussieht als es in der Realität ist, dann bald ratlos vor einem Trümmerhaufen steht und sich weitertreiben läßt.« (20. März 1950)[37] Diese Charakterisierung hielt Jaspers für angemessen, nachdem Heidegger – endlich – zu einer Art Schuldbekenntnis gefunden hatte: Er sei, so schrieb Heidegger am 7. März 1950 an Jaspers in das nahe und doch so ferne Basel, seit 1933 nicht deshalb nicht mehr in das Jasperssche Haus gekommen, weil dort eine jüdische Fraue wohnte, sondern weil er sich »einfach schämte«. Seitdem habe er nicht nur Jaspers' Haus, sondern auch die Stadt Heidelberg nie mehr betreten und werde nicht hinkommen, bevor er Jaspers »nicht in der guten, aber immer schmerzlich bleibenden Weise wieder begegnet« sei.

Indes: die Wege beider Philosophen sollten sich nie mehr kreuzen – weder in Freiburg noch in Heidelberg noch in Basel noch andernorts, nicht einmal auf dem Bahnsteig des Freiburger Bahnhofs, wohin Heidegger kommen wollte, wenn Jaspers im Sommersemester 1950 zu Vorlesungen rheinabwärts nach Heidelberg führe. Er solle ihn doch die Zeit wissen lassen, damit er dem Durchfahrenden »wenigstens die

---

[37] Nachlaß Karl Jaspers, Deutsches Literarchiv Marbach a. N.

Hand wieder« drücken könne. Denn Station werde Jaspers wohl kaum in Freiburg machen wollen. Nicht einmal die fahrplanmäßige Zeit ließ Jaspers wissen, hüllte sich vielmehr in langes Schweigen, um zwei Jahre später den philosophischen und damit den eigentlichen Dialog brüsk einseitig und unzweideutig für beendet zu erklären, er, der gefeierte Philosoph, zu dem nach Basel alle Welt wallfahrte, dem die Brüche im Leben und Denken erspart zu sein schienen, der keine Schuld aus politischer Verstrickung auf sich geladen und also zu sühnen hatte: Jaspers stand nicht am Pranger.

Was dann noch blieb: die unverbindliche Post zu den Geburtstagen, den runden vor allem. Es war 1950 nicht geglückt, die Kommunikation zwischen den beiden Großen so herzustellen, daß sie beständig und ohne wesentliche Störung aufrecht erhalten werden konnte. Zuviel stand zwischen denen, die einstmals wähnten, die Philosophie in Deutschland in einem Duumvirat zu repräsentieren, in der Form »einer seltenen und eigenständigen Kampfgemeinschaft«, wie Heidegger seit 1922 Jaspers gegenüber immer drängender forderte, »Ernst mit Philosophie und ihren Möglichkeiten als prinzipieller Forschung« zu machen, die »Kritik der bisherigen Ontologie an ihrer Wurzel in der griechischen Philosophie, und besonders des Aristoteles« ins Werk zu setzen (Heidegger an Jaspers 27. Juni 1922). Zuviel stand nun zwischen den beiden, die seit 1920 sich stetig näher kamen, der jüngere bewegliche, aber doch im letzten verschlossene Süddeutsche und der ältere gestandene, aber schwerfällige und kühle Oldenburger, zu guter Letzt im Lauf eingeholt, überholt, ja vielleicht überrundet von dem vorwärts drängenden Heidegger, der über *Sein und Zeit* zur Weltberühmtheit aufstieg. Er diskutierte mit Ernst Cassirer 1929 in Davos, erhielt 1930 einen Ruf auf den von Jaspers begehrten Lehrstuhl in Berlin – »die größte Ehre, die einem Universitätsphilosophen beschieden ist«, wie ihm Jaspers gratulierte –, und konnte sich sogar die Ablehnung dieses Rufes leisten. Damals hoffte Jaspers auf Heideggers Kommen nach Heidelberg – an die Universität, damit sich entscheide, ob beide in der Lage seien, »communicativ auch in radikalster Diskussion zu philosophieren« oder in den alten Geleisen weiterzufahren (Jaspers an Heidegger 24. Mai 1930) – eine Zweisamkeit, der jedoch beide aus dem Weg gingen! Es blieb nur bei den unverbindlichen brieflichen Verlautbarungen.

Zuviel hatte sich ereignet seit 1933, als daß Heidegger sich in Jaspers' Augen allein mit dem Wort »Scham« hätte reinwaschen können.

Es mußten wesentlichere Erklärungen folgen und Klärung und Erlösung bringen. Doch diese lösenden, ja erlösenden Worte wurden nicht gesprochen. Dafür wurde ein Geflecht von Entschuldigungen hergestellt und auch dem Freund von ehedem als Verteidigung vorgeführt, eine Verteidigung, die freilich hier völlig ins Leere fiel: Jaspers glaubte, durch die Zusendung seiner Schrift über die »Schuldfrage« mit Heidegger in ein erhellendes Gespräch eintreten zu können: »Nun geht mir Ihr Wort von der ›Scham‹ oft durch den Sinn. Ich denke mir, vielleicht könnte Sie meine alte Schrift interessieren, ja sie könnte Ihnen in ihrem eigentlichen Impuls verständlich sein. Darum schicke ich sie Ihnen.« (25. März 1950)

Heideggers Antwort war eine kleinliche Verteidigung, aufgebaut auf Faktenbehauptungen, die für sich genommen schon teilweise schief waren, im Zusammenhang indes überhaupt keinen zureichenden Stellenwert erlangten – ein Kartenhaus! Die Jaspersche »Schuldfrage« vordergründig aufgreifend formulierte Heidegger in relativierender Weise: »Die Schuld des Einzelnen bleibt und ist bleibender, je Einzelner er ist. Aber die Sache des Bösen ist nicht zu Ende. Sie tritt erst ins eigentliche Weltstadium.« Die Sache des Bösen waren ihm Stalin und das bolschewistische Rußland. Stalin gewinne jeden Tag eine Schlacht, ohne einen Krieg erklärt zu haben. Nicht jedermann sehe das, nicht nur die Hellsichtigen – also der Philosoph Heidegger beispielsweise, der »jetzt daran« sei wie zuvor »die Juden und die Linkspolitiker als die unmittelbar Bedrohten« – seien gefordert: »Für uns gibt es kein Ausweichen. Und jedes Wort und jede Schrift ist in sich Gegenangriff, wenn all dies sich auch nicht in der Sphäre des ›Politischen‹ abspielt, die selber längst durch andere Seinsverhältnisse überspielt ist und ein Schattendasein führt.« (Brief vom 8. April 1950)

Heidegger brauchte die Folie Hitler – übrigens nennt er den „Führer" in der gesamten Nachkriegskorrespondenz mit Jaspers kein einziges Mal – und die Folie Nationalsozialismus nicht sonderlich hervorzuheben, da dies alles nur ein Vorspiel war, allenfalls, denn die Sache des Bösen trete erst jetzt ins eigentliche Weltstadium. Bedroht sei er auch in den Jahren 1937 und 1938 gewesen – Tiefpunkt für ihn – und dementsprechend hellsichtiger geworden, auch verzweifelt, da er versuchte, seine geschichtliche Einsicht zu gewinnen, den kommenden Krieg vor Augen, der nach den heranwachsenden Söhnen griff. »Dann kamen die Judenverfolgungen; alles ging dem Abgrund zu. An einen ›Sieg‹ haben wir nie geglaubt; und wenn es dahin gekommen wäre, wären wir zuerst gefallen.« Welche Aussagen, deren Glaubwürdigkeit offen bleiben muß!

An solcher Entwicklung am Anfang unmittelbar oder mittelbar mitgewirkt zu haben als träumender Knabe, ahnunglos, freilich für wenige Monate gleichsam in einen Machtrausch geraten, das erzeuge ein Gefühl der Scham, die von Jahr zu Jahr gewachsen sei, »je mehr das Bösartige herauskam«. Doch er habe mit dem protestartigen Rücktritt vom Rektorat im Februar 1934 ein Zeichen gesetzt, etwas gewagt, was »an den hiesigen Universitäten keiner ... gewagt hat«, auch wenn dieser Schritt eines Einzelnen angesichts der totalen Organisation der öffentlichen Meinung nichts mehr vermochte. (Hier schon wieder die peinlich genaue Eingrenzung des politischen Engagements: von da bis da.) Umso härter habe ihn getroffen, was seit 1945/46 und eigentlich bis zur Stunde gegen ihn unternommen worden sei – von einer Öffentlichkeit, die nicht die Ohren hatte zu hören, was er sagte, weil der Hörenden nur wenige waren.

Solches Verhalten, ja regelrecht solche Attitüde, war in jenen Jahren Heidegger gewissermaßen zur zweiten Natur geworden; für manche Belege stehe der Entwurf eines Leserbriefes an die *Süddeutsche Zeitung* in München vom Sommer 1950, als es darum ging, Stellung zu beziehen gegen Attacken aus dem Münchner Stadtrat. Heidegger war damals zu einem Vortrag bei der »Akademie der Schönen Künste« eingeladen worden[38] – sein erstes öffentliches Auftreten nach 1945: Wieder die Minimierung seines politischen Engagements – politischer Irrtum, wie er auch von höchsten geistlichen und weltlichen Würdenträgern begangen worden sei, »in Hitler und seiner Bewegung aufbauende Kräfte für unser Volk zu sehen und mich dazu zu bekennen« –, Betonung der inneren Widerstandshaltung nach der Niederlegung des Rektorats: »Ich habe seitdem, das heißt während der letzten zehn Jahre meiner akademischen Lehrtätigkeit bis zum Herbst 1944, in einer immer schärfer werdenden geistigen Auseinandersetzung bzw. Kritik an den ungeistigen Grundlagen der ›nationalsozialistischen Weltanschauung‹ gestanden.« Auch hier die antikommunistische Spielart: »Wo Verbrechen geschehen sind, müssen sie gesühnt werden. Wie lange aber will man noch fortfahren, diejenigen, die sich kurze oder auch längere Zeit politisch geirrt

---

[38] Vgl. das Nähere bei Petzet 1983, S. 74 ff.

haben, immer neu in der Öffentlichkeit zu diffamieren und dies in einem Staat, nach dessen Verfassung jeder Mitglied und Kämpfer der Kommunistischen Partei sein kann. Eine seltsame Verblendung betreibt auf diese Weise die Zermürbung und die innere Auflösung der letzten substantiellen Kräfte unseres Volkes.« – Heidegger gewissermaßen ein Vorläufer des Radikalenerlasses.

Dies war die Verteidigungslinie, die Heidegger 1945 nach der politischen und nationalen Katastrophe, nach seinem eigenen tiefen Fall ins Bodenlose aufgebaut hatte und an deren Verfestigung er unablässig arbeitete. Schon in der umfangreichen Rechtfertigungsschrift vom 4. November 1945 an das Rektorat der Universität Freiburg führte er abschließend aus, einen Widerstandsbegriff stilisierend:

>Ich rechne mir den in den letzten elf Jahren geleisteten Widerstand zu keinem besonderen Verdienst an. Wenn aber immer die allzu grobe Behauptung aufgestellt wird, durch mein Rektoratsjahr seien viele Studierende zum ›Nationalsozialismus‹ verführt worden, dann verlangt die Gerechtigkeit, wenigstens auch dies anzuerkennen, daß ich in den Jahren zwischen 1934 und 1944 Tausende von Hörern durch meine Vorlesungen zu einer Besinnung auf die metaphysischen Grundlagen unseres Zeitalters erzogen und ihnen für die Welt des Geistes und seiner großen Überlieferung in der Geschichte des Abendlandes die Augen geöffnet habe.«

In diesem Jahr 1950 aber, von dem wir ausgegangen sind, als sich die politische und wirtschaftliche Stabilisierung der in der Bundesrepublik Deutschland zusammengefaßten westlichen Besatzungszonen abzuzeichnen begann, hatte auch für Heidegger die Revision des harten, durch die französische Militärregierung verhängten Verdikts – Entlassung aus dem Amt mit Lehrverbot – sich herausgeschält, freilich nicht im Sinne des Philosophen, der allein die Wiedereinsetzung in das Ordinariat als die gültige Form der Wiedergutmachung wertete, was ihn aus der Vereinsamung genommen hätte. Was ihm blieb: das Wächteramt des Denkens mit der Aufgabe des Ausharrens »gegen den Dogmatismus jeder Art«, ohne Hoffnung freilich auf Wirkung. Aus der Einsamkeit als der einzigen »Ortschaft, an der Denkende und Dichtende nach menschlichem Vermögen dem Sein bei-stehen«, grüßte Heidegger schon im Juni 1949 den in Basel lehrenden Jaspers, als ihm zugetragen worden war, Jaspers habe den brieflichen Kontakt zu knüpfen versucht, ohne daß dieser erste Brief in Freiburg direkt angelangt wäre. In der Tat: Jaspers, dem Heidegger »durch seine öffentliche Wirksamkeit als Nationalsozialist zum geistigen Feind geworden war«[39], bewahrte sich in Erinnerung an die zwanziger Jahre die innere Bereitschaft, mit Heidegger ins Gespräch zu treten – wenigstens bis in die frühen fünfziger Jahre. Aber: die geistige Feindschaft! Und die Weigerung Heideggers!

Was Jaspers in seiner Philosophischen Autobiographie nur anmerkte und einer späteren Veröffentlichung vorbehielt, nämlich die vernichtende – gutachterlicher Stellungnahme vom 22. Dezember 1945 zum Fall Heidegger, soll hier im Vorgriff auf spätere Einbindung in den größeren Zusammenhang umrissen werden.

»Ich hatte gehofft, schweigen zu können außer zu vertrauten Freunden. So dachte ich seit 1933, als ich nach der furchtbaren Enttäuschung still zu sein beschloß in Treue zu guten Erinnerungen. Das wurde mir leicht, weil Heidegger bei unserem letzten Gespräch 1933 seinerseits auf heikle Fragen schwieg oder ungenau – besonders in der Judenfrage – antwortete, und weil er seine durch ein Jahrzehnt regelmäßigen Besuche nicht fortsetzte, so daß wir uns nicht wiedergesehen haben. Er schickte mir zwar bis zuletzt seine Publikationen, nach meinen Zusendungen hat er 1937/38 nicht mehr den Empfang bestätigt. Jetzt hoffte ich nun erst recht, schweigen zu können«.

So schrieb Karl Jaspers am 22. 12. 1945 an den gleich ihm jüdisch versippten Freiburger Biologen Oehlkers, Mitglied des Bereinigungsausschusses der Freiburger Universität, auf Bitten Heideggers wie des Ausschusses ausführlich gutachtend.[40] Jaspers war freilich damals nicht bekannt, wie sehr Heidegger 1936 in der Nietzsche-Vorlesung mit dem Jaspersschen Philosophieren abgerechnet hatte, verdiktartig, weit über die sachliche Auseinandersetzung der Nietzsche-Interpretation hinausgehend: »Weil Jaspers im innersten Grund das philosophische Wissen nicht mehr ernst nimmt, gibt es kein wirkliches Fragen mehr. Philosophieren wird zur moralisierenden Psychologie der Existenz des Menschen«.[41]

Jaspers, nach dem Zusammenbruch fürwahr zentral mit der Schuldfrage umgehend, urteilte hart: Heidegger, dessen philosophischen Rang er auf interessante Weise charakterisierte, müsse zur Verantwortung gezogen werden, da er zu den wenigen Professoren gehöre, die mitgewirkt haben, »den Nationalsocialismus in den Sattel zu setzen«. Amt und Lehrtätigkeit dürfe Heidegger für einige Jahre nicht fortsetzen, wohl aber die wissenschaftliche Arbeit in der »Bereitstel-

---

[39] Jaspers 1977, S. 102.
[40] Den vollständigen Wortlaut s. u. S. 315ff.
[41] *Nietzsche: Der Wille zur Macht als Kunst*, Gesamtausgabe Band 43, S. 26 f.

lung einer persönlichen Pension«. Für Jaspers war eine spätere Revision denkbar, wenn Heidegger sich gewandelt habe und die akademischen und politischen Zustände sich gefestigt hätten. Jetzt freilich sei »die Erziehung der Jugend mit größter Verantwortung zu behandeln«, eine volle Lehrfreiheit sei unmittelbar nicht herzustellen.

»Heideggers Denkungsart, die mir ihrem Wesen nach unfrei, diktatorisch, communikationslos erscheint, wäre heute in der Lehrwirkung verhängnisvoll, mir scheint die Denkungsart wichtiger als der Inhalt politischer Urteile, deren Aggressivität leicht die Richtung wechseln kann. Solange in ihm nicht eine echte Wiedergeburt erfolgt, die sichtbar am Werk ist, kann m. E. ein solcher Lehrer nicht vor die heute innerlich fast widerstandslose Jugend gestellt werden. Erst muß die Jugend zu selbständigem Denken kommen.«

Heidegger kannte das Jasperssche Gutachten vom 22. Dezember 1945, das wesentlich zur Schwere der Sühnemaßnahmen beigetragen hat, wenigstens in wichtigen Partien, wenn nicht umfassend. Jaspers tat sich nicht leicht mit der Bereitschaft zu gutachterlicher Stellungnahme. Nur weil Heidegger selbst bei der Bereinigungskommission ihn als Gutachter vorgeschlagen habe, wolle er diesem universitären Organ seine Meinung nicht vorenthalten. Und Jaspers trug schwer an der Sprachlosigkeit – er, der seine ganze Philosophie auf die Kommunikation abgestellt hatte –, die sich zwischen beiden seit Jahren ausgebreitet hatte wie eine gähnende Leere. So konzipierte er noch vor dem Wechsel von Heidelberg nach Basel einen Brief (1. März 1948), der indes nie abgeschickt wurde - wie so manche Briefe Jaspers', jedoch die Grundlage bildete für den Jaspers-Brief vom 6. Februar 1949, der wiederum Martin Heidegger, wir haben es schon erwähnt, zunächst nicht erreichte: Alles in allem das ehrliche Bemühen des Älteren, im Zenit Stehenden, die Hand auszustrecken mit versöhnlicher Geste hin zu dem Geschlagenen, freilich nicht bedingungslos: »Die Dunkelheit wird, wenn nichts Außerordentliches zwischen uns geschehen sollte, eine Voraussetzung bleiben, die nicht hindert, daß im Philosophieren und vielleicht auch im Privaten zwischen uns ein Wort von einem zum andern geht.« (6. Februar 1949)

Das Außerordentliche ereignete sich nicht, wie schon ausgeführt wurde. Heidegger fand nach längerer Korrespondenz lediglich zum Wort »Scham«, das freilich nur im Zusammenhang mit seiner eigenen Leidensgeschichte ausgesprochen wurde. Und Heideggers Formulierungen vom 8. April 1950 zeigen die Aussichtslosigkeit und Ausweglosigkeit, zu einem Minimum von Sätzen zu gelangen als Voraussetzung eines sinnvollen Dialogs. All dessen eingedenk hat Jaspers am 24. Juli 1952, mehr als zwei Jahre nach Heideggers zentralem Brief vom 8. April 1950, zentral in der Sache der Schuldfrage, geantwortet, enttäuscht darüber, daß sein Briefpartner ausgewichen war und sich nicht stellen ließ. Die untilgbare ferne Vergangenheit beschwörend, in der sich zwischen ihnen doch etwas ereignet habe im philosophischen Gespräch der zwanziger Jahre, unterzog er Heideggers Auslassungen einer herben Kritik, die letzlich die Unvereinbarkeit der Standpunkte erkennen läßt und die unüberbrückbare Kluft, die sich zwischen ihnen aufgetan hatte. Heidegger habe in einem wesentlichen, für Jaspers unumgänglichen Punkt nicht geantwortet, nämlich in der Schuldfrage, das Wort von der Scham nicht fortgesetzt. »Was wir beide als Philosophie verstehen, – was wir damit wollen, an wen wir uns damit wenden, wie sie mit dem eigenen Leben verknüpft ist, das alles ist vermutlich schon im Ursprung bei uns außerordentlich verschieden.« Eine Klärung könne nur in einer intensiven Diskussion erfolgen, welche die Kenntnis der jeweiligen philosophischen Arbeiten voraussetze. Jaspers zielt dabei auf eine Schwachstelle ihrer Beziehungen: die ungenügende, also unzureichende Lektüre der beiderseitigen Publikationen, durchgängiges Defizit seit den zwanziger Jahren.

Jaspers, die Ebene des Persönlichen verlassend, griff Heideggers Diktum »Die Sache des Bösen ist nicht zu Ende« auf, die erst ins eigentliche »Weltstadium« trete, personifiziert gleichsam mit Stalin. Solches Lesen habe ihn erschreckt, er sei voller Zorn.

»Mir werden die Fragen dringend: Ist solche Ansicht der Dinge durch ihre Unbestimmtheit Förderung des Verderbens? Wird nicht durch den Schein der Großartigkeit solcher Visionen versäumt, was zu tun möglich ist? Wie kommt es, daß Sie irgendwo ein positives Urteil über den Marxismus drucken lassen, ohne zugleich mit Klarheit auszusprechen, daß Sie die Macht des Bösen erkennen? Und ist diese Macht nicht für jeden von uns dort zu packen, wo sie uns gegenwärtig ist, und für den, der spricht, dadurch, daß er deutlich und konkret spricht? Ist diese Macht des Bösen in Deutschland nicht auch dieses, was ständig gewachsen ist und in der Tat Stalins vorbereitet: die Verschleierung und das Vergessen des Vergangenen?«

Heideggers ahnende und dichtende Philosophie wie in dem Brief ausgedrückt, die Vision eines Ungeheuren bewirkend, sei vielleicht »Vorbereitung des Sieges des Totalitären dadurch, daß sie von der Wirklichkeit sich trennt« – so wie vor 1933 die Philosophie weithin darauf vorbereitet habe, Hitler zu akzeptieren.« Kann das Politische, das Sie für überspielt halten, je verschwinden? Und muß man nicht gerade dies erkennen?« Schon gar nichts anzufangen wußte Jaspers mit dem mysti-schen Diktum der »Heimatlosigkeit«, in der sich ein Advent verberge:

> »Mein Schrecken wuchs, als ich das las. Das ist, soweit ich zu denken vermag, reine Träumerei, in der Reihe so vieler Träumereien, die je an der Zeit – uns dieses halbe Jahrhundert genarrt haben. Sind Sie im Begriff, als Prophet aufzutreten, der aus verborgener Kunde Übersinnliches zeigt, als ein Philosoph, der von der Wirklichkeit weg verführt?, der das Mögliche versäumen läßt durch Fiktionen? Bei dergleichen ist nach Vollmacht und Bewährung zu fragen ...«

Martin Heidegger also ein Verführer – wenn auch nur weg »von der Wirklichkeit«. Immer wieder begegnen wir dem Vorwurf, er habe durch seine verführerische Sprache die Strenge der Begrifflichkeit verlassen und wie ein Zauberer gewirkt.

Doch Karl Jaspers hatte seinen Heidegger gründlich mißverstanden, wenn er von ihm ein Schuldbekenntnis erwartet hatte. Deshalb mußte auch das für Heideggers berufliche Existenz vernichtende Jaspers-Gutachten vom Dezember 1945 ins Bodenlose fallen, da es bei Heidegger auf keinen Grund traf. »Vollmacht und Bewährung«? Derartige Fragen gingen den Philosophen von *Sein und Zeit* nichts an, da Schuld, Verantwortung, Sühne für ihn in einem anderen denn herkömmlichen Kategoriensystem standen. Heidegger konnte allenfalls in der ethischen Kategorie des Seins-Gehorsam denken bzw. begriffen werden, wenn bei ihm überhaupt von Ethik gesprochen werden kann. Schon im Humanismusbrief (1946)[42] sind die Grenzen klar gezogen: Wer wie Heidegger in die Wahrheit des Seins, das heißt in die Lichtung des Seins, vorzudenken versuchte, der hatte den bergenden Ort für die Anwesung des Gottes gefunden, wohin nichts dringt von der Sorge um »Anweisungen für das tätige Leben«, und umgekehrt trifft diesen Denker nicht, was die Handlungen der (technischen) Menschen berührt, er ist also kein Betroffener, keiner, der Schuld auf sich geladen hätte, wird der herkömmliche Schuldbegriff herangezogen. Karl Jaspers, so könnte angenommen werden, kannte seinen Heidegger zuwenig, sonst hätte er früher schon aufgegeben, in ihn zu dringen. Oder kannte er ihn zu genau? Wußte er, daß hinter dem Künder der Wahrheit des Seins der in der Welt da-seiende Mensch Heidegger sichtbar ist, dessen dichterische Philosophensprache in ihrem dunklen Klang mehr verhülle als entberge?

---

[42] In Deutschland erschien die Erstausgabe *(Über den Humanismus)* 1949 bei Vittorio Klostermann (Frankfurt/Main).

Heidegger jedenfalls gab keine unmittelbare Antwort – wie hätte diese auch aus seinem Denken lauten sollen! –, schwieg vielmehr, besiegelte aber anläßlich des 70. Geburtstages von Jaspers im Glückwunschschreiben vom 19. Februar 1953 sein Vermächtnis, bescheiden neben die große wissenschaftliche Öffentlichkeit tretend:

>»Und daneben wird einer Ihren Weg nachzugehen versuchen und zugleich den eigenen prüfen. Er wird gemeinsamer Jahre und schmerzlicher Ereignisse sich erinnern und ein Schicksal verschiedener Versuche des Denkens hinnehmen, die in einer friedlosen und schwankenden Welt sich bemühen, durch ein Fragen auf Wesentliches zu zeigen. Solches Fragen kann so unentwegt sein, daß es auch noch sich selber angeht, um eine Auskunft darüber zu suchen, ob nicht in aller Verschiedenheit der Denkwege eine Nachbarschaft bleibt, die jene Nähe kennzeichnet, in der alle, unkennbar im Grunde und nicht durchschaubar, zueinander stehen, ja aus derselben Sache und Aufgabe her einsam sind. Nehmen sie diesen Gruß eines Wanderers. Er enthält den Wunsch, Sie möchten Kraft und Zutrauen behalten, durch ihr Wirken und Werk den Mitmenschen in die Klarheit des Wesenhaften zu verhelfen.«

Heidegger hat bekanntlich eine umfangreiche, ja gewaltige Korrespondenz aufgebaut, mit vielen Briefpartnern den Dialog geführt – über je unterschiedliche zeitliche Erstreckung und mit je unterschiedlicher Intensität, gewiß. Sein Briefwechsel mit Jaspers mag, so gesehen, in einer bestimmten Relativierung stehen. Aber: er hat seine spezifische Bedeutung deswegen, weil er früh einsetzte, 1920, nachdem die Bekanntschaft in Freiburg im Kreis von Edmund Husserl gemacht worden war; er ist deswegen so hoch einzustufen, weil Heidegger, als er 1923 nach Marburg berufen wurde, auf den Fahrten zwischen Freiburg/Todtnauberg (Hütte) und Marburg – wann immer möglich – in Heidelberg Station machte und bei der Familie Jaspers Gast war – häufig über mehrere Tage hinweg, wie es Karl Jaspers in der philosophischen Autobiographie dargestellt hat und wie dies sehr schön aus dem Briefwechsel der beiden philosophischen Giganten hervorgeht: Heidegger zehrte von den philosophischen Gesprächen mit Jaspers. Die Intensität der Briefe sucht wohl ihresgleichen, und es herrschte eine herzliche Vertrautheit, die ins Private reichte. Aus alledem mag erklärlich sein, warum die Problemstellung aus den Briefquellen destilliert und die Kraft der unmittelbaren Aussage der Briefe illuminierend und erhellend genutzt wurde: es handelt sich um exemplarisches Material. Es stehe dahin, ob in anderer brieflicher Überlieferung das Gewicht der Mitteilungen ähnlich groß ist, zum Beispiel als Heidegger 1935 in einer starken Vereinsamung, ja Isolierung nach langem Schweigen –

mehr als zwei Jahre – den brieflichen Kontakt mit Jaspers suchte, im Ungewissen und Ungefähren herumtappend:

»Auf meinem Schreibtisch liegt eine Mappe mit der Aufschrift ›Jaspers‹. Ab und zu fliegt ein Zettel hinein; auch angefangene Briefe liegen drinnen, Stücke einer Auseinandersetzung gelegentlich des ersten Versuchs, den III. Band der ›Philosophie‹ zu fassen. Aber es ist noch nichts Rechtes. Und da kommen schon Ihre Vorträge, in denen ich den Vorläufer zur ›Logik‹ vermute. Ich danke Ihnen herzlich für diesen Gruß, der mich *sehr* freute; denn die Einsamkeit ist nahezu vollkommen. Irgendwer berichtete mir, daß Sie an einem Nietzsche-Buch arbeiten; so darf ich mich darüber freuen, wie sehr das Strömen bei Ihnen auch nach dem Großen Werk anhält. Bei mir ist es – um davon zu reden, ein mühsames Tasten; erst seit wenigen Monaten habe ich den Anschluß an die im Winter 32/33 (Urlaubssemester) abgerissene Arbeit wieder erreicht; aber es ist ein dünnes Gestänge, und sonst sind mir auch zwei Pfähle, die Auseinandersetzung mit dem Glauben der Herkunft und das Mißlingen des Rektorates – gerade genug an solchem, was wirklich überwunden sein möchte.« (1. Juli 1935).

Über die Vereinsamung hinaus mag die paulinische Formulierung von den zwei Pfählen (2. Kor. 12,7) – »die Auseinandersetzung mit dem Glauben der Herkunft und das Mißlingen des Rektorates« – in dieser Reihenfolge! – Aufmerksamkeit erregen oder gar Verwunderung. Daß Martin Heidegger das Mißlingen des Rektorats – wie auch immer diese Wendung aufgefaßt werden kann und muß – zu dieser Zeit und in diesem Zusammenhang dem einst sehr vertrauten Jaspers signalisierte, mag angehen. Aber: »die Auseinandersetzung mit dem Glauben der Herkunft«? Beide Pfähle indes müßten überwunden werden. Aber hat sie Heidegger je bezwungen?

Der Glaube der Herkunft war der katholische Glaube.

»Die Auseinandersetzung mit dem Glauben der Herkunft«

Heideggers Weg von Meßkirch nach Freiburg

Es ist katholisches Land, in das der Geburtsort Heideggers, das ehemalige badische Amtsstädtchen Meßkirch, eingebettet ist, eine rauhe und herbe Landschaft mit vielfältiger und reicher geschichtlicher Vergangenheit, in der ehedem sich die kleinräumigen Herrschaftsgebiete zueinander drängten, überlappten und vermischten.

In erster Linie die einstigen Herren von Zimmern, deren Spuren in Architektur und Kunst von Meßkirch sich erhalten haben, besonders das Schloß und die berühmte, im spätgotischen Stil erbaute (1526 vollendete) Stadtpfarrkirche zu Ehren des hl. Martin. Der »Meister von Meßkirch« hatte elf Altargemälde für dieses Gotteshaus geschaffen, von denen nur noch das Hochaltarbild »Die Anbetung der Drei Könige« als ursprüngliche Ausstattung vorhanden ist. 1627, mitten im Dreißigjährigen Krieg, übernahmen die Fürsten von Fürstenberg, Herrschaft und Stadt Meßkirch. Unter ihrem Patronat erfuhr die Martinskirche 1770–1776 eine barockisierende Umgestaltung. Die Tafelgemälde des »Meisters von Meßkirch« wanderten in die fürstenbergische Residenz Donaueschingen, wo sie heute noch bewundert werden können.

Da sind weiter die benachbarten hohenzollernschen Lande, gleichfalls katholisch – kirchlich in der Erzdiözese Freiburg verankert ebenso wie das karge und rauhe Gebiet des hochflächigen Meßkircher Raums und wie die westwärts sich anschließende Seegegend, eine fruchtbare Landschaft und von mildem Klima. Und im Zentrum dieses Bodenseeraums liegt die ehemalige, alte Bischofsstadt Konstanz. Nachdem das Großherzogtum Baden von Napoleons Gnaden entstanden war, hat sie zwar ihre Zentralität verloren, nicht zuletzt wegen der Verlegung des

Bischofssitzes nach Freiburg, blieb gleichwohl der kulturelle Mittelpunkt auch dieses Gebietes. Sie bot vor allem die Möglichkeiten höherer Schulbildung, auch für die begabten katholischen Buben vom Land, durch das erzbischöfliche Gymnasialkonvikt, dessen Wiedererrichtung nach dem Abflauen des im Großherzogtum Baden besonders extrem geführten Kulturkampfes in den frühen achtziger Jahren des 19. Jahrhunderts möglich geworden war.

Von erheblicher Bedeutung für den Meßkircher Bezirk aber wurde das Kloster Beuron, als 1863 dorthin Benediktiner zogen und dank der Stiftung der Fürstin-Witwe Katharina von Hohenzollern-Sigmaringen die klösterliche Anlage, einstmals ein Chorherrenstift der Augustiner und seit der Säkularisation brachgelegen und dem Verfall nahe, mit monastischem Leben erfüllten. Sie schufen einen geistlichen, geistigen und vor allem künstlerischen Mittelpunkt, von dem viele Impulse ausgingen und auf den hin viele Menschen sich orientierten. Auch Martin Heidegger waren das Kloster Beuron und die Söhne des hl. Benedikt von Jugend auf vertraut, und er kehrte immer wieder dort ein. Er war mit Beuron, das dem hl. Martin geweiht war, mannigfaltig verbunden, als Gast willkommen, Vorträge als Gegengabe schenkend, zum Beispiel die Erstlesung »Vom Wesen der Wahrheit« 1930 und »Augustinus: Quid est tempus? Confessiones lib. XI« im selben Jahr oder 1949 im kleinen Kreis der Beuroner Mönche vortragend – dort nicht als verfemt betrachtet.

Meßkirch – Konstanz – Beuron – Freiburg: Ortschaften, in denen Martin Heidegger heimisch war, zeitlebens, von denen er nicht Abschied nehmen konnte, Provinz – aber welche Provinz!

Es ist katholisches Land, offen freilich für Strömungen des Geistes. Hier im Gebiet östlich des Bodensees war der durch den Konstanzer Bistumsverweser Ignaz Freiherr von Wessenberg in den ersten Jahrzehnten des 19. Jahrhunderts vermittelte aufgeklärte Katholizismus mit seiner spezifischen Spiritualität und Liturgie auf fruchtbaren Boden gefallen, freilich nur bei den gebildeten Gesellschaftsschichten und bei den Wohlhabenden. In langer Entwicklung hatte sich im Verlauf des 19. Jahrhunderts in religiöser Hinsicht eine soziale Differenzierung herausgebildet, die sich erst richtig bei der Entfaltung des Altkatholizismus im letzten Drittel des 19. Jahrhunderts äußerte. Der Ursprung des Altkatholizismus gründet sich auf die entschiedene Ablehnung der dogmatischen Festlegungen des ersten Vatikanischen Konzils 1870, die über den päpstlichen Primat und die päpstliche Unfehlbarkeit verkündet wurden. Im südlichen Gebiet des Großherzogtums Baden wurde neben Konstanz die Amtsstadt Meßkirch ein wichtiges Zentrum altkatholischer Gemeindebildung, die hier regelrecht neben der religiös-konfessionellen Spaltung auch zur Aufteilung in zwei politische Lager führte. Die kleinere, aber wohlhabende liberale Gruppe und die große, aber ärmere Gruppe der Katholiken, ergaben in den Jahren nach 1870 in Meßkirch eine Art von Zweiklassengesellschaft, die sich auf der kirchlich-religiösen Ebene spiegelte.[43]

Unterstützt durch die liberale badische Regierungspolitik, die der altkatholischen Bewegung während des Kulturkampfes besonders freundlich gegenüberstand und sie, wo immer möglich, förderte, erhielten die Meßkircher Altkatholiken das Mitbenutzungsrecht an der katholischen Martinskirche. Die katholische Kirchenbehörde in Freiburg konnte diese Lösung aus prinzipiellen Erwägungen nicht akzeptieren, so daß es schließlich zum Rückzug der Katholiken aus ihrem angestammten Gotteshaus kam. Es wurde 1875 eine Notkirche erworben. Zu diesem Zweck wurde der aus fürstenbergischem Besitz rührende Fruchtkasten, also ein Fruchtspeicherbau, in der Nähe des Schlosses und unweit der Stadtkirche, erstanden und mit Hilfe der kunstsinnigen Beuroner Mönche im Innern zu einem ansprechenden Kirchenraum gestaltet. Dort leistete der Vater Heideggers den Mesnerdienst, freilich nicht mehr im alten Mesnerhaus wohnend, das den Altkatholiken zugefallen war. In dieser Notkirche, von den Beuroner Mönchen ausgemalt, wurde Martin Heidegger 1889 getauft. In einem Flügel dieser Notkirche war die Werkstatt des Küfermeisters Friedrich Heidegger zu ebener Erde untergebracht, wohin der kleine Martin, »wohlausgerüstet mit den Ermahnungen der Mutter, mein kleines blaues Wägelchen hinter mir herziehend«, öfters ging, wie er später einmal formulierte. Es war die Umwelt auf kleinem Raum – in wenigen Sätzen 1949 von Heidegger im Essay *Der Feldweg* ins Wort gebracht.[44]

Als dann die zahlenmäßige Diskrepanz zwischen Katholiken und Altkatholiken zu offenkundig wurde – etwa im Verhältnis 3 : 1 – und als das Kulturkampfklima sich wieder entspannte, hatten die Bemühungen der katholischen Kirchengemeinde St. Martin zu Meßkirch bei der

---

[43] Vgl. Ott 1984 c.
[44] Vittorio Klostermann, Frankfurt/Main (1. Auflage nicht im Buchhandel).

badischen Regierung Erfolg: Ihr wurde 1895 die spätgotische Stadtpfarrkirche samt Kirchenvermögen und Liegenschaften (einschließlich
des Mesnerhauses am Kirchplatz, in das dann die Familie Heidegger,
übersiedelte) zurückgegeben. Am 1. Dezember 1895 – es war der 1. Ad-
ventssonntag – erfolgte der feierliche Einzug, und der erste Gottesdienst
nach langjährigem Exil konnte gefeiert werden – für die Katholiken von
Meßkirch ein tiefgreifendes Erlebnis, auch für den sechsjährigen Bub
Martin, in dessen familiärer Umwelt so einschneidende Veränderungen
eintraten. Durch seinen Bruder Fritz ist überliefert, der altkatholische
Mesner habe die Schlüssel dem kleinen Martin ausgehändigt, weil er
sich geniert habe, sie dem Nachfolger persönlich zu übergeben. Ein
bleibendes Kindheitserlebnis im kirchlichen Leben war gewiß die Erfahrung des Altkatholizismus, der in Meßkirch über einige Jahrzehnte
dominierte und zu weitgehender gesellschaftlicher Differenzierung, in
Ansätzen auch zu Diskriminierung geführt hatte. Indes: wir sind dem
zeitlichen Ablauf etwas vorausgeeilt und wollen uns jetzt zunächst mit
den biographischen Daten der Heidegger-Familie befassen.

Martin Heidegger kam am 26. September 1889, einem Donnerstag,
in Meßkirch zur Welt – das Geburtshaus war ein kleines Gebäude
am »Graben«, das in den neunziger Jahren des letzten Jahrhunderts
abgebrochen wurde –, erstes Kind der Eheleute Friedrich und Johanna
Heidegger. Friedrich Heidegger, am 7. August 1851 in Meßkirch geboren, Küfermeister und Mesner der katholischen Pfarrei seit 1887,
hatte am 9. April 1887 – er war also fast 37 Jahre alt – Johanna Kempf
aus dem einige Kilometer östlich von Meßkirch liegenden Göggingen
geheiratet. Die Dotierung der Mesnerstelle betrug seinerzeit 500 Mark
jährlich – eine recht ordentliche Summe, berücksichtigt man die Möglichkeiten des Nebenerwerbs. Freilich mußte der Mesner verschiedene
Sonderleistungen erbringen, er war gewissermaßen hauptamtlich
tätig.[45]

Johanna Kempf, geboren am 21. März 1858, stammte von einem
Bauernhof, auf dem ihre Familie seit Jahrhunderten saß. Ihre Eltern
waren der Bauer Anton Kempf, geboren am 7. Juli 1811 in Göggingen
und gestorben ebendort am 3. Juli 1863, und Justina Jäger, geboren am
25. September 1818 in Göggingen - getauft am 26. September, dem

---

[45] Die einschlägigen Akten befinden sich im Erzbischöflichen Ordinariatsarchiv Freiburg unter:
Pfarrei Meßkirch, Mesnerdienste.

Festtag der hl. Justina, – und gestorben ebendort am 17. April 1885. Martin Heidegger hat die Großeltern beider Linien nicht gekannt, denn auch die Großeltern väterlicherseits starben vor seiner Geburt: Martin Heidegger, Schustermeister in Meßkirch, geboren am 11. November (Martinstag) 1803 in Leibertingen (zwischen Beuron und Meßkirch auf halbem Wege gelegen), gestorben in Meßkirch am 8. November 1881, und Walburga Rieger, geboren 1815 in Gutenstein (Amt Meßkirch), gestorben am 5. April 1855 in Meßkirch, noch jung, der Sohn Friedrich war kaum vier Jahre alt. Des Philosophen Großeltern väterlicherseits wurden erst in Meßkirch ansässig, entstammten freilich der unmittelbaren Nachbarschaft. Durch alle Linien wurde die Zugehörigkeit zur römisch-katholischen Konfession gewahrt, der sich übrigens Martin Heidegger zeit Lebens zugehörig erklärte.[46]

Die mutterseitliche Verwandtschaft ist besonders durch den über mehrere Jahrhunderte ununterbrochenen Sitz auf dem Lochbauernhof in Göggingen geprägt. Diesen Hof hatte 1662 ein Vorfahre von Heideggers Mutter, der Jakob Kempf, zu bäuerlichem Lehen vom Zisterzienserinnenkloster Wald bei Pfullendorf erhalten. Er blieb über die Generationen hinweg als Erblehen im Besitz der Familie, ein stattliches Anwesen, das achtzig Morgen Feld und etliche Morgen Wiesen und Waldland umschloß. Heideggers Großvater, Anton Kempf, konnte im Zusammenhang mit der seinerzeit durchgeführten Bodenbefreiung und Grundentlastung 1838/39 den Hof ablösen gegen eine Kaufsumme von 3.800 Gulden. Als freier Bauer auf freiem Eigen heiratete er 1839 Justina Jäger, die aus der Sippe der Gögginger Adlerwirte stammte. Aus dieser Ehe gingen neun Kinder hervor, darunter Heideggers Mutter Johanna.

Der junge Martin Heidegger war oft drüben in Göggingen bei seinen Verwandten, zumal dort ein fast gleichaltriger Vetter aufwuchs, Gustav Kempf, später katholischer Geistlicher und Studienprofessor, mit seinem Verwandten Martin streckenweise die Schul- und Studienzeit verbringend, wie noch zu zeigen sein wird.[47] In früher Bubenzeit Heideggers waren der Lochhof mit seinen Plätzen und das nahegelegene Schulhaus mit seinem Schulgarten bevorzugtes Spielgelände. Die

---

[46] Die vorstehenden Angaben wurden von Martin Heidegger 1933 in den von den Beamten eingeforderten Nachweis der arischen Abstammung eingetragen. Hauptstaatsarchiv Stuttgart, Kultusministerium Baden-Württemberg EA III/1.

[47] Gustav Kempf verdanken wir eine Geschichte des Dorfes Göggingen.

Buben erfreuten sich »eines sorglosen Lebens«, wie Martin Heidegger 1972 nach dem Tod seines geistlichen Vetters Gustav Kempf schrieb, »nichtsahnend von den kommenden Weltkriegen«, in deren zweitem die Hoferben der Kempf-Familie gefallen waren. Heidegger faßte 1972 das Tröstliche bei allem Schmerz und Trauer in die Sentenz: »Liebreich ist es, unter den heimischen Dingen der Vorfahren zu verweilen und der Alten Worte und Werke zu erprüfen im Andenken«, die er irrtümlicherweise dem alten Kirchenvater Hegesipp zuordnete. Der Brief zeigt, wie eng die Erinnerung des greisen Philosophen mit einem wesentlichen Teil seines Ursprungs und seiner Heimat verwoben war.

In Meßkirch wuchs Martin Heidegger mit zwei Geschwistern auf: der Schwester Marie und dem Bruder Fritz. Die Eltern seien weder reich noch ganz arm gewesen, eben Kleinbürgersleute, schreibt der Bruder des Philosophen, Fritz Heidegger, der »einzige Bruder«, in einem köstlichen Brief die gute Atmosphäre des Elternhauses schildernd! »In materieller Hinsicht waren unsere Eltern weder arm noch reich; sie waren kleinbürgerlich wohlhabend; es herrschte weder Not noch Üppigkeit; das Zeitwort ›sparen‹ wurde großgeschrieben: blankes Geld, rar wie echte Perlen, war für viele Leute das ›Herz aller Dinge‹.« Und Fritz Heidegger nennt die seinerzeitigen sozialen Gegensätze deutlich beim Namen.[48]

Es gibt nun zufälligerweise eine zeitgenössische Studie über die wirtschaftliche Lage der Meßkircher Handwerker unter »besonderer Berücksichtigung der Schmiede, Wagner und Sattler«, 1896 erhoben durch den »Verein für Socialpolitik«, der »Untersuchungen über die Lage des Handwerks in Deutschland mit besonderer Rücksicht auf seine Konkurrenzfähigkeit gegenüber der Großindustrie« vornehmen ließ. Von den 130 in Meßkirch erfaßten Handwerksbetrieben waren 83 Handwerker mit einem Steuersatz zwischen 500 und 2000 Mark veranschlagt, rangierten also im unteren Bereich des Sozialniveaus. Auf dem Hintergrund der schon geschilderten religiös-konfessionellen und politischen Gegensätze wirkte sich das Wirtschaftsgeschehen auch im Geld- und Kreditbereich aus. Es gab im Städtchen eine ›rote‹ (liberale) und eine ›schwarze‹ (katholische) Kasse. »Erstere«, so schreibt der Be-

---

[48] »Ein Geburtstagsbrief des Bruders«, in: *Martin Heidegger zum 80. Geburtstag von seiner Heimatstadt Meßkirch*, Frankfurt/Main 1969, S. 58 ff.

richterstatter, »hatte den größeren Umsatz, letztere die größere Mitgliederzahl.«

In diesem sozialen und ökonomischen Status befand sich auch die Familie Heidegger, deren Vermögensverhältnisse 1903 mit 2000 Mark Grundvermögen und 960 Mark Einkommensteueranschlag berechnet waren – davon konnte eine fünfköpfige Familie leben, jedoch nicht im mindesten Mittel erübrigen, um begabte Kinder auf weiterführende Schulen zu schicken, wenn diese nicht am Ort waren oder unschwer täglich erreicht werden konnten. Was Meßkirch schulisch aufzuweisen hatte, war eine Bürgerschule, die den Charakter eines Progymnasiums haben konnte, aber nur, wenn die gymnasialspezifischen Fächer, vor allem Latein, anderweitig angeeignet wurden. Beim Stand der regionalen Verteilung der humanistischen Gymnasien im Großherzogtum Baden – und nur eine derartige Bildungsanstalt kam für einen begabten katholischen Buben einfacher Herkunft in Betracht, denn er sollte die geistliche Laufbahn einschlagen – war es bewährte Praxis, die Buben vom Land für die Quarta respektive Untertertia (heutzutage 7. bzw. 8. Klasse) vorzubereiten und sie dann gewissermaßen ins tiefe Wasser der Vollgymnasien zu werfen, wo sie schon das Schwimmen lernen würden. Auch für Martin Heidegger galt diese Konstellation, die erst verständlich macht, wie ein hochbegabter Bub aus einfachen Verhältnissen auf den Weg des Denkens gebracht worden ist. Es ist dies auch aus der sozialorganisatorischen Kraft der katholischen Kirche in der damaligen Zeit zu erklären.

Im Herbst 1903 war der talentierte, aufgeweckte, auch sportlich rege Martin Heidegger, gerade 14 Jahre alt geworden, nach Abschluß der 8. Klasse der Meßkircher Bürger- bzw. Realschule in die Untertertia des Konstanzer humanistischen Gymnasiums eingetreten und Zögling des Erzbischöflichen Gymnasialkonvikts, des sogenannten Konradihauses geworden. Der reibungslose Wechsel in die nächsthöhere Gymnasialklasse war nur möglich gewesen durch die tatkräftige Unterstützung des damaligen Meßkircher Stadtpfarrers Camillo Brandhuber. Er hatte Heideggers Begabung entdeckt und ihr die geziemende Pflege angedeihen lassen, soweit dies in seinen Kräften stand. Durch Erteilung von Lateinstunden schlug der Geistliche die Brücke hinüber nach Konstanz.

Dieser Priester, 1860 in Sigmaringen, also im Hohenzollernschen, geboren, wirkte seit 1898 in Meßkirch, eine farbige Persönlichkeit, ein hochbegabter Volksmann und Volksredner, einer vom Schlage der damals zahlreichen Zentrumsgeistlichen. Er hat später in seiner hohenzollerischen Heimat politische Karriere gemacht: Ab 1906 Stadtpfarrer in Hechingen wurde Camillo Brandhuber 1908 Abgeordneter des preußischen Landtags für Hohenzollern bis 1918, nach der Novemberrevolution 1918 Abgeordneter des hohenzollerischen Kommunallandtages und zugleich dessen Präsident bis 1922. Martin Heidegger erwähnt in seinen spärlichen biographischen Aperçus diese Priestergestalt, obgleich er ihr, ganz objektiv betrachtet, viel zu verdanken hat, mit keinem Wort.

In Konstanz begegnete der junge Gymnasiast als Zögling des Konradihauses einem Landsmann als Rektor dieser erzbischöflichen Anstalt: Dr. Conrad Gröber, 1872 in Meßkirch geboren, Absolvent des Collegium Germanicum in Rom, prädestiniert für hohe und höchste kirchliche Ämter. Kein Wunder, daß der »Germaniker« Gröber in seiner Heimatgemeinde ein sehr hohes Prestige genoß.[49] Der Landsmann Gröber, mit den familiären Verhältnissen der Heidegger-Sippe aufs beste vertraut - kam er doch selbst aus vergleichbarem sozialen Milieu –, hatte mit Stadtpfarrer Brandhuber beim Wechsel des jungen Heidegger von der Bürgerschule auf das Konstanzer Gymnasium zusammengewirkt, galt es doch, einen künftigen Geistlichen zu formen. Solche Förderung, es sei nochmals betont, erfolgte in jenen Jahrzehnten vielhundertfach: Wie sonst hätten begabte junge Menschen aus dem ländlichen Raum eine höhere Schule besuchen können, zumal sie in der Regel aus einfachen, ja einfachsten gesellschaftlichen Schichten kamen!

Gröber war 1903 gerade intensiv mit der Darstellung der Geschichte des Konstanzer Gymnasiums befaßt, das 1904 seine 300-Jahr-Feier begehen sollte. Er beschrieb freilich nur einen Teil der ruhmreichen Zeit dieser Bildungsanstalt, nämlich solange diese von 1604 bis 1773 Jesuitenkolleg und Jesuitengymnasium war. Mit der Aufhebung der Gesellschaft Jesu 1773 war in Konstanz diese Epoche zu Ende wie in Freiburg oder in Mannheim, um nur einige süddeutsche Städte zu nennen, und später wurde nie mehr an diese Tradition durch die Jesuiten angeknüpft, zu radikal waren die Voraussetzungen zerstört worden, vor allem auch die materielle Basis. Trotzdem liest man immer wieder in

---

[49] Zu Gröber vgl. meine biographischen Beiträge in: *Badische Biographien*, Bd. 1, Stuttgart 1982, S. 144–148; und in: *Zeitgeschichte in Lebensbildern*, Bd. 6, Mainz 1984, S. 65–75.

biographischen Versuchen zu Heidegger, der Philosoph habe in Konstanz das Jesuitengymnasium besucht und sei dann auf das Jesuitengymnasium in Freiburg übergewechselt. In Konstanz gab es seit 1773 ein freies Gymnasium, das dann in die Trägerschaft der Stadt Konstanz überging, wie dies auch in Freiburg der Fall war, wo Heidegger später die drei gymnasialen Oberklassen absolvierte.

Conrad Gröber wurde seit 1903, wir wissen es aus mannigfachen Bezeugungen von Martin Heidegger, zur wichtigen, vielleicht wichtigsten Bezugsperson – in verschiedener Hinsicht. Da galt es zunächst, die materiellen Probleme, die Kostgeldfrage für die Zugehörigkeit zum erzbischöflichen Gymnasialkonvikt, dem Konradihaus, zu regeln. Angesichts der familiären Vermögenssituation plädierte Rektor Gröber bei der erzbischöflichen Kirchenbehörde in Freiburg, wo die Trägerschaft des Konradihauses lag, auf Kostgeldfreiheit, kam damit jedoch nicht durch, so daß Heideggers jährlicher Satz auf 100 Mark festgelegt wurde. Durch die Fürsorge des Meßkircher Heimatpfarrers Brandhuber erhielt er als Gymnasiast bereits im ersten Jahr seines Konstanzer Aufenthaltes aus der Meßkircher Lokalstiftung ein Jahresstipendium von 100 Mark, das teilweise mit dem von seinem Vater aufzubringenden Betrag verrechnet wurde, so daß eine tatsächliche Belastung von 50 Mark verblieb. Wenig später wurde das sogenannte Weißsche Stipendium, das Heidegger bezog, auf dreihundert Mark erhöht. Diese Summe wurde dann als vollgültiger Kostgeldbetrag entrichtet, und Heideggers Eltern waren freigestellt.

Für einen Heranwachsenden, der die finanzielle Not seiner Familie genau kennt, aber auch der Opferbereitschaft gewahr ist, die gespeist ist aus der Hoffnung, der künftige Priester, der Geweihte des Herrn, werde alles vergelten, ist es bedrückend, wenn er auf die materielle Unterstützung verwiesen bleibt, befreiend, wenn er das Opfer nicht anzunehmen braucht. Daß Martin Heidegger in solchen Kategorien dachte, ist naheliegend, auch wenn wir kein unmittelbares Zeugnis dafür haben. Ziehen wir jedoch einen Beleg aus dem Wendejahr in Heideggers Leben heran, 1945, als er ins Bodenlose zu fallen schien, so wird das oben Dargestellte bestätigt: Als im Sommer 1945 Heidegger wegen seiner politischen Rolle im Nationalsozialismus u.a. auch der Beschlagnahme seines Hauses und seines Inventars – vor allem der Bibliothek – entgegensah, hat er in einem sehr bewegenden Brief an den damaligen kommissarischen Oberbürgermeister der Stadt Freiburg geschrieben:

»Ich stamme aus einem armen und einfachen Elternhaus, ich habe meine Studenten- und Privatdozentenjahre mit großen Opfern und Verzichten durchgehalten, unser Haus hat jederzeit den einfachen Lebensstil behalten; ich habe daher eine Belehrung darüber, was sozial Denken und Handeln heißt, nicht nötig.«[50]

Der Philosoph, zeitlebens auf Einfachheit gestellt, hat sich zu seiner niedrigen gesellschaftlichen Herkunft stets bekannt und blieb ihr verpflichtet. Geprägt in diesem bescheidenen Lebensstil wurde Heidegger durch das Elternhaus und das Konradihaus zu Konstanz. Mit fester Hand führte der Meßkircher Conrad Gröber als Rektor seine Alumnen, stets ein wohlwollendes Interesse seinem Meßkircher Landsmann Heidegger entgegenbringend, ihn fördernd, wo immer dies anging, vor allem auf dem Feld des Geistes. Diese enge persönliche Beziehung dauerte fort, auch als Gröber 1905 das Konradihaus verließ und eine Stadtpfarrei in Konstanz übernahm. Er blieb mit dem weiteren Weg des Gymnasiasten verbunden, auch nachdem Heidegger nach der Untersekunda 1906 von Konstanz nach Freiburg wechselte.

Meßkirch war die eigentliche Drehscheibe. Dort begegneten sich Gröber und Heidegger immer wieder. »Entscheidenden geistigen Einfluß verdanke ich dem damaligen Rektor des Knabenkonvikts, dem jetzigen Stadtpfarrer Dr. Konrad Gröber in Konstanz«, schrieb Heidegger 1915 in seinem Lebenslauf, den er der Philosophischen Fakultät der Universität Freiburg im Zusammenhang mit dem anstehenden Habilitationsverfahren einreichte. Wir wissen von Heidegger weiter, wie sehr Gröber beteiligt war, ihn auf den Weg des Denkens zu verweisen:

»Im Jahre 1907 gab mir ein väterlicher Freund aus meiner Heimat, der spätere Erzbischof von Freiburg, Dr. Conrad Gröber, Franz Brentanos Dissertation in die Hand: ›Von der mannigfachen Bedeutung des Seienden nach Aristoteles‹ (1862). Die zahlreichen meist längeren griechischen Zitate ersetzten mir die noch fehlende Aristoteles-Ausgabe, die jedoch ein Jahr später aus der Bibliothek des Internats in meinem Studierpult stand. Die damals nur dunkel und schwankend und hilflos sich regende Frage nach dem Einfachen des Mannigfachen im Sein *blieb* durch viele Umkippungen, Irrgänge und Ratlosigkeiten hindurch der unablässige Anlaß für die zwei Jahrzehnte später erschienene Abhandlung ›Sein und Zeit‹«,

so formulierte der Philosoph in seiner knappen Selbstdarstellung anläßlich der Aufnahme in die Heidelberger Akademie der Wissenschaften.[51] Diese Dissertation von Franz Brentano sei ihm seit 1907 Stab und

---

[50] Vgl. Ott 1985.
[51] Sitzungsberichte der Heidelberger Akademie der Wissenschaften 1957/58, S. 20 f.

Stecken seiner ersten unbeholfenen Versuche, in die Philosophie einzudringen, gewesen, führt er andernorts aus.[52]

Die drei Konstanzer Jahre haben offensichtlich sehr befruchtend
auf den sich entfaltenden Geist Heideggers gewirkt: glänzende Lehrer
am Gymnasium, die reiche Landschaft am See – ein frühes Gedicht
»Abendgang auf der Reichenau« (1916 zuerst publiziert) ist ein deutli-
ches Zeichen der Erinnerung an die Bodenseeheimat, eine sehr dichte
und äußerst anregende, waren doch Köpfe unter den Zöglingen, die
aus einem weiten Einzugsgebiet kamen: z.B. der zwei Jahre ältere Max
Josef Metzger, von dem Heidegger zwar nirgends spricht, der jedoch
zu Heideggers Konstanzer Zeit in den oberen Gymnasialklassen literarisch tätig war und im Konradihaus Vorträge organisierte. Metzger
ging später als katholischer Geistlicher einen sehr eigenwilligen Weg,
wurde zu einem Wegbereiter der ökumenischen Bewegung, von der
Friedensarbeit durchdrungen, ein überzeugter Patriot, der um
Deutschlands willen vor Freislers Tribunal kam und am 17. April 1944
in Brandenburg (Havel)-Görden hingerichtet wurde.[53]

Neben dem Rektor Gröber hatte für die unteren Klassen ein geistlicher Präfekt zu sorgen, der 1905 sein Amt angetreten hatte. Es war der
nachmalige Rektor des Konradihauses, Matthäus Lang, dem Heidegger 1928 (30. Mai aus Marburg) einen sehr herzlichen Brief schrieb,
dankend für die Glückwünsche Langs zur Berufung nach Freiburg in
der Nachfolge von Edmund Husserl. Schon 1928 formulierte der Philosoph das Gefüge von Denken und Heimat, das Gewicht des Knabenkonvikts hervorhebend:

»Ich denke gern und dankbar an die Anfänge meines Studiums im Konradihaus zurück
und spüre immer deutlicher, wie stark alle meine Versuche mit dem heimatlichen Boden verwachsen sind. Es ist mir noch deutlich in der Erinnerung, wie ich zu Ihnen als
damaligem neuen Präfekten ein Vertrauen faßte, das geblieben ist und mir den Aufenthalt im Hause zur Freude machte. Inzwischen habe ich immer wieder von Ihnen, Ihrer
Arbeit und vom Leben im Hause mir erzählen lassen. Jetzt wird eher mal die Gelegenheit kommen, Sie zu besuchen und in die Umgebung zurückzublicken, in der ich als
kleiner Untertertianer anfing. Von da bis zu ›Sein und Zeit‹ scheint ein weiter und ver-
schlungener Weg zu führen. Und doch schrumpft alles auf ein Geringes zusammen,
wenn ich das Erreichte mit dem Gesollten vergleiche. Vielleicht zeigt die Philosophie

[52] Ausführungen, die Martin Heidegger zum 80. Geburtstag des Verlegers Hermann Niemeyer
machte, in: *Hermann Niemeyer zum 80. Geburtstag am 16. April 1963*, Tübingen (Privatdruck
1963), S. 28.
[53] Vgl. meine Studie: »Dr. Max Josef Metzger«, *Freiburger Diözesan-Archiv*, Nr. 106, 1986, S.
187 ff.

am eindringlichsten und nachhaltigsten, wie anfängerhaft der Mensch ist. Philosophieren heißt am Ende nichts anderes als Anfänger sein. Aber wenn wir bei unserem Knirpstum zu uns selbst die innere Treue bewahren und aus ihr heraus zu wirken suchen, dann muß auch das Wenige zum Guten sein.«

Und er schloß den Brief: »Ihr ehemaliger Zögling Martin Heidegger.«[54] Heidegger verwendet als weltberühmter Philosoph noch die für die Insassen der erzbischöflichen Gymnasialkonvikte geltende Bezeichnung ›Zögling‹, dem das lateinische ›alumnus‹ entspricht. In diesem Begriff ist ein ganzes System katholischer Erziehungslehre enthalten, Heidegger durchaus bewußt und von ihm jetzt 1928 ein wenig spielerisch verwendet. Besäßen wir nur dieses briefliche Zeugnis Heideggers, wir müßten annehmen, für den Autor von *Sein und Zeit* sei der katholische Wurzelgrund unabdingbar und deshalb unaufgebbar – das Konradihaus in Konstanz in nächster Nähe zum Hauptwerk des Philosophen, das ihn inzwischen bereits weltweit bekannt gemacht hatte. Der Erzieher Matthäus Lang, dem sich Heidegger menschlich verbunden wußte, galt als entschiedener Vertreter streng kirchlicher Richtung. »Als besonderes Erziehungsziel erstrebte Lang in der ihm anvertrauten Jugend die Weckung treuen kirchlichen Sinnes, ja einer Liebe zur Kirche ... Die kirchliche Autorität war für Lang Norm. Wenn sie gesprochen, war Schluß der Diskussion. Ihre Anordnungen galten.« So wird der 1948 verstorbene Priester Matthäus Lang in einem Nachruf charakterisiert.[55]

In seltsamem Kontrast – aber für den Insider nicht eigentlich überraschend! – dazu steht, was der in Freiburg aufziehende Philosoph Heidegger an Karl Jaspers nach Heidelberg schreibt: Da ist die Universität (Freiburg 1928) seit seinem Weggang 1923 »ganz unglaublich ›schwärzer‹ geworden«, was auch immer konkret damit gemeint sein mochte. Und in Heideggers erstem Bericht über die Lehrerfahrungen in Freiburg (vom 10. November 1928) ist von Spionen die Rede, die im Auditorium sitzen. Er habe diesen »Vorposten« bezogen, nach seiner »innersten Überzeugung« ein »*verlorener*»; »die Katholiken haben ›unglückliche‹ Fortschritte gemacht – überall sitzen auch schon junge *katholische* Privatdozenten.« Die Philosophische Fakultät in Freiburg habe sich »wesentlich« verschlechtert. Das Neue sei lediglich, »daß ich

---

[54] Die Kenntnis dieses Briefes, dessen Original im Konradihaus Konstanz verwahrt wird, verdanke ich dem Studienleiter Lothar Samson (Konstanz).
[55] »Necrologium Friburgense 1946–1950«, *Freiburger Diözesan-Archiv*, Nr. 71, 1951, S. 221 ff.

mich in meinem Philosophieren *nicht mehr ›verstecke‹*«.

Es ließ sich so herrlich auf den Katholizismus dreinschlagen – bei einem Dialogpartner, der dafür ein offenes Ohr hatte? Freilich, wir wissen wohl – es schwärte noch die alte Wunde, die man dem katholischen Privatdozenten Heidegger seinerzeit zugefügt hatte. Doch: wir sind der biographischen Entwicklung weit vorausgeeilt.

Der Wechsel Heideggers am Ende der Untersekunda (10. Klasse) von Konstanz nach Freiburg, wo er ab Herbst 1906 das sehr angesehene Bertoldgymnasium besuchte und Zögling des erzbischöflichen Gymnasialkonvikts St. Georg in Freiburg wurde, erscheint auffällig, da ein normales Curriculum und ein Abschluß in Konstanz nahegelegen hätten, schon weil sich der Meßkircher Gymnasiast in heimatlicher Umgebung und Nähe aufhielt. Mutmaßungen, der junge Heidegger habe sich in einer seelischen Krise befunden und deshalb den Ortswechsel vornehmen müssen, entbehren jeder Grundlage. Heidegger blieb zeitlebens seinen Konstanzer Klassenkameraden verbunden, obwohl er die Oberstufenjahre mit ihnen nicht mehr gemeinsam verbracht hatte. Er war bis ins hohe Alter regelmäßiger Gast der Abituriententreffen in Konstanz, wie in einer Darstellung des Konstanzer Stadtarchivars Helmut Maurer nachzulesen ist.[56] Es war vielmehr die materielle und finanzielle Situation des Heideggerschen Elternhauses, die den Wechsel nach Freiburg notwendig machte.

Da gab es im 16. Jahrhundert einen vortrefflichen Meßkircher, Christoph Eliner, der 1538 an der Universität Freiburg immatrikuliert wurde und schließlich den Doktorgrad der Theologischen Fakultät erwarb, viele Jahre als Dekan der Theologischen Fakultät amtete und nach 1567 auch über mehrere Semester das Rektorat innehatte. Ehe er am 15. Januar 1575 starb – Eliner wurde in der Universitätskapelle des Freiburger Münsters beigesetzt –, errichtete er am 5. Januar 1575, schon vom Tode gezeichnet, ein umfangreiches Testament, in dem er auch eine Stiftung für zwei Studiosi auswarf, nämlich 2700 Gulden in Zinsbriefen wohlangelegt, die einen jährlichen Betrag von 130 Gulden erbrachten, was einer fünfprozentigen Verzinsung entsprach. Das eigentliche Ziel der Stipendiaten sollte die Erlangung der Doktorwürde in der Theologie sein. Die Höhe des Stipendiums war gestuft – je nach

---

[56] »Martin Heidegger als Mitschüler«, in Ernst Ziegler (Hg.), *Kunst und Kultur um den Bodensee*, Sigmaringen 1986, S. 343–360.

Studienfortschritt. Dieses Stipendium dauerte über all die schwierigen Zeitläufe hinweg, wurde natürlich an die wirtschaftliche und gesellschaftliche Entwicklung angepaßt und zur Zeit, die uns hier interessiert, nach folgenden Regeln vergeben: Nach wie vor blieb die Reihenfolge (Verwandtschaft, Meßkirch, ehemalige Grafschaft Zimmern), das Studienziel blieb die katholische Theologie, das Stipendium konnte bereits Schülern der obersten Gymnasialklassen gewährt werden, die die Untersekundareife aufwiesen; Gesuche waren beim Gemeinderat von Meßkirch einzureichen. Die Vergabe des Stipendiums war also von der Universität unabhängig, obwohl die Freiburger Theologische Fakultät ein Mitwirkungsrecht besaß. Die Höhe belief sich zu Beginn des 20. Jahrhunderts auf 400 Mark. Aber: das Stipendium war an den Besuch des Freiburger Gymnasiums und dann der Universität Freiburg gebunden.

In diesem Zusammenhang steht die einschneidende Ortsveränderung, die Heidegger 1906 auf sich nahm, um in den Genuß des Stipendiums zu gelangen und, befreit von materiellen Sorgen, in neuer schulischer Umgebung und eingefügt in die andere Atmosphäre des Freiburger Gymnasialkonvikts seinen Studien nachzugehen. Wir wissen bereits aus den oben vorgelegten Selbstzeugnissen, wie fruchtbar die Freiburger Gymnasialjahre für Heidegger waren: 1907 erste Lektüre der Dissertation von Franz Brentano (1838–1917), des Wiener Philosophen, Begründer einer »deskriptiven Psychologie oder beschreibenden Phänomenologie« (1888), Lehrer von Edmund Husserl; im Knabenkonvikt die intensive Beschäftigung mit Aristoteles; und welche Erweiterung des Horizonts für Heidegger muß die Universitätsstadt Freiburg geboten haben. Der Unterricht am Bertoldgymnasium, ursprünglich ein Jesuitengymnasium, jedoch seit 1773 als nichtjesuitische Anstalt in städtischer Trägerschaft geführt, war anspruchsvoll und anregend, so Heidegger in seinem Lebenslauf von 1915. Der auf das Reifezeugnis zugehende Gymnasiast war längst ein selbständiger Kopf geworden, der seine eigenständige Arbeit verrichtete und sich nicht nur vom Lehrplan der Schule leiten ließ. Das Studienziel nach dem glänzend bestandenen Abitur (Sommer 1909) war und blieb die Katholische Theologie, das heißt der Weg zum Priesteramt.

Heidegger wollte zunächst nicht den unmittelbaren Weg gehen, nämlich über ein Studium in Freiburg als Alumne des Erzbischöflichen Priesterseminars die Priesterweihe anzustreben. Das wird bereits aus dem Zeugnis ersichtlich, das ihm der Rektor des Freiburger Gymnasialkonvikts, Professor Leonhard Schanzenbach (übrigens der Religions- und Hebräischlehrer Heideggers) zum Abgang aus dem Studienhaus St. Georg mitgab – wie jedem Kandidaten der Theologie. Dort heißt es:

»Martin Heidegger – geboren in Meßkirch am 26. September 89 als Sohn des dortigen Stadtmeßners, trat vom Gymnasium und Konvikt in Konstanz in die hiesige Obersekunda ein, weil der Bezug eines Elinerschen Stipendiums den Wechsel der Anstalt verlangte. Seine Begabung sowie sein Fleiß und seine sittliche Haltung sind gut. Sein Charakter hatte schon eine gewisse Reife, und auch in seinem Studium war er selbständig, betrieb sogar auf Kosten anderer Fächer zuweilen etwas zu viel deutsche Literatur, in welcher er eine große Belesenheit zeigte. – In der Wahl des theologischen Berufs sicher und zum Ordensleben geneigt, wird er sich wahrscheinlich um Aufnahme in die Gesellschaft Jesu melden«. (10. September 1909)

Die Erwartung des Rektors Schanzenbach traf zu: Am 30. September 1909 trat Heidegger in das Noviziat der Gesellschaft Jesu in Tisis bei Feldkirch (Vorarlberg) ein – damals existierte im Gebiet des Deutschen Reiches noch keine Organisation der Jesuiten –, zugelassen vom seinerzeitigen Provinzial P. Thill. Am 13. Oktober 1909 jedoch ist der Kandidat ohne Angabe von Gründen wieder entlassen worden, wie dem Eintrittsbuch des Noviziates Tisis, heute aufbewahrt im Noviziat der Oberdeutschen Provinz der Jesuiten in Nürnberg, zu entnehmen ist. Dem eigentlichen Noviziat mit Gelöbnis geht eine Kandidatur von vierzehn Tagen voraus, während welcher die Kandidaten noch nicht eingekleidet werden und am Leben der Gemeinschaft nur eingeschränkt teilnehmen. Heidegger verließ exakt am Ende der zweiwöchigen Kandidatur das Noviziat. Einem gut belegten Ondit zufolge, das bei den Jesuiten gilt, habe bei einer Wanderung auf das »Älple« in der Nähe von Feldkirch Heidegger über Herzbeschwerden geklagt; er sei also wegen der schwachen gesundheitlichen Konstitution entlassen worden – eine sehr plausible Erklärung, wie es unten noch deutlich werden wird.[57] Es wäre also nicht Heideggers Entschluß gewesen, sondern die Entscheidung der Jesuiten. Einwandfreie gesundheitliche Verfassung und entsprechende Belastbarkeit waren Grundvoraussetzungen für das Ordensleben, aber auch für die Tätigkeit als Weltgeistlicher. Der Aspirant Heidegger hatte eine erste Warnung erhalten: unzureichende physische Konstitution.

---

[57] Vgl. Haeffner 1981, S. 361 – Herrn Kollegen Haeffner verdanke ich die weiteren Hinweise (brieflich).

Daraufhin bewarb sich Heidegger umgehend um die Aufnahme unter die Kandidaten des Theologischen Konvikts in Freiburg, das unter dem Patronat von Carlo Borromeo steht und Collegium Borromaeum genannt wird. Seinem Gesuch wurde stattgegeben, und zum Wintersemester 1909 begann er das Studium der Katholischen Theologie an der Universität Freiburg, das ihm aber noch Raum genug für die ohnehin zum Studienplan gehörende Philosophie ließ, wie er bezeugt. So seien seit dem ersten Semester auf seinem Studienpult im Freiburger Borromaeum die beiden Bände von Husserls *Logischen Untersuchungen* gestanden, entliehen aus der Universitätsbibliothek, wo sie so wenig gefragt gewesen seien, daß die Verlängerung der Ausleihfristen unschwer zu erreichen war. Von den theologischen Lehrern beeindruckte ihn besonders der Dogmatiker Carl Braig, der die systematische Theologie vertrat und Heideggers Denkweg entscheidend mitbestimmt hat, all dies nach dem Selbstzeugnis des Philosophen. Heidegger war bereits als Oberprimaner auf die 1896 erschienene Arbeit *Vom Sein. Abriß der Ontologie* von Carl Braig gestoßen, in deren Dokumententeil »längere Textstellen aus Aristoteles, Thomas von Aquin und Suárez, außerdem die Etymologie der Wörter für die ontologischen Grundbegriffe« enthalten waren – Denkwerkzeuge des späteren Heidegger.

Diesem Lehrer Carl Braig hat Heidegger ein dankbares Gedenken an verschiedenen Stellen seiner kargen autobiographischen Andeutungen geschenkt. Braig, »der letzte aus der Überlieferung der Tübinger spekulativen Schule, die durch die Auseinandersetzung mit Hegel und Schelling der katholischen Theologie Rang und Weite« gegeben habe, sei beeindruckend gewesen durch die eindringliche Art des Denkens. »Durch ihn hörte ich zum ersten Mal auf wenigen Spaziergängen, bei denen ich ihn begleiten durfte, von der Bedeutung Schellings und Hegels für die spekulative Theologie im Unterschied zum Lehrsystem der Scholastik. So trat die Spannung zwischen Ontologie und spekulativer Theologie als das Baugefüge der Metaphysik in den Gesichtskreis meines Suchens«, bemerkt Heidegger in seinem Essay zu Ehren des Verlegers Hermann Niemeyer, worin er seinen Weg zur Phänomenologie aufzeigt.

Diese umrißartigen Hinweise mögen genügen für den geistigen Horizont, der dem jungen Theologiestudenten sich aufgetan hat. Im weiter unten folgenden Lebenslauf 1915 indes werden vom Habilitanden Heidegger die Gewichte durchaus anders gesetzt. Von Braig ist dort nicht die Rede, wohl aber von den Werken des Hermann Schell auf apologetischem Gebiet, durch die er Antwort erhalten habe. Er habe sich auf das Selbststudium der scholastischen Lehrbücher verlegt, auf diese Weise eine gewisse formale Schulung erlangt, aber nicht das gefunden, was er suchte. Thomas von Aquin, Bonaventura und dann die *Logischen Untersuchungen* von Husserl wurden entscheidend für seinen wissenschaftlichen Entwicklungsgang.

Später brachte der Philosoph den Zusammenhang zwischen seinem Denken und der katholischen Theologie – die wissenschaftlichen Arbeiten zu diesem Thema sind Legion! – auf die knappe Formel: »Ohne diese theologische Herkunft wäre ich nie auf den Weg des Denkens gelangt. Herkunft aber bleibt stets Zukunft.«[58]

Wenig ist bekannt aus dem Alltag des Theologiestudiums. Die Alumnen waren in strenge Disziplin eingebunden, der Tag geregelt durch Gottesdienst, Gebet, Vorlesungsbesuch, Studium und Repetitorium und Stunden der Entspannung und Erholung – all dies eingeübt schon im Tagesablauf der Gymnasialkonvikte. Ob Martin Heidegger zu Angehörigen seines Kurses in nähere Beziehung trat, ist mir außer in einem Fall nicht nachzuvollziehen. Freundschaftlich verbunden war er nur mit Friedrich Helm, einem sehr gebildeten aber scheuen Menschen, der später als Hofkaplan und Privatsekretär der Freiburger Erzbischöfe Thomas Nörber († 1921) und Carl Fritz († 1931) wirkte.

---

[58] »Aus einem Gespräch zur Sprache. Zwischen einem Japaner und einem Fragenden«, in: Martin Heidegger, *Unterwegs zur Sprache*, Pfullingen 1959, hier S. 96.

Die frühen Arbeiten
des Theologiestudenten

Die geistige Entwicklung des Theologiestudenten läßt sich wohl an den frühen Veröffentlichungen messen und beurteilen. Mit der Kenntnis dieser ersten Publikationen aber hat es eine besondere Bewandtnis, die eigentlich erstaunen macht: Überprüfen wir die zahlreichen Bibliographien von Heideggers Werken, so begegnet uns das minutiöse Verzeichnen der Arbeiten ab 1912, also aus der Zeit nach dem Theologiestudium. Der berühmte Band 13 der Gesamtausgabe *Aus der Erfahrung des Denkens* (1983) enthält aus den Jahren 1910 und 1911 nur ein schmales Œuvre: den kleinen Beitrag über die Enthüllung des Abraham-a-Sancta-Clara-Denkmals zu Kreenheinstetten im August 1910 sowie drei Gedichte »Sterbende Pracht«, »Ölbergstunden«, »Wir wollen warten« – alles erschienen in der ultrakonservativen, katholisch-integralen Wochenzeitschrift *Allgemeine Rundschau* des Münchner Verlegers Armin Kausen[59] –, gewissermaßen eine kanonisierte Zusammenstellung, von Heidegger als solche in der Spätphase seines Lebens autorisiert. Indes: warum nur blieben die übrigen Arbeiten aus der theologischen Zeit unberücksichtigt? Sind sie den eifrigen Erforschern von Heideggers Frühzeit entgangen, da sie an entlegener Stelle gedruckt worden sind – zum Teil sogar unter Pseudonym bzw. verschlüsselt, dennoch nicht apokryph? Oder verfielen sie dem Verdikt des späten Heidegger? Wie auch immer: diese sollen, ja müssen herangezogen werden, weil aus ihnen ein gutes, vor allem zutreffendes Bild des Theologiestudenten Heidegger gewonnen werden kann.

---

[59] Vgl. *Armin Kausen. Ein Buch des Andenkens an seine Persönlichkeit, sein Leben und sein Wirken*, München 1928.

Sie sind fast ausschließlich versammelt in der Zeitschrift *Der Akademiker* des Katholischen deutschen Akademikerverbandes, einem Organ, das im November 1908 erstmals erschien, verbindendes Glied der katholischen Korporationen – »der Herold unserer hohen christlichen Ideale auf allen Gebieten des studentischen Lebens«, wie es im Programm verlautet.[60] Die Initiative zur Gründung dieser katholischen Akademiker-Zeitschrift entstand im Umkreis der *Allgemeinen Rundschau*. Neben der religiösen und wissenschaftlichen Komponente wurde auch das sozial-caritative Gebiet gepflegt. Der junge Autor Heidegger findet sich so in der Gesellschaft von Romano A. Guardini und Oswald v. Nell (-Breuning), stud. math., dem Pionier der katholischen Soziallehre. – Die Zeitschrift stand jedenfalls in jenen Jahren der großen innerkatholischen Auseinandersetzung um den deutschen Modernismus ganz auf der Linie von Papst Pius X., entschieden die kirchliche Autorität gerade auch in der wissenschaftlichen Theologie und in den Geisteswissenschaften überhaupt verteidigend.[61]

Eine wichtige Rolle in der damaligen katholischen Publizistik spielte die Schrift von Friedrich Wilhelm Foerster *Autorität und Freiheit* (1910), in der die kirchliche Autoritäts-Philosophie gegen eine Philosophie des ethisch-religiösen Individualismus verteidigt wird. Auf diesem Hintergrund mag die Rezension, die der Theologiestudent Heidegger in der Mai-Nummer 1910 des *Akademikers* veröffentlichte, von Interesse sein: die Leser waren eingestimmt, da ein Vorabdruck von Foersters Einleitung bereits erfolgt war. Der Rezensent Heidegger geht ganz konform mit der offiziellen Linie – gegen einen »schrankenlosen Autonomismus«. Die ganze philosophische Anlage spreche »laut für den unschätzbaren Wert des Buches«. Heidegger, der einundzwanzigjährige Student, lebt in seiner Kirche: »Und die Kirche wird, will sie ihrem ewigen Wahrheitsschatz treubleiben, mit Recht den zersetzenden Einflüssen des Modernismus entgegenwirken, der sich des schärfsten Gegensatzes nicht bewußt wird, in dem seine modernen Lebensanschauungen zur alten Weisheit der christlichen Tradition stehen.« Ja, für den eifrigen Theologiestudenten ist Foerster in der Abrechnung mit dem Modernismus nicht kritisch genug. Dennoch: »Wer den Fuß nie auf Irrwege setzte und sich nicht blenden ließ vom trügerischen Schein

---

[60] Die Zeitschrift wurde 1911 wieder eingestellt.
[61] Zum Problem des deutschen Modernismus vgl. man etwa Oskar Köhler, *Bewußtseinsstörungen im Katholizismus*, Frankfurt/Main 1972.

des modernen Geistes, wer in wahrer, tiefer, wohlbegründeter Entselbstung im Lichtglanz der Wahrheit sich durchs Leben wagen darf, dem kündet dieses Buch eine große Freude, dem bringt es wieder überraschend klar das hohe Glück des Wahrheitsbesitzes zum Bewußtsein.« Heidegger fühlt sich beim Lesen »gern an ein Wort des großen Görres« erinnert: »Grabe tiefer und du wirst auf katholischen Boden stoßen«.

Die katholische Grundhaltung Heideggers, die in dieser Buchbesprechung aufscheint, begegnet uns auch in weiteren wichtigen Beiträgen, z.B. im Essay »Per mortem ad vitam (Gedanken über Jørgensens ›Lebenslüge und Lebenswahrheit‹)« – März-Nummer 1910 –, also eine Studie über den dänischen Schriftsteller, Lyriker und Essayisten Johannes Jørgensen (1866–1956), der vom Darwinismus und Naturalismus kommend 1896 zum Katholizismus konvertierte und 1913 Professor für Ästhetik an der katholischen Universität Löwen wurde. Die Bekehrungsphasen des Dänen, für Heidegger »ein moderner Augustinus«, entfalten eine starke Faszination und regen zum Nachdenken über die Persönlichkeit, über Selbstverwirklichung, ethische Maßstäbe, Bindung und ungebundene Freiheit. Wodurch ist der junge Heidegger beeindruckt, und welche Maximen sollen das menschliche Leben leiten?

»In unseren Tagen spricht man viel von ›Persönlichkeit‹. Und die Philosophen finden neue Wertbegriffe. Neben kritischer, moralischer, ästhetischer operieren sie auch mit ›Persönlichkeitswertung‹, zumal in der Literatur. Die Person des Künstlers rückt in den Vordergrund. So hört man denn viel von interessanten Menschen. O. Wilde, der Dandy, P. Verlaine, der ›geniale Säufer‹, M. Gorky, der große Vagabund, der Übermensch Nietzsche – interessante Menschen. Und wenn dann einer in der Gnadenstunde der großen Lüge seines Zigeunerlebens sich bewußt wird, die Altäre der falschen Götter zerschlägt und Christ wird, dann nennen sie das ›fade, ekelhaft‹. Johannes Jørgensen hat den Schritt getan. Nicht Sensationsdrang trieb ihn zur Bekehrung, nein, tiefer, bitterer Ernst.«

Mit diesem Paukenschlag eröffnet er seinen Essay, eine Abrechnung mit »einer verkehrten, lügenhaften Philosophie«, der »das rastlose Suchen und Aufbauen, der letzte Schritt zur Wahrheit« gegenübergestellt wird. Die Décadence des Individualismus als falscher Lebensnorm wird entlarvt, die »Psychologie des Freidenkers« als Krankheit zum Tode gebrandmarkt. Der Theologe Heidegger formuliert schwelgerisch: »Und willst du geistig leben, deine Seligkeit erringen, dann stirb, ertöte das Niedere in dir, wirke mit der übernatürlichen Gnade und du wirst auferstehen. Und so ruht er jetzt, der willensstarke, hoffnungsfrohe Dichterphilosoph im Schatten des Kreuzes: ein moderner Augu-

stinus.« Jørgensen, mit dem jungen Heidegger gleichgestimmt, da er
»die großen, unzerstörbaren Zusammenhänge mit der Vergangenheit«
aufgedeckt, bei den Mystikern des Mittelalters weilt und »sein friede-
trunkenes Dichterherz« für Franziskus, den Poverello, glüht.

Und im Frühjahr 1911 (März-Nummer) vermittelt Heidegger Ratschläge »zur philosophischen Orientierung für Akademiker«. Philosophie ist ihm philosophia perennis, »in Wahrheit ein Spiegel des Ewigen«, wogegen die modische Welle der subjektiven Weltanschauungen
zu verwerfen ist. Heidegger vertritt mit Verve die Objektivität der
strengen Logik, der »unverrückbaren ewigen Schranken der logischen
Grundsätze«. Freilich: das streng logische Denken bedarf eines gewissen Fonds »ethischer Kraft«, der »Kunst der Selbsterraffung und
Selbstäußerung«. Für den katholischen Akademiker sei die gründliche
apologetische Durchbildung, die Aneignung einer echten und wahrhaften Weltanschauung unabdingbar. Gegenwärtig werde jedoch die
Weltanschauung nach dem »Leben« zugeschnitten, statt umgekehrt.

»Und bei diesem Hin- und Herflattern, bei dem allmählich zum Sport gewordenen
Feinschmeckertum in philosophischen Fragen bricht doch bei vieler Bewußtheit und
Selbstgefälligkeit unbewußt das Verlangen hervor nach abgeschlossenen, abschließenden Antworten auf die Endfragen des Seins, die zuweilen so jäh aufblitzen, und die
dann manchen Tag ungelöst auf der gequälten, ziel- und wegarmen Seele liegen.«

Als Handreichung für den philosophisch interessierten Akademiker referiert Heidegger eine Anzahl einschlägiger Arbeiten, die alle aus
dem katholischen Lager stammen, besonders das Büchlein des Jesuiten
Friedrich Klimke über die *Hauptprobleme der Weltanschauung* (1910),
mit dessen Hilfe es möglich werde, »sich in etwa zurechtzufinden auf
den verschlungenen Pfaden der ›modernen Weltanschauungen‹ ver-
schiedenster Observanz, die Spreu vom Weizen zu scheiden und diesen
für sich nutzbar zu machen.« Der philosophierende Theologiestudent
Heidegger weiß sich geborgen im Zelt der katholischen Philosophie,
zumal in erkenntnistheoretischer Richtung, der »Fundamentalwissen-
schaft« schlechthin, wofür er das Buch von Josef Geyser *Grundlagen
der Logik und Erkenntnislehre. Eine Untersuchung der Formen und
Prinzipien wahrer Erkenntnis* (1909) empfiehlt. Ähnliche Töne schlägt
Heidegger in einer knappen Renzension von Otto Zimmermanns, S.
J., Büchlein *Das Gottesbedürfnis* (1910) an, die in der Akademischen
Bonifatius-Korrespondenz am 15. Mai 1911 erschien. Es handelte sich
um eine apologetische Schrift, in der die Frage der Gottesbeweise unter

einen neuen Aspekt gestellt wird, nämlich unter Anpassung an moderne Vorstellungen. Der Rezensent Heidegger begrüßt diese Methode mit Vorbehalt: »Vielleicht ist es sogar gegenüber dem neuzeitlichen Ansturm gegen die herkömmlichen Gottesbeweise klug, unser System gerade nach der von Zimmermann in den Vordergrund gerückten Seite auszubauen. Das vorliegende Büchlein dürfte für manche ehrlich suchenden Gebildeten unserer Tage eine starke Schutzwehr um seinen Gottesglauben bedeuten.« Die »Korrespondenz« war das Organ des Akademischen Bonifatiusvereins, in dem sich katholische Studenten, korporierte und freie, Laien und Theologen zur Pflege katholischer Interessen zusammengefunden hatten – in philosophischer, naturwissenschaftlicher und sozialpolitischer Hinsicht.

In diesem literarischen Spiegel läßt sich das Profil des Theologiestudenten Heidegger im Ungefähren erkennen.

Der erzwungene Abbruch des Theologiestudiums und der Beginn der akademischen Laufbahn als Philosoph

Als Heidegger in den zweiten theologischen Kurs (3. und 4. Semester) kam – Wintersemester 1910/11, wurde auch sein Cousin von der Mutterseite her, Gustav Kempf, der Spielgefährte von Jugend an, Student der Theologie. Schon zuvor hatten beide einige gemeinsame Jahre auf dem Konstanzer Gymnasium und im Konradihaus verbracht. Freilich: das Wintersemester 1910/11, Heideggers drittes theologisches Semester, brachte Komplikationen in gesundheitlicher Hinsicht mit sich. Der junge Student hatte sich einfach überarbeitet: Neben dem nicht geringen theologischen Pensum vergrub er sich in die philosophischen Systeme und drang in die große Überlieferung der griechischen und mittelalterlichen Texte vor, die Sprache des Denkens lernend. Das zehrte an den körperlichen Kräften des zart gebauten Theologen. Noch ehe das Wintersemester zu Ende ging, mußte Heidegger Mitte Februar das Studium abbrechen, da die ärztliche Untersuchung den erneuten Befund nervöser Herzbeschwerden »asthmatischer Natur« ergab, an denen der Student immer wieder laborierte, wohl schon im Herbst 1909, als er im Jesuitennoviziat Tisis bei Feldkirch als Kandidat hospitierte. Das ganze Leben hindurch mußte Heidegger mit dieser gesundheitlichen Beeinträchtigung kämpfen. Der Bericht des Konviktdirektors Dr. Bilz lautet lakonisch: »Martin Heidegger (II. Kurs) mußte Mitte Februar seine Arbeiten abbrechen, da seine nervösen Herzbeschwerden sich wieder einstellten. Mit unserer Erlaubnis begab er sich in seine Heimat. Es wurde ihm nahegelegt, ganz auszusetzen, bis er vollständig hergestellt ist.«[62] Der Hausarzt des Theo-

---

[62] Erzbischöfliches Ordinariatsarchiv Freiburg B 2 – 32/174. Bericht vom 2. April 1911.

logischen Konvikts, Dr. Heinrich Gassert, hatte am 16. Februar 1911 vorgeschlagen, Heidegger sollte nach seiner Heimat entlassen werden, um einige Wochen »vollständige Ruhe zu haben.« Heidegger blieb jedoch für das Sommersemester 1911 beurlaubt und verbrachte diese Zeit in seiner Heimat Meßkirch. Schließlich hat er auf Anraten seiner Oberen ganz auf das Theologiestudium verzichtet: »Mein früher durch zuviel Sport entstandenes Herzleiden brach so stark aus, daß mir eine spätere Verwendung im kirchlichen Dienst als äußerst fraglich hingestellt wurde«, schreibt er im Lebenslauf von 1915.

Diese erzwungene Pause der Rekonvaleszenz, aber auch die berufliche Unsicherheit sowie die finanziellen Sorgen, die ein Studienwechsel verursachte, zählten zu den schwierigsten Abschnitten in Heideggers Biographie. Als Theologiestudent war er weiter im Genuß des Elinerschen Stipendiums verblieben – ein nahtloser Übergang vom Abschluß der höheren Schule zum Universitätsstudium war gewährleistet. Doch dieses Stipendium fiel weg, wenn Heidegger nicht mehr Theologie studierte (damals war das Studium der katholischen Theologie untrennbar gekoppelt an das Berufsziel »katholischer Priester«).

Diese zunächst vorläufige Unterbrechung, die jedoch bald in den endgültigen, von Heidegger nicht gewünschten, totalen Abbruch des Theologiestudiums und damit in das Ende des Weges zum Priestertum mündete, hatte kaum abzuschätzende Wirkung auf den künftigen Lauf seines Lebens.

Die inneren Entscheidungsprozesse, die Heidegger in den kommenden Monaten zu meistern hatte, lassen sich aus Briefen seines damals engsten Vertrauten, der im Februar 1911 Heideggers Freundschaft gewann, nachzeichnen: es handelt sich um den jungen Geschichtsstudenten Ernst Laslowski, aus Kreuzburg/Oberschlesien stammend, in Freiburg bei Heinrich Finke, dem Ordinarius für Geschichte (Katholischer Lehrstuhl)[63], arbeitend. Diese Korrespondenz ist bis in das Jahr 1917 hinein eine wichtige Quelle der Erkenntnis, zumal Heidegger bald unter die schützende Hand von Heinrich Finke fand.[64]

Doch stellen wir uns auf die Konstellation des Frühjahrs 1911 ein, auf eine für Heidegger schier ausweglose Situation, wie er sie seinem Freund Laslowski geschildert hat, dessen Rat erbittend: die Lage sei

---

[63] Vgl. Odilo Engels, »Heinrich Finke (1855–1938)«, in: *Badische Biographien*, N.F. Bd. 2, Stuttgart 1987, S. 87–89.

[64] Vgl. unten S. 77 ff.

zwar ernst, aber nicht aussichtslos (Brief Laslowskis vom 20. April 1911). Es werden drei von Heidegger vorgeschlagene Wege diskutiert:
a) Studium der Mathematik, das Heidegger im WS 1911/12 tatsächlich aufnahm mit dem Ziel, das Staatsexamen abzulegen;
b) eine wissenschaftliche Laufbahn auf dem Gebiet der Philosophie, wobei sich die Finanzierungsfrage ganz vordringlich stellte; nach einer erfolgreichen Promotion sei mit einem Habilitationsstipendium des Albertus-Magnus-Vereins oder der Görres-Gesellschaft zur Pflege der Wissenschaft zu rechnen. Laslowski riet, falls Heidegger diesen Weg einschlagen wolle, mit dem in Straßburg lehrenden katholischen Philosophen Clemens Baeumker in Verbindung zu treten, dessen Schüler zu werden; da Baeumker Vorsitzender der philosophischen Sektion der Görres-Gesellschaft sei, wäre er dann der geeignete Fürsprecher.[65]
c) Als letzte Variante hatte Heidegger die Fortsetzung des Theologiestudiums in Erwägung gezogen. Hier entfiele die leidige Geldfrage, er käme bald auf eine Stelle, die ihm genügend Zeit zur Vorbereitung seiner Habilitation böte. Laslowski sprach sich unter den gegebenen Umständen entschieden für die Fortsetzung des Theologiestudiums aus. Sein Freund sollte sich in Richtung Apologetik orientieren und in Freiburg mit dem Dogmatiker Carl Braig und dem Apologetiker Heinrich Straubinger in Verbindung treten, später als Stadtkaplan in Freiburg promovieren, auf einer Landpfarrei »ausreifen«. Der Würzburger Apologetiker Hermann Schell[66] – auf den sich Heidegger 1915 im Lebenslauf zur Vorbereitung des Habilitationsverfahrens beruft – wird ihm als nachahmenswertes Vorbild dargestellt. Er solle sich nochmals dessen Autobiographie vornehmen.

All diese argumentativen Überlegungen stehen im Rahmen herkömmlicher Verhaltensmuster: so pflegten wissenschaftliche Karrieren in katholischen Theologiekreisen zu verlaufen – fast durchgehend Aspiranten, die aus kleinen Verhältnissen stammten, stets mit einem

---

[65] Baeumker (1853–1924), seit 1903 Professor in Straßburg, war einer der bedeutendsten Vertreter der Neuscholastik und zählte mit Georg v. Hertling, dessen Nachfolge in München er 1912 antrat, zu den wissenschaftspolitisch engagierten Förderern des katholischen Nachwuchses – besonders über die Görres-Gesellschaft, die 1876 unter den Bedingungen des sogenannten Kulturkampfes gegründet worden war. Er war auch Lehrer von Martin Grabmann, mit dem sich der junge Heidegger wissenschaftlich austauschte.

[66] Vgl. Klaus Ganzer, »Die Theologische Fakultät der Universität Würzburg im theologischen und kirchenpolitischen Spannungsfeld der zweiten Hälfte des 19. Jahrhunderts,« in: *Vierhundert Jahre Universität Würzburg. Eine Festschrift*, Neustadt an der Aisch 1982, S. 317–373, bes. 361 ff.

starken Schuß von Inferioritätsgefühl gegenüber den Höher- oder gar Hochgeborenen versehen. In den Briefen der beiden Freunde werden diese Probleme der Herkunft aus dem »kleinen Milieu« immer wieder ventiliert: »Handwerker-, Bauern – und wenn's hochkommt, Lehrersöhne.« Was später als katholisches Bildungsdefizit soziologisch thematisiert wurde, hier wird es ad personam reflektiert. »Könnte Dich nur Dein Vater die 4–5 oder 3–4 Semester unterstützen, die Du zur Promotion und zur Vorbereitung für die Habilitation brauchst, dann gäbe es schon Mittel.« Der Küfer und Mesner Friedrich Heidegger aus Meßkirch war dazu nicht in der Lage – die existentielle Krise, in die der Sohn infolge der schweren gesundheitlichen Belastung gefallen war, hatte eine schlimme Seite; ohne Fortführung des theologischen Studiums keine Förderung durch ein Stipendium. Das »Kleine«, aus dem Heidegger kam, um zum »Geheimnis des Großen« aufzusteigen – dieser Gegensatz, diese Dialektik scheint in seinem späteren Werk auf, z.B. in der Hölderlin-Interpretation (»Germanien«, »Der Rhein«): »Das Kleine hat auch seine Beständigkeit, es ist der stumpfe Eigensinn des alltäglichen Immer-Selbigen, das nur beständig ist, weil es sich gegen jeden Wandel sperrt und sperren muß.« Nur, wer als Begreifender »erst in der Macht der Geschichte« steht, weiß, daß ein Größeres über ihm ist. »Dieses Über-sich-haben-können-des-Größeren ist das Geheimnis des Großen. Das Kleine vermag solches nicht, obwohl es doch eigentlich am unmittelbarsten und bequemsten den weitesten Abstand vom Großen hat. Aber das Kleine will ja nur sich selbst, d.h. eben klein sein, und sein Geheimnis ist kein Geheimnis, sondern ein Trick und die verdrießliche Verschlagenheit, alles, was nicht seinesgleichen ist, zu verkleinern und zu verdächtigen und es sich so gleichzumachen.«[67] Eine andere Lösung war nicht in Sicht. Die graue Sorge trieb Heidegger um.

Im Sommer 1911 – Zeit der Rekonvaleszenz, in Meßkirch verbracht und bei einem Kuraufenthalt in Wörishofen, der zumindest geplant war – reifte die Lösung: an eine Weiterführung des Theologiestudiums war nicht mehr zu denken; Heidegger entschied sich ab dem Wintersemester 1911/12 für das Studium der Mathematik in Freiburg, das mit dem Staatsexamen abgeschlossen werden sollte.

---

[67] Martin Heidegger, *Hölderlins Hymnen: »Germanien« und »Der Rhein«*, Gesamtausgabe Bd. 39. Frankfurt/Main 1980, 145 f.

In der schweren seelischen Krise des Frühjahres 1911 ist das kleine Gedicht »Oelbergstunden« (8. April 1911 in der *Allgemeinen Rundschau* veröffentlicht – auf Samstag vor der Passionswoche) entstanden, das, soweit ich sehe, noch nirgends in Verbindung mit der schwierigen Lebenslage Heideggers interpretiert worden ist, wenn überhaupt:

Oelbergstunden

Oelbergstunden meines Lebens:
im düstern Schein
mutlosen Zagens
habt ihr mich oft geschaut.

Weinend rief ich nie vergebens.
Mein junges Sein
hat müd des Klagens
dem Engel ›Gnade‹ nur vertraut.

Diesen Strophen sei ein bisher unbekanntes, aber gleichwohl (unter Kürzel – gg –) publiziertes Gedicht (Juli-Nummer 1911 *Der Akademiker)* angefügt: »Auf stillen Pfaden« – woraus die gemüthafte Verfassung des im Studium pausierenden Heidegger deutlich hervortritt:

Auf stillen Pfaden

Wenn sommernächtige Lichter fluten
Um weisse Birken in der Heide,
Wenn düster-fahle Mondesgluten
D'rüberhängen wie Geschmeide –
Weitet die Seele sich,
Sterben die Klagen,
Finden Gedanken mich
Fernher aus Tagen
Seliger Wonnen –
Doch – feuriger Rosen würziger Duft
Hat längst mir umsponnen
Der Liebe Gruft ...

Freiburg i. Br.   -gg-

Wir haben einen weiteren Spiegel in Gestalt eines Heidegger-Gedichtes aus diesem Sommer (privater Nachlaß):

Julinacht.
Ewigkeitslieder
Singst du mir wieder.
Entführst mir die Seele
In waldstille Weite
Tauchst mich in gottnahe
Unendlichkeiten.
Julinacht
Zauberin
Heimwehlösende
Künstlerin.
Daß früh im Feld
Heut die Sonne starb
Daß in Dämmerung sank
Was ich tags erwarb.
Daß sangesmüd
Der Fink verstummt
Und mürrisch kalt
Der Nachtwind brummt,
Daß die Linden lauschen
Dem Sterbelied
Daß die Blätter rauschen,
Als ob ich von dir schied –
Wird mir zur herben
Schauernden Frage: Glück deine Braut
Rufst du sie ›Klage‹?

Das Dunkel einer depressiven Empfindlichkeit in all diesen lyrischen Versuchen ist offenkundig, was Wunder angesichts der Ausweglosigkeit! Andererseits leitete Heidegger Schritte ein, Verbindung mit dem katholischen Philosophen Clemens Baeumker aufzunehmen: die Vorbereitung seines ersten kleinen Beitrages für das *Philosophische Jahrbuch* (1912 erschienen) – von den einschlägigen Forschern des frühen Heidegger immer wieder als vorgebliche Erstlingsarbeit interpretiert.

Kontakte wurden geknüpft zu dem Freiburger Theologen Josef Sauer, damals a.o. Professor für Kunstgeschichte und christliche Archäologie an der Freiburger Universität, vor allem aber Herausgeber der *Literarischen Rundschau für das Katholische Deutschland*, beim Verlag Herder angesiedelt. Josef Sauer wurde zu einem der wichtigsten Gönner des jungen Heidegger, dessen hohe Begabung erkennend und behutsam fördernd. Es sei hier angemerkt, welche menschliche Konstellation sich ergab: diese frühe Begegnung der beiden und später 1933 die Schlüsselrolle, die Josef Sauer, bis zum 15. April 1933 Rektor der Universität Freiburg, für das Rektorat Heideggers zufiel.

Schon im Herbst 1911, als Heidegger wieder in Freiburg weilte, bot er dem Herausgeber der *Literarischen Rundschau* eine größere Arbeit: »Neuere Forschungen über Logik« an. Sauer veröffentlichte sie in drei Folgen ein Jahr später – auch diese Studien beschäftigten und beschäftigen die Philosophiehistoriker in aller Welt aufs lebhafteste.[68] Es mag deshalb nicht fehl am Platze sein, ausführlicher zu dokumentieren, wie Heidegger am Ende seines ersten mathematisch-naturwissenschaftlichen Semesters dem Theologen Sauer diesen Forschungsansatz erklärte und zugleich seine eigene philosophische Grundlage skizzierte. In einem Brief vom 17. März 1912 – es war zugleich ein Namenstagsbrief für Josef Sauer (am 19. März ist das Fest des heiligen Josef, dessen Verehrung im Volk stark verwurzelt war) – wird die herzliche Verbundenheit des jungen Heidegger mit dem geistlichen Förderer zum Ausdruck gebracht und zugleich die wissenschaftliche Konzeption vorgestellt.[69]

»Hochgeehrter Hochwürdiger Herr Professor!
Gestatten Sie mir, sehr verehrter Herr Professor, daß ich Ihnen zu Ihrem bevorstehenden Namensfeste aufrichtigsten Herzens gratuliere.
Gott möge Ihnen Kraft und Gnade geben, noch recht lange und wirksam durch wissenschaftliche Forschungen ohne Zurückhaltung im allein richtigen Sinn an der religiös-kulturellen Entwicklung unserer Kirche mitarbeiten zu können.
So wird Ihr rastloses Schaffen zugleich im Sinn Ihres hl. Namenspatrons sich vollziehen, den wir als den besonderen Schutzherrn unserer katholischen Kirche verehren.
Zugleich drängt es mich, Ihnen, hochverehrter Herr Professor, von Herzen zu danken für die liebenswürdige Bereitwilligkeit, mir jederzeit mit Rat und Tat beizustehen. Wenn ich von meinen Versuchen reden darf, so kann ich Ihnen meine Arbeit als nahezu vollendet ankündigen. Im Grunde ist es nur eine Vorarbeit, die den Stützpunkt schaffen soll für die Inangriffnahme der weitverzweigten Untersuchung der mathematischen Logik. Wenn das Ganze nicht eine fruchtlose Nörgelei und ein scholastisches Aufdecken von Widersprüchen werden soll, dann muß das Raum- und Zeitproblem unter Orientierung an der mathematischen Physik einer vorläufigen Lösung mindestens nahegebracht werden. Diese Arbeit wird nun dadurch erschwert, daß gegenwärtig in der Physik durch Relativitätstheorie alles in Fluß geraten ist. Auf der anderen Seite sucht

---

[68] Z.B. aus der Sicht der katholischen Theologie durch Karl Lehmann, »Metaphysik, Transzendentalphilosophie und Phänomenologie in den ersten Schriften Martin Heideggers (1912–1916)«, *Philosophisches Jahrbuch der Görres-Gesellschaft* 71, 1963/64, S. 331–357. – Von marxistischer Seite Wolf-Dieter v. Gudopp. *Der junge Heidegger. Realität und Wahrheit in der Vorgeschichte von »Sein und Zeit«*, Berlin/Frankfurt/Main 1983.

[69] Nachlaß Josef Sauer im Besitz von Domkapitular Dr. Josef Sauer, Freiburg, dem ich für die Einsichtnahme danke.

sich neuerdings die Logik mit der allgemeinen Gegenstandstheorie zu verschmelzen. Was die Untersuchung wieder wesentlich einfacher gestaltet. Kurz: das zu untersuchende Gebiet ist selbst noch Umwälzungen unterworfen, so daß eine Stellung – ganz abgesehen davon, daß ich sie mir noch nicht zutraue, verfrüht ist ...«

Hier wird ein Forschungsprogramm von ungemein großer Dichte, erstaunlicher Modernität entwickelt, keineswegs mit modischen Schlagwörtern durchsetzt, vielmehr auf einer soliden Basis ruhend, das der junge Heidegger dann nicht weiterverfolgen konnte, weil er unter obwaltenden Umständen sich mit einer Thematik aus der scholastischen Literatur befassen mußte, wie noch zu zeigen sein wird. Dieser breit angelegte spekulative Ansatz rann dann schließlich nur in die am 27. Juli 1915 vorgetragene Probevorlesung »Der Zeitbegriff in der Geschichtswissenschaft« aus.[70]

Wenn wir hier innehalten und eine Zwischenbilanz zu ziehen versuchen: Gewiß scheint zu sein, daß auch 1911 galt, was zwei Jahre zuvor der Rektor Professor Schanzenbach in das Abgangszeugnis für Heidegger geschrieben hat: dieser sei in der Wahl des theologischen Berufs sicher. Ob der Einschnitt traumatische Wirkung für den Studenten Heidegger hatte, sei offengelassen. Vielleicht erklären sich manche späteren Aussagen Heideggers – bereits vor 1933 –, die Anzeichen von tiefster antiklerikaler Gesinnung tragen, und manche nachmaligen antikirchlichen Einstellungen aus den Vorgängen des Jahres 1911. Wir werden dies im Auge behalten müssen, dabei bedenkend, daß Heidegger sich wohl Zeit seines Lebens in einer weitgehenden Gespaltenheit befand, vielleicht in einem Dilemma, was den Glauben seiner Herkunft anging: zentral relevant für die Verläufe der philosophischen Wege.

Heidegger entschloß sich also, zum Wintersemester 1911/12 das Studium an der Mathematisch-Naturwissenschaftlichen Fakultät fortzusetzen, belegte in den folgenden Semestern Vorlesungen und Übungen in Mathematik, Physik und Chemie, ohne jedoch dann in diesen Disziplinen einen Abschluß zu machen, den er wohl auch nicht ernsthaft angestrebt hatte. Zusätzlich besuchte er Vorlesungen und Seminare bei Arthur Schneider, Inhaber des Lehrstuhls für Christliche Philosophie (II), und bei Heinrich Rickert, Inhaber des Lehrstuhls für Philosophie (I). Heideggers Interesse galt in erster Linie der Philosophie,

---

[70] Martin Heidegger, *Frühe Schriften*, Gesamtausgabe Bd. 1, Frankfurt/Main 1978, S. 412–433.

wobei er sich den modernen philosophischen Richtungen zuwandte, ohne seine Grundüberzeugungen, nämlich die der aristotelisch-scholastischen Philosophie, preiszugeben. Sein Anliegen war die Verbindung der griechischen und mittelalterlichen Philosophie mit der modernen Logik. Unter diesem Aspekt stand das Dissertationsthema »Die Lehre vom Urteil im Psychologismus«, betreut von Arthur Schneider. Unter diesem Gesichtspunkt sollte auch später die Habilitationsschrift in Angriff genommen werden.

Ab dem Sommersemester 1912 erhielt Heidegger ein von der Universität Freiburg verwaltetes Stipendium in Höhe von 400 Mark, das ihn der vordringlichsten materiellen Sorgen enthob. Denn mit materiellen Sorgen fürwahr zeigte sich Heidegger beschwert – vor allem das Jahr 1912 ist angefüllt mit Bemühungen des Freundes Ernst Laslowski, für den Doktoranden Heidegger private Darlehensgeber zu interessieren. Das Stipendium, das Heidegger seit dem Sommersemester 1912 bezog, reichte offenkundig nicht aus, auch eine Hauslehrerstelle schloß die Lücke nicht. Laslowski pochte bei manchen hochmögenden Herren, vor allem des geistlichen Standes an, vergebens, bis es ihm gelang, einen Alten Herrn seiner katholischen Studentenverbindung Unitas in Breslau zu einem Darlehen zu bewegen (Jahreswechsel 1912/1913). Immer wieder tröstende Briefe, immer wieder Ermunterung: Heidegger sei die große philosophische Hoffnung für die deutschen Katholiken.

Die Arbeiten, die Heidegger soeben in der *Literarischen Rundschau* publiziert hatte, machten großen Eindruck – auch in römischen Kreisen, wo Laslowski seit 1912 studienhalber weilte. Als Laslowski am 20. Januar 1913 nach Freiburg mitteilen konnte, das Darlehen sei unterwegs, brachte er ein weiteres Mal, überschwenglich wie stets, zum Ausdruck, welche Karriere er für den Freund Heidegger sehe: »Liebster, ich habe das Gefühl, daß Du so zu den ganz Großen heranwachsen wirst, um den sich die Universitäten reißen werden. Unter dem darf es auch nicht sein.« Freilich passe »der Katholizismus in das ganze moderne philosophische System garnicht hinein.« Hier werde Heidegger nach 20 Jahren ein Wort sprechen müssen – »am besten von einem Berliner Katheder, das epochemachend (bitte in der *richtigen* Bedeutung!) wirken muß.« Er warnt Heidegger vor einer erneuten Publikation im *Philosophischen Jahrbuch* der Görresgesellschaft, da er jetzt zuviel beobachtet werde. Er solle sich von den Meistern der Zunft nicht in eine bestimmte Klasse, nämlich in das katholische Schubfach einstufen lassen. »Es wäre meines Erachtens gut, Du umgibst Dich für längere Zeit mit einem etwas geheimnisvollen Dunkel und machst ›die Leute‹ neugierig. Du hast es dann leichter.« Und dann wird wieder, wie schon oft, durchgespielt: die katholischen Lehrstühle für Philosophie, die Vakanzen, die künftigen Chancen. Heideggers vorläufiger Platz werde wohl München sein. »Denn Du mußt wohl als Katholik anfangen. Doch das ist, zum Teufel, wirklich eine verzwickte Frage.« Viel komme auf das erste Buch, auf die Dissertation, an.

Während des eben erwähnten Romaufenthaltes im Oktober 1912 hatte Ernst Laslowski den Freiburger Privatdozenten Dr. Engelbert Krebs, Priester der Erzdiözese Freiburg, Mitglied der Theologischen Fakultät, kennengelernt: Krebs weilte vordem zu Studienzwecken längere Zeit am Campo Santo Teutonico und hatte dort eine Kaplanstelle innegehabt. Der Privatdozent machte sich zum kundigen Rom-Führer des jungen Geschichtsstudenten Laslowski. Dieser schwärmte ihm von seinem Freund Heidegger vor. Sicher werde Krebs von Heidegger in Freiburg bald besucht werden. Nebenbei erfuhr er von Krebs, »daß man sich zur Habilitation an einen bestimmten Professor wenden muß, allein kann man es nicht machen. Also mußt Du Dir wohl Geyser oder einen anderen warm halten.« (Brief vom 25. Oktober 1912 aus Rom)[71]

Heidegger folgte dem Rat: obwohl mit der Dissertation bei dem in Freiburg lehrenden Arthur Schneider befaßt, nahm er zu Beginn des Jahres 1913 Verbindung mit dem Münsteraner Josef Geyser auf, bei ihm vorfühlend, wie es weitergehen könne. Doch der zeigte sich wenig verbindlich: Heidegger solle das »Staatsexamen in den philosophischen Fächern« ablegen und sich dann möglicherweise mit editorischer Arbeit in der scholastischen Philosophie anfreunden. Dieser Ratschlag freilich wurde von ihm in den Wind geschlagen. Es ist festzuhalten: Immerhin hatte Heidegger binnen weniger Monate mit zwei damals maßgeblichen katholischen Philosophen korrespondiert: Clemens Baeumker und Josef Geyser, mit dem er wenige Jahre später in Konkurrenz um die Freiburger katholische Philosophie–Professur treten sollte.

Am 26. Juli 1913 legte Heidegger vor der Philosophischen Fakultät die Doktorprüfung ab und erhielt das Gesamtprädikat »summa cum

---

[71] Für diesen Zusammenhang sowie für die folgenden Ausführungen vgl. Ott 1986 mit den erforderlichen Nachweisen.

laude«.[72] Sein Doktorvater Arthur Schneider konnte sich nicht mehr sonderlich des hoffnungsvollen Absolventen annehmen, da er einen Ruf an die Reichsuniversität Straßburg angenommen hatte. Für den jungen Doktor der Philosophie ergab sich eine völlig neue wissenschaftliche Konstellation: einerseits entfiel die Rücksicht auf den Doktorvater Schneider, mit dessen philosophischem Ansatz er wenig gemeinsam hatte – aus formalen Gründen konnte jedoch die Betreuung durch den katholischen Professor nicht umgangen werden –, andererseits war völlig offen, ob bald ein Nachfolger in Freiburg aufziehen werde und, gegebenenfalls, welcher. Vielleicht gar Heidegger selber?

Heidegger hätte also in ein Vakuum geraten können, wäre da nicht der Geheimrat Professor Heinrich Finke gewesen, der den auf konfessioneller Grundlage beruhenden Lehrstuhl für Geschichte innehatte und übrigens der starke Mann in der Philosophischen Fakultät war, und hätte es nicht den schon erwähnten Privatdozenten für Dogmatik an der Theologischen Fakultät der Universität Freiburg, Engelbert Krebs, gegeben, acht Jahre älter als Heidegger. Wenige Wochen vor der Promotion hatte Heidegger den von Laslowski in Rom vorbereiteten Besuch bei Krebs abgestattet. Es entwickelte sich seit Juli 1913 eine echte freundschaftliche Beziehung, die freilich auch voller Spannungen war. Die Begegnung mit Krebs ist für Heidegger äußerst wichtig und ertragreich geworden, auch wenn wir aus Heideggers autobiographischen Notizen nichts darüber erfahren – vielleicht gerade deswegen. Das nahe Verhältnis verästelte sich auch in den privaten Bereich.

Da Krebs ein genaues und inhaltsreiches Tagebuch geführt hat, lassen sich die Jahre 1913 bis 1917 ziemlich genau rekonstruieren. In den Tagebucheinträgen spiegelt sich die wissenschaftliche Entwicklung Heideggers, aber auch das Konkurrenzverhalten beider Freunde, ging es doch von vornherein um die Anwartschaft auf den durch Schneiders Weggang vakanten Lehrstuhl für Christliche Philosophie. Denn auch Krebs konnte sich berechtigte Hoffnungen auf eine Berufung machen, da er ab dem Wintersemester 1913/1914 mit der Lehrstuhl–Vertretung beauftragt wurde, eine außergewöhnliche Regelung, da ansonsten eher versucht wurde, Lehrstuhlvertretungen aus dem eigenen Fachbereich

---

[72] Diese Angaben sind den Stipendien–Akten des Erzbischöflichen Ordinariatsarchivs Freiburg entnommen.

zu ermöglichen. Ja, es ist nicht zuviel gesagt: Die beiden Aspiranten hatten sich ihre Startlöcher gegraben und warteten gespannt auf den Startschuß, der irgendwann fallen mußte. Im bevorstehenden Wettlauf schien der Theologe Krebs als bereits Habilitierter einen Vorsprung zu haben. Andererseits konnte der geistliche Status als Handikap gelten, das um so größer war, da Krebs den vom päpstlichen Lehramt geforderten Modernisteneid abgelegt hatte und von der überwiegenden Mehrheit der Philosophischen Fakultät nicht mehr als ungebundener Wissenschaftler angesehen wurde. Die nachfolgende Darstellung beruht im wesentlichen auf dem Krebsschen Tagebuch, wie aus den Zitaten hervorgehen wird – wobei die Korrespondenz Heideggers mit dem Freund Laslowski immer wieder herangezogen werden wird.

Wenden wir uns zunächst Heinrich Finke zu. Er war ein international hochangesehener Erforscher der mittelalterlichen Konzilien und ausgewiesener Kenner der spanischen Geschichte, einflußreiches Mitglied der Freiburger Philosophischen Fakultät und ein energischer Förderer des katholischen wissenschaftlichen Nachwuchses. Daß auf diesem Feld angesichts des katholischen Bildungsdefizits ein großer Nachholbedarf bestand, war seinerzeit unbestritten. Finke nahm sich jetzt des großen philosophischen Talents an und griff prägend in Heideggers Lebensgang ein.

Zwar hatte Heideggers Doktorvater Schneider vor seinem Wechsel nach Straßburg dem frischgebackenen Doktor dringend zur Habilitation geraten, vor allem müsse Heidegger, der Systematiker sei, sich noch den Philosophen des Mittelalters zuwenden. Er hatte auch noch die Vermittlung eines ausreichenden Habilitationsstipendiums angebahnt, aber: die weitere Förderung des wissenschaftlichen Talents oblag dem Historiker Finke, der Heidegger unter seine Fittiche nahm, darauf bedacht, daß die Lehrstuhlvakanz geraume Zeit dauere, hatte er doch Großes vor mit dem genial begabten Meßkircher. Der verbleibende Ordinarius für Philosophie, Heinrich Rickert, spielte für Heideggers wissenschaftliche Laufbahn eine recht marginale Rolle – auch in philosophischer Hinsicht! –, er überließ vielmehr Finke das Feld. Dieser drängte Heidegger im November 1913 zu einer philosophiegeschichtlichen Arbeit, während Heidegger eigentlich »über das logische Wesen des Zahlbegriffs« forschen wollte auf dem Hintergrund seiner mathematischen und naturwissenschaftlichen Studien, wie wir aus dem obigen Zusammenhang schon wissen.

Bereits im Promotionssemester, 1913, hatte der Doktorand Heidegger eine vierstündige Vorlesung bei Finke belegt »Das Zeitalter der Renaissance«. Gewisse Beziehungen dürften jedoch schon früher bestanden haben, war doch Heidegger mit dem Finke–Schüler Laslowski aus Breslau befreundet. Doch scheint er mit dem Geheimrat nicht näher vertraut gewesen zu sein, da er beispielsweise im Herbst 1912 Laslowski gebeten hatte, er möge bei Finke wegen finanzieller Unterstützung vorstellig werden: »An Finke möchte ich nicht schreiben. Da kenne ich ihn doch zu gut. Es würde keinen Zweck haben. Mag erst der Aufsatz in der *Literarischen Rundschau* erscheinen.« In der Zwischenzeit jedoch hatte Finke das Talent Heidegger in sein wohlwollendes Förderungsprogramm aufgenommen.

Freilich dachte Finke zunächst an eine grundsätzliche Existenzsicherung. Heidegger solle das Staatsexamen für das Lehramt an Gymnasien ablegen und erst von dieser Basis aus sich der wissenschaftlichen Laufbahn zuwenden, unterstützte dann jedoch die Stipendien–Alternative. Wie oben schon vermerkt, hatte der Doktorvater Heideggers, Arthur Schneider, das Stipendium angebahnt und zwar über den Freiburger Weihbischof und Domdekan Justus Knecht. Es handelte sich um ein Stipendium aus einer Stiftung, deren Verwaltung dem Metropolitankapitel der Erzdiözese Freiburg oblag. Knecht war in seiner Funktion als Domdekan die entscheidende Persönlichkeit, übrigens dem jungen Heidegger sehr gewogen und bereit, ihn nachdrücklich zu fördern.

Wir sollten ein wenig bei diesem Stipendium verweilen, weil aus diesem Zusammenhang recht wichtige Einsichten in die Mentalität Heideggers möglich werden. Das Stipendium, das er nach den erwähnten vorbereitenden Schritten beim Freiburger Domkapitel beantragte, beruhte auf einer Stiftung der Geschwister Constantin und Olga von Schaezler, die 1901/02 realisiert wurde, unter dem Titel »Constantin und Olga von Schaezlersche Stiftung zu Ehren des heiligen Thomas von Aquin«; sie war mit 200.000 Mark dotiert, kein geringes Stiftungskapital, da heute gut und gerne ein Multiplikationsfaktor von zwölf zugrunde gelegt werden kann. Die Vergabe der aus dieser Stiftung fließenden Stipendien war an die strikt zu beachtende Norm der Lehre des heiligen Thomas von Aquin in Philosophie und Theologie gebunden. Diese strenge neuscholastische Ausrichtung erklärt sich aus der Glaubensüberzeugung der Geschwister von Schaezler, die aus dem berühmten

Augsburger Bankhaus und der Industriellenfamilie v. Schaezler stammten, die in den fünfziger Jahren des 19. Jahrhunderts zum katholischen Glauben konvertiert waren – unter großem Aufsehen in Augsburg und im bayerischen Schwaben – und, wie bei Konvertierten häufig zu beobachten ist, eine besonders intensive Richtung der Observanz verwirklichten und lebten.[73] Heidegger schrieb in seinem ersten Gesuch vom 20. August 1913:

> »Der gehorsamst Unterzeichnete gestattet sich, dem Hochwürdigsten Domkapitel zu Freiburg i. Br. die untertänigste Bitte um Verleihung eines Stipendiums aus der Schäzlerschen Stiftung vorzutragen. Der gehorsamst Unterzeichnete gedenkt, sich dem Studium der christlichen Philosophie zu widmen und die akademische Laufbahn einzuschlagen. Da derselbe in ganz bescheidenen Verhältnissen lebt, wäre er dem hochwürdigsten Domkapitel von Herzen dankbar, wenn es ihn aus der genannten Stiftung für die Zeit der Vorbereitung der Habilitationsschrift ein Stipendium zukommen lassen wollte.«

Weihbischof Justus Knecht hob im Bewilligungsschreiben deutlich auf den Stifterwillen und Stiftungszweck ab: »Im Vertrauen, daß Sie dem Geiste der thomistischen Philosophie getreu bleiben werden, bewilligen wir Ihnen für das Studienjahr 1913/14 aus der Schaezlerschen Stiftung ein Stipendium von 1.000 Mark«. Heidegger, der für drei Jahre in den Genuß des Stipendiums kam, hat stets zum Ausdruck gebracht, er wolle das in ihn gesetzte Vertrauen rechtfertigen, »im Dienste der christlich-scholastischen Philosophie und der katholischen Weltanschauung«, oder wie es im Antrag Heideggers vom 13. Dezember 1915 heißt, worin er zum dritten Mal um das Stipendium eingab:

> »Der gehorsamst Unterzeichnete glaubt in etwa wenigstens hochwürdigstem erzbischöflichen Domkapitel für sein wertvolles Vertrauen dadurch stets danken zu können, daß er seine wissenschaftliche Lebensarbeit einstellt auf die Flüssigmachung des in der Scholastik niedergelegten Gedankengutes für den geistigen Kampf der Zukunft um das christlich-katholische Lebensideal.«

Als Heidegger dies schrieb, war er bereits Privatdozent der Philosophie, aber auch militärisch verwendet – an der Heimatfront –, damals bei der Postüberwachungsstelle Freiburg. Der erste Weltkrieg tobte bereits ein Jahr.

---

[73] Vgl. meine Studie »Constantin von Schaezler (1827–1880) und Olga von Leonrod geb. von Schaezler (1828–1901). Ein Beitrag zum Spannungsverhältnis der Konfessionen im 19. Jahrhundert«, in: *Historia oeconomica et socialis. Festschrift für Wolfgang Zorn zum 65. Geburtstag*, Stuttgart 1987(VSWG, Beih. 84), S.308–315.

Begleiten wir Heidegger zunächst auf dem Weg zur Habilitation – auf dem Hintergrund der Krebsschen Notizen: »Ein scharfer Kopf, bescheiden, aber sicher im Auftreten«, wie Krebs den ersten Eindruck charakterisierte, den Heidegger im Sommer 1913 auf ihn machte. Heidegger setzte seinem Gastgeber auseinander, seine logischen Studien seien durch Husserls Arbeiten am allermeisten gefördert worden. Krebs, dem die phänomenologische Methode noch sehr fremd war, zeigte sich von diesem Gespräch derart beeindruckt, daß er in Heidegger den künftigen Inhaber des Lehrstuhls für Christliche Philosophie an der Freiburger Universität sah. »Schade, daß er nicht schon seit zwei Jahren soweit ist. Jetzt hätten wir ihn not.« Dieser scharfe Kopf war höchst ambitioniert, zumal Heinrich Finke ihn unverhohlen für den vakanten Lehrstuhl favorisierte, ehe überhaupt das Thema der Habilitationsschrift fixiert war. Bezeichnend dafür ein Eintrag von Krebs ins Tagebuch vom 14. November 1913: »Heute abend zwischen 5 und 6 kam er (gemeint ist Heidegger) nun zu mir und erzählte, wie Finke ihn aufgefordert habe, mit einer philosophiegeschichtlichen Arbeit sich zu habilitieren und daß Finke in einer Weise mit ihm geredet habe, die deutlich durchblicken ließ, daß Heidegger bei der gegenwärtigen Vakanz des Lehrstuhls sich eilen solle, bald als Privatdozent zur eventuellen Verfügung zu stehen. So könnte es sein, daß mein derzeitiges Provisorium ein Warmhalten des Lehrstuhls für Heidegger ist, einen Schulkameraden meines Bruders Hans.«

Wir haben schon angemerkt, daß Krebs mit der Vertretung des vakanten Lehrstuhls durch die Philosophische Fakultät beauftragt war, zum ersten Mal für das eben begonnene Wintersemester 1913/14. Die Vorbereitung des Kollegs – Krebs las vierstündig über Logik und Noetik – bereitete ihm erhebliche Schwierigkeiten, die dank Heideggers Unterstützung bewältigt wurden, da dieser mit Krebs die Vorlesungsstunden besprach, wie überhaupt der junge Habilitand den Dogmatiker Krebs weiterhin in die philosophische Richtung der Husserlschen Phänomenologie einwies, während Krebs, Kenner der scholastischen Philosophie, Heidegger an seinem Wissensschatz teilhaben ließ. Krebs besprach sich häufig mit Heidegger, »um zu größerer Klarheit über Probleme zu kommen. Ich trage ihm vor, was ich im Colleg sagen will und bespreche das Vorgetragene mit ihm. Er nützt mir mehr, als er vielleicht selber bemerkt.« Es war ein gegenseitiges Geben und Nehmen, dies umso mehr, je stärker die freundschaftlichen Bande geknüpft wurden. Ja, Krebs war bemüht, seinen Freund Heidegger auf die Bearbeitung eines logischen Traktats des Meisters Dietrich von Freiberg, und zwar in seiner philosophiegeschichtlichen Stellung, hinzuweisen, auf ein Gebiet, auf dem Krebs selbst intensiv geforscht hatte.

Heidegger hatte sich indes unter dem energischen Druck Finkes dem Thema »Duns Scotus« zugewandt, nicht allzu bereitwillig, da er lieber über die Logik des Zahlbegriffs gearbeitet hätte. In dieser Thematik fühle sich Heidegger »ganz zu Hause, weil er die höhere Mathematik ganz beherrscht (Infinitesimal–, Integralrechnung, Gruppenordnungen (??)) und dergleichen mehr«, notierte Krebs im November 1913.

In seiner Habilitationsschrift, die seit dem Frühjahr 1914 in vollem Gang war, »Die Kategorien und Bedeutungslehre des Duns Scotus«, hatte er einen schwerpunktmäßigen Interpretationsansatz gelegt, nämlich den scholastischen Denktypus phänomenologisch zu deuten und sich dabei von Husserl führen zu lassen. In dieser Arbeit finden sich jedoch auch die erforderlichen Bezüge zum philosophischen Denken Rickerts, der schließlich das Habilitationsverfahren als zuständiger Fachvertreter durchzuführen hatte. Das Hauptgutachten freilich ließ Rickert sich von Krebs entwerfen und formulieren: »Als er (nämlich Heidegger) sie (nämlich die Arbeit) seinerzeit einreichte, las ich sie auf Rickerts Wunsch für diesen durch und schrieb ihm ein Referat darüber, aufgrund dessen sie akzeptiert wurde. Beim Durchlesen hatte ich mir aber Heidegger selber zur Seite gesetzt, um mit ihm gleich alle Aporien der Arbeit zu besprechen.« Diese gleichsam intime Atmosphäre mag überraschen, ist aber erklärlich aus der engen freundschaftlichen Bindung, die beide umschloß. Sie haben auf häufigen Spaziergängen viel diskutiert, über Gott und die Welt sozusagen, auch über die nur schwer auszuhaltende Spannung, in die katholische Theologen infolge des sogenannten Modernismusstreites während des Pontifikats Pius X. geraten waren, eine Dilemma–Situation, die auch Krebs sehr bedrückte. Krebs hatte Ende 1912 den von den katholischen Theologen geforderten Modernisteneid abgelegt und die Eidesleistung auch zugegeben, wenn er danach gefragt worden ist. Der Theologe hatte sich folgende Formulierung zurecht gelegt: »Ich halte den Modernisteneid für ein unverdientes Mißtrauensvotum Pius X., das gegenüber der bisherigen Gebundenheit durch das Dogma nur eine formale Verschärfung bedeutet.« Im übrigen halte er die Angelegenheit für eine Gewissensfrage, die mit der Besetzung von Professuren nichts zu tun habe.

Wir wissen dies auch aus einem Brief, den Heidegger im Sommer 1914 an seinen Freund Krebs geschrieben hatte, als just eine weitere Verschärfung der päpstlich–lehramtlichen Doktrin über die verbindliche Grundlage katholischer Theologie und Philosophie sich abzeichnete, nämlich die *Summa Theologica* des heiligen Thomas von Aquin zur alleinigen Richtschnur zu erklären. Das betraf zwar nur das Gebiet von Italien und der umliegenden Inseln im Mittelmeer, strahlte jedoch aus. Es galt dies auch nur für die katholischen Theologen, doch Heidegger, obwohl kein Theologe, sah sich einbezogen in das System der katholisch ausgerichteten Wissenschaft, die sich durch derartige Engführung des päpstlichen Lehramtes bedrängt fühlte. Er kämpfte mit der außerphilosophischen Bindung, die ihm als Katholiken zugemutet wurde. In dem besagten Brief an Krebs vom 19. Juli 1914, indem er auch über den Fortgang der Habilitationsarbeit informiert, persifliert Heidegger das jüngst ergangene *Motu proprio* (Lehrschreiben) von Pius X., aus dem sich die vorhin entwickelte Engführung erkennen ließ. Der reich mit Anspielungen unterschiedlicher Art gespickte Brief mag veranschaulichen, in welch enger Beziehung die beiden Gelehrten standen.

»Hochgeehrtester, hochwürdiger Herr Doktor!

Herzlichen Dank für Ihr Kärtchen. Da ich im Seminar zuviel gestört werde, habe ich mich zurückgezogen. Letzte Woche bin ich wieder einmal in meiner Arbeit hängengeblieben. Am Mittwoch gehe ich zu Rickert, um seine Stellungnahme herauszubekommen. Meine Ferien muß ich opfern, da mir Husserls Phänomenologie ordentlich zu schaffen macht in den letzten Partien, und ich nicht den Vorwurf des Mißverständnisses mir zuziehen möchte wie neuerdings Messer u. Cohn. Meinen Aufsatz über die Frage hoffe ich Ende d. M. wegschicken zu können. In den Mußestunden hole ich Ihr Kollegheft vor, ich sollte allerdings das jetzige Kolleg kennen, damit beides nicht völlig zusammenhanglos nebeneinander herläuft. Gehören wir auch zu den umliegenden Inseln? Das Motu proprio über die Philosophie fehlte noch. Vielleicht könnten Sie als »Akademiker« noch ein besseres Verfahren beantragen, daß sämtlichen Leuten, die sich einfallen lassen, einen selbständigen Gedanken zu haben, das Gehirn ausgenommen und durch italienischen Salat ersetzt wird.

Für philosophischen Bedarf könnte man dann an den Bahnhöfen Automaten aufstellen (für Unbemittelte gratis). Dispens habe ich für meine Studienzeit. Wollen Sie die Güte haben, und meinen Namen auch noch auf die Liste setzen?

Jetzt werden Sie demnächst sich zum homo phaenomopius hinaufentwickeln und die Metaphysik der Bewegung ad oculos demonstrieren. Vielleicht gäbe sich einmal nächstens die Gelegenheit zu einem Spaziergang, wo wir das Logikkolleg etwas besprechen könnten. In dankbarster Verehrung grüßt Sie herzlichst

Ihr M. Heidegger«

Diese Formulierungen weisen indes auf größere und tiefere Zusammenhänge hin. Es ging nämlich für Heidegger um ein weiteres in seiner persönlichen Identitätsfindung: Im päpstlichen *Motu proprio* von 1914 ist der heilige Thomas von Aquin, Doctor angelicus, zur einzigen unumstößlichen Lehrautorität der katholischen Kirsche erklärt worden. Mit Thomas und dem Thomismus aber war Heidegger durch das von Schaezlersche Stipendium zu Ehren des heiligen Thomas von Aquin gewissermaßen – in materieller Weise – ganz eng verbunden; er sollte ja »dem Geiste der thomistischen Philosophie getreu bleiben«. Wir können unschwer erahnen und nachvollziehen, in welchem inneren Zwiespalt sich der junge Heidegger befunden haben muß: angewiesen auf die materielle Förderung erneut, wie schon als Gymnasiast und Student, seitens der katholischen Kirche, als kleiner Leute Kind, sich wohl bewußt, daß von ihm ein Wohlverhalten erwartet wurde.

Ohne tiefenpsychologisch argumentieren zu wollen – die traumatische Prägung, die dem jungen Heidegger auch in den Jahren nach 1913 widerfuhr, läßt sich aus späteren Verlautbarungen leicht diagnostizieren. Wir werden das noch zur Genüge registrieren. Schon in diesem Kontext sei eine sehr charakteristische Passage aus der 1942/43 gehaltenen Parmenides–Vorlesung eingeschoben, illustrierend und erklärend, wie sich Heidegger am römischen Element stoßen und reiben sollte. Der Wesensbereich der ἀλήθεια – für Heidegger der zentrale und wesentlichste Begriff und Ort seines Denkens – sei »verbaut durch das riesige Bollwerk des in einem mehrfachen Sinne römisch gestimmten Wesens der Wahrheit«. Für Heidegger ist hierbei das kirchliche Imperium in Gestalt des sacerdotium (oberste päpstliche Macht und Gewalt) Nachfolger des römisch–staatlichen Imperiums, wenn er formuliert: »Das ›Imperiale‹ kommt in die Gestalt des Kurialen der Kurie des römischen Papstes. Dessen Herrschaft gründet gleichfalls im Befehl. Der Befehlscharakter liegt im Wesen des kirchlichen Dogmas. Deshalb rechnet dieses in gleicher Weise sowohl mit dem ›Wahren‹ der ›Rechtgläubigen‹ als auch mit dem ›Falschen‹ der ›Häretiker‹ und der ›Ungläubigen‹. Die spanische Inquisition ist eine Gestalt des römisch–kurialen Imperiums.« Mir scheint, Heideggers frühe Wege der Erfahrung, gerade bei solchen Auseinandersetzungen, müssen als Hinter- und Untergründe seiner denkerischen Mitte bedacht werden.

Die Arbeit an der Habilitationsschrift erlitt durch den Ausbruch des Ersten Weltkrieges keine Beeinträchtigung, da Heidegger zwar am

10. Oktober 1914 einberufen, jedoch wenige Tage später aufgrund seines Herzleidens entlassen wurde und vorerst als Reservist militärisch unbehelligt blieb. Es wurde ihm die Gnade ungestörten Arbeitens zuteil, die Schonung vor den tödlichen Gefahren der Frontkämpfe. Erst am 18. August 1915 wurde der inzwischen Habilitierte wieder militärisch erfaßt und nach gut vierwöchigem Lazarettaufenthalt (13. September bis 16. Oktober 1915) in Mülheim/Baden wegen Neurasthenie und Herzerkrankung mit Wirkung vom 2. November 1915 zur Postüberwachungsstelle (Zensur) Freiburg versetzt in der Funktion eines Landsturmmannes. Das erfolgte durch Bataillonsbefehl. Diese Zeit der Briefzensur – Freiburger Kaufleute, dienstverpflichtete Frauen, nicht garnisonsfähige Männer, eine bunte Schar war bei der Postzensur versammelt – bleibt völlig ins Dunkel gehüllt, was das Instrumentarium der Informationsmöglichkeiten betrifft. Es wurde ja alle verdächtige Post geöffnet, nicht nur die Feldpostbriefe, vor allem auch die Korrespondenz, die ins neutrale Ausland ging. Es wurden in Freiburg immer wieder Mutmaßungen angestellt, der Zensor Martin Heidegger habe sich Zugang zu wichtigen Informationen verschafft und besonders die Korrespondenz von Kollegen lesen können.

Ehe wir später auf die weitere militärische Laufbahn und die mit Heideggers Mentalität verbundene Problematik eingehen, sei der Blick nochmals auf das Habilitationsverfahren gerichtet, in dessen Zusammenhang Heideggers eigenhändig geschriebener Lebenslauf ungekürzt wiedergegeben sei, weil darin vieles, was im Vorausgehenden schon angeklungen ist, zusammengefaßt wird wie in einem Brennspiegel und vor allem die philosophische Stellung des Habilitanden sehr klar ausgedrückt ist – in einem unmittelbaren, nahezu zeitgenössischen Zeugnis, nicht verfremdet oder verklärt aus späterem Rückblick.[74] Überdies trägt die Kenntnis des Lebenslaufs viel zur Erhellung des schulischen und universitären Werdegangs bei.

»Lebenslauf: Ich, Martin Heidegger, geboren den 26. September 1889 zu Meßkirch (Baden), als Sohn des Mesners und Küfermeisters Friedrich Heidegger und seiner Ehefrau Johanna, geb. Kempf, besuchte bis 1903 die Volks- und Bürgerschule in Meßkirch. Seit 1900 erhielt ich Privatunterricht in Latein, so daß ich 1903 in die Untertertia des Gymnasiums in Konstanz eintreten konnte. Entscheidenden geistigen Einfluß verdanke ich dem damaligen Rektor des Knabenkonvikts, dem jetzigen Stadtpfarrer Dr. Conrad Gröber in Konstanz. Nach Absolvierung der Untersekunda (Sommer 1906) be-

---

[74] Ich habe den Lebenslauf in Ott 1984c erstmals veröffentlicht.

suchte ich bis zur Erlangung des Reifezeugnisses (Sommer 1909) das Bertholdgymnasium in Freiburg im Breisgau. Als in der Obersekunda der mathematische Unterricht vom bloßen Aufgabenlösen mehr in theoretische Bahnen einbog, wurde meine bloße Vorliebe zu dieser Disziplin zu einem wirklichen sachlichen Interesse, das sich nun auch auf die Physik erstreckte. Dazu kamen Anregungen aus der Religionsstunde, die mir eine ausgedehntere Lektüre über die biologische Entwicklungslehre nahelegten. In der Oberprima waren es vor allem die Platostunden bei dem vor einigen Jahren verstorbenen Gymnasialprofessor Widder, die mich mehr bewußt, wenn auch noch nicht mit theoretischer Strenge in philosophische Probleme einführten. Nach Absolvierung des Gymnasiums bezog ich im Wintersemester 1909 die Universität Freiburg im Breisgau, wo ich ununterbrochen bis 1913 blieb. Zunächst studierte ich Theologie. Die damals vorgeschriebenen philosophischen Vorlesungen befriedigten mich wenig, so daß ich mich auf das Selbststudium der scholastischen Lehrbücher verlegte. Sie verschafften mir eine gewisse formale logische Schulung, gaben mir aber in philosophischer Hinsicht nicht das, was ich suchte, und auf apologetischem Gebiet durch die Werke von Hermann Schell gefunden hatte. Neben der kleinen Summe des Thomas von Aquin und einzelnen Werken von Bonaventura waren es die logischen Untersuchungen von Edmund Husserl, die entscheidend wurden für meinen wissenschaftlichen Entwicklungsgang. Das frühere Werk desselben Verfassers, die Philosophie der Arithmetik, setzte mir zugleich die Mathematik in ein ganz neues Licht. Die eingehende Beschäftigung mit philosophischen Problemen neben den Aufgaben des eigentlichen Berufsstudiums, hatte nach drei Semestern eine starke Überarbeitung zur Folge. Mein früher durch zuviel Sport entstandenes Herzleiden brach so stark aus, daß mir eine spätere Verwendung im kirchlichen Dienst als äußerst fraglich hingestellt wurde. Daher ließ ich mich im Wintersemester 1911 auf 1912 bei der naturwissenschaftlich-mathematischen Fakultät inskribieren. Mein philosophisches Interesse wurde durch das mathematische Studium nicht vermindert, im Gegenteil, da ich mich nicht mehr an die vorgeschriebenen Vorlesungen in der Philosophie zu halten brauchte, konnte ich philosophische Vorlesungen in ausgedehnterem Maße besuchen und vor allem an den Seminarübungen bei Herrn Geheimrat Rickert teilnehmen. In der neuen Schule lernte ich allererst die philosophischen Probleme als Probleme kennen und bekam den Einblick in das Wesen der Logik, der mich bis heute vor allem interessierenden philosophischen Disziplin. Zugleich bekam ich ein richtiges Verständnis der neueren Philosophie seit Kant, die ich in der scholastischen Literatur allzuwenig und ungenügend berücksichtigt fand. Meine philosophischen Grundüberzeugungen blieben die der aristotelisch-scholastischen Philosophie. Mit der Zeit erkannte ich, daß das in ihr niedergelegte Gedankengut eine weit fruchtbarere Auswertung und Verwendung zulassen müsse und fordere. So suchte ich in meiner Dissertation über »Die Lehre vom Urteil im Psychologismus« bezüglich eines Zentralproblems der Logik und Erkenntnistheorie unter gleichzeitiger Orientierung an der modernen Logik und den aristotelisch-scholastischen Grundurteilen für weitere Untersuchungen ein Fundament zu finden. Aufgrund dieser Arbeit wurde ich von der philosophischen Fakultät der Universität Freiburg zum Rigorosum zugelassen, das ich am 26. Juli 1913 bestand. Das Studium von Fichte und Hegel, die eingehende Beschäftigung mit Rickerts »Grenzen der naturwissenschaftlichen Begriffsbildung« und den Untersuchungen Diltheys, nicht zuletzt Vorlesungen und Seminarübungen bei Herrn Geheimrat Finke, hatten zur Folge, daß die bei mir durch die Vorliebe für Mathematik genährte Abneigung gegen die Geschichte gründlich zerstört wurde. Ich erkannte, daß die Philosophie sich nicht einseitig weder an der Mathematik und der Naturwissenschaft noch an der Geschichte orientieren dürfe, die letztere zwar als Geistesgeschichte die Philosophen ungleich mehr befruchten kann. Das nun sich steigernde historische Interesse erleichterte mir so die für einen gründlichen Aufbau der Scholastik als notwendig erkannte eingehendere Beschäftigung mit der Philosophie des Mittelalters. Diese bestand für mich vorerst weniger in einem Herausstellen der historischen Beziehungen unter den einzelnen Denkern, als in einem deutenden Verstehen des theoretischen Gehaltes ihrer Philosophie mit den Mitteln der modernen Philosophie. So entstand meine Untersuchung über die Kategorien- und Bedeutungslehre des Duns Scotus. Sie zeitigte in mir zugleich den Plan einer umfassenden Darstellung der mittelalterlichen Logik und der Psychologie im Lichte der modernen Phänomenologie mit gleichzeitiger Berücksichtigung der historischen Stellung der einzelnen mittelalterlichen Denker. Sollte es mir vergönnt sein, in den Dienst der wissenschaftlichen Forschung und Lehre treten zu dürfen, dann soll der Verwirklichung dieser Pläne meine Lebensarbeit gewidmet sein.«

Das Habilitationsverfahren fand den Abschluß in der Probevorlesung am 27. Juli 1915, für die Heidegger das Thema »Der Zeitbegriff in der Geschichtswissenschaft« gewählt hatte. Als Motto war eine Sentenz aus Meister Eckhart gewählt: »Zeit ist das, was sich wandelt und mannigfaltig, Ewigkeit hält sich einfach.« In der 32. Predigt des Meisters Eckhart »Consideravit semitas domus suae et panem otiosa non comedit« lesen wir genau: »Ein alter meister sprichet, daz diu sêle ist gemachet enmitten zwischen einem und zwein. Das ein ist diu êwicheit, diu sich alle zît aleine heltet und einvar ist. Diu zwei daz ist diu zît, diu sich wandelt und manicvaltiget.«[75]

Heidegger, kleiner Leute Kind, hatte sein großes Ziel erreicht: Privatdozent, befähigt für eine wissenschaftliche Laufbahn, die sich ihm bald zu öffnen schien. Seinem Freund Laslowski indes teilte er als »Motto für Privatdozenten und solche, die es werden wollen« ein Zitat aus einem Brief von Erwin Rohde an Friedrich Nietzsche mit: »Kein Sumpf aber ist geeigneter, selbst den verwegensten Hecht zum geblähten, fertigen, gesunden Frosch zu machen, als der höhere akademische Dünkel.« (3.1.1869)

Militärisch bei der Freiburger Postzensur eingesetzt, begann Heidegger im Wintersemester 1915/16 mit einer zweistündigen Vorlesung »Grundlinien der antiken und scholastischen Philosophie« – er habe große Resonanz, schrieb er seinem Freund Laslowski –, war vor allem mit der Drucklegung – insbesondere Finanzierung – seiner Habilitationsschrift beschäftigt und harrte weiter der bald zu erwartenden Ent-

---

75 *Meister Eckarts Predigten*, Band 2, hg. und übers. von Josef Quint, Stuttgart 1971, S. 132 ff.

scheidung über die Besetzung des nach wie vor vakanten Lehrstuhls für Christliche Philosophie. Dieser Besetzung stand eigentlich nichts mehr im Wege, da Rickert zum Sommersemester 1916 als Nachfolger Windelbands nach Heidelberg wechseln sollte. In Freiburg war es nämlich offenes Geheimnis, Rickert sei an einer möglichst langen Vakanz des Parallel-Lehrstuhls katholischer Provenienz gelegen gewesen, um seinen Hörsaal gefüllt zu haben. Diese Einstellung Rickerts kam Heinrich Finke entgegen, der – so wurde wenigstens von den Eingeweihten mit Recht vermutet – die Professur für Heidegger freihalte.

Doch da häuften sich seit langem die Mißhelligkeiten, auch die Spannungen zwischen Krebs und Heidegger verschärften sich trotz der bestehenden freundschaftlichen Beziehung. Der Theologe, nun seit dem Wintersemester 1913/14 mit der Vertretung der philosophischen Professur betraut, von Rickert mit der Begutachtung von Heideggers Habilitationsschrift beauftragt, setzte alles drein, in der Frage der vakanten Professur eine Entscheidung zu erzwingen. Er wollte es wissen: ob ihm noch eine Chance bliebe – auch angesichts der bevorstehenden Habilitation Heideggers. So intervenierte Krebs beim zuständigen Referenten des Karlsruher Ministeriums (12. März 1915), zwar außeramtlich und eher privat, aber doch deutlich. Er stehe für das Wintersemester 1915/16 nicht mehr für eine Lehrstuhlvertretung zur Verfügung. Er gebe sich für eine dauernde Verkleisterung der unhaltbaren Zustände nicht mehr her. Er ließ anklingen, daß in der Philosophischen Fakultät eine Mehrheit für seine Berufung bestehe, obwohl er Theologe sei. »Eine Unmöglichkeit, den Lehrstuhl ordentlich zu besetzen, besteht also nicht mehr, ganz abgesehen davon, daß in Geyser (Münster), Ettlinger (München), Dyroff (Bonn) genügend Kandidaten für eine Liste bereitstehen.« Letztlich wurde klar, daß der eigentliche Opponent gegen den Theologen Krebs der Geheimrat Finke sei. Diese Demarche, die Krebs in Karlsruhe unternommen hatte, wurde in Freiburg rasch bekannt; auch Heidegger erfuhr davon, hatte doch Krebs Abschriften seines Briefes an mehrere Adressen in Freiburg gesandt. Heideggers Name war nicht genannt worden – als potentieller Kandidat, der unmittelbar vor der Habilitation stand.

Heidegger hat diese Krebssche Intervention als persönlichen Angriff aufgefaßt. Er unterrichtete umgehend Laslowski: man bekomme mit der Zeit einen harten, kühlen Blick für allerlei Menschengewächs. Rickert habe eine Art Doppelspiel getrieben, aus einer vermeintlich schlauen Position heraus. Finke sitze ganz ordentlich in der Klemme, da er mit seinem Prinzip »kein Theologe in der Philosophischen Fakultät« vielleicht scheitere. Der Breslauer Freund tröstete ihn: »Bei Finke und Rickert nur kühle Ruhe und ›Haltung‹ bewahren. Selbst wenn Krebs ernannt würde, hättest Du als Privatdozent dort immer noch Platz, und wenn nicht dort, dann anderswo. Freilich Freiburg wäre das beste gewesen, weil da die Aussicht die günstigste ist.« Wenn Krebs genommen würde, sei die Sache gar nicht schlimm. »Es wäre das für Deine Wissenschaft von Vorteil.« (Brief vom 15. Mai 1915).

Ja, diese tröstlichen Briefe des Freundes Laslowski aus Breslau. Er begleitete Heidegger ohne Unterlaß, nahm intensivsten Anteil an seinem Schaffen, auch in kleinen Dingen. So hatte er erst kürzlich »ein Gedichtlein« Heideggers im *Heliand* abdrucken lassen – »unter Pseudonymen«. In der Tat: die März-Nummer 1915 des *Heliand*, »Monatsschrift zur Pflege religiösen Lebens für gebildete Katholiken«, enthält unter dem einfachen Pseudonym ›Martin Heide‹ folgendes dreistrophige Gedicht:

Trost

Die Sonne scheint
Ein Stündlein nur.
Muß früh schon sterben.

Die Liebe weint –
Des Lebens Flur
Ein Feld von Scherben.

Wie Gott es meint! –
Auf ew'ger Spur
Geh'n Engel werben.

Welche Seelen- oder Gemütsstimmung Heidegger auch immer ausgedrückt haben mag – er war seit Dezember 1913 ›still‹ verlobt mit einer Straßburgerin aus der Verwandtschaft eines kleineren Zollbeamten (Regierungssekretär) bei der Regierung des Reichslandes Elsaß-Lothringen. Dieses Verlöbnis mit »Margaret« war offensichtlich ständigen Spannungen und Belastungen ausgesetzt und wurde im November 1915 wieder gelöst. Vorausgegangen war eine schwere Lungenerkrankung von Heideggers Braut, die in Davos ausgeheilt werden mußte. Auf das im Frühjahr veröffentlichte Gedicht Heideggers jedenfalls spielte Laslowski

in seinem tröstenden Brief vom 21. November 1915 an: sein Freund
Martin habe dieses Opfer bringen müssen um seiner Arbeit willen.
»Ich sah, wie Du von Tag zu Tag wuchsest, so riesenhoch hinaus wuchsest über die Sphäre, in der ›Liebe‹ und ›Glück‹ nur gedeihen kann; ich
wußte schon seit langem, daß Du wirst Wege gehen müssen – *müssen*,
um Deinen Zielen überhaupt näher zu kommen –, auf denen die ›Liebe‹
erfrieren muß.«

Just in diesen vorweihnachtlichen Tagen 1915 schürzte sich der Kno-
ten der künftigen Philosophie-Konstellation an der Freiburger Universität – Vorgänge, die von Heidegger mit wacher Aufmerksamkeit beobachtet wurden. Was Wunder, da doch auch sein Weg mit bestimmt werden würde. Die Nachfolge Rickerts, des letzten Vertreters einer idealistischen Philosophie in Freiburg, wurde im Eiltempo bewerkstelligt,
galt es doch, eine weitere Vakanz zu unterbinden. Zum Sommersemester 1916 sollte die Philosophie I wieder besetzt sein. Die Fakultät unter
maßgebender Führung ihres Dekans Finke setzte den großen Phänomenologen, den in Göttingen lehrenden Edmund Husserl an die erste
Stelle, in ihm »die stärkste wissenschaftliche und pädagogische Kraft«
erblickend.[76]

Auf die besorgte Frage Laslowskis, der von Husserls Freiburger
Aussichten gelesen hatte »Wie mag er persönlich sein? Gewöhnlich
sind ja die Österreicher außerordentlich liebenswürdig und leicht zugänglich –« konnte Heidegger beruhigend antworten: »es fehlt ihm die
nötige Weite«, den Fundamentalunterschied zwischen seiner eigenen
und der Husserlschen wissenschaftlichen Persönlichkeit scharf festle-
gend (Januar 1916).

Doch die Freundeskorrespondenz ist von der Sorge durchzogen,
wie Heideggers Weg verlaufen werde (6. Dezember 1915): Der Konkurrent Krebs war insofern aus dem Rennen, als er eine Dogmatik-Profes-
sur in seiner Theologischen Fakultät mit Sicherheit erlangen werde.
Jetzt müsse verhindert werden, daß »irgendein Banause« hineindränge.
»Denn der sitzt dann als Ordinarius fest wie ein erratischer Block und
läßt sich nicht mehr wegschieben.« Laslowski warnt Heidegger, wie
schon oft vorher, ganz eindringlich, keine öffentlichen Urteile über die
Scholastik abzugeben: »Deshalb sei bitte *jetzt* noch *vorsichtig* in Urteilen über die Scholastik. Ich würde Dir nicht einen solchen onkelhaften

---

[76] Vgl. Ott 1988 c.

Rat geben, wenn Du nicht selbst schon in Deinem vorletzten Briefe Andeutungen gemacht hättest, als spitzten die Herrn die Ohren. Und das weißt Du selbst, gerade in den Theologenkreisen ist die Empfindlichkeit geradezu hypertrophal ausgebildet und ebenso das ›Verantwortungsgefühl‹, wenn nämlich gegen einen ›unsicheren Kantonisten‹ intriguiert werden soll. Deine Kritik kommt immer noch früh genug für die betreffenden Kreise.« Als warnendes Beispiel führt Laslowski Franz Xaver Kraus an – auf den er öfter rekurriert.[77] Halten wir zu dieser ›Scholastik‹-Problematik die oben schon angeführten Sätze Heideggers, die er im Schreiben an das Domkapitel vom 13. Dezember 1915 formuliert hatte (also zur selben Zeit) – er werde seine wissenschaftliche Lebensarbeit »auf die Flüssigmachung des in der Scholastik niedergelegten Gedankenguts für den geistigen Kampf der Zukunft um das christlich-katholische Lebensideal« einstellen –, dann springt der Opportunismus überdeutlich in die Augen.

Und in diesem opportunistischen Verhalten Heideggers, das seinem Gönner Finke nicht verborgen blieb, liegt wohl die Antwort auf die Frage, warum der Geheimrat den jungen Heidegger nicht mehr favorisierte, als es zum entscheidenden »Treffen«, zur Stunde der Wahrheit, kam. Da Finkes Nachlaß nicht erhalten ist, sind wir natürlich auf Mutmaßungen angewiesen, was den weiteren Fortgang und die Entscheidungskriterien anlangt. Möglicherweise haben sich die Dinge kompliziert, da zum Sommersemester 1916 Husserl in Freiburg als Rikkerts Nachfolger seine Arbeit begann, mit dessen Werk schon der junge Heidegger sich beschäftigt und auf das er sich eingelassen hatte, dem er jedoch bisher nicht persönlich nahegekommen war. Im Sommersemester 1916 jedenfalls jagten sich die Kommissionssitzungen. Heideggers Name wurde genannt, aber nicht mehr als einziger und schon gar nicht an erster Stelle – schließlich einigte sich die Philosophische Fakultät Ende Juni 1916 auf den Münsteraner Ordinarius Josef Geyser, 1869 geboren, also zwanzig Jahre älter als der damals knapp siebenundzwanzigjährige Heidegger, dem seine allzu große Jugend und geringe Lehrerfahrung, natürlich auch das noch schmale wissenschaftliche Œuvre beim unmittelbaren Zugang auf ein Ordinariat im Wege standen. In den Kommissionsberatungen wurde als Lehrstuhlumschreibung für

---

[77] Zu Kraus (1840–1901) und seinen Schwierigkeiten mit dem kirchlichen Lehramt vgl. Hubert Schiel zusammenfassend im *Lexikon für Theologie und Kirche,* 2. Auflage, Freiburg i. Br. 1961, Bd. 6, Spalte 596.

den künftigen Ordinarius ausdrücklich festgelegt »für Philosophie *mit besonderer Berücksichtigung der Geschichte der mittelalterlichen Philosophie*« – eine dezidiert negative Umschreibung, die einen spekulativen Philosophen, der moderne Fragestellungen vertrat, von vornherein ausschloß, gleichsam eine auf den potentiellen Kandidaten Heidegger zielende Sperre. Bei dieser Definierung haben offenkundig die Interessen von Husserl, der keinen starken Konkurrenten wünschen konnte, auch die von Finke, der seinen früheren Favoriten wegen mangelnder ›scholastischer‹ Zuverlässigkeit fallen ließ, zusammengewirkt.

Heideggers vorsichtiges Herantasten an den neuberufenen Ordinarius Edmund Husserl – Heidegger hatte im Mai 1916 angeboten, Husserl die noch ungedruckte Habilitationsschrift zugänglich zu machen – blieb ohne Wirkung. Das Desinteresse des großen Phänomenologen an dem noch unbekannten Privatdozenten war unverkennbar. Es ist fraglich, ob Husserl damals sonderlich in die Heideggersche Arbeit hineingeschaut hat. Die Verhandlungsführung in der Kommission besorgte eh der Kollege Finke.

Jedenfalls nach getaner Arbeit, als die Würfel – gegen Heidegger – gefallen waren, zeigte sich Husserl bereit, den Kollegen Heidegger zu empfangen (Brief vom 21. 7. 1916). Er habe zwar die Arbeit nicht noch einmal durchschauen können, seine Vorstellungen seien etwas verblaßt, so daß er Nützliches wohl kaum sagen könne. Im übrigen: er sei stark okkupiert. Also: hier waren keine starken Eindrücke hinterblieben, und es wurde nur das Minimum höflicher Etikette gewahrt.

Die Entscheidung der Berufungskommission vom 23. Juni 1916 war für Heidegger nichts weniger als eine Katastrophe: Die Kommission konnte sich nur zu einer sogenannten ›Einer-Liste‹ verstehen mit einer Begründung, die überdeutlich die Aversion gegen Heidegger zur Geltung bringt: »Die Neubesetzung der 2ten ordentlichen Professur für Philosophie bietet zur Zeit besondere Schwierigkeiten, wenn der unerläßlichen Forderung genug getan werden soll, um Persönlichkeiten in Vorschlag zu bringen, deren wissenschaftliche Leistungsfähigkeit in Forschung und Lehre außer Frage ist. Der Mangel an solchen Persönlichkeiten aus dem allein in Betracht zu ziehenden Laienstande ist ein so großer, daß die Fakultät nach reiflicher Erwägung nur einen einzigen Kandidaten zu empfehlen in der Lage ist.« Wo waren alle die ermunternden Appelle von Heinrich Finke geblieben – sie hatten sich im Leeren verloren.

Für den eigenständigen Kopf Heidegger war kein Platz in Freiburg. Wie auch, wenn künftig gelten sollte: »Es wäre eine wesentliche Bereicherung der philosophischen Studien an unserer Universität, wenn sie auf diese Art zu einer Pflanzstätte für philosophisch-historische Arbeiten aus der noch zu wenig durchleuchteten Epoche der Scholastik werden könnte.« Genau dieses aber war nicht das Terrain Heideggers, dem es vor solcher Art philosophischer Arbeit grauste.

Einen weiteren Stoß versetzte die Kommission dem Privatdozenten, indem sie ihn nicht einmal für ein Extraordinariat vorschlagen konnte – für den Fall, daß der Münsteraner Ordinarius Geyser den Freiburger Ruf ablehnte, »so könnte die Fakultät bei dem erwähnten Mangel an tüchtigen Kräften selbst für ein Extraordinariat einen Vorschlag nicht machen.« Heidegger war allenfalls gut für den »Ausweg eines Provisoriums in Form der vorläufigen Erteilung eines philosophischen Lehrauftrages an einen Privatdozenten.« Da brauche man keinen auswärtigen Dozenten dem Insider, dem »vielversprechenden Martin Heidegger vorzuziehen.« Der solle dann vorläufig einen Lehrauftrag erhalten. Der Senat relativierte diese mögliche Berücksichtigung Heideggers, »daß nach Meinung des Senats Privatdozent Heidegger nur in Frage kommen soll, wenn es trotz aller Anstrengungen nicht gelingen sollte, Geyser für Freiburg zu gewinnen.« Daß der Münsteraner Professor die Reise nach Süden antreten werde, dafür hatte der innere Zirkel in der Görres-Gesellschaft gute Vorsorge getroffen. Denn Freiburg war für Geyser nur Station zum Endziel München, das er dann 1924 auch erreichte. Die Fakultät wollte da eher auf einen bewährten Mann setzen, der in der Tradition christlicher Philosophie einen ausgewiesenen Standort hatte »als kritischer Vorkämpfer einer realistisch gerichteten Philosophie auf aristotelischer Grundlage«, obwohl Husserl nicht viel von Geyser hielt, ihn anderwärts Finke gegenüber einen unbedeutenden Kompilator genannt hatte; aber: es ist im Universitätsbereich eine wohlbekannte Erscheinung, daß Groß-Ordinarien keine Nebenbuhler dulden können, sondern gern als Platzhirsche das Feld behaupten.

Heidegger jedenfalls muß bis ins Mark erschüttert gewesen sein durch diese jüngste Entwicklung, hatte er doch, auf Finke vertrauend, berechtigte Hoffnung hegen dürfen, in jungen Jahren schon Ordinarius zu werden und damit existentieller Sorgen ledig zu sein, mit denen er dann über Jahre hin leben mußte und die ihn auch weiterhin begleiten sollten. Aber da kannte er den Geheimrat Finke und dessen taktischen Sinn nicht, wenn es galt, berufungspolitisch nach dem Prinzip *do, ut des* (ich gebe, damit du mir gibst) zu verfahren.

Es muß ein bitterer Brief gewesen sein, den Heidegger an Finke gegen Ende der Kommissionsberatungen gerichtet hat, als sich die Waagschale zu seinen Ungunsten neigte. Er ist nicht überliefert, kann jedoch aus dem Antwortbrief Finkes vom 23. Juni 1916, also vom Tag der Schlußsitzung, rekonstruiert werden. »Eine offenherzige Auseinandersetzung«; Heidegger meinte, Husserl sei gegen ihn eingestellt und schätze ihn nicht richtig ein. Finke räumte diese Bedenken aus. Husserl schätze Heidegger richtig und voll ein. Im übrigen tröstete der Geheimrat den frustrierten Privatdozenten, er sei ja noch ein junger Mann, habe die Zukunft vor sich. Er solle nicht verzagen, wenn auch nicht gleich alles komme. Das Alter – siehe der zwanzig Jahre ältere Geyser – müsse halt vorgehen. Immerhin sei Heideggers Name schon diskutiert worden. Man denke also an ihn. Und Finke rief ihm zu: »Schaffen, schaffen!«

Später (8. April 1917) versicherte Finke seinem Schützling, er hege große Erwartungen bei ihm: »ein bedeutender theistischer spekulativer Philosoph« sei nötiger als alle historisch verfahrenden christlich-katholischen Philosophen, Heidegger also den Weg der Religionsphilosophie weisend, auf dem er für den Katholizismus Bahnbrechendes zu leisten vermöge. Indes: es war zu schwacher Trost für den verletzten jungen Privatdozenten. Für ihn jedoch stellte sich der Fall als Komplott dar, von Krebs angezettelt, der Finke gegen ihn eingestimmt habe. Erneut suchte er Trost bei Laslowski, der das Freiburger Szenario kannte und ihm nach Freiburg tröstend schrieb: »Finke und seine Leute fühlen sich eben an Krebs gebunden«, heißt es in einem Brief aus Schlesien vom 17. September 1916, »wollen ihn nicht verletzen. Vor Dir haben sie Angst. Alles rein persönliche Motive. Sachlich *können* die Leute nicht mehr urteilen. Mir ist das alles so klar. Also, ob Du die richtigen Konsequenzen ziehst, indem Du diesen Herrn das Feld räumst? Ich würde mich für zu stolz halten, den Leuten das anzutun.« Heidegger machte sich zu dieser Zeit Hoffnungen auf eine Professur in Tübingen. Er solle seinen Freiburger Gegnern »ein Gemisch von Verachtung und Mitleid« entgegenbringen: »So Kleingeister, Intriganten, Familienväter, subalterne Naturen. Du lieber Himmel, ›Professoren von gestern‹.« Da kommt ein Kunterbunt von Affekten zusammen: die Frau Geheimrat

(Finke) spielt hinein – dazu alle die Faktoren von Animositäten, die enttäuschten Hoffnungen zugrundeliegen.

In diesem Sommer 1916 – Heidegger war »militärisch« nach wie vor bei der Freiburger Postüberwachungsstelle tätig – erfolgte die Begegnung mit Elfride Petri, Studentin der Nationalökonomie an der Freiburger Universität, die Heidegger im März 1917 ehelichte. Wie wir im Zusammenhang mit dem 1916 veröffentlichten Gedicht »Abendgang auf der Reichenau« (Wiederabdruck in Band 13 der Gesamtausgabe) wissen, weilte Heidegger mit Elfride Petri und deren Freundin Gertrud Mondorf einige Tage auf der Bodenseeinsel. Auch Ernst Laslowski, der im Sommersemester 1916 in Freiburg anwesend war, hatte die beiden Freundinnen kennengelernt. Eine neue menschliche Dimension tat sich auf, besonders gewichtet, da Heideggers Braut der Familie eines höheren preußischen Offiziers entstammte und der evangelisch-lutherischen Konfession zugehörte. Dieses Element der Konfessionsverschiedenheit muß im oben dargelegten Prozeß einer Entfremdung Heideggers von katholischen Kreisen stark berücksichtigt werden. Daß diese Entfremdung, begründet in solch persönlicher Erfahrung und gespeist aus Querelen mit wissenschaftlichen Repräsentanten des katholischen Milieus, im Jahre 1916 einsetzte, scheint offenkundig zu sein. Jedenfalls: spätere Aussagen Heideggers – und es sind zahlreiche –, die einen antiklerikalen Inhalt haben, lassen sich aus diesen frühen Erfahrungen ableiten. Dazu zählt etwa jener im Februar 1934 an den Reichsführer der Deutschen Studentenschaft Stäbel gerichtete Brief des Rektors Heidegger – es ging um die Aufhebung einer vom örtlichen Studentenführer verfügten Suspendierung einer katholischen Studentenverbindung –, worin Heidegger ausführte:

»Dieser öffentliche Sieg des Katholizismus gerade hier (nämlich in Freiburg, d. Verf.) darf in keinem Falle bleiben. Es ist dies eine Schädigung der ganzen Arbeit, wie sie zur Zeit *größer nicht gedacht werden kann*. Ich kenne die hiesigen Verhältnisse und Kräfte seit Jahren bis ins Kleinste … Man kennt katholische Taktik *immer noch nicht*. Und eines Tages wird sich das schwer rächen.«[78]

Solche fast maßlosen Invektiven, mit einer philosophischen Diktion einherstelzend, können nur aus den oben geschilderten Vorgängen verständlich gemacht werden.

Der Sommer 1916 fügte dem Privatdozenten Heidegger eine schwere

---

[78] Schneeberger 1962, Nr. 176.

seelische Verwundung zu – mit traumatischer Wirkung, die zeitlebens dauerte; es war der entscheidende Schlag. Erinnern wir uns: Abweisung durch die Jesuiten – wegen unzureichender gesundheitlicher Stabilität; Abweisung durch die Erzdiözese Freiburg aus demselben Grund. Jetzt diese Behandlung durch katholische Kreise! Die erste Kehre – nicht eine denkerische! – bahnte sich an: die Abkehr nämlich vom Katholizismus, vom katholischen System, oder wie immer der Sachverhalt umschrieben werden soll.

Martin Heidegger sah sich veranlaßt, eine andere Orientierung zu suchen: Formell blieb er der Schützling Finkes, zumal Geyser, dem er eigentlich vom Fachlichen her zugeordnet gewesen wäre, erst zum Sommersemester 1917 nach Freiburg übersiedelte. Übrigens gibt es überhaupt keinen Hinweis, daß Geyser und Heidegger irgend etwas miteinander zu tun hatten – in der Freiburger Zeit Geysers. Zunächst übernahm Heidegger für das Wintersemester 1916/17 die Lehrstuhlvertretung, da sein Freund Krebs inzwischen ein Extraordinariat in der Theologischen Fakultät erlangt hatte und an einer Fortsetzung der über drei Jahre geleisteten Lehrstuhlvertretung nicht mehr interessiert war. Laut Tagebuch Krebs las Heidegger »Grundfragen der Logik«. Er habe zwar ein zahlreiches Publikum aus den weltlichen Fakultäten gefunden, aber bei den Theologen wenig Verständnis, »da er eine schwierige Terminologie und für Anfänger zu komplizierte Ausdrucksweise besitzt!«

Die neue Orientierung fand Heidegger bei Husserl, der, wie ihm Finke schon im Sommersemester 1916 zu verstehen gab, ihn jetzt schon richtig und voll einschätzte. Eine engere Beziehung zwischen beiden Philosophen freilich entwickelte sich vorerst nicht, auch wenn es einen nicht unerheblichen brieflichen Kontakt schon 1916 gab, der 1917 nicht sehr rege war, dann jedoch sich 1918 verstärkte, als Heidegger sich immer mehr Husserl zuwandte.

Ein Gradmesser des erreichten Beziehungsniveaus ist der Briefwechsel zwischen Husserl und seinem Marburger Kollegen Paul Natorp vom Oktober 1917 auf dem Hintergrund der Besetzung des Marburger Extraordinariates für Philosophie, das durch den Weggang von Georg Misch nach Göttingen frei geworden war und künftig stärker auf mittelalterliche Philosophie ausgerichtet werden sollte. Heidegger kam in Betracht (»weit an erster Stelle«); darum wollte sich Natorp bei seinem Freund Husserl vergewissern, der ja nach eineinhalb Jahren

Freiburger Tätigkeit das philosophische Talent Heidegger ausgelotet haben dürfte.[79] Heideggers Arbeiten bieten »Achtbares«, versprechen »Größeres«, seien »in der Weite und Freiheit der Problemfassung« sehr ansprechend. Doch wie es mit der »Lehrtätigkeit« stehe – »und ob man vor konfessioneller Beengung bei ihm wirklich ganz sicher ist.« Natürlich auch, wie Husserl den jungen Freiburger Philosophen persönlich wie wissenschaftlich einschätze. Dies der Fragenkatalog Natorps.

Husserl replizierte zwar nicht sehr präzis, aber umfänglich: Heidegger sei zur Zeit angestrengt tätig im militärischen Dienst – bei der Postüberwachungsstelle –; so habe er, Husserl, bis jetzt – also in eineinhalb Jahren seiner Freiburger Zeit! – noch nicht genügend Gelegenheit gehabt, mit ihm näher in Beziehung zu kommen, um sich ein »zuverlässiges Urteil« über dessen »Persönlichkeit und Charakter« zu bilden. Jedenfalls könne er nichts Nachteiliges über ihn melden. Nun hatte Natorp in erster Linie danach gefragt, ob Heideggers Bindung an den Katholizismus so stark sei, daß sie ins Gewicht falle. In der Tat: ein katholischer Professor für Philosophie im Marburg der Religionsgespräche zwischen Luther, Zwingli und Melanchthon (1529), in Marburg, dessen Universität 1527 als erste protestantische Hochschule errichtet worden war? Doch wohl schwer vorstellbar!

Husserls Bescheid in dieser Angelegenheit: Es sei sicher, daß Heidegger »konfessionell angebunden« ist, »da er sozusagen unter der Obhut des Collegen Finke, unseres ›katholischen Historikers‹«, stehe. Demgemäß sei Heidegger im vergangenen Jahr in der Berufungskommission für den Lehrstuhl für Katholische Philosophie diskutiert worden, weil dieser Lehrstuhl auch auf mittelalterliche Philosophie gewichtet werden sollte. Sein Name sei neben anderen in Erwägung gezogen worden, wobei Finke ihn »in konfessioneller Hinsicht als geeigneten Kandidaten« behandelt habe. Vor einigen Monaten freilich habe er eine Protestantin geheiratet, »die meines Wissens bisher nicht übergetreten ist.« Im übrigen fand Husserl den Schützling Finkes »für unsere Stelle« doch zu jung und noch »zu wenig ausgereift«, auch für die Position eines Extraordinarius. Sein Duns-Scotus-Buch sei ein »Erstlingsbuch«, aus dem »seine geistige Beweglichkeit und erhebliche Begabung«

---

[79] Übrigens verdanken wir die Einsicht in diesen Briefwechsel, der im Husserl-Archiv der Katholischen Universität in Leuwen/Belgien aufbewahrt wird, dem Forschergeist nordamerikanischer Gelehrter, die mit äußerster Intensität Heideggers Weg zu *Sein und Zeit* nachspüren (vgl. Sheehan 1981 und Kisiel 1988).

zutage trete. »Es ist sicherlich ein vielversprechender Anfang für einen Historiker mittelalterlicher Philosophie.« Freilich habe er noch zu wenig Lehrerfahrung sammeln können, weil er zum »Postfelddienst« herangezogen worden sei. Über seinen Lehrerfolg habe er sowohl »sehr gute« wie »auch abfällige Urteile« vernommen, was damit zusammenhänge, daß Heidegger versuche, »im Systematischen vorwärts zu kommen«, und deswegen »nicht historische, sondern systematische Vorlesungen« gehalten habe. Er ringe »noch um eine sichere Stellung in den Grundfragen und Methoden.« Er habe sich mit großem Einsatz der Phänomenologie von einem inneren Ansatz her genähert, die Rickertsche Richtung längst verlassen. »Das tut er, wie es scheint, ernst und mit Gründlichkeit«. Mehr könne er nicht mitteilen.

Aus den Husserlschen Darlegungen wird überdeutlich, daß der Phänomenologe den jungen katholischen Philosophen nur ganz oberflächlich zur Kenntnis genommen hatte, eher dem Ondit verpflichtet als der eigenen Lektüre seiner Arbeiten, deren frühe sich ja sehr eindringlich mit Husserls *Logischen Untersuchungen* auseinandergesetzt hatten. Auch die persönlichen Beziehungen bewegten sich nur im vordergründig Förmlichen. Für Husserl war Heidegger im Schubfach »Katholische Philosophie« und im Kästchen »Protektion durch Heinrich Finke« (mit all den Implikationen) abgelegt – und dies hieß zunächst ein Rüchlein »Unwissenschaftlichkeit«.

Der Satz, Finke habe Heidegger bei den Kommissionsberatungen »in konfessioneller Hinsicht als geeigneten Kandidaten« behandelt, war in dieser isolierten Fassung eigentlich vernichtend. Nein, Husserl engagierte sich im Herbst 1917 noch nicht für den Kollegen Heidegger. Der wurde deshalb auch nur auf Platz drei der Marburger Liste, wie später 1920 erneut, gesetzt, bis er schließlich 1922 – freilich unter ganz neuen Konstellationen – den Durchbruch schaffte. Natorp teilte – noch im Oktober 1917 mit: Heidegger sei wegen »seiner Jugend und des begrenzten Arbeitsfeldes« nur auf die dritte Stelle gesetzt worden. Aber Heidegger gebe Hoffnung.

Husserls ausführliche Charakterisierung birgt interessante Hinweise für unsere Fragestellung im engeren Sinn: Es geht ja um die konfessionelle Zugehörigkeit Heideggers, des Katholiken, ehemaligen Aspiranten für die »Gesellschaft Jesu«, Studenten der katholischen Theologie, Privatdozenten für christliche (= katholische) Philosophie – auch wenn natürlich die venia legendi schlicht auf Philosophie lauteten! –,

dessen Herkunft aus rein katholischem Ursprung an Eindeutigkeit
nichts zu wünschen übrig ließ – der Vater Mesner in Meßkirch. Zunächst sei ein weiteres Mal festgehalten, daß Heidegger unbedingt sich
Husserl näherte, selbst wenn dieser ihn noch als Finkes Schützling eingestuft hatte. Heidegger tendierte eindeutig zu der Phänomenologie
Husserls. Immerhin hatte Husserl zur Kenntnis genommen, daß Heidegger mit einer Protestantin verheiratet war, die – bis dato – noch
nicht zum katholischen Glauben übergetreten sei.

Anfang 1917 hatte Heideggers Braut dem schlesischen Freund Laslowski Andeutungen über eine mögliche Heirat gemacht, diesen neur-
asthenischen Menschen in schwerste Unruhe versetzend: »Liebster
Martin, könnte ich jetzt in diesen Tagen bei Dir sein. Ich weiß nicht,
aber ich kann über das, was mir Frl. Petri schrieb, nicht recht froh sein.
Es wäre gut, wenn *ich* mich täuschen sollte. Aber ich bitte Dich, sei vorsichtig! Warte doch, bis wir wieder beisammen sind. Ich habe wirklich
viel Kummer um Dich, gerade in dieser so ungeheuer wichtigen Frage.
Du verstehst mich und meine Bitte, nicht zu rasch Dich zu entscheiden.« (Brief vom 28. Januar 1917). Was so wirr geschrieben ist, ent-
sprang der komplizierten seelischen Kondition des Freundes, der seinen Martin nicht an eine Frau hergeben wollte, zumal die Konfessionsverschiedenheit erschwerend hinzukam.

Doch der Entschluß, die Ehe einzugehen, war gefaßt worden. Welche Schwierigkeiten sich gerade der Konfessionsverschiedenheit wegen
im Kreis der Angehörigen Heideggers ergaben, braucht nicht besonders erläutert zu werden: Für die einfachen Eltern, denen der Gedanke
einer gemischten Ehe außerordentlich fremd sein mußte, war der
Schritt ihres Sohnes kaum nachvollziehbar. Aber: es gab »katholisierende« Absichten der Schwiegertochter, die ja aus so vornehmem Haus
kam. Am 21. März 1917 vormittags 10 Uhr war das Brautpaar »Dr. Martin Heidegger, Privatdozent und Landsturmmann« und »Thea Elfride
Petri, stud. rer. pol. an der Freiburger Universität« von »Professor Dr.
Engelbert Krebs in Vertretung des Militärpfarrers Monsignore Wächter« in der Universitätskapelle getraut worden. Krebs hatte von Heidegger erst im März 1917 die Tatsache der Verlobung erfahren sowie die
Ankündigung, daß Fräulein Petri ihn besuchen wolle. Es war eine
schlichte Kriegstrauung, die in aller Stille und ohne jedes Gepränge
vollzogen worden ist. Heideggers Braut stammte aus einer Familie lutherischer Konfession, trug sich seinerzeit mit dem Gedanken, zum

Katholizismus zu konvertieren, wovon ihr jedoch Krebs abriet. Sie solle nichts übereilen, vielmehr warten bis nach der Hochzeit. Ein solch
schwerwiegender Schritt wolle genau überlegt sein.

Heideggers Schwiegervater war seinerzeit Oberst z. D. (zur Disposition). Einer der Trauzeugen war der stud. phil. Heinrich Ochsner aus
dem badischen Kenzingen, ehemaliger Theologiestudent, zwei Jahre
jünger als Heidegger, mit ihm, wie wir aus fragmentarischer Überlieferung wissen – inzwischen veröffentlicht[80] – befreundet und offensichtlich kompetenter Partner des wissenschaftlichen Gesprächs, einem gut
fundierten Ondit zufolge eine Art spiritus rector, Anreger für Heidegger. Die Spendung des Ehesakraments am 21. März 1917 erfolgte unter
den spezifischen Bedingungen einer Kriegstrauung, da der Bräutigam
in erster Linie als Landsturmmann eingestuft war und der zuständige
katholische Geistliche, der Divisionspfarrer Monsignore Johannes
Wächter, Priester der Berliner Präpositur, seit 1907 Militärpfarrer für
den Standort Freiburg, seine Vollmacht an den priesterlichen Freund
Heideggers delegiert hatte. Deshalb war auch die sonst übliche Verkündigung nicht erforderlich. Die Tatsache der kirchlich vollzogenen Eheschließung blieb de facto geheim.[81]

Die Universitätskapelle des Münsters Unserer Lieben Frau zu Freiburg war die beziehungsreiche Stätte, auch wenn von ihr, einst Grablege der Universitätsprofessoren, nicht mehr viel im Bewußtsein gehalten worden sein dürfte. Die Zeit, da die Universität Freiburg ausgesprochen und ausschließlich katholischen Charakter trug, war seit etwa 1840 ausgeronnen – katholische Professoren außerhalb der Theologischen Fakultät hatte man 1917 eher mit der Lupe zu suchen. Ob Heidegger wohl wußte, daß in dieser spätgotischen Nische, eingeschmiegt
in den Kapellenkranz, der um den herrlichen Hochaltar des Hans Baldung Grien sich legt, auch sein Landsmann Christoph Eliner bestattet
war, weiland Professor der Theologie und Rektor der Freiburger Universität, gestorben 1575 und Stifter des Stipendiums, das der Meßkircher Gymnasiast und Student Martin Heidegger mehr als fünf Jahre genoß? Die Erinnerung an Eliner wird durch eine Holztafel mit einem
Gemälde der Auferstehung wachgehalten. Diese hängt dem Altar der
Universitätskapelle gegenüber. Das Altarwerk, vor dem die Brautleute

---

[80]   Ochwadt/Tecklenborg 1981.
[81]   Diese Darlegungen beruhen auf dem Tagebuch von Engelbert Krebs.

knieten, höchst wahrscheinlich ein Werk von Holbein dem Jüngeren, ist ein Triptychon, dessen Mittelteil die Anbetung der Hirten und Könige birgt, auf dessen Flügel die vier großen abendländischen Kirchenlehrer dargestellt sind: Ambrosius, Hieronymus, der auch Patron der Universität Freiburg ist, Augustinus und Gregorius I. Eingewölbt ist diese Kapelle mit einem gut gearbeiteten, achtteiligen Netzgewölbe, das von einem vielfarbigen Schlußstein gekrönt ist, einem Medaillon, das von den Wappen Österreichs, der Stadt Freiburg und der Universität gehalten wird. Der Atem der Geschichte weht durch diesen Raum, vernehmbar den Wissenden.

Eine Kriegstrauung wies auch eine weitere Besonderheit auf: sie mußte nicht im Ehebuch der betreffenden Pfarrei, also in unserem Fall des Dompfarramtes Freiburg, vermerkt werden. Die Militärgeistlichen hatten eine eigenständige Standesbuchführung, wobei die Eintragungspraxis großzügig gehandhabt wurde. »Kriegstrauung ohne Orgel, Brautkleid, Kranz und Schleier, Wagen und Pferde, Festmahl und Gäste, zwar mit dem brieflich eingetroffenen Segen der Eltern beider, aber ohne deren Anwesenheit«, so notierte Krebs auf dem Blatt seines Tagebuches, das gewissermaßen in der Art eines Ehebuchformulares gestaltet ist. Der Text der von Krebs gehaltenen Trauansprache ist leider nicht überliefert. »Quod Deus benedicat!« – so schloß Krebs den Eintrag.

Trotz des militärseelsorgerlichen Charakters der Trauung galt natürlich die katholische kirchenrechtliche Vorschrift, daß bei konfessionell gemischten Ehen die katholische Taufe und katholische Kindererziehung verpflichtend war. Die Beziehungen zwischen Heidegger und Krebs schwächten sich in der Folgezeit merklich, ja überdeutlich ab – nicht verwunderlich bei jungen Eheleuten, die sich einrichten und den eigenen Lebenskreis aufbauen. Zudem schlug Heidegger einen anderen Weg des religiösen und theologischen Denkens ein, der sich auch bald deutlicher abzeichnete. Aus den Briefen von Heinrich Ochsner wissen wir, daß Heidegger sich im Sommer 1917 mit Schleiermacher beschäftigte, besonders mit der zweiten Rede von dessen »Reden über die Religion« und daher auch mit dem Problem des Religiösen bei Schleiermacher. »Heidegger bot als Erhöhung der Stimmung und als feinen Dank für die Freundschaft eine Ausführung über das Problem des Religiösen bei Schleiermacher.« (2. August 1917) Wenige Tage später schreibt Ochsner, er stehe noch die ganze Woche unter dem Eindruck des Heideggerschen Vortrags.

Nach wie vor zur Postüberwachungsstelle abkommandiert und mit der nicht besoldeten Vorlesungspflicht eines Privatdozenten betraut, mußte Heidegger den negativen Ausgang der Marburger Berufungserwartungen verkraften – eine weitere Enttäuschung nach dem bitteren Erlebnis von 1916. Zum Sommersemester 1917 endlich hatte Joseph Geyser den Lehrstuhl für christliche Philosophie übernommen – Heideggers besoldeter Lehrauftrag entfiel fortan. Zu Geyser knüpfte er keine näheren Beziehungen, beschränkte sich vielmehr auf die Anlehnung an Finke. Freilich wurde ihm die Annäherung an Husserl künftig zum Hauptanliegen. Es war ein stetes Werben um den spröden Phänomenologen – schon seit 1916. Heidegger griff z.B. gar zum Mittel eines unangekündigten Besuches – kurz vor Weihnachten 1916, verfehlte indes den Meister, der für ein Stündchen auf den nahen Lorettoberg den gewohnten Weg gegangen war. Welche Idylle! In der Regel begleitete zu dieser Zeit die frischgebackene Doktorin der Philosophie, Edith Stein, den Lehrer – seit Oktober 1916 war sie zu seiner Privat-Assistentin aufgerückt, unweit der Husserlschen Wohnung in einer kleinen Pension lebend. Doch Heidegger könne den Besuch wiederholen – »mir vielleicht vorher die Zeit« anzeigen –, falls der anstrengende Dienst, gemeint die Arbeit bei der Postüberwachungsstelle – dies zulasse. »Vermag ich Sie in Ihrem Studium zu fördern, so will ich es darin, wenn Sie es wünschen, gewiß nicht fehlen lassen!« (Brief vom 10. Dezember 1916). Spröde und sehr unverbindlich.

Der Weg zu Husserl war also nicht einfach zu finden. Heidegger, wiewohl mit Husserls Phänomenologie seit Jahren vertraut, tat sich schwer, ein persönliches Verhältnis zu schaffen. Auch als die Marburger Anfrage lief, suchte Husserl nicht die nähere Begegnung mit Heidegger, war jedoch gewillt, auf seine Bitte hin im Oktober 1917 einen Gesprächstermin zu vereinbaren. Wieder ein förmlicher Satz: »Gerne will ich Ihre Studien fördern, so gut ich es vermag.« (24. September 1917)

Dann muß das Eis gebrochen sein: Im Winter 1917/18 kommen sich beide Philosophen auch menschlich so nahe, daß das philosophische Gespräch auf persönlicher Basis möglich wurde. Begleitet wurde Heidegger auf diesem Weg zu Husserl vom Freund Heinrich Ochsner, der im Wintersemester 1917/18 an Husserls »Logik«-Seminar teilnahm, »die Nähe des Göttlichen« verspürend. Es sei ein wunderbarer Sachverhalt, »das Grunderlebnis aller Philosophie, daß wir Welt und Ich nur verstehen durch den absoluten Geist Gottes« (Brief vom 20. Oktober 1917).[82]

Husserl war fraglos die beherrschende philosophische Persönlichkeit, der sich die beiden Freunde entschieden zuwandten. Der christliche Philosoph Josef Geyser war klar ins Abseits geraten und spielte keine Rolle. Über Geysers Antrittsrede wolle er sich lieber ausschweigen, so Ochsner in einem Brief vom 6. Dezember 1917. Aus den Berichten, die Ochsner aus genauer Erinnerung später seinem Freund Bernhard Welte[83] vermittelte, wird sehr transparent, wie Heidegger im fruchtbaren Gespräch mit Husserl dessen phänomenologischen Ansatz wesentlich entfaltet habe. Heidegger habe schon ganz am Anfang begriffen, daß »Husserls Ansatz bei all seiner Bedeutung doch keine prima philosophia sein konnte, weil Husserls ›Gegenstand‹ der abstrakte des theoretischen Wissens der Wissenschaft war, als ein sehr abkünftiges« – demgegenüber der in den konkreten Formen des Daseins sich konstituierende vergegenständlichte Gegenstand »ein viel ursprünglicherer und früherer ist.« Husserl habe die Fragen des Zugangs zu seinen Phänomenen übersprungen, da für ihn die wissenschaftliche Gegebenheit der Gegenstände eine nicht mehr zu befragende Selbstverständlichkeit gewesen sei. Heidegger sei deswegen von Anfang an über Husserl hinausgegangen, habe dessen Ansatz radikalisiert, da ihm die Frage nach der geschichtlichen Bestimmtheit der Gegebenheit der Gegenstände und des Zugangs zu ihnen wesentlich geworden sei.

Am 17. Januar 1918 wurde der Landsturmmann Heidegger kaserniert – für kurze Zeit wenigstens, weil sich ein weiteres Mal gesundheitliche Beschwerden bemerkbar machten. Heideggers Gesundheit scheine »unter dem neuen Dienst sehr zu leiden«, berichtet Ochsner am 24. Januar 1918: »Ich habe immer noch die stille Hoffnung, daß diese Versetzung zurückgehe mit Rücksicht auf seine Gesundheit. Es wäre für mich ein gar nicht abzuschätzender Verlust, wenn er ins Felde käme.« Soweit freilich war es noch nicht, auch wenn die sich aufbäumende deutsche Oberste Heeresleitung alle Kräfte mobilisieren mußte, um die großen Offensiven an der Westfront zu ermöglichen. Aber in der Folge wurde er zur militärischen Ausbildung an den Standort Heuberg mit dem dort angrenzenden Truppenübungsplatz verlegt – also in seine Heimat.

---

[82] Ochwadt/Tecklenborg 1981, S. 93 f.
[83] Diese Informationen verdanke ich den Tagebuchnotizen von Bernhard Welte (1957), in die ich Einsicht nehmen konnte.

Ende 1917 jedenfalls bedauerte Husserl, Heidegger nicht mehr sehen zu können, um im gemeinsamen Philosophieren sich zu erfreuen – aber: seine Abreise in den Schwarzwald – »brennend wünsche ich eine Zeit stiller Kontemplation« – und die militärische Indienstnahme Heideggers schlossen eine Begegnung aus. Einen frohgemuten Gruß vom Truppenübungsplatz Heuberg, den der Soldat Heidegger von der 4. Kompanie des Ersatz-Bataillons 113 nach Freiburg sandte – er war am 28. Februar 1918 dieser Einheit überstellt worden –, beantwortete der vaterländisch gesinnte Husserl väterlich-gütig (28. März 1918): es bestehe also keine Sorge, daß der Soldat Heidegger die körperlichen Strapazen nicht ertrage. Daß Heidegger die Philosophie vorerst ganz beiseite tun mußte, sei ganz gut. Er werde später – »hoffentlich dauert ja der Krieg nach den herrlichen Siegen im Westen nicht mehr allzulang« – mit um so »größerer Spannkraft« zu den »schweren Problemen zurückkehren«, wobei Husserl das Seine beitragen werde, um ihn »in medias res zu versetzen« im philosophischen Gespräch. Immer wieder gebraucht Husserl das auszeichnende Wort: συμφιλοσοφεῖν, das gemeinsame, kongeniale Philosophieren.

Und so spann sich die Korrespondenz zwischen beiden Gelehrten über den Frühsommer, Sommer und Herbst 1918 fort – Heidegger war im April wieder in Freiburg, bis am 8. Juli 1918 die Einberufung zur Frontwetterwarte 414, einer württembergischen Formation mit Stationierung in Berlin-Charlottenburg, erfolgte, zur Schulung in den meteorologischen Grundkenntnissen. Aus Berlin schildert Heidegger seinem Gönner Husserl auch die Eindrücke, die er vom geistigen Leben, von der dortigen Universität, erhalten hat. Wir haben die Spiegelung in Husserls Brief vom 10. September 1918 – ein großer Monolog, die jugendliche Frische, die reine und unverbildete Jugend Heideggers überschwenglich preisend, »das klare Auge der Seele, das klare Herz, den klargerichteten Lebenswillen«, die redliche Sprache rühmend; dankend für das Geschenk der Briefe: »O, Ihre Jugend, wie ist es mir Freude und rechte Herzerquickung, daß Sie mich durch Ihre Briefe an ihr teilnehmen lassen.« Väterliche Fürsorge und Dankbarkeit kennzeichnen den Ton.

Als dieser Brief abgefaßt wurde, war Heidegger als Angehöriger der Frontwetterwarte 414 im Operationsgebiet der 1. Armee an der Westfront eingesetzt. Diese Einheit war der Armeewetterwarte der 3. Armee unterstellt: sie stand, präziser ausgedrückt, in den Ardennen bei Sedan. Ihre Hauptaufgabe in der Marne-Champagne-Schlacht (Beginn 15. Juli 1918) lag in der Deckung des linken Flügels der 1. Armee, die gegen Reims vorstoßen sollte. Die meteorologischen Dienste waren eingerichtet worden, um den Giftgaseinsatz wetterprognostisch zu unterstützen. Ein Erlaß des Kriegsministeriums vom 25. August 1918 regelte den Einsatz der Wetterdienste im einzelnen.

Heidegger hielt sich zwei Monate im Kriegsgebiet auf – bis gegen Ende Oktober. Am 5. November 1918, wenige Tage vor der Novemberrevolution, wurde er zum Gefreiten befördert und am 16. November durch die Fliegerersatzabteilung 10 entlassen – in die Heimat Freiburg, wo die Novemberrevolution einigermaßen gemächlich verlief und die Arbeiter- und Soldatenräte keine zentrale Rolle spielten.

Der Bruch mit dem
»*System* des Katholizismus«

In der zurückliegenden Zeit hatte unter dem Einfluß von Husserl und mit Blick auf ihn bei Heidegger ein Umdenken – aus welchen Gründen im einzelnen auch immer – begonnen, das in eine für sein Leben schwerwiegende und vielleicht nie verwundene Entscheidung mündete: Er gab den Glauben seiner Herkunft preis, wie unbestimmt zunächst diese Aussage zu verstehen ist. Der vor einigen Jahren an eher versteckter Stelle[84] veröffentlichte Abschiedsbrief an seinen priesterlichen Freund Krebs vom 9. Januar 1919 soll zunächst für sich stehen, ehe wir dann die Interpretation im gehörigen Zusammenhang leisten.

»Sehr verehrter Herr Professor!

Die vergangenen zwei Jahre, in denen ich mich um eine prinzipielle Klärung meiner philosophischen Stellungnahme mühte u. jede wissenschaftliche Sonderaufgabe beiseiteschob, haben mich zu Resultaten geführt, für die ich, in einer außerphilosophischen Bindung stehend, nicht die Freiheit der Überzeugung u. der Lehre gewährleistet haben könnte.

Erkenntnistheoretische Einsichten, übergreifend auf die Theorie des geschichtlichen Erkennens haben mir das *System* des Katholizismus problematisch u. unannehmbar gemacht – nicht aber das Christentum und die Metaphysik, diese allerdings in einem neuen Sinne.

Ich glaube zu stark – vielleicht mehr als seine offiziellen Bearbeiter – empfunden zu haben, was das katholische Mittelalter an Werten in sich trägt u. von einer wahrhaften Auswertung sind wir noch weit entfernt – meine religionsphänomenologischen Untersuchungen, die das M. A. [Mittelalter] stark heranziehen werden, sollen statt jeder Diskussion Zeugnis davon ablegen, daß ich mich durch eine Umbildung meiner prinzipiellen

---

[84] Casper 1980. Casper hat eine wichtige Stelle falsch gelesen. Statt »Meine Frau, die Sie erst besucht hat« heißt es: »Meine Frau, die Sie erst berichtet hat.«

Standpunktnahme nicht habe dazu treiben lassen, das objektive vornehme Urteil u. die Hochschätzung der katholischen Lebenswelt einer verärgerten u. wüsten Apostatenpolemik hintanzusetzen.

Es ist mir daher besonders wertvoll – u. ich möchte Ihnen recht herzlich dafür danken – daß ich das Gut Ihrer wertvollen Freundschaft nicht verliere. Meine Frau, die Sie erst berichtet hat, und ich selbst möchten das ganz besondere Vertrauen zu Ihnen bewahren. Es ist schwer zu leben als Philosoph – die innere Wahrhaftigkeit sich selbst gegenüber u. mit Bezug auf die, für die man Lehrer sein soll, verlangt Opfer u. Verzichte u. Kämpfe, die dem wissenschaftlichen Handwerker immer fremd bleiben.

Ich glaube, den inneren Beruf zur Philosophie zu haben u. durch seine Erfüllung in Forschung und Lehre für die ewige Bestimmung des inneren Menschen – u. *nur dafür* das in meinen Kräften Stehende zu leisten u. so mein Dasein u. Wirken selbst vor Gott zu rechtfertigen. Ihr von Herzen dankbarer Martin Heidegger.

Meine Frau läßt recht herzlich grüßen.«

Vieles erinnert an frühere Aussagen, z. B. die Erschließung der Philosophie des Mittelalters (in den Briefen an das Freiburger Domkapitel 1913-1915), die Abgrenzung des echten Philosophen vom wissenschaftlichen Handwerker – etwa im Sinne des philosophiegeschichtlich arbeitenden Editors scholastischer Texte, eine Tätigkeit, wie sie einige Jahre zuvor auch Heidegger nahegelegt worden war. Entscheidend ist aber, daß Heidegger sich nicht mehr in der katholischen Kirche, im *System* des Katholizismus aufhalten konnte, von ihm als außerphilosophische Bindung gewertet, wohl aber im Christentum, d. h. doch in der Überlieferung des Neuen Testaments und vielleicht der Väterliteratur, obwohl er sich dazu einer näheren Aussage enthält. Wichtig ist der Verweis auf die künftige Arbeit als Religionsphänomenologe – das trägt die Handschrift von Husserl. Insgesamt war es – und dies sei ohne Deutelei festgehalten – eine auf Freundesebene formulierte Austrittserklärung aus dem Verband der katholischen Kirche, aus der sichtbaren Kirche Jesu Christi, wie sie im römischen Kirchenrecht definiert ist. Denn: der theologisch gebildete Heidegger wußte nur zu genau, daß die katholische Ekklesiologie eine sichtbare Kirche als Institution mit Hierarchie und Lehramt, mit dogmatischer Kompetenz und päpstlicher Unfehlbarkeit ausgebildet hatte und daß demzufolge eine sich außerhalb dieser Gemeinschaft stellende individuelle christliche Existenz, vielleicht von theistischer Qualität, den Bruch mit der Kommunität bedeutete. Nicht von ungefähr führte Heidegger die Worte «verärgerte und wüste Apostatenpolemik« an, von welcher Zuordnung er sich ganz klar absetzen möchte: aber, er ist sich bewußt, ein Apostat, also ein Abtrünniger zu sein, der sich freilich nicht als Nestbeschmutzer aufführen will, sondern sich eines »objektiven vornehmen« Urteils und einer »Hochschätzung der katholischen Lebenswelt« befleißigen will.

Der Brief ist bereits von einem geschrieben, der auf der anderen Seite dem katholischen Lager gegenübersteht, aus diesem Lager freilich nur die Einsichtsvollen und Kompromißbereiten für den Dialog auswählen wird. Am Schluß des Briefes die große Geste der Rechtfertigung seiner selbst vor Gott – wie Martin Luther: die Gebärde, die ein wenig überzeichnet ist.

Krebs traf dieser Brief zu Anfang des Jahres 1919 nicht wie ein Blitz aus heiterem Himmel, im Gegenteil: Er war gut vorbereitet, da, wie Heidegger im Brief erwähnte, seine Frau ihm kürzlich »berichtet« hatte. Der offizielle Abschiedsbrief Heideggers, ein bedeutsames Dokument seines Lebens, ist in einem tieferen Zusammenhang zu lesen und zu verstehen. Der Hinweis, seine Frau habe Krebs »berichtet«, erklärt sich aus Folgendem: Elfride Heidegger suchte den Dogmatikprofessor am 23. Dezember 1918, am Tag vor dem Weihnachtsabend auf – es herrschte schreckliches Wetter –, um ihm mitzuteilen, daß sie und ihr Mann in Erwartung des ersten Kindes ihrer bei der katholischen Eheschließung und Taufe eingegangenen Verpflichtung zu katholischer Taufe und Kindererziehung nicht mehr nachkommen können. Erinnert sei an die katholisierenden Neigungen von Elfride Heidegger, denen Krebs im Frühjahr 1917 mit behutsamer Skepsis begegnet war. Ein solcher Schritt sei genau zu überlegen und dürfe nicht überstürzt werden. Engelbert Krebs besaß die Angewohnheit, wichtige Tagebucheinträge in Dialogform bzw. in wörtlicher Rede zu gestalten, wie aus früheren Darlegungen schon geläufig ist – es sind demnach unter dem unmittelbaren Eindruck entstandene Wiedergaben des Gesprächsverlaufes:

»Mein Mann hat seinen kirchlichen Glauben nicht mehr, und ich habe ihn nicht gefunden. Schon bei unserer Trauung war sein Glaube von Zweifeln unterwühlt. Aber ich selber drang auf die katholische Trauung und hoffte, mit seiner Hilfe den Glauben zu finden. Wir haben viel zusammen gelesen, gesprochen, gedacht und gebetet, und das Ergebnis ist, daß wir beide jetzt erst protestantisch denken, d.h. ohne feste dogmatische Bindung, an den persönlichen Gott glauben, zu ihm beten im Geiste Christi, aber ohne protestantische oder katholische Orthodoxie. Wir würden es für unaufrichtig halten, unser Kind unter solchen Umständen katholisch taufen zu lassen. Aber ich hielt es für meine Pflicht, Ihnen dieses vorher zu sagen.«

Für Krebs war es eine zutiefst schmerzliche Enttäuschung, daß »mein Freund und sein junges Weib jetzt« von der Kirche wegstreben, und er notierte weiter: »Es wird Heidegger, der sich für katholische Philosophie habilitiert hat, viel Ungemach bereiten, daß er jetzt abschwenkt. Er geht denselben Weg der inneren Entwicklung vom katholischen Denken weg, wie ich ihn Bühler gehen sah. – Und wieviel Verantwortung davon auf mich fällt, – das weiß nur Gott. Ich hatte ihm zu arglos vertraut, als ich zur Trauung meine Hilfe bot.« Im nachhinein wird deutlich, daß die Form der kirchlichen Trauung durch Krebs in Vertretung des zuständigen Militärgeistlichen nicht problemlos gewesen ist – offenkundig war es zumindest ein Außerachtlassen von Vorschriften. Krebs fügte dem Apostaten Karl Bühler noch die Namen K. Marbe, A. Messer, Horten und Verweyen hinzu – ehemals katholische Philosophen.

Es dauerte bis in den Herbst 1919 hinein, bis zum 15. September, ehe es zu einem intensiven Gespräch zwischen Heidegger und Krebs kam – in der Meßkircher Heimat des Philosophen. Der Dogmatikprofessor Krebs war auf dem Weg nach Beuron über Meßkirch gefahren, wo ein Jugendfreund als Kaplan wirkte. Heidegger hielt sich zur Erholung bei seinen Eltern auf. »Nach Tisch, gegen 3 Uhr, wanderten wir mit Kollegen Heidegger… in Richtung Heudorf ab.« Der Kaplan habe sie bald verlassen, »und nun hatte ich Gelegenheit, mit dem vom Glauben abgekommenen, jüngeren Freund stundenlang theologische Gespräche zu führen, die er selbst herbeiführte.« Die scharfe Wanderung über die in herbstliche Farben getauchte hochflächige Heuberglandschaft führte beide bis zur Höhe hinter Leibertingen, wo sie von einander schieden. »Ich eilte im Trab davon und ohne Weg über Felder und Geröllhalden hinab und war um 6 Uhr in Beuron.«

Eine deutlich passive Rolle nahm Heidegger wenig später wahr, als Krebs am 16. Januar 1920 einen langen Plauderabend mit Husserl und Heidegger als seinen Gästen hatte – verfügte er doch über einen wohlsortierten Weinkeller. Es ging um Gespräche »über Philosophie und Theologie. Heidegger war fast ganz stumm, Husserl umso beredter.« Husserl, der bekannt habe, »selber ziemlich irreligiös zu sein, weil eben rein wissenschaftlich«, habe ihm ehrfürchtig gelauscht, »als ich ihm von den hohen Geisteswerten, Freuden, tiefen seelischen Reichtümern sprach, die dem Katholiken aus seinem Glauben zufließen.« Auch das Problem der lehramtsgebundenen theologischen Wissenschaft wurde erörtert – für Krebs eine willkommene Gelegenheit, dem Phänomenologen die vatikanische Lehre vom Glauben auseinanderzusetzen. Husserl sei ganz andächtig geworden und habe gesagt: »Das ist fein, sehr fein und konsequent.« Freilich sei dann wieder die Sorge durchgebrochen, »die wissenschaftliche Arbeit müsse doch ihre Freiheit verlieren, wenn man von einer gelehrten Kommission zensuriert zu werden fürchten müsse.« Für Heidegger zählte solches Argumentieren zu den erledigten Fällen, weswegen er den Abend über stumm in sich vergraben der kleinen Runde anwohnte. Ob er sich von Husserl mitgemeint wähnte, der Krebs gegenüber ironisch äußerte: »Sie sitzen in Ihrem Palast an reicher Tafel, und wir stehen wie die armen Bettler vor der Türe.« Krebs jedenfalls konnte diesen Vergleich »aus vollem Herzen« bestätigen.

Noch einmal ergab sich Gelegenheit, die frühere persönliche Konstellation herzustellen, als Ernst Laslowski, der Freund von Krebs und Heidegger, im Sommer 1920 das Doktorexamen bei Finke ablegte, was den Kreis beim Gastgeber Krebs zusammenführte.

Doch die freundschaftlichen Bande lockerten sich dann rasch und wurden zur Unverbindlichkeit; es reichte gerade noch zu einem Dämmerschoppen beider, ehe Heidegger 1923 nach Marburg wechselte, wo er endlich eine Professur erhielt – die Beziehung rann aus wie Sand in einem Stundenglas. Krebs indes verfolgte wachen Auges und wunden Herzens Heideggers weiteren, steil aufwärts führenden Weg, hatte jedoch nur noch in amtlicher Funktion mit ihm Umgang, z.B. im Sommersemester 1933 unter dem Rektorat Heideggers, als Krebs das Dekanat der Theologischen Fakultät verwaltete. Leider ist das Tagebuch von Krebs nur bis zum 31. Dezember 1932 erhalten, so daß gerade über Heideggers politisches Engagement kein Widerhall des genauen und unbestechlichen Beobachters Krebs überliefert ist, dessen Freundesspuren von Heidegger sorgfältig getilgt worden sind. Der Theologe Krebs, aufrecht und geradlinig, geriet nach 1933 binnen kurzem in Schwierigkeiten mit dem NS–System. 1936 wurde er vorzeitig seines Lehrstuhls enthoben und in den Ruhestand versetzt, zog sich zurück, vereinsamte und starb 1950, rehabilitiert zwar nach dem 2. Weltkrieg, aber nicht mehr aus der Schwermut erwachend.

Einige Jahre nach dem Erlöschen der ehemals intensiven freundschaftlichen Bindungen kam Engelbert Krebs nochmals ausführlich auf Heidegger zurück und zwar anläßlich einer Begegnung mit Edith Stein, die den Theologen in einem besonderen Anliegen aufsuchte. Die Sätze eines längeren Tagebucheintrags enthalten eine interessante, tiefgründige, fast prophetische Gegenüberstellung Martin Heidegger – Edith Stein.

»Freitag, 11. April 1930 besuchte mich Dr. Edith Stein aus Speyer, Husserls bedeutendste Schülerin und Mitarbeiterin am Phaenomenologischen Jahrbuch. Die schlesische
Jüdin war in Göttingen Husserls Hörerin und kam mit ihm von dort nach Freiburg.
Mit Frau Conrad–Martius, der zweiten bedeutenden unter Husserls Mitarbeiterinnen,
befreundet, teilte sie bald deren katholisierende Neigung. Tiefere Studien und Gebet
führten sie zur Konversion Anfang der zwanziger Jahre des Jahrhunderts. Sie konvertierte im Hause oder wenigstens Pfarrort der Frau Conrad–Martius, und diese war, obwohl selbst noch nicht katholisch, ihre Patin bei der Taufe. – Heute ist Frau Conrad–
Martius noch immer nicht katholisch, Edith Stein dringt immer tiefer in die Schatz-
kammern unseres Glaubens ein und arbeitet zur Zeit an einer deutschen Ausgabe der
Quaestiones de Veritate des heiligen Thomas. – Beim siebzigsten Geburtstag Husserls
voriges Jahr besuchte sie diesen wieder und fuhr dann mit Heidegger und einer kleineren Anzahl älterer Husserl–Schüler zu Heideggers Haus. Sie fand ihn gegenüber früher sehr verändert, voll von arbeitsorganisatorischen Plänen.

Welche entgegengesetzte Schicksale! Edith Stein gewann früh hohes Ansehen im
philosophischen Reich. Aber sie wurde klein und demütig und – katholisch und tauch-
te unter in stiller Arbeit im Dominikanerinnenkloster in Speyer. – Heidegger begann
als katholischer Philosoph, aber er wurde ungläubig und fiel von der Kirche ab und
wurde berühmt und der umworbene Mittelpunkt der heutigen zünftigen Philosophen.

Ähnlich wie Edith Stein ging es Dietrich von Hildenbrand in München. Benedico
te Pater, quia haec magnis et potentibus abscondisti, parvulis autem manifestasti. Sic
Pater placuit tibi!«[85]

Dieser zentrale Lebensabschnitt Heideggers, die große weltan-
schauliche Kehre, deren Aufhellung das Bemühen gilt, ohne daß vielleicht in die eigentliche Tiefe vorgedrungen werden kann, sei noch
nicht verlassen; vielmehr sollen im Innehalten noch einige Gedanken
zu dieser weltanschaulichen, also weit mehr als konfessionellen Kehre
niedergelegt werden.

Noch in seiner Dissertation und Habilitation war es Heidegger um
eine Erneuerung der wissenschaftstheoretischen Grundlagen der
Theologie zu tun. In der Habilitationsschrift über Duns Scotus ver-
glich er die »flächig verlaufende Lebenshaltung« des modernen Menschen, den er der Gefahr »einer wachsenden Unsicherheit und völliger
Desorientierung« ausgesetzt sah, mit der Haltung des transzendent gebundenen mittelalterlichen Menschen. Er hielt eine Philosophie, die
auf jegliche metaphysische bzw. theologische Ausrichtung verzichtete,
für nicht vertretbar. Das Bekenntnis zu Metaphysik und Theologie um-
griff selbstverständlich das Festhalten an ethischen Maßstäben. »Die
Philosophie kann ihre eigentliche Optik, die Metaphysik, auf Dauer

---

[85] Vgl. Näheres in Ott 1987a. Der lateinische Schlußsatz des Tagebucheintrages lautet übersetzt:
»Ich preise Dich Vater, daß Du dieses den Großen und Mächtigen verborgen, den Kleinen aber
geoffenbart hast. So, Vater, hat es Dir gefallen.«

nicht entbehren. Für die Wahrheitstheorie bedeutet das die Aufgabe einer letzten metaphysisch–theologischen Deutung des Bewußtseins. In diesem lebt ureigentlich schon das Werthafte, insofern es sinnvolle und sinnverwirklichende lebendige Tat ist, die man nicht im entferntesten verstanden hat, wenn sie in den Begriff einer biologischen blinden Tatsächlichkeit neutralisiert wird.« Diese Sätze korrespondieren durchaus reibungslos mit den Briefen Heideggers an das Freiburger Domkapitel 1913–1915 im Kontext des Thomas-Stipendiums. Heidegger brauchte sich nicht taktisch klug einzustellen, er war vielmehr zutiefst überzeugt und durchdrungen vom Denken in den Kategorien der traditionellen Metaphysik.

Binnen weniger Jahre hatte sich Heideggers Stellung zur katholisch–christlichen Tradition verändert, grundlegend und radikal, also in den Wurzeln, wie aus dem Abschiedsbrief an Krebs vom 9. Januar 1919 ersehen werden kann. »Erkenntnistheoretische Einsichten, übergreifend auf die Theorie geschichtlichen Erkennens«, – Heideggers Abkehr von christlicher Philosophie begann als Abkehr vom Katholizismus, es war die große konfessionelle Kehre auf einem Denkweg, an dessen Ende ethische und theologische Fragen bewußt nicht mehr gestellt wurden. Wir haben es in dieser Zeit des ausgehenden Weltkriegs und des politischen Umsturzes mit einem ersten Teil des Weges nach der Kehre zu tun. Aber, welche Erklärung finden wir für die einsetzende Ablösung von der philosophischen und theologischen Tradition, der er noch 1915 ein Leben lang verpflichtet sein wollte »für den geistigen Kampf der Zukunft um das christlich–katholische Lebensideal«?

Wir müssen, freilich nur im Ungefähren und andeutungsweise, die Rolle des Protestantismus im frühen Werdegang Heideggers ansprechen. Protestantische Denker, in erster Linie Friedrich Schleiermacher, bahnten die Zugänge zu anderen Sichtweisen – und vor allem die Theologie Martin Luthers, der er sich näherte. Als besonders charakteristisch kann seine Auseinandersetzung mit Schleiermacher gelten, auf die wir oben schon zu sprechen kamen. Schleiermachers zweite Rede über die Religion, über die der Privatdozent Heidegger 1917 im Sommer meditierte, wendet sich gegen die Systematizität theologischen und moralischen Denkens. Nach Schleiermacher ist das Wesen der Religion weder Denken noch Handeln, sondern Anschauung des Universums, Vermittlung des Gefühls des Unendlichen. Religion und Philosophie werden streng auseinandergehalten, da Metaphysik und Philosophie Verderber der Religion seien. Der Mensch sollte sich der Religion nicht als eines Instruments bedienen, denn er verfügt über Religion als einer Anschauungsmöglichkeit, die nicht akzidentell an ihm haftet, sondern zu seinem Wesen gehört: »Die Moral geht vom Bewußtsein der Freiheit aus, deren Reich will sie ins Unendliche erweitern, und ihr allein unterwürfig machen; die Religion atmet da, wo die Freiheit selbst schon wieder Natur geworden ist, jenseits des Spiels seiner besondren Kräfte und seiner Personalität faßt sie den Menschen, und sieht ihn aus dem Gesichtspunkt, wo er das sein muß, was er ist, er wolle oder wolle nicht.« (*Schleiermachers Werke*, Bd. 4, Nachdr. 1968, S. 241)

Die hier deutlich werdende Wendung des Religionsverständnisses ins Existentielle bestimmte für einige Zeit Heideggers Beschäftigung mit Luther bis in die frühen Marburger Jahre. Doch damit sollen die Deutungsversuche auf sich beruhen, da es berufenere Kenner dieser Probleme gibt. Es ist nicht so sehr das Geschäft des Historikers, dessen Handwerk anders ausgerichtet ist: etwa auf Quellen, die synchron, also zeitgleich entstanden sind und zumindest in einer parallelen Betrachtung stehen müssen.

Bei all diesen Überlegungen darf die aktiv handelnde Persönlichkeit Husserls nicht außer Betracht bleiben, dessen wissenschaftspolitische Rolle wichtig war. Für ihn war es selbstverständlich, daß eigentliches Philosophieren voraussetzungslos zu sein habe, nicht gebunden an konfessionelle Prämissen. »Katholische« Wissenschaft gar – ein Unding! Husserl sei in seinem Werk dem Religiösen gegenüber neutral gewesen gleichsam wie ein Mathematiker. Persönlich habe er an Gott geglaubt, doch dieses religiöse Element nie in sein Denken einfließen lassen – so faßt Heinrich Ochsner die zentrale Erfahrung seinem Freund Bernhard Welte gegenüber zusammen.

Blitzartig – unter diesem Aspekt – wird Husserls Mentalität erhellt durch heftige Auseinandersetzungen in der Philosophischen Fakultät der Freiburger Universität, als es 1924 darum ging, den Lehrstuhl für (christliche) Philosophie nach dem Weggang von Josef Geyser (nach München) neu zu besetzen. Husserl machte sich damals stark für die Entkonfessionalisierung dieses Lehrstuhls, was natürlich den Historiker Heinrich Finke auf den Plan rief, den vormaligen Förderer Heideggers. Husserls Diktum, man sei »der katholischen Internationale während des Krieges in weitem Maße« entgegengekommen, aber jetzt sei es an der Zeit, das wieder abzubauen, provozierte Finke zu folgendem Ausbruch: »So etwas müssen wir hören von einem österreichischen

Juden. Ich bin im Leben nie Antisemit gewesen; es wird mir heute schwer, nicht antisemitisch zu empfinden.« Aber Finke hatte keine sonderliche Lobby bei seiner Demarche. Nur ein Fakultätsmitglied bedauerte, daß Husserl so tief gesunken sei und zu verbrauchten Kulturkampfphrasen zurückgekehrt sei (Tagebuch Josef Sauer zum 24. Januar 1924). Zu gerne hätte Edmund Husserl 1924 seinen erst jüngst nach Marburg berufenen Schützling Heidegger auf diesen Lehrstuhl geholt – den einstigen katholischen Aspiranten: jetzt als den emanzipierten Philosophen. Über Malvine Husserl erfuhr Elfride Heidegger – die beiden Philosophengattinnen waren sich, damals wenigstens, herzlich zugetan –, es habe »Kräche und Stänkereien« in der Fakultät gegeben, die sich nicht beschreiben ließen. Das müsse mündlich geschehen. »Es wäre schön gewesen, Ihren Mann gegen G(eyser) einzutauschen.« (19. Februar 1924). Doch, wir sind der Entwicklung ein wenig vorausgeeilt.

Am 7. Januar 1919, also zwei Tage vor Heideggers Abschiedsbrief an Krebs, stellte Husserl beim Karlsruher Ministerium den Antrag, Heidegger zum Assistenten des Philosophischen Seminars I mit einer festen jährlichen Besoldung zu ernennen. Er, Husserl, sei auf die Hinführung der Anfänger zur philosophischen Phänomenologie durch Heidegger angewiesen. Dieser wiederum benötige die materielle Unterstützung. Überdies bestehe die Gefahr, daß Heidegger wegen der Verschlechterung der materiellen Lage in einen Geldberuf abwandere und so eine hoffnungsvolle wissenschaftliche Kraft der Universität verloren gehe. Husserl erwähnte in diesem Zusammenhang den Marburger Listenplatz von 1917, um seinem Antrag Gewicht zu verleihen.

In damaliger Zeit, das muß man zum besseren Verständnis wissen, existierten noch keine etatmäßigen Assistentenstellen oder Planstellen für Dozenten. Lediglich bei den medizinischen Fakultäten waren im Interesse der Krankenversorgung und Facharztausbildung wenige solcher Positionen eingerichtet. Husserl betrat mit diesem Antrag also Neuland. Der Bitte wurde insoweit entsprochen, als Heidegger einen vergüteten Lehrauftrag erhielt. Doch Husserl ließ nicht locker, blieb mit dem Hochschulreferenten des Karlsruher Ministeriums in Verbindung, dem er im März 1919 Einzelheiten über Heideggers beengte und bedrängte materielle Lage übermittelte, beengt deswegen, weil infolge der Vermögensverluste die bis Kriegsende geleistete Unterstützung von seiten der Schwiegereltern Heideggers eingestellt werden mußte. »Daß es sich hierbei um die Stützung einer wertvollen wissenschaftlichen

Kraft handelt, die zu ungewöhnlichen Hoffnungen berechtigt, brauche ich nicht von neuem zu versichern«, so am 22. April 1919. Und im Herbst des gleichen Jahres setzte Husserl erneut nach, darauf abhebend, daß hier einer «aus einfachsten kleinbürgerlichen Verhältnissen« emporstrebe »und das schöne von der Volksregierung geltend gemachte Prinzip ›Freie Bahn dem Tüchtigen‹ praktisch in Frage und zu schöner Anwendung käme«, so am 13. September 1919. Ein Jahr später drang Husserl mit dem Antrag auf eine planmäßige Assistentenstelle für Heidegger durch, nur auf die Person Heidegger bezogen. Husserl erhielt also keine dem Lehrstuhl zustehende Assistentenstelle. Immerhin war für das Existenzminimum gesorgt, bis Heidegger den Marburger Ruf 1922 erhielt und 1923 annahm.

Es war also 1918/19 auch die institutsmäßige Wende vollzogen, d.h. Heidegger, eigentlich dem Bereich der christlichen Philosophie (= Philosophisches Seminar II) zugeordnet, wechselte gewissermaßen die philosophische Disziplin auch augenfällig nach außen, wurde Mitarbeiter Husserls, vielleicht auch sein Schüler – dies freilich, die Schülerschaft Heideggers, ist ein offenes Problem.

Ob also ein Zusammenhang zwischen dem Grundsatzbrief Heideggers an Krebs und der materiellen Fürsorge durch Husserl besteht? Eine Frage, die nicht beantwortet werden kann. Doch eines ist sicher: Husserl, lutherischer Konfession, sah nicht ungern die Konversion seiner Schüler vom katholischen Glauben zur evangelischen Konfession, wenn er auch nicht direkt nachhelfen wollte. Ein handfester Beweis liegt in dem schon mehrfach publizierten umfänglichen Brief Husserls an den Marburger Religionshistoriker Rudolf Otto vom 5. März 1919 vor, also just aus dem uns hier interessierenden zeitlichen Abschnitt.[86]

Der vordergründige Anlaß für diesen Märzbrief 1919 war eine gutachterliche, empfehlende Stellungnahme für Heinrich Ochsner, dem wir als einem für Heidegger wichtigen Menschen begegnet sind und der, ein tief religiöser Mensch, immer noch mit dem akademischen Abschluß ringend, eine Mitarbeiterstelle bei dem Religionswissenschaftler Rudolf Otto in Marburg in Aussicht hatte.[87] In diesem Zusammen-

---

[86] Ochwadt/Tecklenborg 1981, S. 157 ff.
[87] Zu Rudolf Otto (1869–1937) bietet die beste Kurzformation G. Wünsch in: *Die Religion in Geschichte und Gegenwart*, 4.Bd., Tübingen 1960, Sp. 1749 f. – Ottos Buch *Das Heilige. Über das Irrationale in der Idee des Göttlichen und sein Verhältnis zum Rationalen*, 1917 erschienen, hat Husserl sehr beschäftigt. Er diskutierte intensiv mit Heidegger über *Das Heilige*. – Bibliographie in: Rudolf Otto, *Aufsätze zur Ethik*, hg. von Jakob Stewart Boozer, München 1981.

hang holt Husserl weiter aus und gelangt auch zu mehr grundsätzlichen Aussagen in der Konfessionsfrage – denn die war auch in diesem Falle, wiederum Marburg – von ausschlaggebender Bedeutung.

Verbindungsmann nach Marburg zu Otto war der evangelische Vikar Wilhelm Peter Max Katz (1886–1962), seinerzeit sogenannter Pastorationsgeistlicher (= Diaspora-Pfarrer) in Riegel am Kaiserstuhl, damit zuständig für die im dortigen weithin geschlossenen katholischen Gebiet lebenden evangelischen Gläubigen. Zum Einzugsbereich der Pastoration zählte auch der Heimatort von Heinrich Ochsner, Kenzingen im Breisgau. Es ist offenkundig, daß Vikar Peter Katz mit der Konversion von Ochsner – der geplanten – in Verbindung stand. Übrigens ist Katz, da nichtarisch, nach 1939 nach England emigriert, promovierte dort und wurde einer der eindringlichsten Septuaginta-Forscher.[88]

Dies sei vorausgeschickt, damit die folgende Passage aus Husserls Brief an Rudolf Otto zureichend eingeordnet werden kann: »Herr Oxner war ursprünglich wie sein älterer Freund, Dr. Heidegger, philosophischer Schüler Rickerts. Nicht ohne starke innere Widerstände eröffneten sich beide allmählig meinen Anregungen und traten mir auch persönlich näher. Bei beiden vollzogen sich in dieser selben Zeit radikale Wandlungen in ihren religiösen Grundüberzeugungen. Beide sind wirklich religiös gerichtete Persönlichkeiten: Bei H. überwiegt das theoretisch-philosophische Interesse, bei O. das Religiöse.« Und später fährt Husserl fort:

»Daß ich mich an jeder Hilfsaktion für O. herzlich gerne betheilige, hat Ihnen Herr Vikar Katz wohl mitgeteilt. Nur genannt darf ich dabei nicht sein. Ich darf meine friedliche Wirksamkeit in Freiburg nicht gefährden. Meine philosophische Wirksamkeit hat doch etwas merkwürdig Revolutionierendes: Evangelische werden katholisch, Katholische evangelisch. Ich aber denke nicht ans Katholisieren und Evangelisieren; nichts weiter will ich, als die Jugend zu radikaler Redlichkeit des Denkens zu erziehen, zu einem Denken , das sich davor hütet, die ursprünglichen und für alles vernünftige Denken notwendig sinnbestimmenden Anschauungen durch verbale Constructionen, durch Begriffs-Blendwerke zu verhüllen und zu vergewaltigen. Ich mag im erzkatholischen Freiburg nicht als Verführer der Jugend, als Proselytenmacher dastehen, als Feind der katholischen Kirche. Das bin ich nicht. Ich habe auf den Übergang Heideggers und Oxners auf den Boden des Protestantismus nicht den leisesten Einfluß geübt, obschon er mir als freiem Christen (wenn Jemand, der bei diesem Wort ein ideales Ziel religiöser Sehnsucht vor Augen hat und es für sich im Sinne einer unendlichen Aufgabe

---

[88] Vgl. Joseph Ziegler, »In memoriam Dr. Peter Katz (Cambridge)«, *Theologische Literaturzeitung* 1962, Nr. 10, S. 793 ff.

versteht, sich so nennen darf) und als ›undogmatischen Protestanten‹ nur sehr lieb sein kann. Im übrigen wirke ich gern auf alle wahrhaftigen Menschen, mögen es Katholische, Evangelische, oder Juden sein.«

Für Husserl stand demnach der Konfessionswechsel von Heidegger und Ochsner fest, und dementsprechend galt Heidegger im Husserl-Kreis als evangelischer Christ. Heidegger selbst jedoch ordnete sich zeitlebens der katholischen Kirche zu, ungeachtet kirchenrechtlicher Maßgaben. Atmosphärisch interpretiert, spricht dieser Brief an Otto für sich. Es ist die Freiheit eines Christenmenschen, nach der zu streben ist, nicht die außerphilosophische Bindung durch das System des dogmatischen Katholizismus.

Indes: So objektiv, wie es hier dargestellt ist, war Edmund Husserl nicht. Als ihm 1921 die unmittelbar bevorstehende Konversion seiner langjährigen Schülerin und selbstlosen Mitarbeiterin, Edith Stein, mitgeteilt wurde, reagierte er deutlich schärfer (verärgerter): »Was Sie von Fräulein Stein schrieben, hat mich betrübt – mir selbst schrieb sie nicht. Es ist leider eine große Übertrittsbewegung – ein Zeichen des inneren Elends in den Seelen.« (Brief an den Polen Roman Ingarden vom 25. November 1921)

Wie auch immer: in jedem Fall war es nicht gerade schädlich für die wissenschaftliche Laufbahn, die Fesseln gesprengt zu haben und das Stigma, katholischer Philosoph zu sein, ausgebrannt zu haben. Überflüssiger Ballast, der für den kommenden Höhenflug nichts taugte, herunterziehend in die muffigen Niederungen katholischer, gar scholastischer Denkkategorien. Ein langer, verworrener Entwicklungsprozeß schien glücklich ins Ziel gekommen zu sein. Im übrigen konnte sich der jetzt »befreite« Heidegger einen neuen Freundeskreis auftun. Wesentlich, in gewissem Sinn sogar schicksalhaft, wurde u.a. die freundschaftliche Nähe, die er zu Wilhelm Szilasi fand. Ganz bewußt soll bereits an dieser Stelle, zumindest umrißhaft, ein Portrait von Wilhelm Szilasi geboten werden.[89]

Der mit Heidegger nahezu gleichaltrige Szilasi (geboren am 19. Januar 1889 in Budapest) hatte ein Emigrantenschicksal mit politischem Hintergrund, der recht bunte, vor allem aber dunkle Farbtöne aufweist – manches bleibt bis heute unaufgehellt. Der Sohn des jüdischen Sprachwissenschaftlers Moritz Szilasi (1845–1905) studierte 1906/1910

---

[89] Vgl. Näheres zu Szilasi in Ott 1988d.

klassische Philologie und Philosophie an der Universität Budapest, mit einer Dissertation über die platonischen Dialoge bei Alexander Bernát abschließend (1910 in einer überarbeiteten Version publiziert). Damals stand Szilasi schon unter dem Einfluß des vier Jahre älteren Georg von Lukács. Ähnliches ist über eine frühe enge Bindung zum Dichter und Literaturkritiker Mihály Babits festzustellen. Ein vertieftes philosophisches Studium – 1910/11 in Paris und Berlin – schloß sich an, wobei der Einfluß von Emil Lask sich geltend machte. Lask übrigens wies später den jungen Ungar auf Martin Heidegger hin. Ab 1911 konnte Szilasi eine Vertretung an einem Budapester Gymnasium übernehmen, entscheidend jedoch wurde die Heirat mit einer Tochter aus vermögendem Haus (Schwiegervater war der Industrielle Herman Rosenberg), wodurch die Grundlage für eine unabhängige Lebensführung über alle politischen Widrigkeiten hinweg geschaffen wurde.

Wilhelm Szilasi gehörte zu dem legendären Sonntagskreis, den Lukács ab Sommer 1915 in Budapest nach dem Vorbild des Max-Weber-Kreises in Heidelberg – wo Lukács ja gearbeitet hatte – einrichtete. Führende Mitglieder waren Karl Mannheim, Charles de Tolnay und Arnold Hauser. Szilasi spielte eine marginale Rolle, stark genug jedoch, um im Frühjahr 1919, als Georg von Lukács unter der Rätediktatur des Béla Kun Volkskommissar für das Unterrichtswesen war, eine sichere Position im Unterrichtswesen zu erhalten – nach eigenem Bekunden eine ordentliche Professur an der Universität Budapest, vermutlich aber eine Professur im Gefüge der neu strukturierten Studiengänge (Verzahnung von gymnasialer und universitärer Ausbildung). Wie auch immer: Szilasi konnte nach dem Scheitern der Rätediktatur nicht in Ungarn bleiben und verlegte ab Herbst 1919 seinen Wohnsitz nach Freiburg, die Verbindung zu Husserl vertiefend, den philosophischen Studien obliegend, aber auch naturwissenschaftlichen Disziplinen (Chemie vor allem) nachgehend, ohne freilich einen nachweisbaren Abschluß zu vollziehen.

Die Freundschaft mit Heidegger also gewann Szilasi im Umkreis von Husserl. Als sich Szilasi im Sommer 1922 in Feldafing am Starnberger See niederließ, wurde sein Haus geselliger Ort für die philosophischen Freunde: Martin Heidegger, Karl Löwith, auch Edmund Husserl genossen neben vielen anderen die Gastlichkeit in landschaftlich reizvoller Umgebung, in der Nähe von München, auf der Durchgangsstation ins Österreichische. Wir werden im weiteren Verlauf dieser spannungsreichen Beziehung Heidegger – Szilasi öfter begegnen.

Kehren wir nochmals zurück zur großen konfessionellen und weltanschaulichen Wende: Ein Stigma läßt sich nicht auslöschen. Es zeichnet weiter und zwingt zur Auseinandersetzung, selbst wenn diese siegreich bestanden zu sein scheint. Karl Löwith hat diesen existentiellen Grundzug in Heideggers Persönlichkeit pointiert herausgearbeitet: »Jesuit durch Erziehung, wurde er zum Protestanten aus Empörung, scholastischer Dogmatiker durch Schulung und existenzieller Pragmatist aus Erfahrung, Theologe durch Tradition und Atheist als Forscher, Renegat seiner Tradition im Gewande ihres Historikers.«[90]

Die Wunde bricht immer wieder auf. Der Pfahl im Fleisch bleibt virulent. Wie anders wäre die Briefstelle vom Jahr 1935 zu begreifen, als Heidegger, ernüchtert, heruntergeholt von seinem philosophisch-politischen Höhen- und Wahnflug allmählich wieder Bodenberührung aufnehmend, in die Auseinandersetzung mit dem Glauben seiner Herkunft gerät! Da mag so manche überlieferte Aussage Heideggers über die katholische Kirche, über Sinn oder Nichtsinn bzw. Berechtigung von Lehrstühlen für christlich orientierte Philosophie, bärbeißig polemisch, ja gehässig vorgetragen, eher wie ein Kaschieren, Übertünchen von krankem Gewebe anmuten. Dahinter brannten schmerzhaft die verletzten, wunden Stellen und ließen sich wohl kaum vom Heilverband existentiellen Denkens beruhigen. Ohne im geringsten abgeschlossen zu sein, blieb die Frage nach dem katholischen Ursprung, nach dem Glauben der Herkunft offen. Sie wird sich im gegebenen Zusammenhang je neu auftun. Aber: es steht das schwere Wort Heideggers aus dem Jahre 1935: »der Glaube der Herkunft« – ein Pfahl im Fleische.

Der zweite Pfahl, der 1935 Heidegger zu schaffen machte: »das Mißlingen des Rektorates«. Hier klingt ein Thema gleichsam leitmotivisch an, das seitdem nicht mehr zur Ruhe kommen sollte, mit schweren dunklen Akkorden nach 1945 aufgenommen wurde, unter die sich gleich Mißklänge mischten. Es hält bis heute an, in einer nicht leicht zu entziffernden Partitur niedergelegt. Doch bevor wir uns darauf einlassen, sei ein kurzer Blick auf Heideggers Jahre in Marburg geworfen.

---

[90] Löwith 1986, S. 45.

Das Marburger Zwischenspiel
1923 – 1928

Zu Anfang des Jahres 1922 ergab sich für den Privatdozenten Heidegger eine weitere Konstellation, in Marburg eine philosophische Professur zu erhalten, nachdem die früheren Aussichten, 1917 und 1920, wie wir gesehen haben, nicht zum Erfolg geführt hatten.[91] Paul Natorp, das Haupt der (philosophischen) Marburger Schule, stand vor der Emeritierung und sondierte wegen möglicher Nachfolger – auch in Freiburg: er sei »an sich geneigt«, ernstlich an Heidegger zu denken. Doch habe dieser »als Phänomenologe« bislang nichts vorgelegt; »auch werde ich die Sorge noch nicht ganz los, ob er nicht mehr anschmiegend und verständnisvoll aufnehmend und in der Richtung der erhaltenen Anstöße dann – gewiß förderlich – weitergebend, als aus ursprünglicher Produktivität heraus schaffend sei«, so Natorp – scharfsinnig und treffend – an seinen Kollegen Husserl am 29. Januar 1922.[92] Doch dieser, der väterliche Freund Heideggers, setzte sich, wie bisher, engagiert und aufs wärmste für seinen Schüler ein, auf die Originalität des Denkens, den Lehrerfolg bei Anfängern und Fortgeschrittenen abhebend, besonders eindringlich jedoch auf den religionsphänomenologischen Ansatz verweisend: Heidegger, der einstige »Katholik«, könne in Freiburg verständlicherweise sich *dem* Hauptthema nicht widmen, nämlich »*Luther*«. Deswegen würde es wahrscheinlich für die weitere Entwicklung Heideggers von großer Bedeutung sein, könnte er nach Marburg gehen.

---

[91] Die folgenden Ausführungen stützen sich stark auf Kisiel 1988a und verdanken wesentliche Einsichten den Mitteilungen von Karl Schuhmann (Utrecht), der mir die Fortschreibung der *Husserl-Chronik* mit Auszügen aus Husserl-Briefen im Manuskript zukommen ließ.
[92] Nach Mitteilung von Karl Schuhmann.

Dort könne er ein wichtiges Verbindungsglied zwischen Philosophie und protestantischer Theologie bilden. Er sei mit der protestantischen Theologie in allen ihren Formen völlig vertraut und schätze sie vollkommen in ihrem einzigartigen Wert. Und: eine Berufung Heideggers nach Marburg könne für die dortige Universität ein großer Gewinn sein. [93]

Die Argumentationslinie Husserls ist uns wohl vertraut. Es ist der Protestant Heidegger, der aus dem Katholizismus kommt. So wurde er regelrecht abgestempelt. Indes: Natorp mußte den Kollegen Husserl zunächst enttäuschen, da der Marburger Extraordinarius Nicolai Hartmann als sein Nachfolger vorgesehen sei. Aber dann sei die Position Hartmanns zu besetzen! Ein kleines Trostpflaster. Aber noch war nichts entschieden, zumal die Liste der Heideggerschen Veröffentlichungen schmal geblieben war. Mitte des Jahres 1922 wurde auch aus Göttingen Interesse an dem Freiburger Privatdozenten bekundet: Husserls frühere Professur war vakant. Erneut griff Husserl in die Saiten und rühmte seinen Schüler, der vor allem eine größere Aristoteles-Arbeit fertigstelle, die im kommenden Jahr in Husserls Jahrbuch erscheinen solle. Dieses – bislang nicht aufgefundene – Aristoteles-Manuskript spielt in der philosophiegeschichtlichen Forschung nach wie vor eine Hauptrolle. Uns hat dies freilich weniger zu interessieren. Jedenfalls arbeitete Heidegger fieberhaft an seinem Aristoteles, zumal im September 1922 die Marburger in Sachen Extraordinariat an Heidegger dachten. Es waren auch Kundschafter in das südliche Freiburg gesandt worden, deren (später) prominentester der Student Hans-Georg Gadamer war.

Paul Natorp informierte am 22. September 1922 Husserl, daß in Marburg »neuerdings besonders auf Heidegger« zurückgekommen werden solle – nicht nur aufgrund der hohen Wertschätzung durch Husserl, »sondern auch aufgrund dessen, was mir über seine neuere Entwicklung auch von alten Marburgern, die ihn kürzlich in Freiburg gehört haben, berichtet wird.« Aber auch hier erneut der Hinweis auf das wenige, »was er bis dahin veröffentlicht hat.« [94]

Heidegger, der inzwischen in eine beginnende Freundschaft mit Karl Jaspers hineinzuwachsen schien, schrieb am 22. November 1922

---

[93] Kisiel 1988a, S. 7.
[94] Nach Mitteilung von Karl Schuhmann.

an Jaspers: Als er von Husserl erfahren habe, Natorp wünsche eine konkrete Orientierung über seine geplanten Arbeiten, habe er sich drei Wochen hingesetzt, sich selbst exzerpiert, dabei eine kleine Einleitung geschrieben, das ganze dann (»60 Seiten«) diktiert und durch Husserl in je einem Exemplar nach Göttingen und Marburg senden lassen. Wir erfahren weiter, daß die Göttinger ihn zwar würdigten, er aber sich nichts erhoffen könne. Eindrucksvoller die Reaktion aus Marburg, da Natorp ihm geschrieben habe, daß er »an hervorragender Stelle« auf die Liste komme. Pessimistisch meinte Heidegger, das sei wohl »die berühmte zweite Stelle«, wobei er vermutete, Richard Kroner, ›der ältere‹ – »und vor allem das viele Papier« – werde das Rennen machen. Er selbst freilich müßte eine solche Rangordnung als Blamage empfinden. Er wünsche sich – »so oder so« – Ruhe. Denn: »dieses Herumgezogenwerden, halbe Aussichten, Lobhudeleien und so fort bringt einen in einen scheußlichen Zustand.«[95]

Heidegger sollte positiv enttäuscht werden. Bereits Ende Oktober 1922 hatte Natorp an Husserl geschrieben, er und Nicolai Hartmann »haben Heideggers Auszug mit höchstem Interesse gelesen und ganz das darin gefunden, was wir nach Ihren früheren Mitteilungen … erwarten durften. Vor allem eine nicht alltägliche Originalität, Tiefe und Strenge … Ich hoffe, daß wir ihn jedenfalls auf die Liste bringen, und an solcher Stelle, daß er aufs Ernsteste in Fragen kommen würde.«[96] Noch im Dezember 1922 beschloß die Philosophische Fakultät der Universität Marburg die Liste, deren Platz 1 Heidegger einnahm. Den Ruf erhielt er am 18. Juni 1923 – »auf das Extraordinariat mit Stellung und Rechten eines Ordinarius«, wie er am 19. Juni an Jaspers schrieb, dem er wenige Wochen später Hintergründe mitteilte: Richard Kroner, sein Hauptkonkurrent, sei nur an 3. Stelle plaziert, habe jedoch überall herumgejammert, sei sogar nach Berlin (Ministerium) gefahren, habe sich in Marburg höchstpersönlich angeboten: er würde im Falle einer Berufung sogar zu Hartmann ins Kolleg gehen. »Das werde ich nun nicht tun«, ließ Heidegger Jaspers wissen, »aber ich werde ihm durch das Wie meiner Gegenwart die Hölle heiß machen – ein *Stoß*trupp von 16 Leuten – bei manchen unvermeidlichen Mitläufern einige ganz Ernste und Tüchtige – kommt mit.« Das klingt soldatisch und birgt eine

---

[95] Nachlaß Karl Jaspers, Deutsches Literaturarchiv Marbach. Dies gilt auch für die folgenden Briefstellen, die nicht mehr extra zitiert werden.
[96] Nach Mitteilung von Karl Schuhmann.

Art Logistik in sich. In der Tat: derselbe Brief enthält grundsätzliche Ausführungen Heideggers über die künftige Philosophie, die er gemeinsam mit Jaspers in einer Kampfgemeinschaft erbauen wolle. Ja, in Heidelberg hätten sie beide das eigentliche Wirkungsfeld. So aber müsse er von unsichtbarer Gemeinschaft getragen sein, um in Marburg wirken zu können, wo die Bibliotheksverhältnisse übrigens schlecht seien.

Dieses Marburg hat Heidegger nie geliebt, er fühlte sich nie wohl »in dem nebligen Nest«, er ärgerte sich immer über »die spießige Luft, die einen jetzt wieder umgibt«; außer der Semesterarbeit ziehe ihn nichts nach Marburg. Die Briefe an Jaspers aus der Marburger Zeit lassen an Deutlichkeit nichts zu wünschen übrig. Die eigentliche Bleibe, ja die Heimat, war die Hütte in Todtnauberg, auf die es ihn immer zog, sobald die Semesterarbeit in Marburg beendet war: stets freute er sich »auf die starke Luft der Berge – dieses weiche leichte Zeug hier unten ruiniert einen auf die Dauer.« Holzarbeit – »dann wieder Schreiben«. Am liebsten hätte er in der Hütte überwintert, dort oben bei der Arbeit bleibend. »Nach der Gesellschaft der Professoren habe ich kein Verlangen. Die Bauern sind viel angenehmer und sogar interessanter.« Auf der Hütte wurde *Sein und Zeit* geschrieben, dort, wo das Leben »rein, einfach und groß vor der Seele« liegt (Briefe vom 23. 9. 1925, 24. 4. und 4. 10. 1926).

Immerhin fand Heidegger in Marburg einen großartigen Dialogpartner: Rudolf Bultmann, den Exegeten und systematischen Theologen, an dessen Paulus-Seminar er bereits im Wintersemester 1923/24 teilnahm. Die Prognose Husserls, Heidegger werde zwischen Philosophie und Theologie vermitteln, erfüllte sich. Auch dem Ruf, der ihm vorausgeeilt war, er sei ein Protestant, der aus dem Katholizismus kommt, wurde Heidegger gerecht. Für Bultmann galt er als *der* Luther-Kenner, wie er an seinen Freund Hans von Soden am 23. Dezember 1923 schrieb, dort die ersten, sehr großartigen Erfahrungen mit dem neuberufenen Heidegger formulierend. Dieser kenne nicht nur die Scholastik und Luther, sondern sei auch mit der modernen Theologie etwa von Friedrich Gogarten und Karl Barth vertraut.[97] Die Marburger Atmosphäre beschreibt Heidegger in einem Brief an Jaspers vom 13. Juni 1924, als er das zweite Semester in Marburg weilte: »Draußen ists herrlich, an der Universität nichts los, kein Stimulus. Der einzige

---

[97] Vgl. Bultmann Lemke, Antje, »Der unveröffentlichte Nachlaß von Rudolf Bultmann«, in Jaspert, Bernd (Hg.) *Rudolf Bultmanns Werk und Wirkung*, Darmstadt 1984, S. 202.

Mensch: der Theologe Bultmann, mit dem ich jede Woche zusammen-
komme.« Die Marburger Jahre, habe Heidegger manchmal geäußert,
seien seine glücklichsten gewesen, berichtet Hermann Mörchen.[98] Das
mag in verklärender Erinnerung und aus der Erfahrung schwieriger
Zeiten gesagt worden sein. Aber: Heidegger kam sich im engeren Fachbereich isoliert vor – bei allem Erfolg, den er selbst bei den Studenten
hatte. Er habe guten Boden und festen Fuß gefaßt, doch sei »eine ein-
heitliche Lehrtätigkeit auf dem Niveau gleichmäßiger Anforderungen
nicht möglich«, berichtete er im Mai 1925 an Jaspers: die Philosophie,
die der philosophische Kollege Jaensch mache, sei selbst für Volksschullehrer zu primitiv. Und jetzt stehe auch der Weggang von Nicolai
Hartmann bevor. Da hätte er doch besser das Angebot aus Japan angenommen, das ihm im Frühjahr 1924 offiziell übermittelt worden war:
für drei Jahre wissenschaftliche Tätigkeit an einem vom japanischen
Adel und der Hochfinanz gegründeten Institut »für das Studium der
europäischen Kultur« unter besonderer Berücksichtigung der Geisteswissenschaften. Nur geringe Lehrverpflichtung, Mitarbeit an einer
Vierteljahresschrift – und dies alles bei sagenhafter Gehaltszahlung
(17.000 Mark Jahresgehalt – für einen deutschen Professor damals eine
unglaubliche Summe). Man könne sich das Geld zum Hausbau zusam-
mensparen, meinte Heidegger, der im Juni 1924 die Einladung Jaspers
schmackhaft zu machen suchte. Er müsse zuerst noch den Aristoteles
herausbringen. Natürlich werde der Horizont erweitert, ungestörtes
Arbeiten sei möglich, sogar die Lehrtätigkeit an der Universität Tokio
sei vorgesehen. Aber er sei sich nicht sicher, ob er eine solche Exkur-
sion brauche und sie sich zumuten solle.

1925 jedoch, als das inneruniversitäre Tauziehen um die Nachfolge
Hartmanns in Gang kam, Heidegger bemüht war, endlich auf ein fi-
nanziell besser ausgestattetes Ordinariat zu gelangen, als das Intrigen-
spiel in Marburg und beim Ministerium in Berlin schon auf Touren lief,
mag er an die üppigen Fleischtöpfe in Japan gedacht haben angesichts
der provinziellen Enge und des Krämergeistes, der sich offenbarte. Erneut wandte man sich aus Marburg (Ernst Jaensch) an Husserl, der
zwischen seinen Schülern Heidegger und Dietrich Mahnke ein verglei-
chendes Urteil abgeben sollte. In seinem Antwortbrief vom 30. Juni
1925 brachte Husserl seine große Wertschätzung für Dietrich Mahnke

---

[98] Mörchen 1984, S. 234.

zum Ausdruck, den er durchaus für das Extraordinariat qualifiziert sah (damit für die Nachfolge Heideggers) – die Fakultät würde »an diesem gediegenen Gelehrten und Menschen« stete Freude haben. Doch würde er nicht aufrichtig beraten, wenn er nicht zu entschiedenem Ausdruck brächte,

»daß College Heidegger für das etatmäßige Ordinariat m.E. den schlechthin unbedingten Vorzug verdient. Das aber nicht nur gegenüber Dr. Mahnke, sondern gegenüber *jedem* z.Z. irgend in Frage kommenden Candidaten. Mir ist in der neuen Generation eine philosophische Persönlichkeit von einer solchen ursprünglichen quellenden Originalität und von solcher, allen weltlichen Interessen entrückten Hingabe an die Philosophie noch nicht begegnet. Die Eigenart seiner Lehrwirksamkeit, die im Hörer den ganzen Menschen erfaßt und ihn rein durch den Ernst philosophischer Gesinnung bezwingt, muß ja im Marburger Collegenkreise wohlbekannt sein. In meinen Augen ist Heidegger zweifellos der Bedeutendste unter den Werdenden. Wenn nicht eine besondere Ungunst irrationaler Zufälle oder Schicksale es hindert – Er ist dazu prädestiniert, ein Philosoph großen Stils zu werden, ein Führer über die Verworrenheiten und Schwächlichkeiten der Gegenwart hinaus. Wie viel, wie Originelles er zu sagen hatte, der seit Jahren schwieg, um nur voll Ausgereiftes und endgültig Zwingendes sagen zu können – das werden seine demnächst einsetzenden Publikationen zeigen.«[99]

Hier begegnet uns der Husserl, der seit 1918 in zutiefst wurzelnder Überzeugung von der Größe des jungen Denkers ein hohes Pathos der Würdigung zeigt – fast ein Übermaß.

Die Fakultät stand im Berufungsvorschlag vom 5. August 1925 dem Niveau der Husserlschen Laudatio nicht nach: Heidegger habe sich bisher als Forscher und Lehrer »ersten Ranges« erwiesen. Zwar sei das Aristoteles-Buch noch nicht veröffentlicht, aber das Manuskript liege längst vollständig »in wieder und wieder überarbeiteter Form vor, um demnächst zu erscheinen« (dieses Opus erschien nie). Dann wird auf das zweite Hauptwerk, das im Erscheinen sei, verwiesen – hier unter dem Titel »Zeit und Sein« –, »welches uns Heidegger noch von einer anderen Seite, nämlich als aufbauenden selbständigen Denker, zeigt. Dieses Werk gibt nichts Geringeres als eine neue Aufrollung der letzten ontologischen Grundfragen, stellt also eine Synthese phänomenologischer – hier zum ersten Male von allem Subjektivismus abgelöster – Forschungsweise mit der Auswertung des großen traditionellen Gutes der antiken, mittelalterlichen und neuzeitlichen Metaphysik dar.« Gegenüber den älteren Vertretern der phänomenologischen Methode, die

---

[99] Hessisches Staatsarchiv Marburg, Bestand 307 d, Zugang 1966/10. Größtenteils veröffentlicht durch Kisiel 1988a – mit einigen Verlesungen.

eher Vorarbeit geleistet haben, trete bei Heidegger deutlich die zentrale Richtung auf die philosophischen Grundprobleme zutage. Diesem Denken sei in der gegenwärtigen philosophischen Landschaft nichts Gleichrangiges zur Seite zu stellen. Heidegger sei der würdige Nachfolger auf der Lehrkanzel, die durch Natorps Wirken geprägt worden sei.[100] Die Marburger brachten zum Ausdruck, daß sie Heidegger an ihre Universität binden wollten, wohl im Bewußtsein, daß der Freiburger Lehrstuhl Husserls in Bälde zu besetzen sein würde.

Indes machte das Berliner Ministerium Schwierigkeiten, gab die Liste zurück, und, obwohl dann die Druckfahnen von *Sein und Zeit* beigelegt wurden, dauerte es über zwei Jahre (Oktober 1927), bis Heidegger auf das etatmäßige Ordinariat in Marburg berufen wurde – gleichzeitig wurde Mahnke mit dem Extraordinariat betraut. In der Korrespondenz mit Jaspers zeigt Heidegger immer wieder die Hintergründe der Verzögerungstaktik auf: besonders der Religionswissenschaftler Otto intrigiere gegen ihn; Jaensch treibe sein Spiel: »nur Mittelmäßiges und nichts Gefährliches« dürfe nach Marburg kommen. Und als Anfang Dezember 1926 die Liste von Berlin ein zweites Mal zurückgegeben wurde, schrieb Heidegger sich den Kummer vom Herzen in einem Brief an Husserl, der ihn mit den eigenen trüben Erfahrungen aus der Göttinger Zeit tröstete. Immerhin stehe doch die Marburger Fakultät hinter ihm und vor allem:

» ... das große Glück, daß Sie im Druck des Werkes stehen, an dem Sie zu dem erwachsen, der Sie sind und mit dem Sie, wie Sie wohl wissen, Ihr[em] eigene[n] Sein als Philosoph eine erste Verwirklichung gegeben haben. Von da aus werden Sie zu neuen Gestalten emporwachsen. Niemand hat einen größeren Glauben an Sie als ich, und auch den, daß schließlich nichts an Ressentiment Sie verwirren und Sie von dem ablenken wird, was reine Auswirkung des Ihnen Anvertrauten, Ihnen ganz persönlich Angeborenen ist. «[101]

Wir sollten solche Sätze gut im Gedächtnis behalten, wenn später die menschliches Maß übersteigende Entfremdung zwischen Heidegger und Husserl zu beurteilen sein wird.

Sein und Zeit erschien im Frühjahr 1927. Der große Durchbruch, von Husserl richtig vorausgesehen, war erfolgt. Die Ernennung zum Ordinarius in Marburg im Oktober 1927 kann nur als Nach-Tarocken

---

[100] Ebenda. Bei Kisiel ist das zentrale Stück des Berufungsvorschlags in englischer Übersetzung publiziert.

[101] Nach Mitteilung von Karl Schuhmann. Vgl. auch Schuhmann 1978.

erscheinen, gerade auch unter dem Aspekt, daß wenige Wochen danach in Freiburg unter Husserls Federführung für die Berufung Heideggers nach Freiburg gerüstet wurde. Die lang gehegte Saat war zu voller Ernte gereift und in die geräumige Scheune gefahren worden. Noch ehe Heidegger den Ruf nach Freiburg annahm, war das Grundstück oberhalb Freiburg-Zähringens erworben und die Bauleute werkten den Sommer 1928 über, damit das Haus zum Winter 1928 bezogen werden konnte. Die Heimkehr aus der Fremde war vollendet.

Heideggers Vortragsstil sei von der »Kälte ausgeklügelter Vernunftschlüsse« bestimmt gewesen, schreibt ein Marburger Hörer in einer »Philosophischen Autobiographie«: »Zweimal indessen war ich Zeuge des Ausbruchs hoher Gefühlsspannungen, von denen auch die scheinbar kalten Teile seines Vortrags getragen sein mochten: bei der Gedächtnisrede anläßlich des Todes von Scheler und bei der anläßlich seines Fortganges aus Marburg. Seine Gedanken bei diesen Gelegenheiten brachen aus so starken Gefühlen des Augenblicks auf, daß Tränen aus seinen Augen flossen und ihm die Stimme erstickten.«[102]

---

[102] Arnold von Buggenhagen, *Philosophische Autobiographie*, Meisenheim am Glan 1975, S. 134. – Max Scheler starb im Mai 1928.

»Das Mißlingen des Rektorates«

»Der Nationalsozialismus, der für Deutschland vorgezeichnete Weg«

Karl Löwith, Heideggers Schüler aus der Marburger Zeit – von Heidegger noch in Marburg habilitiert –, als Jude umhergetrieben auf Wanderschaft, fand 1934 eine erste Zuflucht in Italien, wo er in Rom mit Hilfe eines Rockefeller-Stipendiums arbeiten konnte. Dort begegnete er am 2. April 1936 seinem Lehrer Martin Heidegger, der an diesem Tag am Istituto Italiano di Studi Germanici den berühmt gewordenen Vortrag »Hölderlin und das Wesen der Dichtung« hielt.[103] Löwith schrieb anderntags auf eine Postkarte an Karl Jaspers in der ihm eigentümlichen kleinen Schrift einen unmittelbaren Eindruck: ein kunstvoll und schön aufgebauter Vortrag – »was freilich das Wesen dieser Dichtung mit dem H-Kreuz zu tun hat, ist schwer zu verstehen. Für ihn ist die Lösung wohl die: ›Wer sich entscheidet, wird so oder so schuldig‹. Im übrigen schloß er mit ›Brot und Wein‹, Strophe 7: ›Was zu tun indes und zu sagen, weiß ich nicht, und wozu Dichter (= Philosophen) in dürftiger Zeit‹.«[104] Unter dem Eindruck dieser Hölderlin-Verse wählte Löwith später (1953) den Titel: *Heidegger – Denker in dürftiger Zeit.*

Löwith hat mit aller Schärfe erkannt, was das Zwiespältige, das Zwielichtige, das bis heute Ungelöste bei Heidegger ist: wie sollen Mensch und Werk zusammengehen; kann der Denker Martin Heidegger von dem politisch handelnden Menschen Heidegger geschieden werden – und auf welche Weise und bis zu welchem Grade? Diese schier unvorstellbare Ambivalenz in der Persönlichkeitsstruktur Heideggers!

---

[103] Der Titel auf der gedrucken Einladungskarte, unterzeichnet vom Präsidenten G. Gentile und dem Direktor G. Gabetti, lautete: »Hölderlin e l'essenza della poesia«.

[104] Nachlaß Karl Jaspers, Deutsches Literaturarchiv Marbach.

Was das Hakenkreuz, also das Parteiabzeichen, demonstrativ und bekennerisch (im faschistischen Italien) im Knopfloch getragen, mit Hölderlins Dichtung gemein habe, das fragt Löwith – eher rhetorisch: also wohl keine Gemeinsamkeit der Hölderlinschen Dichtung mit dem Symbol des Nationalsozialismus – »schwer zu verstehen«.

Löwith hat ausführlich über die Begegnung mit Heidegger und mit der Familie Heidegger im Rom des Frühjahrs 1936 berichtet – sie waren sich ja nicht fremd, lange befreundet, schon vor dem Lehrer-Schüler-verhältnis – seit 1919. Da gab es so viele Bindungen: gemeinsame Ferien in Szilasis Villa am Starnberger See etwa. Außerdem hatte Löwith Heideggers Kinder oft gehütet. Jetzt aber war das politisch Trennende scharf hervorgetreten: Frau Heidegger begrüßt den Juden Löwith »mit steif-freundlicher Zurückhaltung«. Und das Auffallende: Heidegger trägt während der ganzen Zeit das Parteiabzeichen – »es war ihm offenbar nicht in den Sinn gekommen, daß das Hakenkreuz nicht am Platze war, wenn er mit mir einen Tag verbrachte.« Im Gespräch macht Löwith die Positionen klar: er sei der Meinung, Heideggers Parteinahme für den Nationalsozialismus liege im Wesen seiner Philosophie.

»Heidegger stimmte mir ohne Vorbehalt zu und führte mir aus, daß sein Begriff von der ›Geschichtlichkeit‹ die Grundlage für seinen politischen ›Einsatz‹ sei. Er ließ auch keinen Zweifel über seinen Glauben an Hitler; nur zwei Dinge habe er unterschätzt: die Lebenskraft der christlichen Kirchen und die Hindernisse für den Anschluß von Österreich. Er war nach wie vor überzeugt, daß der Nationalsozialismus der für Deutschland vorgezeichnete Weg sei; man müsse nur lange genug ›durchhalten‹.«[105]

Karl Löwith schrieb diese Sätze 1940 nieder – aus einer nahen und genauen Erinnerung, geschärft durch das Erlebnis schweren Schicksals, wehen Herzens ob der fatalen Verstrickung seines Lehrers. Die klare Diagnose also: Heideggers Philosophieren hat einen engen Zusammenhang mit dem Nationalsozialismus. Heidegger selbst akzeptiert diesen Befund und erhärtet ihn auslegend durch eine Art Geschichtsphilosophie, die natürlich immer wieder in seinen Schriften aufscheint.

Heidegger hielt übrigens am 8. April 1936 in Rom einen 2. Vortrag »Europa und die deutsche Philosophie« – bisher nicht veröffentlicht – und zwar im Kaiser-Wilhelm-Institut, Bibliotheca Hertziana, wozu Löwith nicht geladen war, weil dort Juden nicht erwünscht waren.

---

[105] Löwith 1986, S. 57.

Den Hölderlin-Vortrag brachte Heidegger noch im Dezemberheft 1936 der Zeitschrift *Das innere Reich* zur Veröffentlichung – einem esoterischen Organ, in dem das unsichtbare Deutschland, verborgen in der deutschen Geistigkeit, zur Geltung gebracht werden sollte, dem Führer Adolf Hitler in einer besonderen, subtilen Weise unterwürfig, dem von der Vorsehung erwählten Wundertäter, in dem, »eingegeben von einer gnädigen Allmacht, das Wissen von den ewigen Schätzen der deutschen Seele« gewirkt habe (aus der Einführung in den 1. Jahrgang). Wer in dieser Zeitschrift schrieb, war mitnichten zu einer inneren Emigration aufgebrochen, gehörte eher zu den von den kernigen Nationalsozialisten belächelten oder auch verlachten und verhöhnten »Figuren«, deren Narrenfreiheit eben noch geduldet wurde. So erhielt Heideggers Hölderlin-Aufsatz in der Zeitschrift *Wille und Macht,* dem vom Reichsjugendführer Baldur von Schirach herausgegebenen »Führerorgan der nationalsozialistischen Jugend«, eine böse Abfuhr, bereitet von einem Dr. Willi Fr. Könitzer, der, wie Martin Heidegger seinem Verlagslektor schrieb, noch im Sommer 1933 in Marburg als Sozialdemokrat herumgelaufen sei, jetzt aber großer Mann am *Völkischen Beobachter* sei. Er habe das von einem alten SA-Führer, der die Marburger Verhältnisse kenne, erfahren.[106]

Wie dem auch sei: Heidegger hatte sich längst als ein Gescheiterter in politischer Beziehung eingestuft: »das Mißlingen des Rektorates« Jaspers gegenüber ausgesprochen, der ihn verstehen mußte, der wußte, unter welcher Zielsetzung er 1933 in die politisch-weltanschauliche Arena getreten war. Seine Nummer jedoch hatte nicht gezogen, die Schau war vorüber, das Publikum spendete den anderen Applaus. Und dabei, für Heidegger war dies ohne jeden Zweifel, war allein ihm die gleichsam mystische Schau des Wesens des Nationalsozialismus, »der inneren Wahrheit und Größe« der Bewegung zugefallen, von welcher Erkenntnis er nicht abgehen konnte, nie, zeitlebens!

Doch machen wir uns jetzt auf den Weg in das Jahr 1933, das für Heidegger zu seinem Schicksalsjahr werden sollte. Folgten wir René Schickele, dem Schriftsteller zweier Kulturen im Grenzland am Oberrhein, der im August 1932 notierte, in Freiburger Universitätskreisen

---

[106] Vgl. *Klassiker in finsteren Zeiten 1933–1945.* Katalog zur Ausstellung des Deutschen Literaturarchivs im Schiller-Nationalmuseum Marbach a. Neckar, hg. v. Bernhard Zeller, Bd. 1, Stuttgart 1983, S. 344–365 (»Zwiesprache von Dichten und Denken. Hölderlin bei Martin Heidegger und Max Kommerell«), hier S. 351 f.

werde erzählt, »Heidegger verkehre nur noch mit Nationalsozialisten«
– Schickele wollte dies, da kaum glaubhaft, nachprüfen –, dann wäre eine frühe Begegnung, abgesehen von der Nachbarschaft des Denkers,
mit Menschen, die sich als Nationalsozialisten verstanden, zu veranschlagen.[107] Dem könnte dann voraussichtlich korrespondieren, was
Martin Heidegger 1930 nach Ablehnung des Berliner Rufes verhüllt
und sibyllinisch dem einen oder anderen Briefpartner mitteilte – etwa
dem Kieler Kollegen Julius Stenzel, besonderem Kenner der antiken
Philosophie: Er vernehme eine klare, innere Stimme, er müsse sich in
den nächsten Jahren für Wesentlicheres aufsparen (17. 8. 1930).[108]

Später freilich, als Heidegger seinen Eintritt in die NSDAP am 1.
Mai, am Tag der deutschen Arbeit, demonstrativ vollzogen hatte, da jubelte die NS-Tageszeitung *Der Alemanne* und wertete diesen offiziellen
Schritt nur als Vollzug einer lange Zeit schon währenden inneren Einstellung und Haltung: Bei Heidegger habe in der letzten Zeit kein Nationalsozialist umsonst angeklopft; er habe die Bewegung von innen
her gestützt. Wie auch immer: aufhellen läßt sich der über dieser Zeit
liegende Nebel nicht, zumindest vorerst nicht. Es gibt da die trockene
Formulierung des 1945 an der Universität Freiburg von der französischen Militärregierung eingesetzten Bereinigungsausschusses auf dem
Hintergrund der Aussagen Heideggers:

»Der Philosoph Professor Martin Heidegger lebte vor dem Umbruch von 1933 in einer
völlig unpolitisch geistigen Welt, stand aber in einer freundschaftlichen Berührung
(auch durch seine Söhne) mit der damaligen Jugendbewegung und gewissen literarischen Wortführern der deutschen Jugend, wie Ernst Jünger, die das Ende des bürgerlich-kapitalistischen Zeitalters und das Heraufkommen eines neuen deutschen Sozialismus ankündigten. Von der nationalsozialistischen Revolution erwartete er eine geistige Erneuerung des deutschen Lebens auf völkischer Grundlage, gleichzeitig, wie
sehr viele deutsche Gebildete, eine Aussöhnung der sozialen Gegensätze und eine Rettung der abendländischen Kultur von Gefahren des Kommunismus. Von den politisch-
parlamentarischen Vorgängen, die der Machtergreifung des Nationalsozialismus vorangingen, besaß er keine klare Vorstellung, glaubte aber an die geschichtliche Mission
Hitlers, die ihm selbst vorschwebende Geisteswende herbeizuführen«

– ein Resümee, destilliert aus einer Reihe von Vernehmungen, einen
Spiegel vermittelnd, worin sich viele Intellektuelle, besonders viele
Universitätslehrer, erkennen konnten, zumindest hinsichtlich der

---

[107] *Tagebücher*, in: Werke in drei Bänden, Köln/Berlin 1959, S. 1040.
[108] Die Kenntnis dieses und weiterer Briefe verdanke ich der Vermittlung von Karl Schuhmann/
Utrecht.

allgemeinen Konturen.[109] Harmlosigkeit, gepaart mit politischer Naivität, gemischt mit einem starken Schuß antidemokratischen Denkens, auf jeden Fall: unpolitisch, nur in der geistigen Welt lebend, allenfalls mit den geistigen Köpfen der konservativen Revolution (Ernst Jünger u. a.) sympathisierend, ansonsten ohne nähere Bindung, gar organisatorischer oder institutioneller Art.

Daß Heidegger kein Nazi im gewöhnlichen Sinn gewesen sei, davon war das Mitglied der Bereinigungskommission, der Botaniker Friedrich Oehlkers, zutiefst überzeugt. In einem Brief an seinen Freund Karl Jaspers vom 15. Dezember 1945, worin er um ein Gutachten über Heidegger bat, ventiliert Oehlkers das Problem unter vielen Aspekten: Er sah bei Heidegger eine Tragik walten, da er »durch und durch unpolitisch« gewesen sei, »und der Nationalsozialismus, den er sich zurecht gemacht hatte«, habe mit der Realität nichts gemein gehabt. Er habe als Rektor »aus diesem luftleeren Raum heraus« agiert, der Universität »entsetzlichen Schaden zugefügt, bis er plötzlich überall Scherben um sich herum liegen« sah. Erst jetzt fange er an, zu begreifen, wie diese Scherben zustande kamen. Es begegnet uns das Bild eines politisch naiven Philosophen, der nicht wußte, was er tat – im Grunde ein harmloser Mensch, der in eine Verstrickung geraten ist, ohne es zu wollen. Und Oehlkers schildert Heidegger auf der dunklen Folie von Frau Heidegger, die als nationalsozialistische Aktivistin ihren Mann jetzt zusätzlich belaste: sie habe sich in ihrer Wohngegend (Freiburg-Zähringen) geradezu verhaßt gemacht, im Herbst 1944 »beim Schanzen die Frauen Zähringens in der schlimmsten Weise brutalisiert« und sei nicht davor zurückgeschreckt, »auch Kranke und Schwangere zum Schanzen zu schicken.« Doch deren Verhalten falle nicht in die Kompetenz des Ausschusses.[110]

Wir werden freilich weiter unten auf Spuren stoßen, die diese Blauäugigkeit ein wenig trüben. Es müssen Kontakte zu studentischen Kreisen, genauer zu NS-Kadern der Studentenschaft in Freiburg, aber auch in Berlin aufgebaut gewesen sein, mit anderen Worten: Martin Heidegger war, als die braune Flut sich über Deutschland ergoß, schon auf die Umwälzung eingestellt. Ja, diese war für sein Denken der Geschichtlichkeit unabdingbar.

---

[109] Vgl. Ott 1985.
[110] Nachlaß Karl Jaspers.

Doch genau dies wurde von ihm energisch bestritten – von den ersten Einlassungen vor dem Bereinigungsausschuß im Juli 1945 über die diversen Fassungen von Stellungnahmen, Zusammenfassungen und den verschiedensten redaktionellen Bearbeitungen des Rechenschaftsberichtes, der dann 1983 erstmals publiziert worden ist unter dem Titel *Tatsachen und Gedanken* – sinnigerweise mit der Neuauflage der Heideggerschen Rektoratsrede vom 27. Mai 1933 »Die Selbstbehauptung der deutschen Universität«. Im Zusammenhang mit der Auseinandersetzung, die 1947/48 zwischen Heidegger und Herbert Marcuse, Heideggers Schüler in Freiburg 1928–1932, geführt wurde – sie wird uns noch später beschäftigen –, formuliert Heidegger seine Haltung und sein Verhalten 1933 folgendermaßen:

»Zu 1933: ich erwartete vom Nationalsozialismus eine geistige Erneuerung des ganzen Lebens, eine Aussöhnung sozialer Gegensätze und eine Rettung des abendländischen Daseins vor den Gefahren des Kommunismus. Diese Gedanken wurden ausgesprochen in meiner Rektoratsrede (haben Sie diese *ganz* gelesen?), in einem Vortrag über ›Das Wesen der Wissenschaft‹ und in zwei Ansprachen an die Dozenten und Studenten der hiesigen Universität. Dazu kam noch ein Wahlaufruf von ca. 25/30 Zeilen, veröffentlicht in der hiesigen Studentenzeitung. Einige Sätze darin sehe ich heute als Entgleisung an. Das ist alles.«[111]

Derart penibel aufgezählt – gleichsam an fünf Fingern einer Hand – bleibt ein geringes, unbedeutendes Konglomerat übrig: »das ist alles.« Freilich: Wesentliches wird unterschlagen, und das Wesentliche selbst steht gar nicht in der Frage.

In der Tat: Heidegger, Rektor der Universität Freiburg vom 22. April 1933 bis zu seinem Rücktritt am 23. April 1934 bzw. bis zur Annahme des Rücktrittsgesuchs durch den badischen Kultusminister am 27. April 1934, ist immer wieder dieses Rektoratsjahres wegen in der Diskussion gewesen, hat sich aber auch selbst ins Gespräch gebracht und im Gerede gehalten, über das berühmte *Spiegel*-Gespräch aus dem Jahre 1966, auf seinen Wunsch hin erst Ende Mai 1976 unmittelbar nach seinem Tode publiziert, bis hin zu dem postum veröffentlichten Rechenschaftsbericht 1983 *Tatsachen und Gedanken* – postwendend ins Englische und Französische übersetzt, auf daß die autorisierte Sicht weltweit verbreitet und ein geschlossenes Bild jenes Lebensabschnitts vermittelt werde, in dem der Philosoph, seine Distanz zu öffentlichen Dingen verlassend, unmittelbar und maßgebend in den Gang des

---

[111] Nachlaß Herbert Marcuse, Universitätsbibliothek Frankfurt/Main.

Geschehens eintreten wollte, mehr noch: den Auftrag des Seins erfüllen zu müssen glaubte.

Aber: Was soll die unablässige Befassung mit diesem Thema, von dem viele meinen, es sei bis zum Überdruß in den vergangenen Jahrzehnten behandelt und ausgepreßt bis zum letzten Tropfen? Sind nicht auch die Fronten längst formiert – bereits seit jenen Tagen nach der nationalen Katastrophe von 1945, als der Philosoph von *Sein und Zeit* zur Rechenschaft gezogen wurde? Und wird nicht jeder, der es jetzt, nachdem doch das Vermächtnis des Philosophen kundgetan ist, das letzte Wort gesprochen ist, wagt, Zweifel anzumelden, der gegen Heidegger gerichteten Front zugerechnet? Hat nicht das Diktum aus *Tatsachen und Gedanken* zu gelten?:

>»Für diejenigen und nur für sie, die ein Gefallen daran finden, auf das nach ihrer Beurteilung Fehlerhafte meines Rektorats zu starren, sei das Folgende aufgezählt. An sich genommen ist es so gleichgültig wie das unfruchtbare Wühlen in vergangenen Versuchen und Maßnahmen, die innerhalb des planetarischen Willens zur Macht so geringfügig sind, daß sie nicht einmal winzig genannt werden dürfen.«

Und wird dieses Diktum nicht zum Verdikt für den, der mit der gebotenen kritischen Einstellung die Wege vermißt, die einer in schwieriger Zeit gegangen ist? Nicht ein beliebiger freilich, sondern ein geistiger Führer, dessen Wort gehört werden sollte und vernommen wurde und dessen frühes Sich-auf-den-Weg-Machen Anruf und Ansporn, weisendes Leitbild war.

Wie Heidegger Rektor wurde

Nicht um dem Philosophen und zeitweiligen Rektor der Universität Freiburg am Zeug zu flicken, sollen diese Wege nachgegangen werden mit dem Rüstzeug des Historikers, der an Spurensuche gewohnt ist, der Spuren findet, die bewußt verwischt wurden, so daß die Wege geradliniger zu verlaufen scheinen, die Pfade nicht so verschlungen sind, wie sie tatsächlich waren – Pfade, die ins Leere liefen oder auch auf einen Abgrund zu. Sine ira et studio – leidenschaftslos, doch mit dem gebotenen Engagement. Der Historiker hat vieles zu prüfen, ehe er den sicheren Grund findet, auf dem er den Bau lotgerecht aufführt und in sich ordentlich fügt. Er wird zuerst und immer wieder wägen, was der Betroffene in der Reflexion zum Ausdruck gebracht hat, und er wird dies zusammen sehen mit dem, was die verfügbaren Quellen an Erkenntnis bringen. So lassen wir zunächst Heidegger selbst zu Wort kommen mit den einleitenden Sätzen seines Rechenschaftsberichtes *Tatsachen und Gedanken*:

»Im April 1933 bin ich durch das Plenum der Universität einstimmig zum Rektor gewählt worden. Mein Vorgänger im Amt, v. Möllendorf, hatte auf Weisung des Ministers nach kurzer Tätigkeit sein Amt niederlegen müssen. v. Möllendorf selbst, mit dem ich öfter eingehend über die Nachfolge sprach, wünschte, daß ich das Rektorat übernehme. Insgleichen hat der vormalige Rektor, Sauer, mich zu überzeugen versucht, daß ich im Interesse der Universität das Amt übernehme. Noch am Vormittag des Wahltages zögerte ich und wollte von der Kandidatur zurücktreten. Ich hatte keine Beziehung zu den maßgebenden Regierungs- und Parteistellen, war selbst weder Mitglied der Partei, noch hatte ich mich in irgendeiner Weise politisch betätigt. So war es ungewiß, ob ich dort, wo sich die politische Macht konzentrierte, gehört würde bezüglich dessen, was mir als Notwendigkeit und Aufgabe vorschwebte. Es war aber ebenso ungewiß, inwieweit die Universität von sich aus mitginge, ihr eigentliches Wesen ursprünglicher zu finden und zu gestalten, welche Aufgabe ich bereits in meiner Antrittsrede vom Sommer 1929 öffentlich dargelegt hatte.«

Eine in sich geschlossene und bündige Schilderung, in der tatsächliche Abläufe und innere Motivationen verknüpft sind. Ohne in unserer Darstellung auf Details abheben zu können und zu wollen – das gilt auch für viele andere Zusammenhänge –, muß dennoch festgehalten werden, daß der tatsächliche Ablauf so nicht zutrifft: Weder hat der gewählte und wenige Tage amtierende Rektor, der Anatomieprofessor von Möllendorf, auf Weisung des Ministers sein Amt niederlegen müssen – er gab es vielmehr freiwillig auf, weil er als überzeugter Demokrat und Republikaner die auf die Universität zurollende Gleichschaltung nicht mittragen wollte, auch nicht die Maßnahmen gegen jüdische Professoren und Assistenten –, noch hatten in erster Linie die genannten Kollegen Heidegger bedrängt, das Rektorat zu übernehmen.

Die Gründe liegen tiefer: Schon im Brief an Karl Jaspers vom 3. April 1933 meinte Heidegger: »Ich hoffte immer noch, irgendwelche bestimmten Nachrichten über die Pläne der Umgestaltung der Universitäten zu erhalten.« Baeumler schweige sich aus; sein kurzer Brief mache den Eindruck, als sei er verärgert. Von Krieck in Frankfurt sei gleichfalls nichts zu erfahren. Karlsruhe rühre sich nicht. Am 6. April solle eine Tagung der Arbeitsgemeinschaft der Philosophischen Fakultäten stattfinden; der hiesige Abgesandte sei Schadewaldt. Wer von Heidelberg geschickt werde, sei in Freiburg nicht bekannt. Vielleicht sei bei dieser Gelegenheit vor allem durch die Berliner Vertreter etwas zu erfahren. Eine in Frankfurt gegründete – von Krieck bestimmte Arbeitsgemeinschaft stocke ebenfalls. Der Freiburger Rektor (Prälat Sauer), mit dem er gesprochen habe, sei nur entsetzt über die Unfähigkeit der deutschen Rektorenkonferenz. Ein ganzes Tableau, analysiert von einem, der mit Ungeduld das Neue erwartete und es mitgestalten wollte. Und so müssen die Schlußsätze dieses Briefes aufgefaßt werden: »So dunkel und fragwürdig Vieles ist, so spüre ich immer mehr, daß wir in eine neue Wirklichkeit hineinwachsen und daß eine Zeit alt geworden ist. Alles hängt davon ab, ob wir der Philosophie die rechte Einsatzstelle vorbereiten und ihr zum Werk verhelfen.«

Mit den beiden Namen, Alfred Baeumler und Ernst Krieck, sind Schlüsselfiguren genannt, mit denen Heidegger zunächst eng, ja sehr eng zusammenarbeitete, zumindest in der ersten Phase der »nationalen Revolution«, mit denen er jedoch bald, in unterschiedlicher Weise freilich, in starke Spannungen, ja auf Krieck bezogen, in ausgesprochene Feindschaft geriet. Aber, das war zu Beginn des Sommersemesters 1933 nicht vorauszusehen – jeder der drei: Heidegger, Baeumler und Krieck – wollte seinen Part spielen, gemeinsam wollten sie bestimmte Ziele im nationalsozialistischen Verständnis erreichen. Vorsicht ist also dort geboten, wo diese anfängliche und sehr intensive Zusammenarbeit verschwiegen wird, und ein geschöntes Gemälde in der Geschichtsgalerie ausgestellt wird. Da scharrten so manche edle Wettkämpfer in den Startlöchern, hoffend, den schnellsten Start zu erwischen und als erste ins Ziel zu gelangen. Freilich: die Kampfbahn war sehr unübersichtlich, und es war auch keine Kurzstrecke, sondern die Disziplin glich eher einem langen Hindernislauf – mit Tücken und Hinterhalten bestückt. Fürs erste jedoch war die Aufbruchstimmung hochgemut.

Der junge Freiburger Graecist Wolfgang Schadewaldt war es übrigens, der den noch amtierenden Rektor Sauer, dessen Amtszeit Mitte April auslief, noch zuvor zweimal aufsuchte, in außergewöhnlicher Zeit und in ungewöhnlicher Weise, und dafür warb, daß Heidegger das Rektorat übernehmen solle statt des schon im Dezember 1932 gewählten Rektor designatus, von Möllendorff, – angesichts der besonderen politischen Konstellation. Dies alles sehr zur Verwunderung von Sauer, der sich einfach keinen Reim auf das Ansinnen machen konnte und überdies Heidegger nicht für geeignet hielt, ohne Erfahrung in der akademischen Selbstverwaltung diese wichtige Funktion in jetziger Zeit zu meistern.[112]

Der erste Besuch Schadewaldts zu einer für einen katholischen Theologen ungewöhnlichen Zeit, am Karfreitag (14. April), am Tag vor der Rektoratsübergabe:

»Dann kam Schadewaldt und blieb bis 1/2 2 Uhr. Er besprach die Frage der Gleichschaltung an unserer Universität und ob man nicht Heidegger zum Rektor nehmen soll. Ich wandte ein, daß der für das eigentlich Verwaltungsmäßige und Geschäftliche, das heute sehr viel schwieriger als früher sein würde, kaum in Frage komme … Ich betonte, daß immer noch Möllendorff da sei und wohl die beste Eignung habe.«

Diese Schlüsseleintragung für die Frage, wer denn Heidegger auf den Weg ins Rektorat gebracht habe, bedarf einer kurzen Interpretation. Schadewaldt, dem neuen Staat ergeben, ordentlicher Professor

---

[112] Vgl. dazu Ott 1983, 1984a, 1984b. – Alle hier erwähnten Vorgänge werden erhellt aus dem genau geführten Tagebuch Sauers, das die zentrale Quelle für meine erste Annäherung an das Rektorat Heideggers gewesen ist.

für klassische Philologie neben dem älteren (jüdischen) Kollegen Eduard Fraenkel, der jetzt der jüngsten (badischen) Rechtslage gemäß zur Disposition stand, gehört eindeutig zu den treibenden Kräften für die Ablösung des aus nationalsozialistischer Sicht unhaltbaren Rektors v. Möllendorff durch Heidegger *und* für die Gleichschaltung der Universität in ihren Selbstverwaltungsgremien, das hieß: Entfernung der nicht-arischen Mitglieder aus dem Universitätssenat und Ersetzung der nicht-arischen Dekane.

Freilich hatte der Rektor Sauer, Theologe und Ehrenmann alter Couleur, zu dieser Zeit keine Ahnung, daß sich an der Alberto-Ludoviciana bereits ein Kader von NS-Professoren bzw. engsten Sympathisanten zu bilden begann. In den ersten Apriltagen war der neue NS-Hochschulreferent aus dem Karlsruher Innenministerium zu Besuch in Freiburg, der Ministerialrat Eugen Fehrle, später Professor für Volkskunde an der Universität Heidelberg, wobei er nicht nur mit den eigentlichen Repräsentanten der Universität Gespräche führte, also mit dem Rektor Josef Sauer und dem erwählten Rektor Wilhelm von Möllendorff, sondern auch mit einem kleinen Kreis von NS-Professoren konferierte und die Marschlinie in parteipolitischer Hinsicht absteckte. Auf diese Verhandlungen spielt der Bericht eines der Professoren vom 9. April 1933 an, aus dem die folgenden Sätze stammen:

»In Ausführung des ersten in unserer neulichen Unterredung besprochenen Punktes betreffend den Zusammenschluß der nationalsozialistischen Hochschullehrer haben wir festgestellt, daß Herr Professor Heidegger bereits in Verhandlungen mit dem preußischen Kultusministerium eingetreten ist. Er besitzt unser vollstes Vertrauen, so daß wir bitten, ihn einstweilen als unseren Vertrauensmann an der Universität Freiburg zu betrachten. Herr Kollege Heidegger ist nicht Parteimitglied und hält es im Augenblick auch nicht für praktisch, dies zu werden, um den anderen Kollegen gegenüber, deren Stellung noch ungeklärt oder gar feindlich ist, freiere Hand zu haben. Er ist jedoch erbötig, sich zum Eintritt zu melden, wenn dies aus anderen Gründen für zweckmäßig erachtet würde. Vor allem würde ich es begrüßen, wenn es Ihnen möglich wäre, direkte Fühlung mit Kollegen Heidegger aufzunehmen, der über die uns interessierenden Punkte vollkommen orientiert ist. Er steht in der nächsten Zeit zu Ihrer Verfügung, nur daß am 25. eine Besprechung in Frankfurt stattfinden soll, bei der er zweckmäßig schon als Sprecher unserer Universität auftreten würde.«

In dem Schreiben wird dann auf weitere taktische Maßnahmen eingegangen; auch das Rektorat Möllendorff wird angesprochen, da dieser »ausgesprochener Demokrat« sei.[113] Heidegger ist also nicht aus

---

[113] Hauptstaatsarchiv Stuttgart, Kultusministerium E A III/1 Univ. Freiburg, Heidegger, Martin.

zufälliger Konstellation ins Rektoramt gelangt, mit dieser Bürde befrachtet von den ehrenwerten Männern Sauer und von Möllendorff. Es gab vielmehr eine universitätsinterne Vorbereitung – hinter den Kulissen durch den kleinen NS-Kader, auf der Bühne indes wurde inszeniert nach Drehbuch! Der neue Rektor von Möllendorff berief auf den 18. April, Dienstag nach Ostern, die erste Senatssitzung ein. Dieser Tag stand bereits unter dem schlimmen Vorzeichen eines Artikels, der in der Morgenausgabe der NS-Zeitung *Der Alemanne* erschienen war:

»Professor von Möllendorff ist zum Rektor der Universität gewählt worden. Er soll demnach an führender Stelle für den kulturellen Neubau Deutschlands tätig sein und arbeiten. Es ist selbstverständlich, daß dieser Aufbau nur dann erfolgreich geschehen kann, wenn alle verantwortlichen Stellen mit rücksichtsloser Schärfe und größter Energie sich zu dieser Arbeit einsetzen. Sinnlos muß diese Arbeit werden, sobald Männer mit Rücksichten und unzeitgemäßen liberalen Anschauungen sich der Gleichschaltung widersetzen oder ihr sogar entgegenarbeiten. Es besteht bestimmte Gefahr, daß dieses Entgegenarbeiten von Professor von Möllendorff zum mindesten in personellen Fragen zu erwarten ist. Denn wenn er sich schon als Rektor der Freiburger Universität für einen Oberbürgermeister einsetzt, der gewiß nur lose Verbindungen zur Hochschule hatte, und dessen etwaige Entlassung in keiner Weise den persönlichen Arbeitskreis des Herrn Rektors berührt, wie wird es dann mit Entscheidungen bestellt sein, die zur amtlichen Kompetenz des Rektors gehören? Das Amtieren eines derart eingestellten Mannes ist unseres Erachtens in keiner Weise mit der nationalen Revolution in Einklang zu bringen. Wir können es uns auch nicht vorstellen, wie eine Sphäre des Vertrauens zwischen Herrn Professor von Möllendorff und der überwiegend nationalsozialistisch eingestellten Studentenschaft entstehen kann. Aber selbst wenn sich hier durch sachliche Arbeit Gegensätze überbrücken ließen, würde der Gegensatz zu der Willensrichtung der führenden Stellen im Lande Baden und nicht zuletzt im Reich zu Unzuträglichkeiten führen, die im Interesse einer ruhigen Entwicklung zu vermeiden sind. Außerdem würde unnötiger Aufwand an Kraft und Arbeit dazu verwendet werden müssen, um entstandene Spannungen zu beseitigen. Das ist doch der Sinn der Gleichschaltungen: Männer gleicher Willensrichtung sollen in einmütiger Zusammenarbeit ihre Kräfte summieren und auf *das eine* Ziel konzentrieren. Eine Zersplitterung der Kräfte darf nicht mehr eintreten. Niemand, der mitarbeiten will, soll ausgeschlossen werden, aber um so mehr ist darauf zu achten, daß unnötige und überflüssige Widerstände nicht hindernd und störend einsetzen! Herrn Professor Dr. von Möllendorff legen wir nahe, die Gelegenheit zu benutzen und der Neuordnung der Hochschule nicht im Wege zu stehen.«

Das war kein isoliertes Vorgehen, vielmehr abgestimmte Aktion im Sinne der Inszenierung. Dieser Angriff im als offiziös geltenden *Alemannen* zeigte Wirkung. Die Entwicklung hat sich in den beiden folgenden Tagen überschlagen und zwar derart, daß v. Möllendorff bereits für den 20. April (Hitlers Geburtstag!) eine außerordentliche Senatssitzung einberief, auf welcher Senat und Rektor den Rücktritt beschlossen und auf den folgenden Tag eine Plenarversammlung verfügten »zwecks Neuwahl von Rektor und Senat«. Der Gleichschaltung der Universität Freiburg stand nichts mehr im Wege.

Hinsichtlich des Nachfolgers ist also, von der Seite v. Möllendorffs aus, in diesen wenigen Stunden die Meinungsbildung erfolgt. Der freilich wußte nicht, daß nach Drehbuch gearbeitet wurde und der Auftritt des künftigen Rektors Heidegger längst vorbereitet war.

Und so wurde Heidegger am 21. April 1933 fast einstimmig gewählt – es fehlten freilich wahlberechtigte Universitätsprofessoren: Das Protokoll der Rektorwahl vermag in manchen Passagen nicht zu verbergen, daß eine schwere Erschütterung durch die Freiburger Professorenschaft gegangen ist, da erstmals stimmberechtigte Mitglieder aus rassischen Gründen ausgeschlossen waren, genau dreizehn von dreiundneunzig. Diesen Zustand hatte eine neue Rechtslage herbeigeführt, die der Gauleiter und Reichskommissar des Landes und des Gaues Baden, Robert Wagner, auf dem Erlaßwege aus eigener Machtvollkommenheit geschaffen hatte. Nicht-arische Professoren an badischen Hochschulen wurden vorerst beurlaubt, mußten alle akademischen Ämter niederlegen, z.B. wenn sie zu Dekanen oder Senatoren gewählt waren. Zwar ist viel Sorge und Unmut intern laut geworden, es wurden viele Zeichen der Anteilnahme privat gegeben – aber: die akademischen Gremien wurden dem Judenerlaß gemäß »gesäubert«, die Universitätsleitungen und die Leitungen der Institute und Kliniken »vollzogen« den badischen Judenerlaß »reibungslos«. Das zeigt, wie sehr die Staatsgläubigkeit verankert war, wie wenig gefragt worden ist nach der Rechtmäßigkeit solcher Erlasse, die elementare Menschenrechte mißachteten und der Unmenschlichkeit Tür und Tor öffneten. Diese Bereitschaft zur Anpassung, zum Umschwenken auf den Führerstaat war sehr weit verbreitet, ja allgemein. Auf der Grundlage des Ermächtigungsgesetzes wurde das neue Recht geschaffen – immer noch also im Rahmen der Weimarer Verfassung.

Immerhin hält das Freiburger Protokoll vom 21. April 1933 fest, daß der Dekan der Theologischen Fakultät, Engelbert Krebs, ehemals mit Heidegger befreundet, wie wir bereits wissen, eine Erklärung abgab, in der den beurlaubten Kollegen die Anteilnahme ausgesprochen wurde: vornehm, aber intern. Die Universität Freiburg sah sich angesichts der Mehrheitsverhältnisse nicht mehr in der Lage, mit den beurlaubten jüdischen Kollegen in der Öffentlichkeit solidarisch zu sein.

Die Segel waren eingeholt, das Schiff dümpelte in einer stillen Bucht, sollte überwintern, während draußen der Sturm tobte. Doch, der neue Rektor Heidegger wollte das Schiff Universität flott machen, an der Spitze der Armada in die stürmische See stechen. Die Freiburger NS-Parteizeitung *Der Alemanne* jubelte über die Wahl Heideggers. Diese sei im Zuge der allgemeinen Gleichschaltung erfolgt, die Freiburger Dozentenschaft habe den Willen bekundet, »am Werk der nationalen und sozialen Revolution tätig mitzuarbeiten«, die Studentenschaft habe dem neuen Rektor »als dem Führer der Universität« die »Gefolgschaft und Mitarbeit« gelobt. »Der Universität«, so schloß der Bericht, »deren Organisation und Erziehungsarbeit am jungen Akademiker im Einklang mit den leitenden Staatsgedanken stehen müssen, ist damit der Weg zum Aufbau in der einzigen Richtung geebnet.«

Mit welchem Programm ging der Führer-Rektor Heidegger auf diese neue Wegstrecke seines Lebens, eingebunden in den großen nationalen Aufbruch, trat er ins volle Rampenlicht einer nicht nur auf die Universität Freiburg begrenzten Öffentlichkeit? Da müßte die programmatische Rektoratsrede vom 27. Mai 1933 in den Einzelheiten analysiert werden, was die einschlägige Forschung mit großem Engagement geleistet hat, die Rede in Heideggers bisheriges Denken einordnend, staatsphilosophische Elemente herauspräparierend, die politische Philosophie Heideggers suchend.[114] Das ist nicht so sehr unser Metier. Der Philosoph als Rektor bekannte sich zur geistigen Führung der Hohen Schule Freiburg und bestimmte zugleich das Wesen der deutschen Universität überhaupt, das erst »zu Klarheit, Rang und Macht« komme, »wenn zuvörderst und jederzeit die Führer selbst Geführte sind – geführt von der Unerbittlichkeit jenes geistigen Auftrags, der das Schicksal des deutschen Volkes in das Gepräge seiner Geschichte zwingt«. Die Einwurzelung von Führerschaft und Gefolgschaft in dieses Wesen könne nur über die Selbstbehauptung der deutschen Universität, verstanden als Wille zu ihrem Wesen, erreicht werden. »Der Wille zum Wesen der deutschen Universität«, so lesen wir, »ist der Wille zur Wissenschaft als Wille zum geschichtlichen geistigen Auftrag des deutschen Volkes«. Dies aber bedeutet für den Philosophen, den Hüter des Seins, daß die geistigen Führer des Volkes, die Lehrerschaft der Universität, wirklich vorrücken müssen »in den äußersten Posten der Gefahr

---

[114] Maßgebend für diesen Sachverhalt immer noch Schwan 1965.

der ständigen Weltungewißheit«, da die geistige Welt allein dem Volke die Größe verbürge. Diese geistige Welt eines Volkes aber sei die Macht der tiefsten Bewahrung seiner erd- und bluthaften Kräfte als Macht der innersten Erregung und weitesten Erschütterung seines Da-Seins. Von diesen Grundsätzen, gesprochen in der Sprache seiner Philosophie, in der Sprache des Seins, entfaltete Heidegger das Programm im einzelnen – oft schon diskutiert, ein Programm, das ins Leere zerrann.

Die eigentümliche Sehnsucht nach Härte und Schwere
Das soldatische Umfeld der Rektoratsrede

Heideggers Rektoratsrede – »eine Kampfrede, ein denkerischer Aufruf, ein entschlossenes und zwingendes Sich-in-die-Zeit-Stellen«, wie, das Wesentliche erkennend, R. Harder 1933 in der Zeitschrift für klassische Philologie *(Gnomon)* schrieb – enthielt auch und gerade sehr konkrete Handlungsanweisungen: der Begriff der Freiheit der deutschen Studenten werde jetzt zu seiner Wahrheit zurückgebracht, aus welcher Wahrheit sich künftig »Bindung und Dienst der deutschen Studentenschaft« entfalten. Drei Bindungen markierte der Rektor Heidegger: Arbeitsdienst – Wehrdienst – Wissensdienst. Es braucht nicht sonderlich betont zu werden, daß hier ganz selbstverständlich der spezifische »Wahrheits«-Begriff Heideggers zugrundegelegt werden muß, d.h.: »Die zweite Bindung ist an die Ehre und das Geschick der Nation inmitten der anderen Völker. Sie verlangt die im Wissen und Können gesicherte und durch Zucht gestraffte Bereitschaft zum Einsatz bis ins Letzte. Diese Bindung umgreift und durchdringt künftig das ganze studentische Dasein als Wehrdienst«. »Wehrdienst« freilich war kein Fremdwort in den deutschen Universitäten jener Zeit – die Wehrhaftmachung des deutschen Volkes, durch den als Schmach empfundenen Versailler Vertrag dringendes Gebot, sollte nicht zuletzt von der studierenden Jugend ausgehen. Wehrertüchtigungsverbände unterschiedlicher Art, nicht nur der »Stahlhelm«, hatten um sich gegriffen, stark gestützt vom Waffenstudententum. »Wehrdienst« war eine nationale Parole, die 1933 freilich zu einer nationalsozialistischen Devise geworden ist.

In der soldatischen Gestalt des Hermann Göring – Fliegerhauptmann des 1. Weltkriegs, letzter Kommandeur des Richthofen-Jagd-

geschwaders, Pour-le-mérite-Träger, längst eine gewichtige Führerfi-
gur der Hitler-Bewegung, seit dem Sommer 1932 Präsident des Reichs-
tages, seit dem 30. Januar 1933 Reichsminister und kommissarischer
Innenminister von Preußen, also Polizeiminister – erblickte Heidegger
offenbar ein Leitbild des neuen deutschen Menschen. Wie sonst hätte
er zwei Tage vor der alles entscheidenden Reichstagswahl vom 5. März
1933 der Familie des ihm seit langem befreundeten Kunsthistorikers
Hans Jantzen als Gastgeschenk mitbringen können: Martin Harry
Sommerfeldt, *Hermann Göring. Ein Lebensbild.* Heidegger dedizierte
ein Exemplar der im Februar erschienenen 3. Auflage (Berlin 1933)[115]
und schrieb als Widmung: »Der lb. Familie Jantzen zur Erinnerung an
den 3. März 1933 in Frankfurt a/Main. Martin Heidegger«.[116]

In journalistischer Hymnik werden die Heldentaten und Haude-
genstücke Görings ausgebreitet, aber vor allem sein Kampf an der Seite
Hitlers – sein »treuester Paladin« – stilisiert. Wir lesen die Definition
von Nationalsozialismus und erfahren wortgewaltig die Ziele der Bewegung. Der flinke Sommerfeldt, Anfang Februar 1933 von Göring zu
seinem Pressesprecher (für das preußische Innenministerium) ernannt,[117] brachte seine Eloge auf den neuesten Stand: Das Bild erhält
jetzt die Farben des den »Augiasstall« ausmistenden Göring – der »Her-
kules«. »Ja – es wird das Jahr stark und scharf hergehn: denn Hermann
Göring hat nichts vergessen«. Deutschland werde in Kürze wissen,
»daß der Minister Göring nicht das Amt des Innenministers übernommen hat, um ›Gerechtigkeit‹ zu ›üben‹, sondern um Politik zu machen.
Eine völlig eindeutige preußisch-deutsche, absolut nationale Politik«.
Wie wahr! Die Wochen vor der Reichstagswahl standen unter dem
furchtbaren Zeichen solcher Politik: vor aller Augen! Reichstagsbrand
und Notverordnungen, Kesseltreiben gegen die politischen Gegner,
Mobilisierung der Straßen. »Göring wird diese Macht gebrauchen,
rücksichtslos, unbeirrt – bis der Erfolg ihm recht gegeben hat: vor dem
deutschen Volke, vor Europa, vor der Welt, vor der Geschichte« – so

---

[115] Sommerfeldt hatte im Auftrag Görings gegen Ende 1932 eine Skizze herausgebracht:
»Göring, was fällt Ihnen ein!« Die 3., höchst aktualisierte Ausgabe erschien unter dem neuen
Titel und ging bald in das 350. Tausend.
[116] Vgl. Marten 1988, S. 90. Marten läßt den Namen der Familie aus. Doch weiß ich mit Sicherheit, daß es sich um den Kunsthistoriker Hans Jantzen gehandelt hat, den Martin Heidegger in
dessen Freiburger Zeit sehr gut gekannt hat und mit dem er befreundet war.
[117] Vgl. M.H. Sommerfeldt, *Ich war dabei. Die Verschwörung der Dämonen 1933–1939*, Darmstadt 1949, S. 22.

schrieb Sommerfeldt gegen Ende seines Elaborats – unübersehbar, da gesperrt gedruckt. Und ein solches Machwerk bringt Heidegger als Gastgeschenk mit. Hat er es auch nicht gelesen – wie Hitlers *Mein Kampf*? Wir müssen das Gegenteil annehmen, da Sommerfeldts *Hermann Göring* zur wichtigen Quelle von Heideggers Rektoratsrede, seiner Aufrufe im Herbst 1933 und auch seiner Verteidigungs-Schriftsätze 1945 geworden ist – bis in sprachliche Nuancen. Welcher Abstieg! Und wie fügt sich da Heideggers späterer Beitrag für die Jantzen-Festschrift (1951 – zum 70. Geburtstag) ein, der unter dem Titel »Logos« steht, Heraklits Fragment B 50 auslegend?

Es blieb aber nicht nur bei heroischen Sätzen. Vielmehr wurde zur Einübung in das praktische Handeln geschritten: Die studentischen SA-Formationen an der Freiburger Universität sowie andere Gruppierungen auf einem schwer zu überschauenden Feld erhielten schon im Sommersemester 1933 eine para-militärische Ausbildung unter der Regie des a.o. Professors für Philosophie und Pädagogik, Dr. Georg Stieler. Er war ehemals aktiver (Berufs-)Offizier und als Korvettenkapitän nach Kriegsende abgegangen – ein engagiertes Mitglied des »Stahlhelm«. Der baumlange Philosoph – er maß 2,02 m – exerzierte mit den informellen Studentenkompanien in den Lehmgruben einer Ziegelei am Fuße des Schönbergs bei Freiburg – in Ermangelung echter Waffen waren die Studenten mit Gewehrattrappen von Holz ausgerüstet. Derartige Aktivitäten mußten vorerst noch geheim bleiben. Einberufen wurde mittels mündlich ergangener Anweisungen und Befehle. Freilich: die Vorgänge waren jeweils mit den zuständigen Stellen der Reichswehr abgestimmt. Ein Augenzeuge, damals noch medizinischer Dozent, selbst Teilnehmer des Weltkriegs, aus dem er schwerverwundet heimgekehrt war, berichtete mir, wie er, neugierig geworden, diese eher kindlich anmutenden Kriegsspiele beobachtete. Plötzlich sei der Rektoratswagen vorgefahren, Heidegger herausgesprungen, und der Professor Stieler als »Kommandeur« habe sich vor dem kleinwüchsigen großen Philosophen aufgebaut und nach allen Regeln der Kunst »Meldung« erstattet, gewissermaßen dem Rektor als Befehlshaber seiner militärischen Verbände. Es sei eine rührende, zugleich eine leicht lächerliche Szene gewesen angesichts des beträchtlichen Unterschieds an körperlicher Größe.

Solches Tun und Gebaren dürfte für Heidegger Bestätigung seiner Aussage in der Rektoratsrede gewesen sein: die Studentenschaft sei auf dem »Marsch« – auf der Suche nach den Führern. Und damit diese Grundaussage ja haften bleibe, hatte der Rektor auf die Rückseite des Programmzettels der Rektoratsfeier das Horst-Wessel-Lied drucken lassen, ein korrespondierender Text, der im Marschrhythmus einge-hämmert wurde, zu singen im Anschluß an die Worte des Führers der Freiburger Studentenschaft. Und so sangen buchstabierend die Profes-soren das literarische Kunstgebilde, die Hymne der Bewegung:

> »Die Fahne hoch, die Reihen dicht geschlossen!
> S. A. marschiert mit mutig-festem Schritt,
> Kameraden, die Rotfront und Reaktion erschossen,
> Marschier'n im Geist in unsern Reihen mit«,

welch erste Strophe nach dem Absingen der 2. (»Die Straße frei den braunen Bataillonen...«) und 3. Strophe (»Zum letztenmal wird nun Appell geblasen...«) als vierte Strophe wiederholt wurde mit folgender Regie-Anweisung: »Während der vierten Strophe wird die rechte Hand erhoben zum Gruß der Toten« – doch wohl nur der Toten der »Bewe-gung«, der »Kameraden, die Rotfront und Reaktion erschossen«!

Es hatte freilich im Vorfeld der Freiburger Rektoratsfeier beträcht-liche Aufregung gegeben. Am 23. Mai 1933 war vom Rektor Heidegger unter Nr. 5193 eine Mitteilung über den äußeren Verlauf dieser Rekto-ratsfeier ergangen – so gänzlich neu und deshalb ungewohnt. Das Erhe-ben der Hand und das Verhalten beim »Sieg-Heil«-Ruf spielten eine be-stimmte Rolle – auch die Frage wurde heftig diskutiert, ob das Erheben der Hand beim Horst-Wessel-Lied ein Zeichen des Bekenntnisses zur NSDAP sei.

Zur Beseitigung dieser Unklarheiten schob Heidegger am folgen-den Tag die regierungsamtliche Verlautbarung aus Karlsruhe nach (Mit-teilung Nr. 5288): Das Hochheben der Hand beim Singen des Deutsch-landliedes und des Horst-Wessel-Liedes (1. u. 4. Strophe) sowie »bei dem Huldigungsruf ›Sieg Heil‹« sei nicht gleichbedeutend mit einer Be-kundung der NSDAP-Zugehörigkeit. Vielmehr sei »das Erheben der rechten Hand« der Nationalgruß des deutschen Volkes geworden und solle lediglich die Eingliederung in den heutigen Staat und die innere Verbundenheit mit dem neuen Deutschland bekunden. Der Rektor verfügte – wohl auch mit Rücksicht auf die physische Belastbarkeit des professoralen Publikums: »Ich habe nach Rücksprache mit dem Füh-rer der Studentenschaft das Hochheben der Hand auf die 4. Strophe des Horst-Wesselliedes beschränkt.«

Dieses atmosphärische Ambiente, in das Heideggers Rektoratsrede eingebettet, ja, mehr noch, eingewurzelt war, kann nicht hoch genug veranschlagt werden. Josef Sauer, der neben Heidegger als Prorektor amtete, schildert den Eindruck: das äußere Bild sei verändert gewesen; zahlreiche Hitler-Uniformen, verwitterte Gesichter, die in den Reihen der bevorzugten Gäste plaziert wurden, Parteifunktionäre, denen selbst ältere Kollegenfrauen weichen mußten. Er habe als Ordner vergebens zu wehren versucht. Heidegger sei kaum zu verstehen gewesen.

Beim anschließenden Essen, an dem auch die Rektoren von Karlsruhe und Heidelberg teilgenommen haben, habe Heidegger zuerst eisig, kühl und formell gesprochen. Er, Sauer, habe die Stimmung durch humoristische Bemerkungen zu lockern versucht. Darauf habe Heidegger nochmals das Wort ergriffen, sei herzlicher geworden und habe von den früheren Beziehungen zu ihm geredet und davon, daß er von Sauer protegiert worden sei.[118] Heidegger merkt diesen Vorgang im Rechenschaftsbericht ausdrücklich an: vom Ministerium sei ihm bedeutet worden, die Tischrede mit der ausdrücklichen Apostrophierung Sauers sei eine Entgleisung gewesen.[119]

Es wurde seinerzeit in Freiburger Universitätskreisen viel gespottet über das militärische und soldatische Gehabe des Rektors Heidegger. Im Lehrkörper befanden sich zahlreiche hochdekorierte Frontkämpfer, die über die wenig glanzvolle militärische Vergangenheit Heideggers genau informiert waren: etwa der Nationalökonom Walter Eucken, einer der entschiedenen inneruniversitären Gegner Heideggers, ein Frontoffizier, der auf Heideggers Allüren nur höhnisch blicken konnte.

Martin Heidegger, eine unsoldatische und eigentlich unheroische Figur, war beispielsweise ein Bewunderer von Ernst Jünger – in erster Linie wohl des tapferen Pour-le-mérite-Trägers. In solchen vorbildhaften Gestalten des 1. Weltkrieges, mit denen er sich zu identifizieren suchte, konnte er sein nicht realisiertes großes Fronterlebnis kompensieren. Es ist im Vorausgegangenen zur Genüge das dürre Gerüst von Heideggers Militärzeit dargetan worden – nicht geeignet zum Herzeigen. Der Philosoph Max Müller, genauer Kenner Heideggers, sich als Heidegger-Schüler verstehend, meint, das persönliche unheroische

---

[118] Tagebuch Sauer, Eintrag zum 28. Mai 1933.
[119] Heidegger 1983, S. 31.

Schicksal habe im Denken Heideggers wohl »zur mythischen Verklä-
rung des Fronterlebnisses beigetragen«.[120] So ist nicht verwunderlich,
daß der spätere Heidegger sich auf amtliches Befragen ausschwieg bzw.
bei der Selbstdarstellung die soldatische Bilanz ganz kräftig frisierte:
der Marburger Universitätscurator z. B. forderte Heidegger 1927/28
fünfmal auf, Angaben über seine Militärzeit zu machen, die dann für
eine ruhegehaltsfähige Dienstzeit hätten verwendet werden können –
der Curator blieb ohne Antwort.

Im *Deutschen Führerlexikon* von 1934/35 stilisierte sich Heidegger
zum Kriegsfreiwilligen, der aus gesundheitlichen Gründen wieder entlassen wurde: Heidegger, der, weil ursprünglich Theologe, nicht ge-
dient hatte, wurde nach Kriegsausbruch planmäßig erfaßt und als
Landsturmmann (ungedient) registriert. Seine militärische Tätigkeit
bei der Freiburger Postzensur wurde, da leicht mißverstehbar, stets als
ununterbrochener Militärdienst gewertet: Heidegger war jedoch fast
nie kaserniert, verfügte also über einen sehr großen Freiraum. Des weiteren gab Heidegger an, gegen Kriegsende vor Verdun gestanden zu haben, eben um am Verdun-Nimbus teilzuhaben. Es handelt sich hierbei
um ein recht bezeichnendes Kaschieren eines unspektulären Frontein-
satzes als Meteorologe im Ardennenraum.

Es blieb jedoch nicht bei den Exerzier-Programmen des Professor
Stieler. Aus einem soldatischen Geist heraus ließ Heidegger den Kollegen Stieler eine Ehrengerichtsordnung für die zu gründende Dozentenschaft entwerfen, die er gutheißend der Regierung in Karlsruhe und
Berlin vorlegte – ausgerichtet an der Ehrengerichtsordnung für Offi-
ziere. Maßgebend sollte sein: die Wiederherstellung des Ehrbewußtseins, das die bisherigen politischen Machthaber dem Volke genommen
hatten mit der Folge, daß »allenthalben ein brutaler Kampf ums Dasein
ohne Rücksicht auf die Standesgenossen« tobte; Weckung des Bedürf-
nisses »nach Reinigung und Erneuerung« – dies müsse aus der Dozentenschaft selbst erwachsen:

»Wir Dozenten wollen selbst aufwärts und wieder zu uns selbst kommen. Wir wollen
unsere Körperschaft von minderwertigen Elementen reinigen und künftigen Entar-
tungskampagnen vorbeugen. Wir wollen uns durch die Pflege des Ehrbewußtseins
wechselseitig erziehen und einen Rückfall in die früheren Zustände unmöglich machen. Und schließlich wollen wir – und das ist das Wichtigste – unter uns selbst jenen
Geist wahrer Kameradschaft und echten Sozialismus pflegen und immer mehr zur Ent-

---

[120] Martin/Schramm 1986, S. 28. Dort in Fußnote 51 auch der Hinweis auf die folgende Episode.

faltung bringen, der im Kollegen nicht den Konkurrenten im Kampf ums Dasein sieht...«

Kameraden, Genossen eines Standes und Volkes sein – das habe »das Offizierkorps in seinen besten Zeiten« verwirklicht, wann immer die gewesen sein mochten! »Wir wollen uns den Gedanken Fichtes zu eigen machen, daß wir eine durcheinander verwachsene Einheit sind, in der kein Glied irgend eines anderen Gliedes Schicksal für ein ihm fremdes Schicksal hält!« Solch hehre Begründungen für die Einführung einer Ehrengerichtsordnung spiegeln die Verworrenheit der nationalsozialistischen Ideologie in klarer Weise: Wiederherstellen der Ehre (als Offiziersehre begriffen) wurde gleichgesetzt der Selbstreinigung der Körperschaft von minderwertigen/entarteten Elementen.[121]

Geländesport als Pflichtveranstaltung für jeden Studenten zählte seit Mai 1933 zum Semesterprogramm – sehr zum Unwillen vieler Professoren, die für diese Form der »Wehrhaftmachung der akademischen Jugend« nur schwer zu begeistern waren – immerhin litt das normale herkömmliche Lehrprogramm darunter. Heidegger stand nachdrücklich hinter diesen Wehrsport-Übungen. Der Heidelberger Studentenschaft z. B. rief er in der berüchtigten Rede vom 30. Juni 1933, gegen die Professoren gerichtet, zu: »Was heißt denn...Zeit verlieren, wenn es gilt, für den Staat zu kämpfen. Von der Arbeit für den Staat kommt keine Gefahr, nur von der Gleichgültigkeit und Widerstand.«[122]

In diesen Zusammenhang gehört auch die rasche Einrichtung eines Wehrsportlagers, das nicht in Freiburg oder nächster Umgebung liegen konnte wegen der entmilitarisierten Zone. Der Standort wurde auf der Baar bei Löffingen gefunden – ca. 50 km östlich der Universitätsstadt. In den Monaten August und Oktober wurden in jeweils dreiwöchigen Lageraufenthalten je 300 Studenten von Angehörigen der Reichswehr, SA und SS ausgebildet. Aber diese neue politische Studentenschaft, diese Typen von SA-Studenten, die in den Lagern geschult werden sollten, entsprachen mitnichten dem im heroischen Stil von Heidegger beschworenen Studenten:

»Die deutsche Studentenschaft ist auf dem Marsch. Und wen sie sucht, das sind jene Führer, durch die sie ihre eigene Bestimmung zur gegründeten, wissenden Wahrheit erheben und in die Klarheit des deutend wirkenden Wortes und Werkes stellen will.« (*Rektoratsrede*)

---

[121] Universitätsarchiv Freiburg, V/1. Generalia/Vereine.

[122] »Die Universität im Neuen Reich«, *Der Heidelberger Student*, Beilage Ruperto Carola 13. Juli 1933 (hier zitiert nach Mußgnug 1985, S. 491).

Heidegger hatte längst jede Bodenberührung verloren, wenn er solche überhaupt besaß. Er wurde permanent mit der Wirklichkeit konfrontiert, die er zunächst verdrängte, weil nicht sein kann, was nicht sein darf. Ein Beispiel möge dies verdeutlichen: Teile der Freiburger Studentenschaft, in ihrem Kern zumindest, organisiert in der Studenten-SA und schon im Sommer in einem rasch errichteten Wehrsportlager bei Löffingen droben auf der Baar zu praktischem Dienst versammelt, beteiligten sich an einer in der damaligen Zeit häufiger vorkommenden Aktion: Es galt, einen Zentrumspolitiker im Ort, der den Nationalsozialisten mißliebig geworden war, »sturmreif« zu schießen, d. h. durch Inszenieren von aufgebrachtem Volk, damit die Festnahme einen »Rechtsgrund« habe. Diesen Pöbel gaben die Freiburger SA-Studenten ab. Ein Freiburger Professor für Privatrecht, ein durchaus national gesinnter Mann, Frontkämpfer, erfuhr von diesen Vorgängen und schrieb Anfang September dem Rektor Heidegger, ob solches Verhalten sich wohl mit der nationalen Ehre, die Hitler wolle, vereinbaren lasse. Der Rektor, deutlich indigniert, gab dem angesehenen Mitglied der Rechts- und Staatswissenschaftlichen Fakultät zur Antwort:

»Von Ihren Mitteilungen über Löffingen habe ich Kenntnis genommen. Über das zweifelhafte Verhalten des Löffinger Bürgers, der offenbar Anlaß zu dem Auflauf gegeben hat, scheint Ihnen nicht Näheres bekannt zu sein. Ihre Klage stützt sich auf die Erzählung eines mir unbekannten Herrn. Bei dieser Sachlage vermag ich mir zunächst kein eindeutiges Urteil über die Dinge zu bilden. So wichtig das Vorbringen von Bedenken bleibt, so wünsche ich mir doch, daß zur ›Verwirklichung des Dritten Reiches‹ künftig auch positiv fördernde Vorschläge an mich gelangen.«

Wo bleibt das Positive, Herr Kollege! Denn das Dritte Reich harrt der Verwirklichung! Dem Rektor Heidegger sollte in nicht zu ferner Zukunft deutlich vor Augen geführt werden, daß die Führung nicht mehr bei ihm, sondern bei der hierarchisch gegliederten Studenten-SA und deren Parteistellen liege. Noch freilich wiegte sich Heidegger in seinen Träumen – »wie ein Knabe, der träumt, nicht weiß, was er tut«? – oder frönte seinem »Machtrausch«. Beide Bilder, von denen wir schon gehört haben, treffen nicht zu. Heidegger wußte genau, was er erreichen wollte, und er hatte guten Grund, optimistisch zu sein, im Bündnis mit einflußreichen Personen und mit den entscheidenden Stellen, denen in Berlin vor allem, sein Ziel zu erreichen.

Das eigentliche kompensatorische Moment indes ist in Heideggers Sprache aufgehoben (noch steht die eingehende Untersuchung aus über den Gebrauch der Wörter »Kampf«, »kämpferisch« und ihre Wortfelder[123]). Es kann aber mit Fug ausgesprochen werden, daß der Philosoph sich schwerlich übertreffen läßt in der Vielfalt und der Häufigkeit solcher Worte. Und wenn wir mit Heidegger das Wesen der Sprache, das sie uns freilich noch verweigert, sehen: »daß sie das Haus der Wahrheit des Seins ist« (Humanismusbrief), dann sind seine Worte nicht schwer genug zu gewichten. Allein die Rektoratsrede birgt genügend Anschauungsmaterial: da steht der Kampf in der Mitte, zumal wenn das damalige politische Umfeld bedacht wird, auf dem das Wort Kampf erblühte. Heidegger hat sich gegen solche simple und vielleicht böswillige Auslegung energisch verwahrt, wollte den heraklitischen Sinn unterlegt haben. Wie auch immer; Heidegger konnte mißverstanden werden- und wurde mißverstanden, tausendfach ob der Zweideutigkeit seiner Rede.[124]

Nachdenklich freilich muß stimmen, wenn wir hören, daß Heidegger seinem Schüler Karl Ulmer, der an der Ostfront stand, noch gegen Ende des Rußlandfeldzuges schrieb: das einzig würdige Dasein eines Deutschen sei heute an der Front.[125] »Front«, das ist für Heidegger immer der äußerste Posten der Gefahr. Man überprüfe z. B. nur die Rektoratsrede auf das militärisch anmutende Vokabular hin: Gefahr, Bedrängnis, äußerste Not, Kraft, Macht, Zucht, Auslese, Einsatz bis ins Letzte, härteste Klarheit. Wenn Heidegger die »Frontexistenz« als das einzig würdige Dasein eines Deutschen definiert, dann tut er dies ganz im Sinn der Rektoratsrede, wo die »Entschlossenheit der deutschen Studentenschaft, dem deutschen Schicksal in seiner äußersten Not standzuhalten«, formuliert ist. Solches Werturteil – Heidegger befleißigte sich durchaus wertender Tätigkeit entgegen vehementer Versuche seiner Gemeinde, ihn aus der Werte-Philosophie herauszunehmen – steht im Zusammenhang seiner holzschnittartigen zeitgeschichtlichen Analyse, wonach dieses Europa und in seiner Mitte »unser Volk«, das »metaphysische Volk«, »in der großen Zange zwischen Rußland auf der einen und Amerika auf

---

[123] Dolf Sternberger (1984) hat dazu einen ersten Ansatz vermittelt.

[124] Winfried Franzen, der vor geraumer Zeit sich philosophiegeschichtlich, aber auch in einem biographischen Ansatz mit Heidegger beschäftigt hat, legte 1988 unter dem Titel »Die Sehnsucht nach Härte und Schwere« eine Studie vor. Anhand der Überprüfung von Heideggers 1929/30 gehaltenen Vorlesung »Die Grundbegriffe der Metaphysik« macht er plausibel, daß die dort feststellbare Sehnsucht nach Härte und Schwere zum politischen NS-Engagement disponieren konnte. Jedenfalls, so Franzen, ergeben die sprachliche und inhaltliche Analyse eine große Nähe zur nationalsozialistischen Weltanschauung.

[125] Rudolph Berlinger, Ansprache zur Bestattung Karl Ulmers 29. Mai 1981 (Privatdruck).

der anderen Seite« liegen. Beide Mächte seien »metaphysisch gesehen« dasselbe – »dieselbe trostlose Raserei der entfesselten Technik und der bodenlosen Organisation des Normalmenschen«.[126]

Deutschland erfahre, »als in der Mitte stehend«, den schärfsten Zangendruck. Dann: nach Stalingrad ein solcher Brief an seinen Schüler Karl Ulmer – obwohl sich das Schicksal des deutschen Volkes, dieses metaphysischen Volkes, schon entschieden hatte: dem Untergang geweiht, mit Verbrechen beladen, die der Führer befohlen hatte, dieser Führer, der »selbst und allein *ist* die heutige und künftige deutsche Wirklichkeit und ihr Gesetz.«[127] Niemals hat Heidegger diesen Satz zurückgenommen!

Die eigene Bereitschaft indes, das würdige Dasein an der Front auszuhalten, war nicht vorhanden. Eine Welt klafft zwischen den verbalen Kraftakten und dem vollziehenden Tun. Heinrich Wiegand Petzet hat, von Heidegger autorisiert, die Legende veröffentlicht, die Einberufung zum Volkssturm im November 1944 sei erfolgt »wohl in der Hoffnung, ihn endlich loszuwerden: eine Perfidie, die freilich ihre Zwecke verfehlte.«[128] Doch: wie spielte sich das dunkel angedeutete Ereignis tatsächlich ab?

Martin Heidegger rückte am 23. 11. 1944 mit einem Volkssturmaufgebot von Freiburg aus, in Richtung Breisach am Rhein aus. Die Einheit kam nicht sehr weit, da Neu-Breisach bereits von französischen Truppen erobert worden war ebenso wie Straßburg, so daß militärische Operationen über den Rhein hinweg deutscherseits nicht mehr möglich waren. Heidegger konnte sich einer weiteren militärischen Verwendung entziehen – nicht zuletzt dank des massiven Einsatzes, der über die Parteigliederung »Reichsdozentenbund« erfolgte. Noch am 23. 11. 1944 telegraphierte Professor Dr. Eugen Fischer, international renommierter Anatom und Eugeniker, weiland Direktor am Kaiser-Wilhelm-Institut in Berlin, jetzt wieder im heimatlichen Freiburg als Emeritus lebend, auch Mitglied des Führungskreises beim Reichsdozenten-

---

[126] *Einführung in die Metaphysik* (Ausgabe 1953), S. 28 f. – Neuerdings wird diese von ökologischer Seite wiederbelebt als »Raketenzange« – z. B. bei Hanspeter Padrutt, *Der epochale Winter. Zeitgemäße Betrachtungen*, Zürich 1984, S. 199 ff. Heidegger als politischer Kronzeuge der weltweiten Raketenkonstellation der Gegenwart«. Solche Autoren vergessen freilich, daß die ersten Vernichtungsraketen (V 1 und V 2) von den Deutschen während des 2. Weltkrieges gebaut und eingesetzt worden sind.
[127] Aufruf in der *Freiburger Studentenzeitung*; vgl. Schneeberger 1962, Nr. 114.
[128] Petzet 1983, S. 52.

bundführer Dr. Gustav Adolf Scheel, an eben diesen Dr. Scheel, der auch Gauleiter von Salzburg war: »Gauleiter Salzburg, Volkssturm und Stundengebot voll erkennend, mich einsetze für Fakultätsbitte Elsaß eingesetzten Volkssturmmann Heidegger, einzigartigem Nation und Partei unersetzlichem Denker Befreiung vom Waffendienst zu erwirken. Eugen Fischer« – ein in seiner seltsamen Verstümmelung sehr interessanter Text, der sich erst aus dem nachgeschobenen Brief Fischers erschließen läßt: Er sowohl wie die Philosophische Fakultät sehen völlig klar, daß im gegenwärtigen Zeitpunkt »jede Kampfkraft und jeder Kampfeswille und damit der Volkssturm allem anderen vorausgehen müssen.« Die Universität habe viele »Kameraden« an den Volkssturm abgegeben, damit die Rheinfront verteidigt werde. Dennoch sei es richtig, »in ganz außergewöhnlichen Fällen um vereinzelte Ausnahmen zu bitten. Und Heidegger verdient eine solche; mag man sich zu einzelnen seiner Ausführungen auch ablehnend stellen, das Werk muß man anerkennen.« Die Fakultät vertrete kein Eigeninteresse, sondern sie setze sich ein »für einen geistigen Führer und Denker , wie er eben einzigartig ist. Wir haben wahrhaft nicht viele große Philosophen, und nationalsozialistisch eingestellte noch weniger.« Fischer, mit Heidegger seit vielen Jahren befreundet, mit dem Rektor Heidegger an jener ominösen Leipziger Kundgebung des 11. November 1933 beteiligt (Fischer war Rektor der Berliner Universität), verlangte die Gleichbehandlung des Philosophen Heidegger mit den großen Erfindern, Physikern und Chemikern, die man vom Dienst mit der Waffe zurückstelle, »weil sie an anderer Stelle besser dienen«.[129]

Die Angelegenheit Heidegger war inzwischen befriedigend gelöst, so daß der Gauleiter von Salzburg nicht mehr einzugreifen brauchte. Er hätte sich freilich für Heidegger verwendet, wie er Eugen Fischer wenig später mitteilte. Nach der Zerstörung Freiburgs (27. November 1944) hat sich Heidegger zur Bergung seiner Manuskripte zurückgezogen – in sicherer Entfernung von der Rheinfront, die dann wohl andere verteidigen mochten. Im Urlaubsgesuch, das er am 16. Dezember 1944 von Meßkirch aus an den Freiburger Rektor richtete, führte er zeitgemäß aus, die neue Lage am Oberrhein machte es notwendig, die Manuskripte endgültig zu bergen, »daß die nächstliegenden Gefährdungen nach Möglichkeit ausgeschlossen sind.« Es liege im Wesen der

---

[129] Vgl. Näheres in Ott 1988b, S. 73 f.

philosophischen Arbeit, daß sie »enger mit der Person des Arbeitenden verknüpft« sei. Doch: »In Wahrheit gehören aber meine Arbeiten nicht meiner Person, sondern sie dienen der deutschen Zukunft und gehören dieser. Ihre Sicherstellung darf eine entsprechende Sorgfalt beanspruchen.« Aber, was würde die deutsche Zukunft sein, jetzt, da das Volk aufzustehen hatte – »ein Volk steht auf, ein Sturm bricht los« –, jetzt, da mit Führerbefehl vom 18. Oktober 1944 aus allen waffenfähigen Männern im Alter von 16 bis 60 Jahre der deutsche Volkssturm zu bilden war, der »den Heimatboden mit allen Waffen und Mitteln« zu verteidigen hatte!

Erinnerte sich Martin Heidegger der Schlußsätze seiner Rektoratsrede vom 27. Mai 1933?: »Die Herrlichkeit aber und die Größe dieses Aufbruchs verstehen wir dann erst ganz, wenn wir in uns jene tiefe und weite Besonnenheit tragen, aus der die alte griechische Weisheit das Wort gesprochen: ›Alles Große steht im Sturm …‹« (Platon, *Politeia* 497d, 9) – eine eigenwillige Übersetzung und Interpretation dieses Platon-Satzes, bis zum heutigen Tag kontrovers diskutiert. Damals, als das Jahr 1944 sich neigte, in jenem Advent, war die Rede vom Aufbruch verstummt. Übrig blieb nur das Aufgehobensein in eine ferne Zukunft, bestritten aber wurde das Ereignis des Untergangs: »Alles denkt jetzt den Untergang. Wir Deutschen können deshalb nicht untergehen, weil wir noch gar nicht aufgegangen sind und erst durch die Nacht hindurchmüssen«, schrieb Heidegger am 20. Juli 1945 an Rudolf Stadelmann nach Tübingen, wie wir oben schon gelesen haben.

Martin Heidegger hatte sich von der »Front« zurückgezogen in die Sicherheit der Heimat Meßkirch, in die Idylle des oberen Donautals, in das Gespräch mit Friedrich Hölderlin. Mit ärztlichem Attest vom 8. Februar 1945 ließ er sich zunächst für drei Monate die Notwendigkeit bescheinigen, sich vom Dienstsitz entfernt aufzuhalten: »Unter den gegebenen Lebensbedingungen ist dies nur außerhalb Freiburgs in dem dringend wünschenswerten Ausmaße möglich« – das Badische Kultusministerium, nach dem Fall von Straßburg in der Anette v. Droste-Hülshoff-Stadt Meersburg am Bodensee ansässig geworden, genehmigte diesen Antrag am 16. März 1945 – eine der letzten Amtshandlungen, ehe die französischen Panzerverbände in die Südwestecke vorstießen, auf wenig Gegenwehr treffend.

Heidegger hielt sich, als die französischen Verbände am 21. April das Dorf Hausen i. T. erreicht hatten, mehrere Tage im sogenannten Schloß Hausen, über dem Donautal gelegen, verborgen zusammen mit den Insassen, einem Forstwartehepaar samt Familie und der Prinzessin Margot von Sachsen-Meiningen und dem Prinzen von Sachsen-Meiningen, der als Sonderführer geamtet hatte: d. h. im Wehrmachtsgefolge stehend und uniformiert, in der Wirtschaftsverwaltung tätig, aber ohne Kombattantenstatus. Es galt zu überleben.

Die französische Militärregierung warf ein weitmaschiges Netz über den Donaulandstrich. Die Kontrollen waren nicht sehr dicht. Heidegger stieß nichts Befremdliches zu. Von Untergang war nichts zu spüren. Es war eigentlich kein Schuß gefallen. Nur zum Spaß und übungshalber wurde eine Panzergranate unterhalb der Burg Wildenstein abgefeuert. Das war schon alles. Das Chaos fand anderwärts statt. Doch standen beide Söhne Heideggers an der Ostfront. Seit langem waren die Nachrichten ausgeblieben. Das ungewisse Schicksal lastete auf den Eltern und den jungen Frauen. Angesichts des internationalen Renommees, das Heidegger genoß, wurde an diesem Los Anteil genommen.

Wir erfahren von dem Religionsphilosophen Enrico Castelli, wie Martin Heidegger den Panzer von Härte und Schwere durchbrach, als ein Zeichen von Menschlichkeit gegeben wurde.[130] Castelli reiste im Sommer 1946 durch die französische Besatzungszone, besuchte u. a. das unversehrte Tübingen und das hart geschlagene Freiburg. Von dort fuhr er, begleitet von einem Freund, am 9. Januar 1946 hinauf nach Todtnauberg, um Heidegger in der Hütte aufzusuchen. Er übermittelte ein Angebot des französischen Religionsphilosophen Jacques Maritain, der Frankreichs Botschafter beim Vatikan war (1945–1948), zugunsten der Heideggersöhne von französischer und vatikanischer Seite zu intervenieren, um Nachrichten zu erhalten. Es sei zwecklos, »danke«, lautete die Antwort von Frau Heidegger, die, so mutmaßte Castelli, es unter ihrer Würde fand, die Hilfe von Eindringlingen in Anspruch zu nehmen. Sie habe sich übrigens auch geweigert, Informationen über Konzentrationslager zu geben, über welche sie verfügte. Heidegger habe geschwiegen. Doch als er die Besucher über die weite Strecke von der Hütte hinüber zur Bergstation der Schauinslandbahn begleitete, habe er »gleichsam mit halblauter Stimme« gesagt, er würde eine Intervention begrüßen. Er habe dann auf die feuchte Baumscheibe eines gefällten Baumes die notwendigen Daten und seinen Dank geschrieben. Heidegger sei sichtlich gerührt gewesen.

---

[130] Enrico Castelli, *Il tempo invertebrato*, Padua 1969, S. 51, Anm. 4.

Doch: wir sind in dem Ablauf der Zeit vorausgeeilt und sollten zur Rektoratsrede vom 27. Mai 1933 zurückkehren. Sicher ist, daß sie im Spektrum der in diesen Maitagen 1933 vorgetragenen Rektoratsreden im gesamten Deutschen Reich einzig dasteht durch die Kraft ihres Entwurfs, durch die zwingende Gewalt der Denkwege, eine Rede, die nur wenige im Hören verstanden, da Heideggers Philosophie und Sprache, schwer genug, ihr das Gepräge gaben. Eine Rede, die überwiegend wohl mißverstanden und mißgedeutet werden konnte, gar mußte, auf dem Hintergrund dieser Metasprache, oder wie Heidegger später schrieb, in den Wind gesprochen worden sei, freilich nicht in den Wind, der in den Segeln ist, das Schiff also auf große Fahrt bringt, sondern der verweht – nutzlos. So war das vor sich dümpelnde Schiff nicht flott zu machen – oder waren gar die Segel falsch gesetzt, gab es gar keinen Einklang von Fahrtwind und Takelage? Hatte etwa der Philosoph, der den Führer Adolf Hitler feierte, nicht ausdrücklich in dieser Rede, aber in zahlreichen anderen Verlautbarungen, nicht dessen Programm gelesen, dessen politisches Wollen, dessen politisches Denken in sich aufgenommen? 1945 äußerte Heidegger einem Mitglied des Bereinigungsausschusses auf Befragen, er habe das Buch Hitlers *Mein Kampf,* wie er wörtlich sagte, »aus Widerstreben gegen seinen Inhalt« nur teilweise gelesen. Freilich habe er, so erklärte Heidegger 1945 weiter, schon Mitte Juni 1933 erkannt, die politische Entwicklung verlaufe nicht in der von ihm angenommenen Richtung – wohl der Richtung, wie er sie vor Weihnachten 1932 in einem Brief an Karl Jaspers andeutete: »Ob es gelingt, für die kommenden Jahrzehnte der Philosophie einen Boden und einen Raum zu schaffen, ob Menschen kommen, die in sich eine ferne Verfügung tragen?« Dieser säkularisierten Adventserwartung, dieser verweltlichten Messias-Hoffnung sollte durch die Sendung des Führers die Antwort zuteil werden.

Aber barg diese pseudoreligiöse Heilserwartung nicht eine ungeheure Hybris, war das Denken Heideggers in seiner radikal gefaßten, d. h. in seiner elementaren Einfachheit nicht schlechthin Surrogat der über Bord geworfenen christlichen Weltanschauung, mußte »in der *philosophischen* Existenzproblematik wesensnotwendig«, wie dies in *Sein und Zeit* gelehrt wurde, nicht »eine unbedingte Gegenstellung zu allem Christentum« liegen, wie Heidegger schon 1928 einem Rezensenten seines Buches, nämlich Julius Stenzel, schrieb?[131] Ethikfrei! Nur

---

[131] Brief vom 14. April 1928. Herrn Professor Karl Schuhmann (Universität Utrecht) verdanke ich die Möglichkeit der Einsichtnahme in die Briefe Heideggers an Julius Stenzel.

gerichtet, die Seinsverfassung des Daseins als eines »In-der-Welt-sein« zu erhellen. War jetzt mit dem Führer die Lichtung des Seins näher gerückt? Für Martin Heidegger sicherlich. Er beabsichtigte keine Anthropologie und keine »bestimmte Ethik«, hatte er doch einzig den Auftrag des Seins zu erfüllen, einen »möglichen Boden für eine strenge Interpretation des Seins nach allen seinen möglichen Abwandlungen und Regionen« zu bereiten, wie er 1928 schon formulierte.

War ihm, der mit dem Hammer seines Denken in der Wesentlichkeit seines Fragens den brüchigen Fels weggeschlagen hatte und zum harten Urgestein vorgedrungen war, dem verborgenen Handwerker, jetzt mit dem Führer Adolf Hitler der neue Hammer geschenkt, der zu den Erzgängen des Seins den Weg erschloß? Ich verwende ein Bild, das Heidegger, freilich in anderem Zusammenhang, Ende 1929 in einem Brief an Stenzel gebrauchte.

Sind solche von mir angestellten Überlegungen reine Spielerei, gar abwegig? Nirgendwo, soweit ich sehe, hat je einer der zünftigen Philosophen in zureichender Weise vergleichend den Satz verdeutlicht, den der Führer-Rektor Heidegger aus der Kraft seines weltweit anerkannten Denkens den Freiburger Studenten zu Beginn des Wintersemesters 1933/34 zugesprochen hat:

»Unaufhörlich wachse Euch der Mut zum Opfer für die Rettung des Wesens und für die Erhöhung der innersten Kraft unseres Volkes in seinem Staat. Nicht Lehrsätze und ›Ideen‹ seien die Regeln Eueres Seins. Der Führer selbst und allein *ist* die heutige und künftige deutsche Wirklichkeit und ihr Gesetz. Lernet immer tiefer zu wissen: Von nun an fordert jedwedes Ding Entscheidung und alles Tun Verantwortung. Heil Hitler.«

Wer hinter die Meta-Sprache zu dringen vermag, wird unschwer sehen, wenn er nicht geblendet oder gar verblendet ist, daß der Rektor als Philosoph seine fundamentalen Anschauungen »Vom Wesen der Wahrheit« unterlegt hat: Nicht »Lehrsätze«, das heißt doch wohl kirchliche und theologische Dogmen, noch »Ideen«, das heißt doch wohl nach Heidegger Unterjochung unter Platons Ideenlehre, Unterjochung unter die gesamte abendländische philosophische und theologische Tradition »seien die Regeln Eueres Seins«. Folgten die Studenten weiter diesen Scheingebilden, sie verlören das Wesen der Unverborgenheit. Vielmehr: »Der Führer selbst und allein *ist* die heutige und künftige deutsche Wirklichkeit und ihr Gesetz.« Dieses *ist*, von Martin Heidegger herausgehoben durch den kursiven Schriftsatz, birgt in sich die Aussage des Seins. In einer gewaltigen, ja ungeheuren Kompression und

Konzentration hat der Philosoph als Rektor – nicht als ein beliebiger Führer-Rektor der Grenzlanduniversität Freiburg, nein als ein Führer der deutschen Wissenschaft, die ja nur Philosophie sein kann, nämlich Heideggers Philosophie, sein Denken auf die gültige Formel gebracht. Das ist der Zuspruch des Seins in der Lichtung, in der ἀλήθεια, in der Wahrheit. In der hereinbrechenden Not vor Adolf Hitler wurde erstmals das Sein fragwürdig, nicht mehr nur das Seiende; wer so fragte, trat in die Fußstapfen Heraklits, des dunklen, aber dennoch des lichten, indem er das anfängliche Wesen der Wahrheit in seinem verborgenen Anfang lichtet.

Es gab und gibt Versuche, diesen Satz zu relativieren: »Lehrsätze« = das NS-Parteiprogramm; »Ideen« die NS-Weltanschauung. Zum Beweis wird angeführt, Heidegger habe seine Rektoratsrede mit einem Plato-Zitat » τὰ … μεγάλα πάντα ἐπισφαλῆ «, dies übersetzend: »Alles Große steht im Sturm«, beschlossen. Aber Heidegger habe ja Griechisch gekonnt und gewußt, was Plato wirklich ausgedrückt habe: »Alles Große ist hinfällig.« Damit wird auf die subtile Doppeldeutigkeit, ja Doppelbödigkeit der Heideggerschen Formulierung abgehoben. In Wirklichkeit habe der Philosoph sich bemüht, Hitler gegen die Partei auszuspielen, was die Partei gegen ihn »aufgebracht« habe, während Hitler selbst von alledem nichts erfahren habe. So argumentiert etwa Walter Bröcker, Philosophieprofessor in Kiel und Heideggers ehemaliger Assistent.[132] Das freilich liegt auf einer sehr oberflächlichen Ebene, die nicht die tieferen Schichten erkennen läßt. »Lehrsätze« und »Ideen« – dies müssen wir verbinden mit dem Traditionsballast der abendländischen Weltanschauung, der jetzt – endlich! – über Bord gehen kann, jetzt und künftig, denn »der Führer selbst und allein *ist* die heutige und künftige deutsche Wirklichkeit und ihr Gesetz.« Und was das Plato-Zitat betrifft: Nun, Heidegger hat die Wort-Bedeutung »hinfällig« oder »in der Bewährung stehend« auf seine Weise umgemünzt, daß sie in die »Kampf«-Diktion der Rektoratsrede eingepaßt werden konnte, ja als finaler Paukenschlag komponiert wurde.

Zuletzt hat Otto Pöggeler diesen Satz als Spiegelung von Heideggers konkreter politischer Überzeugung gewertet: »es geht nicht um Lehrsätze und Ideen, somit nicht um das nationalsozialistische Parteiprogramm oder gar um Rassentheorien, sondern darum, daß der Kanzler einer nationalen Koalition sich über seine Partei erhebt und so erst

---

[132] Leserbrief an die *FAZ* vom 14. April 1984.

zum Führer des Aufbruchs wird.«[133] Doch ist dies nicht eine gekünstelte Exegese (um die Ecke gedacht, gleichsam)? Die atmosphärische Einbindung in die Kampfparolen des ausgehenden Jahres 1933 wird außer Betracht gelassen. Rücksicht auf die nationale Koalition angesichts der erreichten Machtfülle des Reichskanzlers? Heideggers Schüler Herbert Marcuse hat den sehr naheliegenden richtigen Zusammenhang, nämlich mit der Philosophie, ganz selbstverständlich aus Zeitgenossenschaft erkannt. In seinem Aufsatz »Der Kampf gegen den Liberalismus in der totalitären Staatsauffassung« von 1934 analysiert er die beiden Novemberaufrufe Heideggers und stellt diesem Satz ein Hegel-Zitat gegenüber: »Hegel hatte noch geglaubt: ›Was im Leben wahr, groß und göttlich ist, ist es durch die Idee… Alles was das menschliche Leben zusammenhält, was Werth hat und gilt, ist geistiger Natur und dies Reich des Geistes existirt allein durch das Bewußtseyn von Wahrheit und Recht, durch das Erfassen der Ideen.‹« (Hegels Anrede an seine Zuhörer bei Eröffnung seiner Vorlesungen in Berlin 1818) Für Marcuse stand außer Zweifel, daß Heidegger als Exponent des philosophischen Existentialismus seine Philosophie selbst politisiert und den Menschen gebunden habe »an den Führer und die ihm unbedingt verschriebene Bewegung«, wie Heidegger am 10. November 1933 den Freiburger Studenten zugerufen hatte. Dies sei nur als eine »in der Geistesgeschichte einzig dastehende Selbsterniedrigung« des Existentialismus zu bewerten.[134]

Nie hat Martin Heidegger während der Zeit des Dritten Reiches diese Sätze zurückgenommen, auch nicht die anderen. Denn: wer vermöchte der seherischen Gewalt zu entgehen? Wann wurde je ein Spruch des Delphischen Orakels widerrufen? Wann je hätte ein Gott sich geirrt, wohnend am Ort des Seins, dem Volk das Geschick seines Wesens zuschickend? Versagt sich aber ein Volk seinem Schicksal, dann geht es in die Irre, bleibt umnachtet, die Dämmerung bricht an. Doch: Wie sollte dem Denker, der in die Nähe des Ortes gelangt ist, wo das Sein anwesend ist, Schuld zugemessen werden? Wer verlangt Antwort von ihm, Ver-antwortung? Vom Medium, dessen sich das Denken bemächtigte!

Nichts hat Karl Jaspers vom Denken Heideggers begriffen, da er immer und immer wieder in seinen einstigen philosophischen Freund drang, sich zu bekennen wie weiland Augustinus oder die Bekehrung

---

[133] Pöggeler 1988, S. 31 f.
[134] *Zeitschrift für Sozialforschung* 3, 1934, S. 193 und 194.

des Saulus nachzuvollziehen. Er und andere, die so verfuhren, begriffen nicht das Wesen der Wahrheit, 1931 gedacht und in Beuron, jenem Ort der frühen und der beständigen Nähe erstmals berichtet, 1942 erst gedruckt, sie begriffen nicht, weil sie wie Platons Höhlenbewohner geblendet und dem bloßen Schein ausgeliefert waren. Sie verstanden nicht, daß die Dimension des Heiligen eröffnet werden sollte und nur konnte in der Lichtung, der sich eröffnenden Offenheit des Seins. Waren nicht die Heil-Rufe Schreie nach dem Heiligen, nach dem Heilen? Heil Hitler! Nein, Heidegger hatte nicht die Stirn, sondern das Recht, 1947 im Humanismus-Brief zu schreiben: »Vielleicht besteht das Auszeichnende dieses Weltalters in der Verschlossenheit der Dimension des Heilen. Vielleicht ist dies das einzige Unheil.« Solches nach dem Unheil, das im Namen des Heilen-Führers über die Menschen gekommen war!

Und wenn gefragt wird nach der notwendigen Einheit von Existenz und Denken bei Heidegger, nach der Übereinstimmung von Person und Werk, Lebensführung und Denken? Da wurde – einigermaßen sophistisch – die Scheidung in einen existentialen und einen existentiellen Heidegger getroffen, in einen, der die Existenz als solche analysiere und deshalb existential rede, und in einen, der das Existential analysierend existentiell lebe durch die Entscheidung. Wo aber bleibt dann der existentielle Heidegger und seine Werteordnung, zu der er sich in Verantwortung bekennt? Oder gibt es da auch ein Wegstehlen aus der Verantwortung? Steht das nicht in der Nähe des Zwielichtigen? Es wird darauf wohl nie eine Antwort geben, die zufriedenstellt. Dafür sind die Fronten zu verhärtet, dafür sind die Besitzer des Heiligen und des Weltlichen zu deutlich abgegrenzt.

Da wird uns die besinnlich-muntere Episode überliefert, wie Rudolf Bultmann und Martin Heidegger nach 1945 wieder zusammenkamen, nachdem ihre Wege auseinandergelaufen waren. Sie sei hier wiedergegeben, wie sie Fischer-Barnicol berichtet.

»Erst nach dem Kriege trafen die Freunde wieder zusammen. Eines Tages erhielt Bultmann einen Anruf: ›Hier ist Martin‹. Er war so unvorbereitet, daß er zurückfragte: ›Verzeihung, um welchen Martin handelt es sich?‹ Heidegger habe dann als Motiv seines Besuches angegeben: ›Ich möchte Dich um Entschuldigung bitten‹. – Freudiges Wiedersehen. Spontan die alte Vertrautheit, das Glück im Einverständnis. Ein Tag des lebhaften, bewegten Gedankenaustausches, wie ehedem. Wie wenig es auch war, was die Notzeit belassen hatte, man aß miteinander und trank einander zu. – Da war alles vergessen. Wenn irgendein Motiv ihn mit dem Nationalsozialismus verbunden haben sollte, es hatte sich in Enttäuschung aufgelöst. Nichts stand mehr zwischen uns. Und da, beim Abschied, kam ich nochmals auf das zurück, was er mir am Telephon gesagt hatte: ›Nun mußt Du‹, sagte ich zu ihm, ›wie Augustin Retractiones schreiben … nicht zuletzt der Wahrheit Deines Denkens zuliebe.‹ Heideggers Gesicht wurde zu einer steinernen Maske: Er ging, ohne noch etwas zu sagen … Man muß das wohl psychologisch erklären.« (In Neske 1977, S. 95 f.)

Mitnichten! Es muß vom unterschiedlichen Begriff von Wahrheit erklärt und aufgelöst werden. Wird der Wahrheits-Begriff vom Heideggerschen Wesensverständnis her erschlossen, dann gibt es nichts zu widerrufen. Nehmen wir die Wahrheit im herkömmlichen Sinn, von Heidegger als bloße rectitudo = Richtigkeit eingestuft, dann ist ein Heidegger nicht betroffen. Insofern mußten auch alle Vorwürfe, die seit den Tagen der Freiburger Bereinigungskommission laut wurden, an Heidegger im eigentlichen Sinn abprallen. Er blieb unerschüttert. Wenn er sich rechtfertigte – und er tat dies, wie wir gesehen haben, sogar noch postum – dann betrat er gleichsam ein Zwischendeck, meinetwegen eine existential-existentiell vermischte Ebene – nicht zuletzt im Argumentativen. Doch begeben wir uns wieder an die Orte des Geschehens, nehmen geschichtliche Verläufe zur Kenntnis und versuchen, Zusammenhänge zu verstehen.

Schon in den Wochen, die der Rektoratsrede vorangingen, setzte der Rektor Heidegger die neuen Maßstäbe. Er dachte zum Beispiel nicht daran, den Senat einzuberufen, um sehr zentrale Probleme der Gleichschaltung zu erörtern. Für ihn war die Universität bereits gleichgeschaltet, d.h. dem Führerprinzip unterworfen, dem nur die Gefolgschaft entsprechen konnte, also keine korporative Demokratie mehr – überholte und morsche Strukturen, die nicht mehr tragfähig waren für den Bau des Neuen. Er nahm deshalb auch ungerührt schwerste Mißstimmungen in Kauf, vor allem mit der Medizinischen und der Rechts- und Staatswissenschaftlichen Fakultät der Freiburger Universität, die nach seiner Ansicht in den seit Jahrzehnten ausgetretenen Bahnen der Fakultätspolitik sich bewegten und deren Wissenschaftsbegriff von der Glut der Philosophie als der eigentlichen Wissenschaft verbrannt wurde. Der Nationalökonom Walter Eucken, ein Sohn des Philosophen und Nobelpreisträgers Rudolf Eucken, und Wilhelm von Möllendorff waren in jenen Maitagen 1933 bereits die Exponenten der Opposition gegen den Rektor Heidegger. So klagte Eucken dem Prorektor Sauer, der dies ins Tagebuch notierte: »Heidegger mache den Eindruck, als ob er ganz für sich nach dem Prinzip des Führersystems fuhrwerken wolle.

Er fühle sich offenbar als der geborene Philosoph und geistige Führer der neuen Bewegung, als der einzige große und überragende Denker seit Heraklit.« Eucken hatte fürwahr scharf und zutreffend Heideggers Selbstverständnis charakterisiert und präzise den geistig-politischen Anspruch markiert. Das freilich waren für den Rektor die ewig Gestrigen aus einer überholten Welt des Scheins, der Unverbindlichkeit und Uneigentlichkeit. Was der Rektor Heidegger wirklich erstrebte und durch den dramaturgisch inszenierten Eintritt in die NSDAP offenkundig machte, erhellt aus dem Schreiben an den Hochschulreferenten des Karlsruher Kultusministeriums, Professor Fehrle, vom 9. Mai 1933:

> »Ich danke Ihnen herzlichst für die Begrüßung zu meinem Eintritt in die Partei. Wir müssen jetzt alles daran setzen, um die Welt der Gebildeten und Gelehrten für den neuen nationalpolitischen Geist zu erobern. Das wird kein leichter Waffengang werden. Sieg Heil. Martin Heidegger.«

Die Sprache des Kampfes: Einsatz, Eroberung, Waffengang, Sieg Heil. Was wir also bei Heidegger selbst über Umstände und Motivation des Parteieintritts lesen, kann getrost hintan gestellt werden: Es wurde genau nach der taktischen Linie verfahren, d.h. Eintritt erst dann, wenn die Kollegen, »deren Stellung noch ungeklärt oder gar feindlich ist«, kein Hindernis mehr bilden. Die Wahl zum Rektor war vollzogen. Der erste Mai, Nationalfeiertag, war ein sehr geeignetes Datum, die Zugehörigkeit zur Bewegung demonstrativ zu bekunden. Welchen Rang dieser neue nationale Feiertag, der Tag der nationalen Arbeit, für den erst wenige Tage amtierenden Rektor besaß, geht aus einem Rundschreiben vom 27. April 1933 hervor, worin alle Dozenten aufgefordert werden, sich an der Kundgebung zu beteiligen – »ein Gebot der Stunde. Der Aufbau einer neuen geistigen Welt für das deutsche Volk wird zur wesentlichsten Aufgabe der deutschen Universität. Das ist *nationale Arbeit* von höchstem Sinn und Rang.«[135]

Solche Vorgänge und Äußerungen stehen im Zusammenhang mit vielen ähnlichen und noch deutlicheren. So fügt sich beispielsweise in solches Denken nahtlos Heideggers Telegramm an den bisherigen Reichskommissar und jetzt frisch ernannten Reichsstatthalter, Robert Wagner, aus den ersten Maitagen 1933 ein:

---

[135] Universitätsarchiv Freiburg II/2–63. Rundschreiben des Rektors an alle Institutsdirektoren.

»Hocherfreut über die Ernennung zum Reichsstatthalter, grüßt den Führer der heimatlichen Grenzmark mit einem kampfverbundenen Sieg Heil der Rektor der Universität Freiburg im Breisgau. Gez. Heidegger.«

Nun gut, wird mancher auch jetzt noch einwenden: Wer hat nicht alles, in jenen Umbruchzeiten in amtlicher Funktion stehend, ähnliche Wortkaskaden von sich gegeben! Bis hin zu höchsten kirchlichen Würdenträgern, wie Heidegger 1950 erbost in dem schon einmal ausgewerteten Leserbriefentwurf an die *Süddeutsche Zeitung* meinte, in erster Linie auf seinen Meßkircher Landsmann und beständigen Gönner, Erzbischof Gröber, anspielend. Gewiß! Und erneut sei in Erinnerung gerufen, daß es hier nicht darum geht, einen Wissenschaftler vor das Tribunal Spätgeborener zu zerren, sondern einzig und allein die Form der Verteidigung klarzulegen und das Problem der Verantwortung zu thematisieren bei einem weltweit gehörten Philosophen, dessen Apologie weltweit kolportiert wird. Und da gelte das scholastische Prinzip »contra factum non valet argumentum« = gegen Tatsache vermag das (bloße) Argument nichts.

Dieses Telegramm an den Reichsstatthalter Wagner war an den Verantwortlichen für den badischen Judenerlaß gerichtet, dem an der Freiburger Universität, es wurde schon angedeutet, mehrere Professoren zum Opfer fielen, darunter auch emeritierte Professoren, für die es eigentlich keine Beurteilung mehr zu geben brauchte. Zu den nicht-arischen Emeriti zählte auch Heideggers Vorgänger und Lehrer, wie immer auch das Lehrer-Schüler-Verhältnis zu gewichten ist, Edmund Husserl, der national Gesinnte, dessen beide Söhne als Freiwillige zum Studentenbataillon von Langemarck gehörten, von denen der Sohn Wolfgang 1916 als Leutnant den Heldentod fand und der Sohn Gerhart mit schweren Verwundungen als hochdekorierter Offizier von der Front heimkehrte, als Professor in Kiel 1933 ebenfalls beurlaubt und später entlassen nach dem berüchtigten Reichsgesetz zur Wiederherstellung des Berufsbeamtentums.

Edmund Husserl und Martin Heidegger

Das menschliche und politische Profil

Dies scheint mir der geeignete Ort zu sein, auf die Beziehung zwischen Husserl und Heidegger umfassender als bisher einzugehen; denn, wenn ich recht sehe, bewegt dieser Sachverhalt doch viele Menschen, zumal die unterschiedlichsten Bewertungen, Gerüchte, Mutmaßungen im Schwange sind – nicht so sehr unter philosophiegeschichtlichem Aspekt. Das Jahr 1933 mag gleichsam den Brennspiegel abgeben, in dem sich die Jahre zuvor wie auch die Zeit danach versammeln. Wir beginnen mit einer Stellungnahme Heideggers aus dem Herbst 1945 an den Vorsitzenden der Bereinigungskommission über sein Verhalten Husserl gegenüber:

»Daß ich als Rektor Husserl den Eintritt zur Universität und zur Bibliothek verboten hätte, ist eine besonders niederträchtige Verleumdung. Ich habe nie aufgehört, in Husserl in Dankbarkeit und Verehrung meinen Lehrer zu sehen. Meine philosophischen Arbeiten haben allerdings in vielem von seiner Position sich entfernt, so daß Husserl selbst in seiner großen Rede im Berliner Sportpalast 1931 mich öffentlich angriff.[136] So war schon lange vor 1933 eine Lockerung des freundschaftlichen Verhältnisses eingetreten. Als dann 1933 das erste Gesetz gegen die Juden herauskam (das mich und viele andere der nationalsozialistischen Bewegung Geneigte) aufs Heftigste erschreckte, schickte meine Frau an Frau Husserl einen Blumenstrauß mit einem Brief, der – zugleich in meinem Namen – unsere unveränderte Verehrung und Dankbarkeit zum Ausdruck brachte, zugleich mit der Verurteilung des rigorosen Vorgehens gegen die Juden. Bei einer späteren Auflage von ›Sein und Zeit‹ schrieb mir der Verleger, daß es nur ohne die Widmung an Husserl erscheinen dürfe. Ich habe mich mit der Streichung einverstanden erklärt unter der Bedingung, daß die eigentliche Widmung im Text Seite 38 unverändert blieb; das geschah dann auch. Als Husserl starb, lag ich krank zu Bett. Ich

---

[136] Daß sowohl der Ort dieser Berliner Veranstaltung wie auch der vorgebliche Angriff auf Heidegger pure Mißverständnisse waren, hat Karl Schuhmann (1978) minutiös nachgewiesen.

habe allerdings nach meiner Genesung nicht an Frau Husserl geschrieben, was ohne Zweifel ein Versäumnis war; der Beweggrund war schmerzliche Scham über das, was inzwischen – weit über das erste Gesetz hinausgehend – gegen Juden geschah und dem man machtlos gegenüberstand.«

Von Interesse mag Heideggers Sprachgebrauch sein: »man« stand dem machtlos gegenüber – doch wohl verräterisch, bezieht »man« das oben erwähnte Telegramm an den für den badischen Judenerlaß allein verantwortlichen Gauleiter und Reichskommissar/Reichsstatthalter Wagner von Anfang Mai 1933 ein.

Im *Spiegel*-Gespräch von 1966 hat Martin Heidegger sich streckenweise noch detaillierter zu dieser Frage geäußert. Es ist eine weite Zeitspanne, die in den wenigen Sätzen, in denen zugleich Wesentliches und Vordergründiges zur Sprache gebracht wurde, umrissen ist. Das Vordergründige: Das Gerücht vom Bibliotheks- bzw. Hausverbot ist in der Tat eine Unterstellung – »eine besonders niederträchtige Verleumdung«, wie Heidegger 1945 formulierte. Diese Version wird seitdem immer wieder vertreten, sie ist gleichsam zu einem Topos geworden. So hat zum Beispiel Golo Mann, der Historiker und Publizist, in seinen *Erinnerungen und Gedanken* festgehalten, wie es 1963 zum Bruch zwischen ihm und seinem Doktorvater, dem Philosophen Karl Jaspers, kam. Golo Mann, bemüht, die sich abzeichnende Entzweiung aufzuhalten, sandte an Jaspers einen Blumengruß mit der Bitte, ihn besuchen zu dürfen, worauf der Philosoph brüsk reagierte: »Meinen Besuch wünsche er nicht; meine Blumen erinnerten ihn an jene, die Martin Heidegger seinem Lehrer Edmund Husserl übersandte an dem Tag, an dem er ihm als Rektor der Universität Freiburg den Gebrauch der Freiburger Bibliothek verboten hatte.« Golo Mann quittiert diesen Vergleich: »Diese Beleidigung mußte ich als Ende unserer mehr als dreißigjährigen Beziehung ansehen.«[137]

Immer wieder ist dieses angebliche Universitäts- und Bibliotheksverbot mit dem Rektor Martin Heidegger in Verbindung gebracht worden – selbst in einschlägigen wissenschaftlichen Veröffentlichungen, und auch Golo Mann stellt es keineswegs in Frage – er wehrt sich nur gegen den Vergleich, den er als Beleidigung auffaßt. Wie verhält es sich nun wirklich mit Bibliotheksverbot und Blumengruß?

Vorweg sei festgehalten: Martin Heidegger hat weder als Rektor für

---

[137] Golo Mann, *Erinnerungen und Gedanken*, Frankfurt/M. 1986, S. 324.

den Bereich der Universitätsbibliothek, noch als Institutsdirektor für den Bereich der Seminarbibliothek ein Verbot erlassen. Dieser immer wieder erhobene Vorwurf ist unhaltbar.[138]

Etwas komplexer ist die Frage nach dem Blumengruß und nach einem Brief. Uns stehen gewissermaßen zwei Überlieferungsstränge zur Verfügung: einerseits ein unmittelbarer, zeitgenössischer von Husserls Frau Malvine stammend, die in einem Brief vom 2. Mai 1933 von den Ereignissen berichtet[139]; zum anderen der von Martin Heidegger kommende: einmal die von ihm veranlaßte, sehr frühe Darstellung durch Alfred (Frédéric) de Towarnicki – »Visite à Martin Heidegger« in Sartres Zeitschrift *Les Temps Modernes* (1945/46), im Zusammenhang mit Heideggers ersten Verteidigungsbemühungen nach 1945 –, sodann Heideggers Version im *Spiegel-* Gespräch vom 23. September 1966, postum am 31. Mai 1976 veröffentlicht.

Malvine Husserl teilt in einem privaten Schreiben vom 2. Mai 1933 mit, sie habe einen Brief Elfride Heideggers erhalten, »der uns sehr aufregte. Es drängt sie, auch in seinem Namen [nämlich Heideggers] uns zu sagen (in diesen schweren Wochen), wie sie heute wie immer in unveränderter Dankbarkeit an alles denken etc.« Auch bei de Towarnicki findet sich eine (Teil-)Übersetzung dieses Briefes von Elfride Heidegger (aus der Kopie, die bei der Familie Heidegger aufbewahrt wurde und wohl wird – der Originalbrief ist 1940 im Antwerpener Hafen durch Kriegseinwirkung verbrannt, zusammen mit vielen Husserliana).

Dieser Brief aus dem Hause Heidegger erreichte die Husserls als Nachsendung am 1. Mai 1933 (es war ein Montag) in Orselina bei Locarno, wohin das Ehepaar am Samstag, 29. April 1933, gefahren war. Der Brief, als Geleit für den Blumengruß – daß Blumen geschickt wurden, steht erstmals bei Towarnicki (»d'une manière officielle«, dort datiert auf den 23. April) –, ist wahrscheinlich am Abreisetag in der Lorettostraße 40 in Freiburg eingetroffen und wohl am Vortag, also am 28. April, geschrieben worden (im *Spiegel-* Gespräch ist vom Mai die Rede). Die mitgesandten Blumen waren dann wohl verwelkt, als die Husserls Mitte Mai aus Orselina zurückkehrten. Jedenfalls erwähnen sie die Blumen nicht.

---

[138] Die neueste Wiederholung lese ich bei Leopoldine Weizmann, »Heidegger était-il nazi?«, *Etudes,* Mai 1988, S. 637 ff.: »Heidegger interdit alors à Husserl l'accès à l'université parce qu'il était juif.«

[139] Dieser Überlieferungsstrang ist in der *Husserl-Chronik* von Schuhmann (1977) aufbewahrt.

Wir rekonstruieren aus den oben erwähnten Zeugnissen den Duktus und auch wörtliche Passagen des Briefes von Elfride Heidegger: Auch wenn ihr Mann andere Wege in der Philosophie gegangen sei, so werde er doch nie vergessen, was er als Husserls Schüler seinem Lehrer verdanke. Auch werde sie, Elfride Heidegger, selbst nie vergessen, was Frau Husserl in den schweren Jahren nach dem Krieg (dem Ersten Weltkrieg) in Güte und Freundschaft ihnen zugewendet habe. Sie habe darunter gelitten, in den letzten Jahre diese dankbare Anerkennung nicht ausgesprochen zu haben, weil von dritter Seite Mißverständnisse zwischen beiden Familien gesät worden seien. Mit Erschrecken habe sie nun gelesen, daß der Sohn, Gerhart Husserl, beurlaubt worden sei, wobei es sich hoffentlich nur um eine vorübergehende Maßnahme in der allgemeinen Erregung, von einer untergeordneten Stelle veranlaßt, handele, vergleichbar den Übergriffen in den Revolutionswochen des Jahres 1918. Die Familie Husserl habe sich ja im Ersten Weltkrieg zum deutschen Volke bekannt. – Soweit der Tenor dieses zu rekonstruierenden Briefes.

Wer die herzliche, aus freundschaftlicher Verbundenheit rührende Nähe zwischen den beiden Familien kennt, mehr und mehr seit 1918 gewachsen, bis hin zum vertrauten Ton, gerade zwischen den beiden Frauen – der muß überrascht sein über den feierlichen, ja gleichsam gestelzten Stil dieses Briefes, der dann überdies auf ein wesentliches Faktum nicht eingeht, nämlich die Beurlaubung Edmund Husserls selbst, dafür jedoch die Maßnahmen gegen den in Kiel als Rechtsprofessor lehrenden Husserl-Sohn Gerhart thematisiert und zugleich bagatellisiert als Übergriffe kleiner Wichtigtuer – »die alte Phrase«, charakterisierte Malvine Husserl diese Passage.

Die ursprüngliche menschliche Nähe war bald nach Heideggers Berufung nach Freiburg (1928), von Husserl ganz vehement durchgesetzt, immer stärker abgekühlt, bis ab 1930 fast keine Beziehung im eigentlichen Sinn zwischen den beiden Familien mehr bestand. Es ist dies durch mehrere inzwischen publizierte Dokumente überreich belegt.

Warum aber jetzt diese Aktion – sogar mit Hinweis auf die nationale Zuverlässigkeit der Familie Husserl, die – weiß Gott – ihren Blutzoll im Ersten Weltkrieg entrichtet hatte? Ich will es erklären: Im Lande Baden, Musterländle auch hierin, wurde am 6. April 1933, am Vortage der Rechtswirksamkeit des berüchtigten Reichsgesetzes zur Wiederherstellung des Berufsbeamtentums (in erster Linie gegen die jüdischen

Beamten gerichtet), ein Spezialerlaß vom damaligen Reichskommissar und Gauleiter, Robert Wagner, herausgegeben – kein Mensch weiß, auf welcher rechtlichen Grundlage! –, wonach alle Landesbeamten »nichtarischer« Abstammung, gleichgültig welcher Konfession, zu beurlauben waren – auch, widersinnigerweise, die bereits im Ruhestand lebenden. Für die Freiburger Universität traf dies auf die emeritierten Professoren Edmund Husserl und Otto Lenel (berühmter Lehrer des Römischen Rechts) zu. Gleichzeitig wurde verfügt, daß die Selbstverwaltungsgremien und Funktionen an den badischen Universitäten »judenfrei« zu machen, also jüdische Dekane und Senatsmitglieder ihrer Ämter zu entheben waren.

Zunächst herrschte an der Freiburger Universität große Verwirrung über das Gewicht dieses Erlasses, den man, wie manche meinten, eigentlich nicht ernst nehmen solle. Doch das Kultusministerium drang auf Erfüllung. So wurde auch Edmund Husserl am 14. April 1933 die »Beurlaubung« zugestellt, was großes Aufsehen erregte, gerade auch außerhalb des Deutschen Reiches. Husserl schrieb wenige Wochen später, er habe diese Beurlaubung als größte Kränkung seines Lebens empfunden.

»Ich denke, ich war nicht der schlechteste Deutsche (alten Stiles und Umfangs) und mein Haus eine Stätte wirklicher nationaler Gesinnung, die meine Kinder *alle* in ihrer kriegsfreiwilligen Tätigkeit im Felde und (Elli) im Lazarett während des Krieges erwiesen haben.«

Nicht zuletzt wegen dieser unzumutbaren Vorgehensweise hatte der für das akademische Jahr 1933/34 gewählte Rektor von Moellendorff nach wenigen Tagen sein Rektorat aufgegeben. Heidegger als Rektor hatte von nun an auch mit solchen Erlassen zu tun. Am 28. April 1933 wurde der Reichskommissar-Erlaß vom 6. April wieder aufgehoben, weil er durch das erwähnte Reichsgesetz überholt war, ja sogar dagegen verstieß. Der Rektor Heidegger wußte das am 28. April bereits, während die Betroffenen, also auch Husserl, erst später davon erfuhren: Husserl fand die Aussetzung des Erlasses erst nach der Rückkehr von Orselina Mitte Mai vor.

Am 28. April, als der Brief aus dem Hause Heidegger geschrieben wurde, wußte Martin Heidegger aber auch, daß er am 1. Mai, dem »Tag der nationalen Arbeit«, in die NSDAP eintreten würde – auf spektakuläre Weise. Tag und Stunde des Parteieintritts waren bereits Anfang April von dem vorhin erwähnten Kader nationalsozialistischer Profes-

soren, deren Vertrauensmann Heidegger war, erwogen, schließlich aber
der Abstimmung mit dem Karlsruher Ministerium vorbehalten worden.

Das ist der eigentliche Hintergrund für den Blumengruß und den
Brief von Elfride Heidegger. Daß die Husserls außerordentlich ver-
wundert waren, geht aus einem Brief hervor, den Edmund Husserl am
4. Mai 1933 von Orselina aus an seinen Schüler Dietrich Mahnke
schrieb: Die Vorgänge der letzten Monate und Wochen hätten die »tiefsten Wurzeln« seines Daseins angegriffen. Heidegger habe ihn von seinen Schülern am schwersten enttäuscht, schon durch den von ihm vollzogenen »Abbruch des Verkehrs mit mir (und schon bald nach seiner
Berufung)«, während er lange Jahre ihm vertraut habe. »Der schönste
Abschluß dieser vermeintlichen philosophischen Seelenfreundschaft
war der (ganz theatralisch) am 1. Mai öffentlich vollzogene Eintritt in
die nationalsozialistische Partei.«

Wer die Darstellung Heideggers über die Entfremdung zwischen
ihm und Husserl, wie im *Spiegel*-Gespräch dargeboten, kennt, vermag
jetzt etwas differenzierter zu sehen. Verwunderlich ist lediglich, daß
Malvine Husserl noch geantwortet hat. Heideggers Schuldzuweisung
an das Ehepaar Husserl (Abbruch der Beziehungen durch den Antwortbrief von Frau Husserl) bleibt an der Oberfläche, mag formal zu-
treffen, mehr aber auch nicht. Wie aber kommt es zur Legendenbil-
dung um ein angebliches Bibliotheksverbot? Ich weiß es nicht. Denn
Karl Jaspers war ganz genau bekannt, daß Martin Heidegger nicht in
der inkriminierten Art sich verhalten hat. Als nämlich Hannah Arendt
Jaspers im Sommer 1946 die englische Fassung ihres Aufsatzes »What is
Existenz Philosophy?« zugeschickt hatte, korrigierte Jaspers die dort
wiedergegebene Auffassung, Heidegger habe seinem »Lehrer und
Freund« Husserl untersagt, die Fakultät zu betreten, weil er »Jude«
war: »Die Anmerkung über Heidegger ist im Tatsächlichen nicht exakt. Ich vermute, daß es sich in bezug auf Husserl um den Brief handelt, den damals jeder Rektor an die vom Regime Ausgeschlossenen
schreiben mußte.« (Brief vom 9. 6. 1946)

Möglicherweise hat Jaspers dann den Aufsatz von Alfred de Torwa-
nicki zur Kenntnis genommen, denn die Geschichte mit den Blumen
ist meines Wissens vor dem *Spiegel*-Gespräch nur dort registriert. Ob
Jaspers später verschiedene Informationen verflochten hat? Ich meine:
»Geschichten« können zum Element der Wirklichkeit werden – spiegeln vielleicht in einem tieferen Sinn die Wahrheit.

Der Blumengruß von Frau Heidegger an Frau Husserl steht allein im Kontext der Widerwärtigkeit, mit der der emeritierte Edmund Husserl durch den badischen Judenerlaß vom April 1933 konfrontiert wurde und der am 28. April 1933 erfolgten Zurücknahme des Erlasses. Wie auch immer die Motive gewertet werden mögen: Die Familie Heidegger wollte in Ansehung der mehr als fünfzehn Jahre währenden Beziehungen trotz aller Umbrüche und Entfremdungen ein Maß von Solidarität bekunden. Die Erklärung zur Streichung der Widmung in der fünften Auflage von *Sein und Zeit* 1941 mag weitgehend auf sich beruhen bleiben. Heidegger hätte sich ja nicht zu fügen brauchen. Noch in der 4. Auflage, die 1935 erschienen ist, stand die Front-Widmung:

> »Edmund Husserl
> in Verehrung und Freundschaft zugeeignet
> Todtnauberg i. bad. Schwarzwald zum 8. April 1926«

Edmund Husserl hattte am 8. April 1926 das 67. Lebensjahr vollendet. Als die 4. Auflage erschien, hatte der Vollzug des infamen Reichsbürgergesetzes, beschlossen auf dem »Reichsparteitag der Freiheit« in Nürnberg am 13. September 1935, den Phänomenologen Husserl noch nicht getroffen. Mit Ende des Kalenderjahres 1935 wurde er in Ausführung dieses Gesetzes zur universitären »Unperson«: im spröden Juristen-Deutsch wurde dem »von den amtlichen Verpflichtungen entbundenen« Professor die Entziehung der Lehrbefugnis eröffnet. Die Freiburger Universität leitete den Erlaß – pflichtgemäß – weiter. Ein Begleitschreiben oder nur die Geste einer bedauernden Verbundenheit blieben aus, hätten wohl nicht in das politische Klima gepaßt. Die Universität nannte Husserls Namen ab dem Sommersemester 1936 nicht mehr im Vorlesungsverzeichnis. Die altehrwürdige Alberto-Ludoviciana war dann im April 1938 auch der Verpflichtung enthoben, des Todes von Edmund Husserl zu gedenken.[140]

Dieser Tilgung des Gedächtnisses schloß sich Heidegger an, zumindest unterwarf er sich der Auflage. Es hatte Zeichen-Charakter, hatte Signalwirkung, auch wenn Heidegger immer wieder darauf abhob, daß die Begründung der Front-Widmung im Buch selbst unverändert geblieben sei, nämlich auf S. 38 der Erstausgabe von *Sein und Zeit*: »Wenn die folgende Untersuchung einige Schritte vorwärts geht in der Erschließung der ›Sachen selbst‹, so dankt das der Verf. in erster Linie

---

[140] Ott 1988c.

E. Husserl, der den Verf. während seiner Freiburger Lehrjahre durch eindringliche persönliche Leitung und durch freieste Überlassung mit den verschiedensten Gebieten der phänomenologischen Forschung vertraut machte.« Heidegger hat diese Passage sogar wörtlich im *Spiegel*-Gespräch wiedergegeben.

Das menschliche Versagen beim langen Siechtum Husserls, bei Tod und Begräbnis ist schlimm genug und durch nichts zu entschuldigen. Mit welch rührender Sorge hat andererseits Edith Stein aus der Klausur des Kölner Karmels an Husserls letzter Lebensphase Anteil genommen.

Damit sind wir bei den wesentlichen Punkten angekommen: Wir haben oben ausführlich den Verlauf der Annäherung Heideggers an Husserl, besonders 1917, dargestellt, darauf abhebend, wie sehr Husserl auch um die materielle Förderung besorgt war – wie ein Vater –, welche Hoffnungen er bei Heidegger hegte, wie er sich für Heideggers Berufung nach Marburg verwendete. Wir wissen aus vielen Bezeugungen, daß Husserl in Heidegger seinen Schüler sah, der allein seine Philosophie, diese erhöhend, fortsetzen könne. Für Heideggers Hauptwerk *Sein und Zeit* öffnete er sein *Jahrbuch für Phänomenologie und phänomenologische Forschung* (dort als Band VIII 1927 erschienen, gleichzeitig als Separat-Ausgabe), und es war ihm überhaupt keine Frage, daß Heidegger sein Nachfolger in Freiburg sein werde: 1928 gab es nur eine Einerliste mit Heideggers Namen, primo et unico loco. Husserl selbst als zu Emeritierender konzipierte und formulierte das Fakultätsgutachten – ein höchst ungewöhnlicher Vorgang. Und triumphierend schrieb Husserl am 21. Januar 1928 unmittelbar nach der entscheidenden Kommissionssitzung an Heidegger nach Marburg: »Lieber Freund! Kommissionsbeschluß: unico loco. Absolutes Stillschweigen selbstverständlich.« Und wenig später teilte Edmund Husserl mit, sein Gutachten-Entwurf zur Vorlage beim Ministerium sei genehmigt. Es sei alles schön und für Heidegger »sehr erfreulich abgegangen.« Dies genüge, um hinreichend darzutun, mit welchem Engagement und innerster Anteilnahme Husserl um Heideggers exklusive Berufung nach Freiburg besorgt war.

Zwar wurde Husserl oft genug vor Heidegger gewarnt: »Heideggers Phänomenologie sei etwas total anderes als meine; seine akademischen Vorlesungen wie sein Buch seien statt Fortbildungen meiner wissenschaftlichen Arbeiten vielmehr in offenen oder in versteckten

Angriffen darauf gerichtet, sie im wesentlichen zu diskreditieren. Wenn ich dergleichen Heidegger freundschaftlich erzählte, lachte er und sagte: ›Unsinn!‹«, so schreibt Husserl am Dreikönigstag 1931 an Alexander Pfänder, bittere Bilanz ziehend einer langen Zeit hoffnungsfroher Zusammenarbeit, ja wissenschaftlicher Freundschaft, sogar väterlicher Gefühle. Heidegger wird gleichsam als ein Stück von Husserls Lebensgeschichte gesehen. Er habe sich ganz als Husserls Schüler und künftiger Mitarbeiter gegeben, in allem Wesentlichen der Methode und Problematik auf dem Boden seiner konstitutiven Phänomenologie stehend. »Der sich fortgesetzt steigernde Eindruck von einer außergewöhnlichen Begabung, einer absoluten Hingabe an die Philosophie, einer gewaltigen Denkenergie dieses jungen Mannes führte mich schließlich zu einer überschwenglichen Einschätzung seiner Zukunftsbedeutung für eine wissenschaftliche Phänomenologie in meinem Sinne.« Husserl vermag den letzten Grund seines kindlichen Vertrauens nur in der »Verblendung« zu sehen. Deswegen sei nur Martin Heidegger der einzig Berufene gewesen. Doch welche Enttäuschung nach Heideggers Berufung 1928: »Unser Verkehr nach Antritt seiner Stelle dauerte etwa zwei Monate lang, dann war er, in aller Friedlichkeit, vorbei. Er entzog sich eben auf einfachste Weise jeder Möglichkeit wissenschaftlicher Aussprache, offenbar für ihn eine unnötige, unerwünschte, unbehagliche Sache. – Ich sehe ihn alle paar Monate einmal, seltener als die sonstigen Kollegen«, schreibt er, weiter darauf abhebend, daß er erst in letzter Zeit gründlich *Sein und Zeit* und die neueren Arbeiten Heideggers studiert habe:

»Ich kam zum betrüblichen Ergebnis, daß ich philosophisch mit diesem Heideggerschen Tiefsinn nichts zu schaffen habe, mit dieser genialen Unwissenschaftlichkeit, daß Heideggers offene und verdeckte Kritik auf grobem Mißverständnis beruhe, daß er in der Ausbildung einer Systemphilosophie begriffen sei von jener Art, die für immer unmöglich zu machen ich zu meiner Lebensaufgabe stets gerechnet habe. Das haben längst schon alle Anderen gesehen, nur ich nicht. Mein Ergebnis habe ich Heidegger nicht verschwiegen. Ich spreche kein Urteil über seine Persönlichkeit aus – sie ist mir völlig unverständlich geworden. Er war fast ein Jahrzehnt lang mein nächster Freund, damit ist's natürlich zuende: Unverständlichkeit schließt Freundschaft aus – diese Umwendung in der wissenschaftlichen Schätzung und im Verhältnis zur Person war eines der schwersten Schicksale meines Lebens.«[141]

Generationenkonflikt, Probleme eines Lehrer-Schülerverhältnisses, Schulenstreit und vieles mehr – sicher nichts Neues in der Wissen-

---

[141] *Pfänder-Studien*, hg. von Herbert Spiegelberg und Eberhard Avé-Lallemant, Den Haag 1982, S. 342 ff.

schaftsgeschichte! Auch nicht tiefste Enttäuschung, ja Verwundung eines Lehrers. Problematischer ist schon die menschliche Seite dieser Einsichten. Sie kann keineswegs das spätere Verhalten Heideggers nach 1933 erklären, als er keine sonderliche Veranlassung mehr hatte, mit dem jetzt politisch verfemten Juden Husserl offen Umgang zu pflegen. Der greise Phänomenologe konnte nicht im mindesten ahnen, daß sein »Schüler« Heidegger seit Jahren mit beißendem Spott vom Meister, seiner Methode und seiner »wissenschaftlichen« Philosophie zu sprechen und schreiben pflegte – im vertrauten Kreis. Wenn einmal Heideggers Korrespondenz erschlossen sein sollte, dann werden die Zeugnisse darüber Legion sein. Hier nur einige Kostproben – aus einem Brief Heideggers an Jaspers vom 14. Juli 1923, in dem er für die Glückwünsche zur Berufung nach Marburg dankt:

»Viel Götzendienerei muß ausgerottet werden, d. h. die verschiedenen Medizinmänner der heutigen Philosophie müssen ihr furchtbares und jämmerliches Handwerk aufgedeckt bekommen – bei Lebzeiten, damit sie nicht meinen, mit ihnen sei das Reich Gottes heute erschienen. Sie wissen wohl, daß Husserl einen Ruf nach Berlin hat; er benimmt sich schlimmer als ein Privatdozent, der das Ordinariat mit einer ewigen Seligkeit verwechselt. Was geschieht, ist in Dunst gehüllt – zunächst sieht man sich als Praeceptor Germaniae. Husserl ist gänzlich aus dem Leim geraten – wenn er überhaupt je ›drin‹ war – was mir in der letzten Zeit immer fraglicher geworden ist – er pendelt hin und her und sagt Trivialitäten, daß es einen erbarmen möchte. Er lebt von der Mission des ›Begründers der Phänomenologie‹. Kein Mensch weiß, was das ist – wer ein Semester hier ist, weiß, was los ist – er beginnt zu ahnen, daß die Leute nicht mehr mitgehen – er meint natürlich, es sei zu schwer – natürlich eine ›Mathematik des Ethischen‹ (das Neueste!) versteht kein Mensch – auch wenn er weiter fortgeschritten ist als Heidegger, von dem er *jetzt* sagt, ja der mußte gleich selbst Vorlesungen halten und konnte die meinige nicht besuchen, sonst wäre er weiter. *Das* will heute in Berlin die Welt erlösen. Ein solches Milieu verbraucht auch dann, wenn man sich ganz herausstellt.«

Derartige salopp hingeworfenen Genrebilder finden sich des öfteren in den Briefen an Jaspers. Heidegger schrieb solches in der Phase, in der er mit allem Einsatz bemüht war, die Freundschaft mit Karl Jaspers zu gewinnen – »unsere Freundschaft muß jetzt zur Konkretion kommen« (im selben Brief), ja diese zu einer Kampfgemeinschaft auszugestalten – »die wachsende Gewißheit von einer auf beiden ›Seiten‹ je ihrer selbst sicheren Kampfgemeinschaft« (Brief vom 19. November 1922), von der aus die grundsätzliche Umbildung des Philosophierens an den Universitäten möglich sein werde: »Und je organischer und konkreter und unauffälliger der Umsturz sich vollzieht, umso nachhaltiger und sicherer wird er sein.« (14. Juli 1923) Auf dem Weg nach oben hatte

die Stufe »Husserl« ihre Schuldigkeit getan und konnte im Fortschrei-
ten aufgegeben werden. Die Stufe »Jaspers« wurde genommen. Aber
wie charakterisierte Jaspers in seinen Erinnerungen an Heidegger dessen Art von Freundschaft? »Er schien ein Freund, der einen verriet,
wenn man abwesend war, der aber in Augenblicken, die als solche fol-
genlos blieben, unvergeßlich nah war« – dies mit dem geschulten Blick
des Psychiaters. Und weiter:

> »Nur eine Freundschaft, in der es keine Verschlossenheit gibt, keine verborgenen Re-
> serven, in der Verläßlichkeit im Bezug auf die einfachen Dinge des Richtigen und Fal-
> schen herrscht, in der die Treue Wort und Gedanken und Handlung trägt, gewinnt eine
> Solidarität, die gegen das Trübende der Öffentlichkeit Stand hält. Daß solche Freund-
> schaft zwischen uns beiden nicht erwachsen ist, daraus kann keiner dem anderen einen
> Vorwurf machen. Es hat zur Folge das Schwebende und Zweideutige des Mögli-
> chen.«[142]

Husserl hätte sich auch schwerlich vorstellen können, daß *Sein und
Zeit,* dessen Druckbogen ihm im Herbst 1926 vorlagen, nach Heideggers Intention »gegen« ihn geschrieben war: »Wenn die Abhandlung
›gegen‹ jemand geschrieben ist, dann gegen Husserl, der das auch sofort sah, aber sich von Anfang an zum Positiven hielt.« (Brief an Jaspers
26. Dezember 1926). Wie dem auch sei: Emanzipation eines genialen
Schülers aus dem Bannkreis eines mächtigen, übermächtigen Lehrers,
Befreiungsschlag in die unermeßliche Weite des Denkens. Wir werden
zurückgeholt ins Existentielle, in die Welt der menschlichen Beziehungen, in der sich durch das herausragende politische Engagement des
Rektors Heidegger die Dinge erheblich kompliziert hatten. Wir kehren
zurück zu den Darlegungen über die Situation des Frühjahrs 1933.

Zu den Wenigen, die dem Juden Edmund Husserl jetzt die Treue
hielten, gehörte der Philosoph Dietrich Mahnke in Marburg, einige
Jahre Heideggers engster Kollege ebendort. Er bot dem greisen Ehepaar Husserl in den schweren Wochen des April und Mai 1933 ein gutes
Stück Hilfe und Ermunterung, als es darum ging, den in Kiel beurlaubten Gerhart Husserl unter Umständen an einer anderen preußischen
Universität zu versorgen. Die Christian-Albrechts-Universität Kiel
sollte ja zu einer Elite- und Musteruniversität der »Bewegung« gestaltet
werden. Dort hatten nicht-arische und politisch nicht zuverlässige Professoren keinen Platz mehr. Wir wissen aus den Erinnerungen von Gerhard Leibholz »Als es umschlug an den deutschen Universitäten«, daß

---

[142] Jaspers 1977, S. 97 bzw. 103.

sich die Universität Göttingen mit Händen und Füßen gegen eine mögliche »Abschiebung« von Gerhart Husserl nach Göttingen zur Wehr setzte.[143] Was Wunder, daß die Husserls über die geringen Zeichen der Treue und Freundschaft dankbare Rührung empfanden: »Lassen Sie mich Ihnen zuallererst sagen, daß wir beide von Ihrem herzlichen Verstehen unserer Situation sehr gerührt sind. Was einen allein heute aufrichten kann, ist die treue Gesinnung wertvoller Menschen, die sich offen zu jenen aufs tiefste Getroffenen bekennen«, so Malvine Husserl an Dietrich Mahnke am 18. Mai 1933, den Brief beschließend: »Zu dem Allgemeinen kommen noch persönliche schwere Erfahrungen. Unser gemeinsamer Freund (oder besser Feind) H. gehört zu dem Unerfreulichsten. Da ließe sich manches sagen, aber nur mündlich.«

Edmund Husserl hatte schon einige Zeit davor, am 4. Mai 1933, in dem oben bereits herangezogenen sehr umfangreichen Brief ein weiteres Mal – nach dem Brief an Alexander Pfänder vom Dreikönigstag 1931 – bitterste Bilanz gezogen, ganz grundsätzlich, sein Philosophieren angehend und die Entwicklung seiner Schüler: »Bei anderen habe ich aber die trübsten persönlichen Erfahrungen machen müssen – zuletzt und am schwersten mich treffend an Heidegger: am schwersten, weil ich nicht nur auf seine Begabung, sondern auf seinen Charakter ein (mir jetzt selbst nicht mehr recht verständliches) Vertrauen gesetzt hatte.« Dann der soeben am 1. Mai öffentlich vollzogene – »ganz theatralisch« – Parteieintritt.

»Vorangegangen ist der von ihm vollzogene Abbruch des Verkehrs mit mir (und schon bald nach seiner Berufung) und in den letzten Jahren sein immer stärker zum Ausdruck kommender Antisemitismus – auch gegenüber seiner Gruppe begeisterter jüdischer Schüler und in der Fakultät. Das zu überwinden war ein schweres Stück. Und dabei galt es auch zu überwinden die Art, wie Heidegger und die sonstige ›Existenz‹ philosophie – zum großen Teil aus Karikaturen meiner in Schriften und in Vorlesungen und persönlichen Belehrungen dargelegten Gedanken erwachsen – den radikalen wissenschaftlichen Grundsinn meiner Lebensarbeit in sein Gegenteil verkehrten und diese selbst als etwas ganz Überwundenes mit großem Lob entwerteten, als etwas, das jetzt noch zu studieren überflüssig sei... Was aber die letzten Monate und Wochen brachten, das war die tiefsten Wurzeln meines Daseins angreifend.«

Und der national eingestellte Husserl, dessen Familie im Ersten Weltkrieg ihr Blutopfer gezollt hatte und der die nationalistisch verbrämten Langemarck-Feiern nicht in der Theorie zu begehen brauchte,

---

[143] *Frankfurter Allgemeine Zeitung* vom 22. Oktober 1984.

vielmehr in schmerzlicher Trauer um den gefallenen Sohn, schrieb se-
herisch: »Die Zukunft wird erst das Urteil sprechen, was 1933 die echte
deutsche Gegenwart war und welches die echten Deutschen waren, ob
die Deutschen der mehr oder minder materialistisch-mythischen Ras-
senvorurteile oder die Deutschen der reinen Gesinnung, ererbt von
den großen Deutschen in verehrungsvollem Nachleben.« Husserl war
einsam und gleichsam ausgestoßen aus der Gemeinschaft »nicht in der
trauten und geliebten Gesamtheit der Nation« – eine schwere Zeit der
großen Prüfung. »Vorläufig bin ich aus Deutschland sozusagen ge-
flüchtet.« Hier im Tessin konnte er »wieder als Deutscher« gelten und
brauchte sich nicht als »jüdischer Intellektueller« ansehen lassen.

Angesichts solcher Sätze verblaßt der Versuch Heideggers, sich wegen seines Verhaltens dem Vorgänger auf dem Philosophischen Lehrstuhl I gegenüber zu rechtfertigen. Da gab es nur das hilflose Gestam-
mel, das punktuell und enumerativ zusammengekratzte, was an Trümmern am Wege lag. Und die kümmerliche Zahl der Fakultätsmitglieder
im Trauergefolge von Edmund Husserl im April 1938 ist Beweis, wie
wenige es wagten, dem in der Hitlerzeit Verfemten die letzte Ehre zu
geben.

Vergleichen wir, mit welcher Anteilnahme Edith Stein, als Karmeli-
tin Schwester Theresia Benedicta a Cruce den Leidensweg Edmund
Husserls, ihres verehrten Meisters, begleitet hat – selbstverständlich
zutiefst aus ihrer monastischen Überzeugung und Lebensführung heraus! Sie, die Jüdin, die wußte, in welcher Atmosphäre ein jüdischer
Professor damals 1937/38 auf die letzte Wegstrecke seines Lebens gehen mußte. Die wäre gewiß noch schlimmer gewesen, hätte es da nicht
eine weitere getreue Schülerin Husserls, Dr. Adelgundis Jaegerschmid,
Benediktinerin im Kloster St. Lioba zu Freiburg-Günterstal, gegeben,
die Husserl auch zur geistlichen Begleiterin wurde und zur Stütze für
Frau Malvine Husserl. An Sr. Adelgundis schrieb Edith Stein vom Kölner Karmel am 15. Mai 1938: »Über das Begräbnis weiß ich gar nichts.
Es stand ja auch nichts davon auf der Anzeige. Wie hat sich wohl die
Universität verhalten? Wie Heidegger?« Ihre dunklen Ahnungen tro-
gen nicht. Edith Stein und Dr. Adelgundis Jaegerschmid waren seit den
Jahren des Studiums bei Husserl (Ende des 1. Weltkrieges) befreundet
und blieben über die Zeit verbunden.

Als Rektor zwischen
Skylla und Charybdis

Der Antisemitismus Heideggers, von Husserl thematisiert, wird sub-stantiiert durch die Aussage, Heideggers Antisemitismus sei in den ver-gangenen Jahren immer stärker zum Ausdruck gekommen – selbst sei-nen jüdischen Schülern und jüdischen Fakultätsmitgliedern gegenüber. Wir betreten kontroversen Boden, einen bebenden Boden! Zunächst grundsätzlich: Ob die Frage nach einem eventuellen Antisemitismus ei-ne läppische sei, wie zu lesen ist[144], die im Grunde jede Möglichkeit ver-stelle, nach dem Ort der Politik in Heideggers Denken zu fragen, kann wohl auf sich beruhen bleiben. Mir scheint diese Frage keineswegs von nachgeordneter Bedeutung zu sein – angesichts der katastrophalen Fol-gen des dem Nationalsozialismus innewohnenden Antisemitismus. Und: wer Hitler zu der vom Sein geschickten Führergestalt stilisierte, mußte zumindest den furchtbaren Antisemitismus dieses Menschen miteinbeziehen.

Eines dürfte sicher sein: wenn Heidegger einem Antisemitismus huldigte, dann sicher nicht auf der Basis der primitiven rassenbiologi-schen Ideologie von Hitlers *Mein Kampf* oder Rosenbergs Weltan-schauung oder Streichers Eskapaden. Dafür war Heidegger zu kulti-viert. Wie sonst hätte er über längere Zeit eine besondere Beziehung zur Jüdin Hannah Arendt aufrecht erhalten können – dies gegen alle bürgerliche Konvention! Wie sonst hätte er sich aus Göttingen den Ju-den Werner Brock als Assistenten geholt, weil er dessen Qualität schätzte. Freilich konnte er seinen Assistenten auch als Rektor nicht

---

[144] Z. B. Willms 1977, S. 16 f.

halten, ihm aber immerhin einen Start in England ermöglichen. Soweit die Quellen zu übersehen sind, bietet sich kein einheitliches Bild. Einerseits muß die Aussage Husserls ernstgenommen werden, da er doch über interne Informationen verfügte und Zeitzeuge ist, ebenso die energischen Feststellungen von Frau Edith Eucken-Erdsiek in Wort und Schrift, die ebenfalls als Zeugin der Zeit den Antisemitismus Heideggers und seines Hauses behauptet, andererseits setzte sich Heidegger als Rektor, wie noch zu zeigen sein wird, für bedrohte jüdische Kollegen ein, freilich aus wissenschafts- und außenpolitischen Überlegungen. Was im Vorwort zu *Tatsachen und Gedanken* steht, Heidegger habe die Aufhängung des »Judenplakats« in der Universität verboten, ist wenig präzise. Um welche Art von Plakat es sich gehandelt hat, sei dahingestellt. Vermutlich meinte Heidegger das von der Führung der deutschen Studentenschaft am 12. April verschickte Plakat, das im Zusammenhang mit der seit Anfang April laufenden Vorbereitung der Aktion »Wider den undeutschen Geist« stand. Es war ein hochformatiges weißes Plakat 47,5 x 70 cm, auf dem in leuchtend roter Frakturschrift die 12 Thesen der deutschen Studentenschaft standen unter der Überschrift »Wider den undeutschen Geist!« – z. B. als These 7: »Wir wollen den Juden als Fremdling achten, und wir wollen das Volkstum ernst nehmen. Wir fordern deshalb von der Zensur: jüdische Werke erscheinen in hebräischer Sprache. Erscheinen sie in Deutsch, sind sie als Übersetzung zu kennzeichnen. Schärfstes Einschreiten gegen den Mißbrauch der deutschen Schrift. Deutsche Schrift steht nur Deutschen zur Verfügung. Der undeutsche Geist wird aus öffentlichen Büchereien ausgemerzt. «[145]

Auch das Gewicht eines solchen Verbots, das vielleicht auch schon aus ästhetischen Gründen angebracht war, bleibe dahingestellt – solange die Rektoratsakten im Freiburger Universitätsarchiv nicht zureichend geordnet und auch um des personenbezogenen Datenschutzes willen nicht zugänglich sind, kann darüber nichts festgestellt werden. Es wäre dann auch zu klären, wie weit der 1945 von der Reinigungskommission erhobene Vorwurf, Heidegger habe die Plünderer (damit sind die Studenten gemeint) des jüdischen Verbindungshauses gedeckt, zutrifft – oder der in diesem Zusammenhang stehende An-

---

[145] Vgl. zu dem ganzen Komplex Hans-Wolfgang Strätz, »Die studentische Aktion wider den undeutschen Geist im Frühjahr 1933«, *Vierteljahreshefte für Zeitgeschichte* 16, 1968, S. 347–372.

klagepunkt, er habe ein zur Denunziation aufforderndes Plakat zugelassen.

Heidegger sieht das Verbot, das Judenplakat auszuhängen – an seinem zweiten Amtstag ausgesprochen –, im Zusammenhang mit ersten Konflikten zwischen ihm als Rektor und der NS-Studentenführung, die bis in die obersten Berliner Stellen getragen wurden und zu einer Machtprobe geraten seien. Diese Darlegungen sind schwer verständlich angesichts der überaus engen Kontakte zu der Führung der Deutschen Studentenschaft, die radikal antisemitisch und radikal antimarxistisch gewesen ist, deren Führer Gerhard Krüger, mit Heidegger bekannt, ja vertraut, in aller Stille die Aktion »Wider den undeutschen Geist« vorbereitet hatte. Sie endete mit der Bücherverbrennung am Abend des 10. Mai 1933 – reichsweit. Auch in Freiburg loderte an diesem Abend das Feuer auf dem Platz vor der Universitätsbibliothek, ohne daß der Rektor Heidegger diese Aktion des Ungeistes verhindert hatte oder verhindern konnte. Der damals in Freiburg lebende italienische Philosoph Ernesto Grassi – wir werden ihm noch begegnen –, dem Umkreis von Heidegger zugehörig, mit Wilhelm Szilasi eng befreundet, schreibt in Erinnerung an Szilasi: »Dann plötzlich hereinbrechend, zerstörend, die Jahre von Dreiunddreißig an: Heideggers Rektorat, seine Antrittsrede; unter seinem Rektorat die Verbrennung der jüdischen, marxistischen Bücher, der Zeugnisse der ›zersetzenden‹ Wissenschaft. Vor der Universitätsbibliothek loderte das Feuer.« (Zit. bei Grassi 1970) – Ich habe mit Zeitzeugen gesprochen, die diese Darstellung bestätigen. Die Schwierigkeit habe lediglich darin bestanden, daß der 10. Mai 1933 ein regnerischer Abend war, dem Auto-dafé abhold. Dagegen steht Heideggers, schon im *Spiegel*-Gespräch veröffentlichte entschiedene Aussage, die geplante Bücherverbrennung verboten zu haben.

Wenige Wochen später jedenfalls sandte er Exemplare seiner Rektoratsrede an die Führung der Deutschen Studentenschaft, zu verteilen laut Heideggers Schreiben an Gerhard Krüger, Georg Plötner, Leiter des Hauptamtes für Politische Wissenschaft, Andreas Feickert, der dann 1934 Reichsführer der Deutschen Studentenschaft wurde, und an Hanskarl Leistritz, Leiter des Akademischen Wissenschaftlichen Nachrichtendienstes und des Hauptamtes für Aufklärung und Werbung. Heidegger muß gewußt haben, daß Leistritz bei der ominösen Berliner Bücherverbrennung auf dem Opernplatz die Feuersprüche gerufen hatte! Es stand seinerzeit in allen Zeitungen.

Mir ist eigentlich nur ein Vorgang bekannt, an dem objektiv gemessen werden kann, daß Heidegger zumindest im Jargon der Nationalsozialisten sprechend, und zwar im antisemitischen Stil, bereit war, einen politischen Gegner zu diffamieren. Etwa 1934/35 wurde Jaspers, vermittelt durch Marianne Weber, der Witwe von Max Weber, die Abschrift eines Gutachtens über Eduard Baumgarten bekannt, das Heidegger am 16. Dezember 1933 zu Händen des NS-Dozentenbundes in Göttingen ausgestellt hatte. Zur Vorgeschichte: Heidegger hatte 1931 Baumgarten, der sich um eine Assistentenstelle bei ihm beworben hatte, zugunsten des jüdischen Philosophen Werner Brock übergangen und den in Göttingen bereits habilitierten Brock nach Freiburg umhabilitieren lassen. Das in Frage stehende Gutachten blockierte zunächst den wissenschaftlichen Weg Baumgartens. Nach der von Baumgarten vorgenommenen Abschrift aus den Akten des Göttinger NS-Dozentenbundes hatte Heidegger u. a. formuliert:

»Baumgarten war jedenfalls hier (nämlich in Freiburg, d. Verf.) alles andere als ein Nationalsozialist. Er stammt verwandtschaftlich und der geistigen Haltung nach aus dem liberal-demokratischen Heidelberger Intellektuellenkreis um Max Weber. Nachdem er bei mir gescheitert war, nahm er rege Verbindungen zu dem früher in Göttingen tätigen, jetzt von hier aus entlassenen Juden Fraenkel auf. Durch ihn ließ er sich in Göttingen unterbringen... Das Urteil über ihn kann natürlich noch nicht abgeschlossen sein. Er könnte sich noch entwickeln. Es müßte aber doch eine gehörige Bewährungsfrist abgewartet werden, ehe man ihn zu einer Gliederung der nationalsozialistischen Partei zuläßt.«[146]

Der hier genannte Eduard Fraenkel war bis zum Sommersemester 1933 Ordinarius der klassischen Philologie an der Universität Freiburg. Angesichts der Überlieferungsgeschichte galt und gilt – besonders in der einschlägigen Publizistik – dieses Stück für gefälscht, also geeignet, den Philosophen Heidegger böswillig in Mißkredit zu bringen – ein typisches Zeichen für eine »von Haß und Hilflosigkeit gegen den großen

---

[146] Diese Version stammt aus dem Gutachten von Jaspers über Heidegger vom 22. Dezember 1945, auf das unten eingegangen wird. Hans-Joachim Dahms (1987, S. 182) hat aus der Akte Baumgarten (Universitätsarchiv Göttingen) eine etwas anders lautende Version vorgelegt: »Dr. Baumgarten kommt verwandtschaftlich und seiner geistigen Haltung nach aus dem liberal-demokratischen Heidelberger Intellektuellenkreis um Max Weber. Während seines hiesigen Aufenthaltes war er alles andere als Nationalsozialist... Nachdem Baumgarten bei mir gescheitert war, verkehrte er sehr lebhaft mit dem früher in Göttingen tätig gewesenen und nunmehr hier entlassenen Juden Fränkel. Ich vermute, daß Baumgarten sich auf diesem Weg in Göttingen untergebracht hat, woraus sich auch seine jetzigen dortigen Beziehungen erklären mögen. Ich halte zur Zeit seine Aufnahme in die SA für ebenso unmöglich wie die in die Dozentenschaft.«

Denker angetriebene Suche nach irgendwelchen Dokumenten«.[147] Jaspers jedenfalls war zutiefst getroffen, ja diese Information öffnete ihm 1934/35 endgültig die Augen über Heidegger, dessen politische Aktivitäten ihm bis dato immer noch aus reiner Naivität gespeist erschienen. Und er hat dieses Faktum in seinem ersten Brief 1949 Heidegger vorgehalten:

> »Nicht allein Ihr schweigender Abbruch seit 1933, sondern vor allem Ihr Schreiben über Baumgarten, dessen Abschrift ich 1934 sah. Dieser Augenblick gehört zu den einschneidendsten Erfahrungen meines Lebens. Persönliche Betroffenheit war unlösbar von dem objektiven Gewicht des Geschehens.«

Wohl um nicht von vornherein eine Gesprächsbarriere aufzurichten, verzichtete Jaspers auf eine Erklärung Heideggers in bezug auf die Formulierungen »der Jude Fraenkel« und »der Intellektuellenkreis um Max Weber«, zu dem ja Jaspers zählte. Da Jaspers in seinem 1945er Gutachten bereits ausführlich den Baumgarten-Komplex vorgetragen hatte, Heidegger das Jaspers-Gutachten kannte, in der Bereinigungskommission der Fall diskutiert worden war, ist an der Authentizität nicht zu zweifeln. Hätte eine Fälschung oder auch nur Verfälschung bestanden, Heidegger hätte dies richtiggestellt. Es bleibt also das Faktum, daß der für den NS-Dozentenbund gutachtende Rektor die »Judengenossenschaft« Baumgartens argumentativ eingebracht hat, d. h. verbal dem Antisemitismus seinen Tribut gezollt hat. Wie viele politisch gefärbte Gutachten Heidegger im Lauf der folgenden Jahre zu Händen der Partei-Stellen schrieb, ist nicht bekannt. Wir werden am Beispiel der katholischen Philosophiedozenten Max Müller und Gustav Siewerth Gelegenheit haben, die Praxis der politischen Begutachtung erneut zu überprüfen.

Es wurde also und wird weiterhin gerätselt, ob Heidegger eine antisemitische Haltung eingenommen hatte. Vor einiger Zeit war im Feuilleton der *FAZ* (2. Januar 1984) unter der Überschrift »Faktum« zu lesen, Heidegger habe ein Exemplar seiner Rektoratsrede mit einer Widmung versehen seinem philosophischen Kollegen Richard Kroner nach Kiel geschickt, wohl wissend, daß dieser Jude sei. »Was also veranlaßte den so besonnenen Heidegger, seine politische Rede an den Juden

---

[147] So Jürgen Busche in der *FAZ* vom 30. 4. 1983 (»Der Standpunkt Martin Heideggers«). Hierzu ist der Leserbrief von Wilhelm Schoeppe »Heidegger und Baumgarten« (*FAZ* 28. 5. 1983) zu sehen.

Richard Kroner zu schicken?«, wird gefragt und dabei auch in den Blick genommen, wie es um Kroner stand, »den auf besondere Weise Betroffenen? War er verwirrt, empört, betrübt? Fühlte er sich provoziert?« Und der Kommentator der *FAZ* spitzt das Problem auf die Frage zu: »Wenn Kroner für Heidegger kein Jude im Sinn Hitlers gewesen ist, was war zwischen ihnen dann das Gemeinsame, aus dem her sich die Widmung jener Rede verstünde?« – Richard Kroner, der aus Kiel, der kommenden Elite-Universität des Nationalsozialismus, weichen mußte und gleich Gerhart Husserl nach Frankfurt abgeschoben werden sollte, war 1923 Heideggers Konkurrent um das Extraordinariat in Marburg, gelangte damals jedoch nur auf Platz drei der Liste. Vielleicht ist für die Beantwortung solcher Fragen hilfreich, was Heidegger im Juli 1923, nachdem er den Ruf nach Marburg angenommen hatte, an Jaspers über den unterlegenen Bewerber Richard Kroner charakterisierend schrieb:

»So eine Jämmerlichkeit im Menschenwesen ist mir noch nie begegnet – jetzt läßt er sich bemitleiden wie ein altes Weib – die einzige Wohltat, die man ihm erweisen könnte, wäre, ihm heute noch die venia legendi zu entziehen.«

Welche prophetische Gabe! Auf Heideggers Mentalität bezogen mögen die persönliche Begegnung mit seinem Schüler Herbert Marcuse 1947 und der daraus resultierende Briefwechsel aufschlußreich sein! Marcuse griff in seinem Brief vom 28. August 1947, in dem er die Problematik der Einheit von Denken und Existenz des Menschen Heidegger thematisierte, vor allem die tiefe Betroffenheit der Juden auf. Ein Philosoph könne sich im Politischen täuschen. Dann werde er seinen Irrtum offen darlegen. »Aber er kann sich nicht täuschen über ein Regime, das Millionen von Juden umgebracht hat – bloß weil sie Juden waren, das den Terror zum Normalzustand gemacht hat und alles, was je wirklich mit dem Begriff Geist und Freiheit und Wahrheit verbunden war, in sein blutiges Gegenteil verkehrt hat.« Marcuse teilte Heidegger mit, er werde ein Paket abschicken. Seine Freunde seien dagegen gewesen und haben ihm vorgeworfen, »daß ich einem Mann helfe, der sich mit einem Regime identifiziert hat, das Millionen meiner Glaubensgenossen in die Gaskammer geschickt hat.«

Heidegger erhielt das Paket, ließ jedoch den ganzen Inhalt an frühere Schüler verteilen, »die weder in der Partei waren noch sonst irgendwelche Beziehungen zur Partei hatten.« Dies möge Marcuses Freunde beruhigen, so Heidegger in seinem Antwortbrief vom 20. Januar 1948. Auf die von Marcuse erhobenen Vorwürfe wegen des Genozids – berechtigte Vorwürfe, gesteht Heidegger ein, könne er »nur hinzufügen, daß statt ›Juden‹ ›Ostdeutsche‹ zu stehen hat und dann genau so gilt für einen der Alliierten, mit dem Unterschied, daß alles, was seit 1945 geschieht, der Weltöffentlichkeit bekannt ist, während der blutige Terror der Nazis vor dem deutschen Volk tatsächlich geheim gehalten worden ist.« – Der »Historikerstreit« des Jahres 1986 ist von Heidegger vorweggenommen!

Doch zwingen wir uns ein weiteres Mal in den chronologischen Ablauf des Rektorates: Bereits in den ersten Wochen, ja den ersten Tagen seiner Amtszeit entfaltete der neue Rektor eine ungwöhnliche Aktivität: Schon am 24. April, also unmittelbar nach Übernahme des Rektorats, setzte er sich mit der Führung der gleichgeschalteten Deutschen Studentenschaft in Berlin in Verbindung, eine zentrale Schulungstagung für die politischen Leiter der Studentenschaft vorschlagend. Aus den Unterlagen wird ersichtlich, daß sich die Korrespondenzpartner schon gut gekannt haben mußten: Das heißt zwischen Heidegger und den Funktionären der vom NSDStB seit etwa 1930 beherrschten Deutschen Studentenschaft muß seit langem Verbindung bestanden haben. Die Berliner griffen diese Anregung auf, und Plötner, den Heidegger offenkundig sehr genau kannte, organisierte kurzfristig eine erste Reichstagung der studentischen Amtsleiter für Wissenschaft am 10. und 11. Juni 1933. Das wichtigste Ergebnis dieser ersten Schulungstagung für die Kader der politischen Studentenschaft war das Projekt »Wissenschaftslager«, für das Heidegger verantwortlich zeichnete und das er im Oktober 1933 in Todtnauberg realisieren wollte. Auch der kleine Kreis von Referenten, die für diese Tagung im Juni in Betracht gezogen wurde, spricht für gleichgestimmtes politisches Wollen: Neben Martin Heidegger waren dies Alfred Baeumler und Ernst Krieck. Beider Namen, wir sahen es bereits, tauchten Anfang April im Heidegger-Brief an Jaspers auf. Es muß eine Verständigung im Gleichklang der politischen Gesinnung gegeben haben, die zunächst dauerte, bis die frühere Kampfgemeinschaft umschlug in Haß und Gegnerschaft – das aber ereignete sich erst gegen Jahresende bzw. erst im Frühjahr 1934.

Es kann hier nur angedeutet werden, daß Heidegger und Baeumler sich aus gemeinsamer philosophischer Arbeit seit langem kannten, vor allem in der Nietzsche-Forschung. Baeumler, der als Mitglied des Kampfbundes für deutsche Kultur schon vor der Machtergreifung mit Alfred Rosenberg verbunden war und von diesem zum Leiter des Amtes Wissenschaft berufen wurde, hatte zum Sommersemester 1933 an der Berliner Universität einen Lehrstuhl für »Politische Pädagogik« übernommen, einen der ersten »politischen« Lehrstühle, die im Dritten Reich eingerichtet wurden. Im Amt Rosenberg ging Baeumlers Karriere weiter steil nach oben, während sein philosophisches Niveau immer mehr sank, bis er schließlich zum reinen Hofnarren Rosenbergs degenerierte – etwa als er im Oktober 1942 im *Völkischen Beobachter* die Millionenauflage von *Mythus des 20. Jahrhunderts* bejubelte. Es war übrigens die erste Vorlesung Baeumlers in Berlin am 10. Mai 1933, die das Fanal für die Bücherverbrennung riesigen Ausmaßes in der Reichshauptstadt gab, und Baeumler höchst persönlich marschierte an der Spitze der ersten Abteilung des Fackelzugs und warf als einer der ersten seine Fackel in den Scheiterhaufen, aus Büchern aufgebaut.

Zwischen Heidegger und Ernst Krieck – dieser hatte sich aus der Volksschullehrerlaufbahn emporgearbeitet, ein verbissener alter Kämpfer, dem jetzt der volle Lohn zugeteilt wurde – dürfte es eine eher hochschulpolitische Gemeinschaft gegeben haben: Krieck wurde 1933 Rektor der Universität Frankfurt. Denn die wissenschaftliche Arbeit des aus dem badischen Markgräflerland stammenden Krieck hatte mit der Heideggers nichts, aber auch nichts gemeinsam.

Zur Erreichung der politischen, wissenschaftlichen, ja der geschichtlichen Ziele mußte auf verschiedenen und unterschiedlichen Feldern gearbeitet, sogar regelrecht gekämpft werden: Die eigene Universität war Heidegger immer nur Ausgangsbasis und gelegentlich Refugium – zunächst wenigstens. Da wurden noch vor der feierlichen Rektoratsübergabe einige Pflöcke eingeschlagen, Markierungen gesetzt. Nicht geringe Aufregung, ja Empörung herrschte unter den wenigen Eingeweihten in Freiburg, als durchsickerte, Heidegger habe am 20. Mai 1933 an Adolf Hitler telegraphiert mit folgendem Wortlaut:

»Ich bitte ergebenst um Verschiebung des geplanten Empfanges des Vorstandes des Verbandes der deutschen Hochschulen bis zu dem Zeitpunkt, in dem die Leitung des Hochschulverbandes im Sinne der gerade hier besonders notwendigen Gleichschaltung vollzogen ist.«

Damit war der Rektor unmißverständlich auf die Reichsebene gewechselt, die er wohl als sein eigentliches Aktionsfeld ausersehen hatte

– darauf wird übrigens in Heideggers 1983 veröffentlichtem Rechenschaftsbericht mit keinem Wort eingegangen. Der Hochschulverband, um dies kurz zu skizzieren, war damals – im Unterschied zur Struktur nach 1945 – der korporative Zusammenschluß aller deutschen Hochschulen, der vor allem die sozial- und standespolitischen Fragen der Hochschullehrer qua Hochschule vertrat, gleichsam ein Gremium der Deutschen Rektorenkonferenz. Diese duale Struktur sollte, zumal sie an ein parlamentarisches System erinnerte, so plante Heidegger, zugunsten einer einheitlichen, nach dem Führerprinzip zu gestaltenden Rektorenkonferenz überwunden werden.

Die Erregung in Freiburg entzündete sich vor allem an dem Begriff »Gleichschaltung«, der damals im Frühsommer 1933 eindeutig war, nämlich die Ausrichtung aller Institutionen, ja Lebensbereiche nach dem Prinzip des Führerstaates und der Führergesellschaft, nach den neuen Machtstrukturen des nationalsozialistischen Einheitsstaates. 1945 war Heidegger gerade wegen dieses Telegramms schwer belastet, wozu er im November 1945 dem Vorsitzenden des Bereinigungsausschusses folgende Stellungnahme übermittelte – ein weiterer Beweis für Art und Weise der Apologie:

»Wenn in dem Telegramm von Gleichschaltung die Rede ist, so habe ich das Wort in dem Sinne gemeint, in dem ich auch den Namen Nationalsozialismus verstand. Es war nicht und nie meine Absicht, die Universität an die Parteidoktrin auszuliefern, sondern umgekehrt zu versuchen, innerhalb des Nationalsozialismus und in Bezug auf diesen eine geistige Wandlung in Gang zu bringen. Es entspricht nicht den Tatsachen, zu behaupten, der Nationalsozialismus und die Partei hätten keine geistige Zielsetzung hinsichtlich der Universität und des Wissenschaftsbegriffs gehabt. Sie hatten sie nur zu entschieden und beriefen sich auf Nietzsche, nach dessen Lehre die ›Wahrheit‹ nicht einen eigenen Grund- und Sachgehalt hat, sondern nur ein Mittel des Willens zur Macht ist, d.h. eine bloße ›Idee‹, d.h. eine subjektive Vorstellung. Und das Groteske war und ist ja doch, daß dieser ›politische‹ Wissenschaftsbegriff im Prinzip mit der ›Idee‹ und ›Ideologie‹-Lehre des Marxismus und Kommunismus übereinstimmt. Und dagegen ist meine am 23. Mai drei Tage nach der Absendung des Telegramms gehaltene Rektoratsrede [Heidegger verwechselt den 23. mit dem 27. Mai] ganz eindeutig und ausdrücklich gerichtet.«

Wer das Telegramm vom 23. Mai 1933, die Rektoratsrede vom 27. Mai 1933 und die weiteren öffentlichen Aufrufe, vor allem des Herbstes 1933, mit der 1945 gegebenen Interpretation zusammensieht, erkennt unschwer, daß Heidegger eine Auslegung vornimmt, die nur ex post verständlich ist. Es ging zunächst nur um Gleichschaltung – dieser Begriff und die mit dem Begriff verbundene Wirklichkeit waren seit März

1933 eindeutig, da täglich und allerorten die politischen und gesellschaftlichen Strukturen zerschlagen wurden und neue an ihre Stelle traten. Heidegger transponiert den Begriff auch elegant auf den Begriff Nationalsozialismus, den er in einem eigenen Sinne verstanden habe – in einer Art Privat-Nationalsozialismus, wie ihm zu bedenken gegeben wurde – wir wissen dies aus anderen Äußerungen Heideggers –, einen Nationalsozialismus, der nicht auf der Weltanschauung des Nationalsozialismus beruhte! Hinter der 1945 vermittelten Sicht liegt neben anderen Elementen die verborgene Auseinandersetzung mit Alfred Baeumler und dessen Nietzsche-Deutung, die gewissermaßen einen parteiamtlichen Charakter erhielt, da Baeumler als Amtsleiter des »Amtes Wissenschaft des Beauftragten des Führers für die Überwachung der geistigen Schulung und Erziehung der NSDAP« – so unbeholfen wurden Funktionen in einem totalitären Staatswesen definiert – eine der einflußreichsten wissenschaftspolitischen Positionen erhielt. Doch diese Auseinandersetzung mit dem Philosophen Baeumler erfolgte lange Zeit später, nämlich erst, als Heideggers utopische Ziele nicht erreicht waren und er zurückgeworfen war in die Existenz des bloßen Ordinarius der Philosophie an der Universität Freiburg.

Um Heideggers Version von 1945 ganz zu verstehen, müßten wir seine 1985 vollständig publizierte Nietzsche-Vorlesung vom Wintersemester 1936/37 (Nietzsche: Der Wille zur Macht als Kunst) heranziehen und dort die mit der Nietzsche-Deutung durch Baeumler und Jaspers vorgenommene polemische Auseinandersetzung näher erörtern, was hier nicht angeht. Dann nämlich ergäbe sich einfach, daß Heidegger 1945 zur erklärenden Ent-Schuldigung sowohl den »politischen« Nietzsche-Deuter Baeumler, den Mentor Alfred Rosenbergs, als auch den »unpolitischen« Nietzsche-Interpreten Jaspers, den einstigen philosophischen Freund, zusammenwirft und aus Gegensätzlichem und Widersprüchlichem ein Amalgam herstellt. Doch: ist solches nicht gerade philosophische Methode? Es ergäbe sich, daß Heidegger in solchen Sätzen von 1945 das Wesen seiner Seins-Philosophie gegossen hat, wie er 1936/37 sich mit Baeumler herumschlägt, der Heideggers Heraklit-Interpretation nicht zur Kenntnis genommen hat. Aber: all dies führte zu weit und wäre auch nicht unseres Berufs.

1933 jedenfalls, und nur darum handelt es sich in diesem Zusammenhang, hatte Heidegger dergleichen nicht im Sinn, da gab es vielmehr die Kooperation mit Baeumler und mit Krieck – wie überhaupt

Heidegger die für den 8. Juni 1933 in Berlin stattfindende Rektoren-konferenz benutzen wollte, den inzwischen gleichgeschalteten Hoch-schulverband auszuhebeln. Indes: Eine Mehrheit der Rektoren stützte den Hochschulverband, und Heidegger blieb auf wenige Kampfgefähr-ten verwiesen: eben auf Krieck, dem sich der Göttinger Rektor, der Germanist Friedrich Neumann, und der Kieler Rektor, der Naturwis-senschaftler Wolf, zugesellten – Kiel, es wurde schon mehrfach er-wähnt, sollte die NS-Muster-Universität werden. Diese Vierergruppe verließ, nachdem sie unterlegen war, unter Protest die Rektorenkonfe-renz, ohne daß dies sonderlichen Eindruck erweckt hätte. In den fol-genden Wochen, in denen Heidegger, wie wir gesehen haben, aufs eng-ste mit der damaligen Führung der Deutschen Studentenschaft zusam-menspielte im Verein mit Baeumler, entspann sich eine rege Korrespon-denz zwischen dem Freiburger und dem Göttinger Rektor, woraus deutlich wird, daß der innere Kreis, die Vierergruppe, eine Art ver-schworener Gemeinschaft bildend, versuchte, die Mehrheitsverhältnis-se der Deutschen Rektorenkonferenz umzukehren und die eigenen hochschulpolitischen Vorstellungen, gespeist aus dem nationalsoziali-stischen Geist, durchzusetzen.

Ein Treffen zu Ende des Sommersemesters sollte Gelegenheit bie-ten zu Erfahrungsaustausch und zur Strategieplanung. Mit Interesse kann vermerkt werden, daß Heidegger und Krieck offensichtlich noch im Sommer 1933 aufs Intimste zusammenarbeiteten. Ja, als Heidegger Anfang September 1933 einen erneuten Ruf an die Universität Berlin er-hielt – »mit dieser Berufung wäre ein besonderer politischer Auftrag verbunden«, unterrichtete Heidegger sein Kultusministerium –, da ver-band er die Fahrt nach Berlin mit einer schon lange geplanten Sitzung der Vierergruppe: »Ich fahre Mittwoch [= 6. September 1933] früh zu einer Sonderbesprechung mit den drei befreundeten Rektoren von Kiel, Göttingen und Frankfurt nach Homburg v.d. Höhe«, heißt es im eben schon herangezogenen Schreiben. Also: Der Kontakt dauerte fort – jetzt tat sich mit dem »besonderen politischen Auftrag« des Berliner Rufes überdies ein ganz neuer, weiter Horizont auf, der uns noch be-schäftigen wird.

Zunächst sei darauf hingewiesen, daß Heidegger neben seinen Amtsgeschäften Zeit für Vorträge in Heidelberg und Kiel (Ende Juni/ Anfang Juli) fand, die ihm den Ruf eines besonders radikalen Vertreters der Bewegung eingebracht haben. Diese Aktivitäten lagen im Trend seiner Zielvorstellung: einer der geistigen Führer der Bewegung zu werden, soweit die Wissenschaftspolitik in Frage kam, vielleicht der Führer schlechthin. Jedenfalls beteiligte sich der Freiburger Rektor sehr zentral an der Umgestaltung der im Lande Baden geltenden Universitätsverfassung, vermutlich in unmittelbarer Zusammenarbeit mit Krieck, der als Badener auf einen Lehrstuhl in Heidelberg zielte und von daher schon interessiert war, daß Nägel mit Köpfen gemacht wurden.

In Baden trat am 21. August 1933 eine neue vorläufige Universitätsverfassung in Kraft, nach der ab 1. Oktober 1933 der Rektor vom Kultusminister zum Führer der Universität ernannt wurde, ohne daß der Universität irgendeine Mitwirkungsmöglichkeit, zumindest ein Vorschlagsrecht, eingeräumt wurde. Eine Begrenzung der Amtszeit war nicht vorgesehen. Das Land Baden, seinem Ruf als »Musterländle« ein weiteres Mal getreu, war vorgeprescht, wollte maß-gebend sein. Der Rektor selbst ernannte die Dekane als Führer der Fakultäten, künftig die Universität nach dem klaren Führerprinzip gestaltend. Die übrigen Länder des Deutschen Reiches, vor allem Preußen, Bayern und Sachsen, blieben vorerst abwartend. »Das war Heideggers Werk. ›Finis universitatum‹ – Ende der Universitäten –«, notiert Prälat Josef Sauer, nominell unter Heidegger Prorektor der Freiburger Universität, aber seit langem ausgeschaltet, am 22. August 1933 ins Tagebuch: »Und das hat uns dieser Narr von Heidegger eingebrockt, den wir zum Rektor gewählt haben, daß er uns die neue Geistigkeit der Hochschule bringe. Welche Ironie! Wir können vorerst nichts anderes machen, als hoffen, daß die übrigen deutschen, besonders die preußischen Universitäten, diesen Schritt in den Abgrund nicht mitmachen, wiewohl sie sehr deutlich dazu aufgefordert werden; dann wird diese badische Kuriosität bald aus der Welt geschafft sein«, worin sich der Gelehrte gründlich täuschen sollte.

Wie weit Heideggers Mitarbeit zu veranschlagen ist, bleibe offen, da keine aktenmäßige Fundierung möglich ist. Doch hat Heidegger nicht widersprechen können, als die Bereinigungskommission im Herbst 1945 festgestellt hatte, »daß er eifrige Mitarbeit leistete an der Umwandlung der Universitätsverfassung im Sinn des neuen ›Führerprinzips‹«. Im 1983 veröffentlichten Rechenschaftsbericht erklärte Heidegger, er habe die Verfassungsänderung vorgeschlagen, damit die Dekanate so besetzt werden konnten, »daß das Wesen der Fakultäten und die Einheit der Universität gerettet werden könnten«. Heidegger selbst wurde erwartungsgemäß mit Wirkung vom 1. Oktober 1933 zum ersten Führer-Rektor der Universität Freiburg ernannt – sicher in der Erwartung von Ministerium und Ernanntem, die Amtszeit werde lange Jahre währen. Die von Heidegger voll mitzuverantwortende neue Universitätsverfassung stand im Begründungszusammenhang seines Denkens und Handelns. Und die Karlsruher Präambel atmet seinen Geist und spricht seine Sprache: Die völlige Erneuerung der deutschen Hochschulen könne nur erreicht werden, wenn die Hochschulreform einheitlich und umfassend im ganzen Reich vorgenommen werde; wenn also dem Rektor die Befugnisse des bisherigen Senats zufielen, die Dekane von seinem alleinigen Vertrauen abhingen; der Geist des Rektors die Hohe Schule durchwirke. Mit der Ernennung Heideggers sollte eine neue Ära heraufziehen, da jetzt erst der Aufbruch aus den verkrusteten und erstarrten, ja abgestorbenen Formen der alten überlebten Universität geschehen konnte.

Auch der philosophische Gesprächspartner Heideggers, Karl Jaspers, wertete die Verfassungsneugestaltung positiv, sie als aristokratisches Prinzip würdigend. Aus jahrelanger Universitätserfahrung könne er »nicht anders, als die neue Verfassung richtig finden. Das Bedauern, daß eine große Zeit der Universität, deren Ende wir längst kennen, nun auch sichtbar und drastisch beendet wird, ist der Schmerz einer Pietät, der ich mich nicht versage«, das schrieb Jaspers am 23. August 1933 an Heidegger, sich bedankend für die soeben beim Korn-Verlag zu Breslau – ein Verlag übrigens, der sich auf nationalsozialistisch-kämpferische Literatur spezialisiert hatte: u.a. die Arbeiten von Moeller van den Bruck – verlegte Rektoratsrede. Diesem Inaugurationsanspruch vom 27. Mai zollte Jaspers weitgehend Beifall:

»Der große Zug Ihres Ansatzes im frühen Griechentum hat mich wieder wie eine neue und zugleich wie selbstverständliche Wahrheit berührt. Sie kommen damit mit Nietzsche überein, aber mit dem Unterschied, daß man hoffen darf, daß Sie einmal philosophisch interpretierend verwirklichen, was Sie sagen. Ihre Rede hat dadurch eine glaubwürdige Substanz.«

Jaspers rühmt Stil und Dichtigkeit, diese Rede aus all den anderen Rektoratsreden des Sommersemesters heraushebend.

»Mein Vertrauen zu Ihrem Philosophieren«, fährt Jaspers fort, »das ich seit dem Frühjahr und unseren damaligen Gesprächen in neuer Stärke habe, wird nicht gestört durch Eigenschaften dieser Rede, die zeitgemäß sind, durch etwas darin, was mich ein wenig forciert anmutet und durch Sätze, die mir auch einen hohlen Klang zu haben scheinen. Alles in allem bin ich nur froh, daß jemand so sprechen kann, daß er an die echten Grenzen und Ursprünge rührt.«

Heidegger mit Nietzsche verglichen, aber ein neuer Nietzsche, der seine Philosophie verwirklicht. Welche Töne! Heidegger antwortete auf diesen Brief nicht mehr und nahm erst nach zwei Jahren die Verbindung zu Jaspers wieder auf mit dem früher schon erwähnten Brief aus der Einsamkeit, ja der Vereinsamung. Was er übrigens von Jaspers' Nietzsche-Deutung gehalten hat: Wir wissen es aus der Nietzsche-Vorlesung 1936/37 im Zusammenhang mit der Wiederkunftslehre: Jaspers

»sieht, daß hier ein entscheidender Gedanke Nietzsches vorliegt. Aber Jaspers bringt diesen Gedanken nicht in den Bereich der Grundfrage der abendländischen Philosophie trotz des Redens vom Sein, und damit auch nicht in den wirklichen Zusammenhang mit der Lehre vom Willen zur Macht. Der Grund für diese nicht ohne weiteres durchsichtige Haltung ist der, daß für Jaspers, um es in aller Schärfe zu sagen, überhaupt eine Philosophie unmöglich ist. Im Grunde ist sie eine ›Illusion‹ zu Zwecken der sittlichen Erhellung der menschlichen Persönlichkeit. Eine eigene oder gar *die* eigentliche Wahrheitskraft des wesentlichen Wissens fehlt den philosophischen Begriffen. Weil Jaspers im innersten Grund das philosophische Wissen nicht mehr ernst nimmt, gibt es kein wirkliches Fragen mehr. Philosophie wird zur moralisierenden Psychologie der Existenz des Menschen. Das ist eine Haltung, der es trotz allen Aufwandes verwehrt bleiben muß, jemals in die Philosophie Nietzsches fragend – auseinandersetzend einzudringen.« (Gesamtausgabe Bd. 43, 1985, S. 26)

Welch ehemalige Freundschaft, die zu solcher Bilanz führt! Welches Gerede unter Philosophen! Freilich: Damals war Jaspers bereits seines Amtes enthoben, weil er mit einer Volljüdin verheiratet war.

Während die Realisierung der neuen badischen Hochschulverfassung bevorstand, waren die Berufungsverhandlungen Heideggers mit Berlin noch in der Schwebe – starke Kräfte in der Freiburger Universität drängten das Karlsruher Ministerium, Heidegger zu halten – »Wir bitten das Ministerium, alles zu tun, um der Universität diese wissenschaftliche Persönlichkeit und diesen Führer zu erhalten«. Heideggers Ausscheiden könnte bedauerliche Störungen der angebahnten Entwicklung nach sich ziehen. Er habe nämlich mit dem Einsatz seiner ganzen Kraft und seiner Persönlichkeit sich seinem Amt gewidmet und eine Fülle von Erfahrungen, von Beziehungen und von Vertrauen gesammelt. Unterzeichnet war dieses Schreiben von maßgebenden Vertretern der fünf Fakultäten – Beweis dafür, daß Heideggers Rektorat zumindest im Kreis wichtiger Professoren äußerst positiv gewertet wurde. Die Unterzeichneten führten aus, sie wissen sich »eins mit einer großen Zahl von Mitgliedern unserer Hochschule.« (Ende September 1933)

Heidegger hatte die Berufungsverhandlungen zu diesem Zeitpunkt bereits zu Ende gebracht: Er blieb in Freiburg, in der Provinz. »Warum bleiben wir in der Provinz?« – Sein daraus resultierender Rundfunkvortrag vermittelt die Motive, gibt die Kriterien der Entscheidung und zeichnet ein psychologisches Stimmungsbild. Berlin – das war schon 1930 anläßlich des ersten Rufes für Heidegger die Herausforderung, ob sinnvollerweise an ein »unnatürliches Ungeheuer« wie die Berliner Universität »die kleinen Kräfte eines Einzelnen« verschwendet werden sollen. »Das großstädtische Wesen aber verschafft nur ein Angeregt- und Aufgeregtsein – den Schein einer Wachheit. Auch das beste Wollen wird erstickt in Sensation und Repräsentation – das Unwesen aller Philosophie.« (Brief an Julius Stenzel, 17. August 1930). An dieser Aversion Heideggers wird sich auch drei Jahre später nicht viel verändert haben – ja, »Warum bleiben wir in der Provinz?« bringt sie auf eine poetische Ebene.

Aber der mit dem Ruf verbundene besondere politische Auftrag! Worin bestand er wohl? Es gibt nur Mutmaßungen, weil die Akten, falls überhaupt noch vorhanden, nicht gesichtet werden können – Schicksal des geteilten Deutschland. Vermutlich sollte es in irgendeiner Weise zu einer Kooperation mit dem »politischen« Professor Alfred Baeumler kommen – jetzt auf einer neuen, nationalpolitischen Ebene, erkennbar aus den Vorgängen der Berliner Schulungstagung vom Juni 1933: Es gibt ein Gutachten Baeumlers zu Heidegger vom 22. September 1933 – Adressat unbekannt, wahrscheinlich jedoch eine außeruniversitäre Stelle, da der Ruf an Heidegger längst ergangen war. In diesem Gutachten wird auf die wissenschaftliche Bedeutung Heideggers abgehoben mit einem eher allgemein informierenden Charakter. Baeumler qualifiziert Heidegger als »die wichtigste Erscheinung der Philosophie seit Dilthey.« Fragestellungen der philosophischen Forschung seien in systematischer wie historischer Hinsicht revolutioniert worden. Das philosophische Denken der Gegenwart sei mit *Sein und Zeit* in einen neuen Abschnitt eingetreten. Jede philosophische Bemühung müsse sich – positiv oder negativ – mit diesem Buch auseinandersetzen. »Im übrigen ist die Wirkung Heideggers in systematischer Hinsicht auf die Philosophie der Gegenwart, nicht nur in Deutschland, heute noch gar nicht abzuschätzen.« Überall spüre Heidegger die entscheidenden Fragestellungen auf, besonders in der griechischen Philosophie. »Wenn er bei seinen historischen Fragestellungen manchmal willkürlich verfährt, so tut er es mit dem Recht des philosophischen Genies.« Das Gutachten Baeumlers erweckt also den Eindruck, als ob es für eine Parteistelle geschrieben worden ist, die wegen des besonderen politischen Auftrags mit dem Berliner Ordinariat befaßt war.

Heidegger selbst beließ es bei einer nicht allzu verbindlichen, aber sybillinischen Formulierung, als er dem Lehrkörper der Freiburger Universität Anfang Oktober die Ablehnung des Berliner Rufes kundtat und dann schloß:

> »Ich werde nicht nach Berlin gehen, sondern an unserer Universität versuchen, die durch die vorläufige Verfassungsregelung in Baden gegebenen Möglichkeiten zu einer echten und erprobten Wirklichkeit zu gestalten, um damit den einheitlichen Aufbau der künftigen gesamtdeutschen Hochschulverfassung vorzubereiten. Auf Wunsch der Berliner Regierungsstellen werde ich auch fernerhin engste Fühlung mit der dortigen Arbeit behalten.«

Es kann herausgelesen werden: Die Erfahrung mit der Konzipierung der badischen Universitätsverfassung und die Erprobung des Führer-Rektorats sollten Heidegger zum Experten auf Reichsebene machen. Auch die Formulierung, als Heidegger am 30. September 1933 an das Karlsruher Ministerium schrieb, für die Ernennung zum Rektor dankend, ist lediglich anders ausgedrückt, aber nicht sonderlich weiterführend.

> »Ich habe mich aber auch künftighin für Beratungen dem Preußischen Kultusministerium auf dessen Wunsch zur Verfügung gestellt, desgleichen für den Fall, daß eine umfassende und entscheidende Verwirklichung des nationalsozialistischen Hochschulwesens in Angriff genommen werden sollte.«

Aber wie sehr waren solche Absprachen fixiert! – angesichts des immer noch anhaltenden Umbruchs? War es nicht ein Programm hochgestimmter Erwartung, dem die Realität schon – längst? – nicht mehr entsprach? Und wußte es lediglich Heidegger noch nicht – nämlich, daß die Berliner Regierungsstellen, Parteigruppierungen und dergleichen, ihn aus taktischen Gründen als Aushängeschild benützten, für die Führungsposition jedoch bewährte Kräfte, alte Kämpfer, ausersehen hatten, die für die krude Ideologie des Nationalsozialismus taugten. Hatte Heidegger nicht in den ausgehenden Septembertagen mitansehen müssen, wie brutal die Führung der Deutschen Studentenschaft – die der ersten Stunde, die noch etwas vom idealistischen Elan an sich hatte, ausgewechselt wurde – Machtkämpfe und Grabenkrieg auf vielen Ebenen des polykratischen Einparteiensystems!

Aber: Falls es zutrifft, daß Heidegger schon im Sommersemester 1933 erkannt hatte, die politische Entwicklung verlaufe nicht in der von ihm angenommenen Richtung – so seine 1945 vor dem Bereinigungsausschuß vorgetragene Version –, dann bleiben die Bekundungen des Führer-Rektors – öffentlich und intern – im Herbst 1933 umso unverständlicher: Wir haben schon Einiges kennengelernt – den Aufruf an die Freiburger Studenten vom 3. November 1933, eine Woche später erneut in der Studentenzeitung den Aufruf zur Wahl vom 12. November, zur sogenannten Reichstagswahl. Doch dessen Formulierungen verblassen angesichts der Proklamation, die Heidegger als prominenter Teilnehmer einer Leipziger Kundgebung vom 11. November weltweit abgab. Es ging bei der Abstimmung am 12. November um ein Plebiszit über die Politik Hitlers: Wahl einer Einheitsliste für den Reichstag verbunden damit Zustimmung zum Austritt aus dem Völkerbund. Der Freiburger Rektor verwob wesentliche Elemente der Rektoratsrede, ja seiner Philosophie, mit der praktischen Politik Hitlers zu einem Konglomerat philosophischer Innen- und Außenpolitik – wohl die schlimmste öffentlich bekanntgewordene Verirrung des Philosophen, der sein Philosophieren kompromittierte. Aber: war es eine Verirrung?

Ich kenne keine Stelle in Heideggers Werk, auch nicht in den Briefen und Akten, wodurch auch nur ein Wort dieses Aufrufes wie auch anderer vergleichbarer Verlautbarungen zurückgenommen worden wäre. Heidegger stand zu seinen Sätzen, weil er im Verständnis seines Denkens gar nicht der Gefahr der Irre ausgeliefert war; diese Gefährdung kam denen zu, die nicht auf ihn, den Propheten des Seins, hörten. Eigentlich müßte hier die gesamte Leipziger Rede folgen, damit der geschlossene Zusammenhang erkennbar werde. Es genügen einige markante Sätze:

>»Wir haben uns losgesagt von der Vergötzung eines boden- und machtlosen Denkens. Wir sehen das Ende der ihm dienstbaren Philosophie. Wir sind dessen gewiß, daß die klare Härte und die werkgerechte Sicherheit des unnachgiebigen einfachen Fragens nach dem Wesen des Seins wiederkehren. Der ursprüngliche Mut, in der Auseinandersetzung mit dem Seienden an diesem entweder zu wachsen oder zu zerbrechen, ist der innerste Beweggrund des Fragens einer völkischen Wissenschaft ... und so bekennen wir, denen die Bewahrung des Wissenwollens unseres Volkes künftig anvertraut sein soll: Die nationalsozialistische Revolution ist nicht bloß die Übergabe einer vorhandenen

Macht im Staat durch eine andere dazu hinreichend angewachsene Partei, sondern diese Revolution bringt *die völlige Umwälzung unseres deutschen Daseins.* Von nun an fordert jedwedes Ding Entscheidung und alles Tun Verantwortung. Wir sind dessen gewiß: Wenn der Wille zur Selbstverantwortung das Gesetz des Miteinanders der Völker wird, dann kann und muß jedes Volk für jedes andere Volk Lehrmeister sein des Reichtums und der Kraft aller großen Taten und Werke menschlichen Seins. Die Wahl, die jetzt das deutsche Volk zu vollziehen hat, ist schon *allein als Geschehnis,* noch ganz unabhängig vom Ergebnis, die stärkste Bekundung der neuen deutschen Wirklichkeit des nationalsozialistischen Staates … diesen Willen hat der Führer im ganzen Volke zum vollen Erwachen gebracht und zu *einem* einzigen Entschluß zusammengeschweißt. Keiner kann fernbleiben am Tage der Bekundung des Willens. Heil Hitler.« (Schneeberger 1962, Dok. Nr. 132)

Die pseudo-religiöse Sprache dominiert, ja dem Kundigen klingen die Abschwörungs- und Glaubensformeln der christlichen Taufe in frühchristlicher Zeit vertraut. Die Philosophie vor Heidegger war Götzendienst: »Wir haben uns losgesagt.« Jetzt aber, nachdem der nationalsozialistische Staat ins Werk gesetzt ist gemäß der »Urforderung alles Seins, das es sein eigenes Wesen behalte und rette«, können die Glaubenssätze der wahren Philosophie beschworen werden, und das neue Glaubensbekenntnis kann abgelegt werden: »Und so bekennen wir« – nämlich die Wissenden –: *die nationalsozialistische Revolution ist die völlige Umwälzung unseres deutschen Daseins.*« Heidegger konnte im Spätherbst 1933 nicht resigniert haben, noch lange nicht. Auch nicht, als die neuen Führungsstrukturen der Rektorenkonferenz im November 1933 verordnet wurden, wobei für Heidegger kein Platz war.

Dies alles jedoch stand im Unverbindlichen. Die Bewährung Heideggers konnte sich nur in seiner Universität ergeben, und nach der Ernennung zum Führer-Rektor wollte er ja die »gegebenen Möglichkeiten zu einer echten und erprobten Wirklichkeit« gestalten. Hic Rhodos, hic salta! Doch das war ein steiniger Acker, schwer zu bearbeiten, und dazu mit geringen Ernteaussichten! Der Höhenflug der Heideggerschen Reden, Ansprachen und Kundgebungen kontrastierte außerordentlich der Arbeit im Schweiße des Angesichts auf der verkrusteten Erde.

Ehe wir uns dem spärlichen und eher dürftigen Bemühen Heideggers, eine Reform seiner Universität nach dem Gebot der Umwälzung und des Nationalsozialismus ins Werk zu bringen, zuwenden, sei einiges ausgeführt über die personalpolitischen Bemühungen Heideggers im Zusammenhang mit dem ominösen Reichsgesetz zur Wiederherstellung des Berufsbeamtentums, das am 7. April 1933 verkündet worden war. Wir sind bei früheren Darstellungen – im Zusammenhang mit dem badischen Judenerlaß vom April 1933 – schon darauf gestoßen. Dieses Gesetz war in erster Linie gegen jüdische Beamte und gegen politisch mißliebige Beamte gerichtet, welche unter anderem nicht die Gewähr für nationales Verhalten boten. Selbstverständlich mußte jeder Rektor einer deutschen Universität dieses Gesetz vollziehen im Zusammenwirken mit dem jeweiligen Kultusministerium. Dieses Gesetz mit seinem Bündel von Durchführungsverordnungen war außerordentlich kompliziert, bot hinsichtlich der gegebenen Fristen und Ausnahmeregelungen einen gewissen Interpretationsspielraum. Durch die Anwendung dieses Gesetzes wurde der große Exodus deutschen Geistes eingeleitet, der in allen Wissenschaftsdisziplinen zu herben Verlusten führte, nicht zuletzt in den Naturwissenschaften und in der Medizin.

Vor allem die jüdischen Privatdozenten und wissenschaftlichen Assistenten erfuhren die volle Härte des Gesetzes, weil sie ihres jugendlichen Alters wegen meist nicht unter die Ausnahmeregelung fielen (z.B. konnte im Amt bleiben, wer vor dem 1. August 1914 Beamter geworden war – oder wer Frontkämpfer war). Reihenweise wurden sie unter Entziehung der venia legendi entlassen. Auch Heideggers Assistent, der Privatdozent Dr. Werner Brock, wie wir es bereits gesehen haben. Auch der junge wissenschaftliche Mitarbeiter in der Medizinischen Fakultät, der Privatdozent Dr. Hans Krebs, der nachmalige Sir Hans Krebs und Nobelpreisträger für Medizin 1953, der Entdecker des Zitronensäurezyklus – im Freiburger Institut hatte er die grundlegenden Arbeiten für die nobelpreiswürdige Forschung gelegt. (Vgl. seinen sachlichen und vornehmen Beitrag: »Wie ich aus Deutschland vertrieben wurde«, *Medizinhistorisches Journal*, Bd. 15, 1980, S. 357–377.)

Wie schwierig und zwiespältig sich die Situation für den Rektor Heidegger darbot, zeigt sein Schreiben vom 12. Juli 1933 an das Kultusministerium, in dem er sich für zwei weltweit angesehene, jetzt gefährdete Professoren einsetzte (beide erfüllten die Voraussetzungen für die Ausnahmeregelungen), nämlich für Eduard Fraenkel, Ordinarius für Klassische Philologie – wir haben ihn schon bei früheren Ausführungen kennengelernt –, und für Georg von Hevesy, Professor für Physikalische Chemie (Nobelpreisträger 1943); Heidegger hob darauf ab, daß er »im vollen Bewußtsein von der Notwendigkeit der unabdingbaren Ausführung des Gesetzes zur Wiederherstellung des Berufsbeamtentums« schreibe, aber: der Sorge für die Erhaltung und neue Stärkung der Weltgeltung der deutschen Universität und Wissenschaft sei eine außenpolitische Belastung abträglich. Doch eine solche müsse eintreten – vor allem »in den geistig führenden und politisch maßgebenden Kreisen des Auslandes«, würden die beiden jüdischen Professoren entlassen, deren ungewöhnlich hohes wissenschaftliches Ansehen unbestritten sei.

Heidegger hatte mit von Hevesy mehrere Trümpfe in der Hand: Der international renommierte Naturwissenschaftler, mehrfach ausgezeichnet, hatte über die Rockefeller-Foundation erhebliche Mittel erhalten, die er für die apparative Ausstattung des neuen Instituts für physikalische Chemie eingesetzt hatte. Diese Gelder gingen verloren wie überhaupt die chemische Industrie geschädigt werde, da von Hevesy in der angewandten Forschung und in der Ausbildung der Chemiker nahezu unersetzlich war. Außerdem gehörte die Familie von Hevesy zu den führenden politischen Kreisen Ungarns. Ein Bruder – Paul von Hevesy – war seinerzeit Gesandter in Madrid. Und so formulierte Heidegger: Eine »endgültige Beurlaubung würde dem Ansehen der deutschen Wissenschaft und gerade auch unserer Grenzlanduniversität einen schweren, auf lang hin nicht wieder auszugleichenden Stoß versetzen.« Überdies, beide seien edle Juden, von vorbildlichem Charakter; er könne für ein untadeliges Verhalten beider einstehen, »soweit da menschliches Urteil reicht.«

Das Ministerium entließ Fraenkel, behielt – wohl aus Gründen der Nützlichkeit und aus außenpolitischen Rücksichten – den Chemiker von Hevesy, der freilich nach Jahresfrist sich freiwillig für Kopenhagen entschied und am 1. Oktober 1934 auf eigenen Antrag aus dem badischen Staatsdienst entlassen wurde. Heidegger mußte auch in diesen Fällen die ministeriellen Voten hinnehmen, sein Spielraum war äußerst eingeengt.

Hätte er vielleicht protestieren oder gar im Protest zurücktreten sollen? Freilich: Sind dies adäquate Kriterien einer Beurteilung für einen Rektor, der grundsätzlich »im vollen Bewußtsein von der Notwendigkeit der unabdingbaren Ausführung des Gesetzes« überzeugt war? Im 1983 veröffentlichten Rechenschaftsbericht *Tatsachen und Gedanken* charakterisierte Martin Heidegger seine persönliche Lage:

»Das einzig aber auch nur im negativen Sinne Fruchtbare bestand darin, daß ich bei der ›Säuberungsaktion‹, die oft über die Ziele und Schranken hinauszudringen drohte,

Ungerechtigkeiten und Schädigungen der Universität und Kollegenschaft verhindern konnte.« Dann fährt er freilich fort: »Die bloß verhütende Arbeit trat in den Leistungen nicht in Erscheinung, und es war auch unnötig, daß die Kollegenschaft davon etwas erfuhr. Angesehene und verdiente Kollegen, der Juristischen, Medizinischen und Naturwissenschaftlichen Fakultäten würden erstaunt sein, wenn sie hörten, was ihnen zugedacht war.«

Heidegger spielt in diesen Sätzen auf den Paragraphen 4 des Gesetzes an. Es sind Sätze, die auf etwas Dunkles, Drohendes, Verborgenes weisen, vom Schleier des Geheimnisvollen umhüllt. In den Akten freilich ist von solchem Vorhaben nichts zu finden. Zwar wäre zu fragen, ob Akten alles sind – dennoch behaupte ich: Fast nichts war vorgesehen oder zugedacht. Die Behörden verhielten sich gewissermaßen gesetzeskonform, zumindest in der ersten Phase des Dritten Reiches – wie inhuman auch die Gesetze selbst waren.

So ist für den Bereich der Universität Freiburg bisher auch nur ein Fall bekannt gewesen – im Rektorat Heideggers –, in dem ein ordentlicher Professor gemäß § 4 des oben erwähnten Gesetzes aus dem Amt genommen wurde. Es handelt sich um den Moraltheologen und Caritaswissenschaftler Franz Keller, der wegen seiner pazifistischen Haltung vor 1933 nicht die Gewähr dafür bot, jederzeit rückhaltslos für den nationalen Staat einzutreten. Das Karlsruher Ministerium war im Falle Kellers aus eigenem Antrieb – zumindest formal – tätig geworden und hatte das Entlassungsverfahren in Gang gesetzt. Daß in jenen Wochen des politischen Umbruchs das anonyme Denunziationswesen Hochkonjunktur hatte, ist bekannt. So notierte der Prorektor Sauer am 2. Juni 1933 ins Tagebuch, er habe auf dem Rektorat festgestellt, daß gegen den Dogmatiker Engelbert Krebs Klage eingereicht worden sei; weiter daß der Nationalökonom Adolf Lampe – er wird uns noch mehrmals begegnen – schwer beschuldigt werde, weil er im Wahlkampf für die Hindenburg-Wahl 1932 das volkswirtschaftliche Programm der Nationalsozialisten als Unsinn bezeichnet habe. Sauer mußte auch feststellen, daß gegen den Moraltheologen Keller »die schwersten Anschuldigungen« wegen antinationaler und pazifistischer Gesinnung vorlagen.

Der Fall Hermann Staudinger oder die Aktion Sternheim

Ein Beispiel der reibungslosen Arbeit im Kader der nationalsozialistischen Hochschullehrer

Es gibt wohl im Leben eines jeden Wissenschaftlers Augenblicke, da er ratlos wird, wenn er bestimmten Zusammenhängen begegnet – beim Historiker etwa – wenn er auf frappierendes Quellenmaterial stößt, das er zunächst für unwirklich hält, ja halten muß. Seinerzeit bei der Suche nach archivalischen Unterlagen für das Heidegger-Thema war ich überrascht und betroffen, als ich in den Akten des badischen Kultusministeriums einen Vorgang eindeutiger politischer Denunziation durch den Rektor Heidegger fand. Tagelang blieb ich unschlüssig, ob ich diesen »in situ«, also völlig ungestörten, Aktenkomplex auf sich beruhen lassen oder ihn auswertend und ordnend publizieren sollte. Möge doch ein späterer Historiker sich damit beschäftigen oder, besser gesagt, abplagen! Möge der doch den Ruf, Spürhund zu sein, auf sich nehmen! Das Geschäft des wissenschaftlichen Handwerkers – wie es der Historiker in den Augen des Philosophen (genauer gesagt: bestimmter Philosophen) nun einmal betreibt – ist nicht immer leicht. Kompliziert wurde der Fund dadurch, daß keine Erklärung der Motivation sich ergeben wollte – und diese Erklärung auch jetzt nicht im Letzten möglich zu sein scheint, man nehme denn eine tiefenpsychologische Auslegung zu Hilfe.

Am 11. Oktober 1933 wurde im Karlsruher Kultusministerium folgende Aktennotiz gefertigt: »Der Herr Hochschulreferent hat anläßlich seines Aufenthaltes in Freiburg am 29. September 1933 nach Unterrichtung durch den Rektor der Universität, Professor Dr. Heidegger, angeordnet, daß seitens des Rektors Erhebungen über das Vorliegen von Voraussetzungen des Paragraphen 4 des Gesetzes zur Wiederherstellung des Berufsbeamtentums bezüglich Professor Dr. Staudinger getätigt werden.« Dies die spröde Formulierung in Juristendeutsch über einen Tatbestand, der mentalitätsgeschichtlich von höchster Brisanz ist – voller Aussagekraft.

Aus der sehr dichten und lückenlosen Aktenlage ergibt sich eindeutig, daß Heidegger in seiner Eigenschaft als Rektor am 29. September 1933, als der badische Hochschulreferent, Professor Fehrle, in Freiburg weilte – vor allem wegen der Ernennung Heideggers zum Führer-Rektor mit Wirkung vom 1. Oktober –, diesen über politisch belastendes Material betreffend Hermann Staudinger, den damals schon weltbekannten Chemiker, informiert hatte; dieses Material bezog sich auf Vorgänge aus der Zeit des 1. Weltkriegs und der unmittelbaren Nachkriegsjahre. Fehrle hatte daraufhin noch am 30. September 1933 »zur Wahrung der Frist« – Verfahren aus politischen Gründen mußten bis zu diesem Tag eingeleitet sein – bei der Polizeidirektion Freiburg eine Anzeige gegen Staudinger eingereicht. »Das Verfahren ist demnach in Lauf«, heißt es in den Akten. Aufgrund dieser Anzeige übernahm das Geheime Staatspolizeiamt Karlsruhe die Ermittlungen und teilte dem Ministerium schon am 4. Oktober 1933 mit: »Um Verwechslungen vorzubeugen, gestatte ich mir darauf hinzuweisen, daß für Professor Staudinger in Freiburg der Deckname ›Sternheim‹ Verwendung findet.« Der Freiburger Rektor habe freilich der Gestapo keine sachdienlichen Angaben machen können; er hatte nur umlaufende Gerüchte – liefen solche tatsächlich um? – zum Anlaß der »Unterrichtung« genommen.

Die »Aktion Sternheim« jedenfalls wurde glatt und, wie es sich gehörte, geräuschlos durchgeführt. Die Gestapo ward fündig, nicht nur beim Karlsruher Bezirksamt – Staudinger hatte bis 1912 an der Technischen Hochschule in Karlsruhe gewirkt, zunächst als Assistent, dann als Privatdozent und außerplanmäßiger Professor –, vor allem via Auswärtiges Amt in Berlin. Drei umfangreiche Aktenfaszikel wurden innerhalb der nächsten Monate zusammengetragen – aus den Berichten des deutschen Generalkonsulates in Zürich und der Deutschen Botschaft in Bern.

Das Geheime Staatspolizeiamt in Karlsruhe drängte stark auf die rasche Erledigung, mahnte das Auswärtige Amt, das wiederum den deutschen Gesandten in Bern unter Druck setzte. Der damalige deutsche Gesandte in Bern, Freiherr von Weizsäcker, später Staatssekretär unter

Reichsaußenminister von Ribbentrop, übermittelte mit Kurierpost noch an Weihnachten 1933 die erbetenen Unterlagen.[148] Was lag alledem zugrunde?

Der seit 1912 an der Eidgenössischen Technischen Hochschule in Zürich als ordentlicher Professor tätige Chemiker hatte seit 1917 den Erwerb der Schweizer Staatsangehörigkeit – unter Beibehaltung der deutschen – betrieben. Das war, nach außen betrachtet, eine formale Angelegenheit. Das deutsche Generalkonsulat in Zürich jedoch hatte seinerzeit eine negative Stellungnahme zu dem Begehren Staudingers abgegeben und zwar auf folgendem Hintergrund: Staudinger, der 1904 als dauernd untauglich für den militärischen Dienst ausgemustert worden war, sollte 1915 in Zürich durch das Generalkonsulat auf eine mögliche militärische Verwendung überprüft werden, was Staudinger nicht sonderlich begrüßte, zumal er damals eine prinzipielle pazifistische Einstellung eingenommen hatte. Die militärärztliche Untersuchung ergab eine vorläufige Zurückstellung. In diesem Zusammenhang wurden von der deutschen Abwehr bei der Botschaft in Bern nachrichtendienstliche Erkenntnisse ventiliert, wonach Hermann Staudinger für das feindliche Ausland beratend tätig sei für die Herstellung kriegswichtiger Chemikalien, besonders für die Produktion von Farbstoffen. Um einem Gestellungsbefehl zuvorzukommen – Staudinger war wehrpflichtig – betrieb er die Einbürgerung in die Schweiz unter Beibehaltung der deutschen Staatsangehörigkeit. Diesem Petitum wurde nicht entsprochen, da eine volle Gewähr für seine nationale Gesinnung nicht gegeben sei. Er lege eine antimilitärische Gesinnung an den Tag, lehne in diesem Krieg jede Unterstützung seines Vaterlandes ab. Man wisse in Zürich sehr wohl, »daß er weder dem Rufe zu den Waffen noch der Aufforderung, seine Arbeitskraft in den Dienst des Vaterlandes zu stellen, in gegebenem Falle Folge zu leisten entschlossen ist«, das die Argumente, die 1918 zur Ablehnung des Staatsangehörigkeitsantrags geführt haben.

Staudinger begleiteten diese Verdachtsmomente und Bedenken auch nach dem Krieg, vor allem der Vorwurf, er habe niemals einen Hehl daraus gemacht, daß er in scharfem Gegensatz zur nationalen Strömung in Deutschland stehe, und er habe wiederholt erklärt, sein

---

[148] Politisches Archiv des Auswärtigen Amtes R III/218/3a. Weiteres Aktenmaterial aus diesem Bestand wird weiter unten ausgewertet.

Vaterland niemals mit der Waffe oder sonstigen Arbeitsdienstleistungen zu unterstützen – so im Bericht des deutschen Generalkonsuls vom Mai 1919 nach Berlin, als Staudinger erneut den Status der Doppelstaatsangehörigkeit anstrebte – diesmal mit Erfolg. Zwar müsse jetzt von verschiedenen Verdächtigungen Abstand genommen werden, aber es bleibe die Tatsache bestehen, daß »Professor Staudinger in Kriegszeiten eine Haltung eingenommen hat, die, zumal in Anbetracht seiner Stellung als Hochschulprofessor, geeignet war, das Ansehen der deutschen Sache im Ausland schwer zu schädigen.« Auch angesichts der inzwischen erfolgten politischen Umwälzung in Deutschland müsse an dieser Bewertung festgehalten werden. Das der Stand 1919. Die Gestapo erhob weiter aus den diplomatischen Akten, daß Staudinger 1917 sich für den Pazifisten Professor Dr. Nicolai, der sich während des Krieges geweigert hatte, den Fahneneid zu leisten, verwendet und mit ihm literarisch zusammengearbeitet habe. Hier müßte eigentlich weiter ausgeholt werden, um den nuancenreichen Hintergrund darzustellen, auf dem Staudingers politische Einstellung sichtbar wird: Er war, zusammen mit seiner Gattin, eingebunden in die religiös-pazifistischen und religiös-sozialistischen Kreise um den Pfarrer Ragaz, der seines Pfarramtes dann verlustig ging. Es möge bei diesen Hinweisen sein Bewenden haben.[149]

In Verbindung mit anderen Vorwürfen hatte die Gestapo genügend Material zusammengetragen, so daß die Karlsruher Leitstelle am 25. Januar 1934 dem Ministerium schreiben konnte: «Beifolgend lege ich die vom Auswärtigen Amt übersandten Akten sowie die Staatsangehörigkeitsakten vor. Ich nehme an, daß der Inhalt der diplomatischen Akten zur Durchführung des Verfahrens ausreichen wird.»

Der Rektor Martin Heidegger wurde am 6. Februar 1934 vom Kultusministerium unter Zusendung der Akten zu einer eilbedürftigen Stellungnahme aufgefordert – »In Hinblick darauf, daß eine etwaige Anwendung des Paragraphen 4 des Gesetzes bis zum 31. März 1934 erfolgt sein muß, darf ich um beschleunigte Behandlung ersuchen.« Der Freiburger Rektor beeilte sich und erstattete seinen Bericht am 10. Februar unter Zurücksendung der Unterlagen – einen vernichtenden Bericht, zugleich einen entlarvenden, mit dem Briefkopf des Akademischen

---

[149] Vgl. Markus Mattmüller, *Leonhard Ragaz und der religiöse Sozialismus*, Bd. I, Basel 1957, Bd. II, Zürich 1968. Die Referenzen auf Hermann und Dora Staudinger befinden sich im Band II.

Rektorats der Universität Freiburg, freilich ohne Tagebuchnummer, wimmelnd von Tippfehlern wie von ungeübter Hand auf der Schreibmaschine geschrieben. Martin Heidegger listete nach genauem Studium des umfangreichen Materials die Vorwürfe gegen Hermann Staudinger in vier Punkten auf und führte aus:

»Das Studium der Akten Prof. Staudingers ergibt zur Entscheidung der Frage, ob § 4 des Gesetzes zur Wiederherstellung des Berufsbeamtentums auf ihn anzuwenden ist, folgendes: 1) Alle Berichte des deutschen Generalkonsulats Zürich aus der Kriegszeit, besonders die Aktennotiz des Legationssekretärs von Simon vom 15. 10. 1917, sprechen von Weitergabe deutscher chemischer Herstellungsverfahren durch St. ans (feindliche) Ausland. 2) Im Januar 1917, also in höchster Notzeit des Vaterlandes, bewarb sich St. ums schweizerische Bürgerrecht, ohne daß eine berufliche oder andere Notwendigkeit vorlag. Der Vollzug wurde durch das deutsche Generalkonsulat verhindert. 3) Am 9. 1. 1919, also unmittelbar nach dem deutschen Niederbruch, erneuerte St. sein Gesuch um Erlaubnis zur Einbürgerung in der Schweiz, nach seinen Worten ›bei jetzt veränderter innen- und außenpolitischen Situation Deutschlands‹. Die Einbürgerung erfolgte am 23. 1. 20, ohne daß die deutsche Genehmigung vorlag. St. behauptete, die Erlaubnis des badischen Bezirksamtes vom 15. 1. 1919 erhalten zu haben, das Schriftstück aber nicht mehr zu besitzen. Dem Aktenbund I ist das Schriftstück eingeheftet. Es enthält nicht einmal Andeutung von Genehmigung. Im höchsten Maße belastende Aussagen enthalten die Berichte des Generalkonsulats Zürich vom 12. Januar 1918 und vom 1. Mai 1919. Staudinger hat danach ›niemals ein Hehl daraus gemacht, daß er in scharfem Gegensatz zu der nationalen Strömung in Deutschland stünde und hat wiederholt erklärt, daß er sein Vaterland niemals mit der Waffe oder sonstigen Dienstleistungen unterstützen werde‹. Bezeichnenderweise beschreibt der nachherige marxistische Gesandte Adolf Müller den Staudinger als Idealisten. Nicht weniger belastend sei die Tatsache, daß Staudinger 1917 von Zürich aus eine Bittschrift für den Pazifisten Dr. med. Nicolai verfaßt habe, welcher sich geweigert hatte, den Fahneneid zu leisten.«

Und Heideggers abschließendes Urteil – es war eine arge Verurteilung! – möge für sich sprechen:

»Diese Tatsachen erfordern schon aus sich die Anwendung des Paragraphen 4 zur Wiederherstellung des Berufsbeamtentums. Da sie seit den Erörterungen über die Berufung Staudingers nach Freiburg 1925/26 weiten deutschen Kreisen bekannt geworden und seither bekannt geblieben sind, verlangt auch das Ansehen der Universität Freiburg ein Einschreiten, zumal sich Staudinger heute als 110prozentiger Freund der nationalen Erhebung ausgibt. Es dürfte eher Entlassung als Pensionierung in Frage kommen. Heil Hitler!«

Es müßte jetzt natürlich zu den einzelnen Anschuldigungen Punkt für Punkt Stellung bezogen werden. Nur soviel: der Vorwurf des Verrates von Fabrikationsgeheimnissen ist selbst von den Nationalsozialisten nicht aufrecht erhalten worden. Für Heidegger jedoch ist dies ein erwiesenes Faktum! Also: Das Ansehen der Universität Freiburg erforderte die Entlassung des weltbekannten Chemikers, des Mitglieds zahlreicher deutscher und ausländischer wissenschaftlicher Gesellschaften, des nachmaligen Nobelpreisträgers! Worauf Heidegger anspielte: Im Zusammenhang mit der Vorgeschichte der Berufung Staudingers im Jahre 1925 wurde dessen pazifistische Haltung während des Ersten Weltkriegs, seine Auseinandersetzung mit Fritz Haber, dem Entdecker der Ammoniaksynthese, nach dem Ersten Weltkrieg wegen der Rolle Deutschlands bei der Anwendung von Giftgas ventiliert – kurz, Staudingers nationale Haltung war in Zweifel gezogen worden. Auf interne Anfragen legte Staudinger damals seine Einstellung zum jetzigen Deutschland dar, vermittelte die entsprechenden Unterlagen und räumte selbst bei einigen deutschnational gesinnten Professoren der Mathematisch-Naturwissenschaftlichen Fakultät der Freiburger Universität die Bedenken aus.[150]

Soweit festgestellt werden kann, spielte die frühere politische Haltung Staudingers in Freiburger Universitätskreisen keine Rolle mehr. Der Professor oblag seiner wissenschaftlichen Arbeit und leitete erfolgreich das Chemische Laboratorium. Aber: da gab es Zusammenhänge, wie gleich zu erörtern sein wird. Und dem Votum des Freiburger Rektors entsprechend kam der Kultusminister am 22. Februrar 1934 beim Staatsministerium zu folgendem Antrag: »Das Staatsministerium wolle Herrn Reichsstatthalter vorschlagen, Professor Dr. Hermann Staudinger mit dem Tage der Eröffnung der Entschließung aus dem badischen Staatsdienst zu entlassen.« Staudinger habe bei der Vernehmung die Anschuldigungen wegen undeutschen Verhaltens während des Krieges nicht entkräften können.« Aufgrund dieser Tatsachen kommt Professor Staudinger als Erzieher für die deutsche akademische Jugend nicht mehr in Betracht; ich erachte die Voraussetzungen für die Entfernung von der Universität Freiburg gemäß § 4 des Gesetzes ... als gegeben«, meinte der Kultusminister abschließend, das Vernehmungsprotokoll als Anlage beifügend.

Vorausgegangen war diesem Antrag die Vernehmung des Chemieprofessors, der am 17. Februar 1934 telefonisch in das Kultusministerium einbestellt worden war. Das Verhör wurde zu einer einzigen Demütigung des hünenhaften Mannes, der Gardemaß hatte; der totalitäre

---

[150] Vgl. Claus Priesner, »Hermann Staudinger und die makromolekulare Chemie in Freiburg. Dokumente zur Hochschulpolitik 1925 – 1955«, *Chemie in unserer Zeit*, 21. Jg., 1987, S. 151–160.

Staat zeichnete sich in seinen Konturen ab und ließ seine Fratze erblik-
ken. Hermann Staudinger, der nie erfahren hat, daß sein »Fall« der Initiative Heideggers zu verdanken war, wurde mit den Anschuldigungen
konfrontiert und unvorbereitet in eine Verteidigungposition manö-
vriert. Er kämpfte sozusagen mit dem Rücken zur Wand; die Vorwürfe
konnte er nicht in der Art entkräften, daß er sie etwa leugnete.

Hatte er doch zum Beispiel 1917 in der *Friedenswarte* einen Beitrag
veröffentlicht, in dem es zum Schluß hieß: »Ein Zukunftskrieg könnte
so ungeahnte Vernichtung und Zerstörung bringen, und bei dieser Situation erscheint die Frage nach einem wirklich dauernden Frieden als
eine Aufgabe der gesamten Menschheit, die heute, und gerade heute,
gelöst werden muß, wenn nicht die Kulturvölker vom Untergang bedroht sein sollen. Ein Friede, der nur eine Art Waffenstillstand brächte,
wäre das Schlimmste, was Europa treffen könnte.« All dies und anderes wurde ihm jetzt vorgehalten. Zu seiner Verteidigung erklärte Staudinger jetzt, 1934, folgendes: Er sei nicht Pazifist in dem streng religiösen Sinn der Quäker oder Kriegsdienstverweigerer gewesen, sondern
Pazifist »aufgrund meiner Kriegsvorstellungen über die Bedeutung der
Technik.« Im übrigen hob er darauf ab, sich längst von seinen früheren
politischen Anschauungen gelöst zu haben. Seit Beginn seiner Freiburger Tätigkeit könne ihn der Vorwurf »antinationaler Gesinnung« nicht
mehr treffen. Er habe – im Gegenteil – »den Ausbruch der nationalen
Revolution mit großer Freude begrüßt«. Überdies könne er jetzt »im
nationalsozialistischen Staat eine außerordentlich weitgehende Betäti-
gungsmöglichkeit« haben. Auch in der Industrie werde sein früheres
Verhalten ihm nicht mehr nachgetragen.

Dementsprechend versuchte Staudinger in die Waagschale zu seinen Gunsten zu werfen, was er an Sachverstand für das nach wirtschaft-
licher Autarkie strebende neue Deutschland vorbringen konnte. Bereits am 25. Februar 1934 veröffentlichte er in der Düsseldorfer *Völkischen Zeitung* einen größeren Beitrag mit dem Thema »Die Bedeutung
der Chemie für das deutsche Volk« und schickte Anfang März 1934
dem Kultusminister persönlich einen Sonderdruck dieses Zeitungsarti-
kels – eine ›Goodwill‹-Aktion. Für Staudinger intervenierte auch der
Freiburger NS-Oberbürgermeister Dr. Kerber, der irgendwie von der
bevorstehenden Entlassung erfahren haben mußte. Und selbst Rektor
Heidegger meldete sich am 5. März in einem Handschreiben zu Wort
(wieder mit dem Briefkopf »Akademisches Rektorat der Universität

Freiburg«, wiederum ohne Tagebuchnummer – es sind auf diese Weise keine Gegenakten an der Freiburger Universität entstanden). Heidegger verwies auf die Regelung im Fall des Moraltheologen Keller, der, anstatt entlassen zu werden, in den Ruhestand versetzt wurde.

»Nach reiflicher Überlegung scheint es mir ratsam, auch im Falle St. einen entsprechenden Weg zu suchen mit Rücksicht auf die Stellung, die der Genannte in seiner Wissenschaft im Ausland genießt ... ich brauche kaum zu bemerken, daß *in der Sache* sich natürlich nichts ändern kann. Es handelt sich lediglich darum, eine neue außenpolitische Belastung nach Möglichkeit zu vermeiden«,

meinte der Rektor Heidegger, damit ein Argument verwendend, das er bereits im Juli 1933 zugunsten der Professoren v. Hevesy und Fraenkel ins Feld geführt hatte. Also lediglich Minderung des »Strafmaßes« im Fall Staudinger.

Das Kultusministerium fand zu einer salomonischen Lösung, die freilich grotesker Züge nicht entbehrt: Der Antrag beim Staatsministerium wurde zurückgezogen, Staudinger nochmals telefonisch einbestellt und einer Demütigung unterzogen; er mußte den förmlichen Antrag auf Entlassung aus dem badischen Staatsdienst stellen, der dann für sechs Monate zu den Akten genommen wurde. Da die Vorwürfe sich auf einen längere Zeit zurückliegenden Tatbestand stützten, werde der Entlassungsantrag nur dann »verbeschieden, wenn neuerliche Bedenken auftauchten.« Solche tauchten nicht auf, da sich der inkriminierte, unter Beobachtung stehende Chemiker vielfältig anpaßte und vor allem seine Unentbehrlichkeit für die künftige Autarkiepolitik aufzeigte, und vereinbarungsgemäß durfte Staudinger im Oktober 1934 seinen Antrag zurückziehen. Der Fall war abgeschlossen, glimpflich für Staudinger ausgegangen. Nicht überall wurde so verfahren, wie gleich zu zeigen sein wird.

Was lernen wir aus der »Aktion Sternheim« für unsere Fragestellung? Wo liegen die eigentlichen, tieferen Motive Heideggers, ein renommiertes Mitglied seiner Universität in dieser unglaublichen Weise zu denunzieren und gegen den Kollegen nach Studium der geheimpolizeilichen Akten auf Entlassung anzutragen? War es die nationale Komponente, von der Heidegger durchdrungen war, daß er aus der Vergangenheit die politische Unzuverlässigkeit für die Gegenwart und für die Zukunft konstruierte? Ich gestehe ein, daß ich mir keine Antwort weiß. Nur eines ist mir aufgegangen: Für die mentale Struktur Heideggers und für seine Grundbefindlichkeit ist dieser Vorgang, der von der

Anzeige bis zum Abschluß fast ein halbes Jahr beanspruchte, nieder-schmetternd. Gerade in den Wochen, in denen Heidegger mit dem Na-tionalsozialismus eindeutig gebrochen haben will, treibt er hinter den Kulissen ein schlimmes Spiel in Verbindung mit den staatspolizeilichen Ermittlungen und den Vernehmungen, die ein unbescholtener Wissen-schaftler über sich ergehen lassen mußte und aufgrund derer er an den Rand der Existenz geriet. Wozu sich der Rektor allenfalls verstand: ein milderes Urteil – statt Entlassung ohne Bezüge Versetzung in den Ru-hestand. Und dieser Gnadenakt auch nur mit einem Schielen nach dem Ausland, wo die ursprünglich beabsichtigte »Behandlung« Staudingers mit Empörung aufgenommen werden konnte. Klar, »daß *in der Sache* sich natürlich nichts ändern kann.« Zwielichtig: und eindeutig in einem!

Indes: wir müssen noch tiefer loten, weil sich auch am Fall »Stau-dinger« erweist, daß Heidegger zielstrebig, von langer Hand geplant und gearbeitet hat, nichts dem Zufall überlassend. Und der Fall »Stau-dinger« hatte einen interessanten Kontext. Nach der ersten Publikation meiner Ergebnisse ist mehrfach verlautbart worden, es sei ja nicht mit letzter Sicherheit erwiesen, daß der Freiburger Rektor die Aktion in Gang gebracht habe, möglicherweise sei er doch auf Anweisung aus dem Karlsruher Ministerium tätig geworden. Auch wenn aus der mir 1984 zugänglichen Aktenlage zweifelsfrei die Initiative Heideggers dar-getan war – manche Stimmen der veröffentlichten Meinung blieben skeptisch. Neuerdings liegen die Zusammenhänge eindeutig: Nachfor-schungen im Politischen Archiv des Auswärtigen Amtes brachten zuta-ge, daß der Rektor Heidegger schon im Juli 1933 einen Vertrauens-mann, den Privatdozenten der Physik, Dr. phil. nat. Alfons Bühl, in Zürich hatte recherchieren lassen. Unter dem 28. Juli 1933 legte ein Mitarbeiter des deutschen Generalkonsulats in Zürich folgende Akten-notiz an:

»Privatdozent Dr. Bühl teilt mir mit, daß er vom Rektor der Universität Freiburg be-auftragt sei, Material über Professor Staudinger, zur Zeit Professor an der Universität Freiburg, zu sammeln, da dort verschiedene Gerüchte wegen Kriegsdienstverweige-rung usw. umlaufen. Im Einverständnis mit Herrn Generalkonsul habe ich Herrn Bühl anheimgestellt, den Rektor aus Freiburg darauf aufmerksam zu machen, daß beim Ba-dischen Bezirksamt in Karlsruhe Material über Herrn Staudinger aus dem Jahre 1919 vorhanden sei.«

Wir erhalten Einblick in die Freiburger NS-Hochschullehrer-

Gruppierung. Dr. Bühl[151], geb. 1900, hatte 1925 bei dem Nobelpreisträger Philipp Lenard, dem Begründer der deutschen/arischen Physik,
in Heidelberg promoviert und sich 1929 in Freiburg bei Gustav Mie habilitiert; ab Herbst 1931 bis Oktober 1933 bekleidete er eine Assistentenstelle im Physikalischen Institut der Eidgenössischen Technischen
Hochschule Zürich, also an der Hochschule, an der Hermann Staudinger früher gearbeitet hatte. Bühl hatte seinen Hauptwohnsitz in Freiburg beibehalten. Er zählte zu dem inneren Kreis der nationalsozialistischen Universitätslehrer, zu dem kleinen Kader, der wenige Monate
zuvor Heidegger ins Amt gehievt hatte. Jetzt konnte er dank der
Kenntnis der Züricher Hochschulverhältnisse auf die Vergangenheit
des Chemikers Hermann Staudinger angesetzt werden.

Zuverlässig, im nationalen Sinn sehr zuverlässig, war dieser Privatdozent Dr. Bühl: Nach dem 1. Weltkrieg, an dessen Ende er noch einige
Monate teilgenommen hatte, meldete er sich als Zeitfreiwilliger nach
Berlin, nahm ab Dezember 1918 in der »Eisernen Eskadron« an den
Kämpfen gegen den Spartakus teil, dieser Einheit bis Mai 1920 angehö-
rend und zugleich das Studium der Physik betreibend. Ab 1921 arbeitete er bei Lenard in Heidelberg, war 1922 im Ruhrkampf aktiv. Seine
wissenschaftlichen Leistungen waren nicht sonderlich aufregend, dafür bot er genügend Beweise der richtigen weltanschaulichen Gesinnung. Dieser Dr. Bühl, im Auftrag des Rektors Heidegger tätig, gehörte zu den wenigen Naturwissenschaftlern, die im »arteigenen« Denken
den »deutschen« Weg suchten, immer noch beeinträchtigt durch die
vielen, die dem »jüdischen« Denken verhaftet blieben: er war ein Schüler und Agitator von Philipp Lenard. So ist es nicht verwunderlich, daß
Lenard von Heidelberg aus dafür sorgte, daß der kämpferische Bühl ab
1934 den durch Entlassung – aus politischen Gründen – vakanten Phy-
sik-Lehrstuhl an der TH Karlsruhe vertretungsweise versah und später
dort Ordinarius wurde – gegen den Willen der Hochschule.

Auch in Karlsruhe wurde die Entlassung eines Naturwissenschaft-
lers gemäß § 4 des ominösen Gesetzes betrieben – mit Erfolg: Im September 1933 wurde das Entlassungsverfahren gegen den sehr renom-
mierten Physiker Wolfgang Gaede, ohne den die Hochvakuumphysik
nicht denkbar gewesen wäre, verfügt, nach einschlägiger Denunziation

---

[151] Zu Bühl vgl. im allgemeinen Alan D. Beyerchen, *Wissenschaftler unter Hitler. Physiker im
Dritten Reich*, Köln 1980, *passim*.

eingeleitet; er habe, so stand dann in der NS-Zeitung *Der Führer* zu lesen, geäußert, ohne die Juden gehe Deutschland zugrunde. »Es ist Zeit, daß dieser Professor von der Hochschule verschwindet.«

1934 war das Verfahren beendet. Wir haben eine Parallele zu Hermann Staudinger vorliegen. In der Person Dr. Bühl ist die eigenartige Verbindung gegeben, die vielleicht auch eine Vermutung eröffnet: der Karlsruher Ordinarius wurde denunziert, damit ein jüngerer, arteigener, deutscher Physiker den Platz einnehme. Sollte im Fall von Hermann Staudinger eine ähnliche Motivation bestanden haben?

Nur zwölf Jahre später war Heidegger – in einem offenen Verfahren der akademischen Gremien – ebenfalls in seiner Existenz bedroht. Er wurde zur Verantwortung gezogen. Wäre der Fall Staudinger bzw. die »Aktion Sternheim« bekannt gewesen, Heidegger hätte nicht die mindeste Chance einer Rehabilitierung gehabt. Denn dieses menschliche Versagen in einem Syndrom politisch-ideologischer Aufgeblasenheit hätte ihn regelrecht gebrandmarkt – für alle Zeit!

Aber: in einer der vielen Versionen seiner Verteidigung sandte Heidegger am 15. Dezember 1945 dem Kollegen Constantin v. Dietze, dem Vorsitzenden des politischen Bereinigungsausschusses, eine Ausführung zu, die für die in Frage stehende Denunziation einen Schlußpunkt setzt – freilich in einer hintergründigen Weise und verständlich nur dem Wissenden: Er habe in den Jahren 1935 ff. immer wieder gewarnt und im Sommer 1938 in einem Vortrag »Die Begründung des neuzeitlichen Weltbildes durch die Metaphysik« dargetan, daß die Wissenschaften sich immer mehr der Technik ausliefern. Darüber sei ein übler Bericht im NS-Parteiorgan *Der Alemanne* erschienen.

»Die Reportage des Feuilletons wurde in der Zeitung so angelegt, daß im Anschluß an den Bericht über den ›interessanten Vortragsabend‹ eine Notiz gebracht wurde, die berichtete, daß z.Zt. in Freiburg die Gesellschaft für Chemie ihre Beratungen abhielte und die Universität sich an dieser Arbeit für den Vierjahresplan beteilige. Der Vortrag des ›Prof. Heidegger, der seinen Ruhm nur der Tatsache verdanke, daß er von niemandem verstanden werde und der das Nichts (d.h. unterstellt den Nihilismus) lehre‹, wurde herabgewürdigt gegenüber der allein ›lebenswichtigen‹ Arbeit der Fachwissenschaft.«

Heidegger hatte sich zwar inhaltlich nicht genau erinnert, aber er lag richtig, was das Atmosphärische betraf. In der Tat: *Der Alemanne*, einst Heideggers Sprachrohr, hatte sich auf den Philosophen – und auf diese Art von Philosophie – eingeschossen, dem Zeitgeist entsprechend ganz auf den »Vierjahresplan« eingestimmt. Und da war nun einmal der Chemiker Staudinger mehr gefragt und geschätzt denn der Denker Heidegger, dem solche Schmach angetan wurde – freilich nur auf dieser unteren, lokalen Ebene. – Ein geschicktes und bewußt organisiertes Lay-out plazierte unmittelbar unter dem schnoddrigen Bericht über Heideggers Vortrag:

> »Vierjahresplan und Chemie.
>
> Am 15. Juni um 12.15 findet im Rahmen der Hochschulwoche die Übernahme der neu-geschaffenen Räume des Chemischen Instituts, Albertstraße 21, statt. Zu dieser Veran-staltung wird auch der Rektor der Freiburger Universität erscheinen, der Präsident der Industrie- und Handelskammer, sowie eine Reihe Persönlichkeiten, die an chemischer Forschung Interesse haben. Anschließend wird Professor Dr. H. Staudinger einen Vor-trag halten über ›Vierjahresplan und Chemie‹.«

Die hintergründige Ironie dieser Konstellation vermochte nur Hei-degger zu begreifen. Und weil er sie zutiefst erfaßte, war er derart auf-gewühlt, daß er diese Fügung als schwerste Kränkung erfuhr. Es soll in diesem Zusammenhang nicht unbedingt das Diktum Heideggers beige-zogen werden: »Die verborgene Geschichte des Sagens kennt nicht Zu-fälle. Alles ist Schickung.« Andererseits: verboten ist solche Assozia-tion auch nicht.

Und in Anbetracht solcher Einsichten, die gleichsam indikatorisch die »wahre« Einstellung von Heidegger zum Dritten Reich, zum Na-tionalsozialismus, zum Führerstaat, fast überscharf beleuchten, fällt es nicht leicht, all das noch einer ernsthafteren Beurteilung zu unterzie-hen, was der Philosoph in *Tatsachen und Gedanken* über eine immer stärker werdende Distanzierung vom Nationalsozialismus, über eine Bewahrung der Wissenschaft vor der Politisierung ausgeführt hat. Das gilt auch für Motive und Modalitäten des Verzichts auf das Rektoramt. Es muß – da führt kein Weg vorbei – der Rechenschaftsbericht des Rek-tors Heideggers zusammengelesen werden mit Schriftstücken aus den Archiven, in denen die Mentalität Heideggers eingefangen ist – und zwar transparent. Denn die Rechtfertigungsschrift des Philosophen vermit-telt aus der Erinnerung ein Bild, das zuviele subjektive Züge trägt und ei-ner objektiven Überprüfung mit Hilfe der historischen Methode in vie-len Punkten – in Details und in Wesentlichem – nicht standhält.

Wie zwiespältig Heidegger auf diesem Feld gesehen werden muß, zeigt seine Einstellung, als ein anderes Mitglied der Naturwissenschaftlich-mathematischen Fakultät von einem Kollegen denunziert wurde und das Ministerium prüfte, ob ein Verfahren gemäß § 4 des obigen Gesetzes einzuleiten sei. Es handelte sich um den etatmäßigen a.o. Professor Dr. Johann Georg Königsberger, einen hochspezialisierten Geophysiker, den sein Kollege Professor Dr. Wilhelm Hammer wegen »marxistischer« Vergangenheit beim badischen Ministerium angezeigt hatte (Dezember 1933) – und zwar in übelster Weise. Der Rektor Heidegger antwortete – ordnungsgemäß verbucht und deswegen auch in den Universitätsakten verwahrt – am 16. Januar 1934 (also ziemlich zeitgleich mit dem Fall Staudinger) und dem Vorschlag, keine Maßnahmen gegen Königsberger zu treffen, da dieser seit vielen Jahren zurückgezogen lebe, nicht mehr politisch tätig sei und ausschließlich seiner wissenschaftlichen Arbeit sich widme. Der Beschuldigte habe im einschlägigen Fragebogen erklärt, der SPD bis Anfang 1932 angehört zu haben. Es sei hierbei auch zu beachten, »daß die Apparaturen des mathematisch-physikalischen Instituts fast alle Privateneigentum von Professor Königsberger sind, und bei einer vorzeitigen Zurruhesetzung wohl dem Lehrbetrieb verloren gingen«.[152]

Dieses anders gewichtete Verhalten Heideggers macht noch wahrscheinlicher, daß das unbedingte und hartnäckige Insistieren im Fall Staudinger wohl auch noch aus persönlicher Motivation erklärt werden muß.

---

[152] Aus dem Bestand des Universitätsarchivs Freiburg.

Das Projekt »Wissenschaftslager«

Die Sammlung der für die nationale Umwälzung verfügbaren Kräfte aus Dozentenschaft und Studentenschaft, gipfelnd in der elitären Berliner Schulungstagung, war als das positive Gegenstück, »Aufbruch des deutschen Geistes«, zur Aktion der Bücherverbrennung »Wider den undeutschen Geist« gedacht – als »eine folgerichtige Fortsetzung der ersten Aktion«, so schrieb der Leiter des Hauptamtes für politische Erziehung der deutschen Studentenschaft, Georg Plötner, am 29. Mai 1933 an Heideggers Gefolgsmann, den Privatdozenten Rudolf Stadelmann nach Freiburg, mit dem Historiker über die »politische Hochschule« diskutierend: Stadelmann hatte sich in Abstimmung mit Heidegger bereit erklärt, die Führung der Deutschen Studentenschaft im revolutionären Kampf zu unterstützen. Am 25. Mai 1933 hatte er nach Berlin u.a. geschrieben: »Die politische Hochschule ist nicht, weil ›Politik‹ im Mittelpunkt ihrer Aufgabe steht, sondern weil politische Menschen sie konstituieren.« Plötner gibt im Antwortschreiben der Hoffnung Ausdruck, Heidegger möge aus seiner Rektoratsrede einen Abschnitt zur Verfügung stellen oder einen anderen eindringlichen Beitrag für den »Aufbruch des deutschen Geistes«. Im übrigen komme ja Heidegger zur ersten Berliner Führertagung.[153]

Das Ergebnis dieser ersten Schulungstagung des Amtes für Wissenschaft der Deutschen Studentenschaft am 10. und 11. Juni 1933 sollte hinführen zu einer wirklichen »Hochschulgemeinschaft, geschaffen durch das Vertrauensverhältnis zwischen Hochschullehrerschaft und

---

[153] Nachlaß R. Stadelmann, Bundesarchiv Koblenz.

Studentenschaft auf dem Boden einer neuen Wissenschaft« und sollte ermöglichen »die wirkliche Verbindung der Hochschule mit dem Berufsleben im Volke, wachsend aus gemeinsamer Arbeit in den Fachschaften zwischen Studentenschaft und schon berufstätiger Arbeiterschaft.« Heideggers Rektoratsrede, in welcher er der deutschen Studentenschaft den dreifachen Dienst – Arbeits-, Wehr- und Wissensdienst – auferlegt hatte, bildete gewissermaßen den geistigen Hintergrund der Berliner Tagung, auf der Heidegger über Forschung und Lehre sprach, während Baeumler »Die Fachschaften der neuen Hochschule« behandelte. Die Durchdringung der neuen Bauelemente von Studentenschaft und Hochschullehrerschaft sollte im Wissenschaftslager vollzogen werden – eine genuine Konzeption Heideggers, der sich bereit erklärte, in seinem Todtnauberg eine Art Muster-Wissenschaftslager zu veranstalten, auf dem bereits ein Stamm von neuen politischen Studenten und Dozenten herangebildet werden sollte. Im Wissenschaftslager sollte sich ereignen: einmal ein geistiges Vertrauensverhältnis zwischen Hochschullehrer und Studenten in gemeinsamer wissenschaftlicher Arbeit, verstanden als Kameradschaft im politischen Kampf, zum andern die Begegnung des Studenten mit dem Arbeiter.

Der Wissenschaftsbegriff, der in Berlin thematisiert wurde, ist der aus Heideggers Rektoratsrede: »Wissenschaft ist das fragende Standhalten inmitten des sich ständig verbergenden Seienden im Ganzen. Dieses handelnde Ausharren weiß dabei um seine Unkraft vor dem Schicksal.« Dieses anfängliche Wesen der Wissenschaft freilich sei durch die nachkommende christlich-theologische Weltdeutung und das mathematisch-technische Denken der Neuzeit überlagert worden, doch: »Der Anfang *ist* noch«, jetzt in die Zukunft eingefallen. »Er steht dort als die ferne Verfügung über uns, seine Größe wieder einzuholen.« Die antichristliche Attitüde Heideggers – «Einbruch des Christentums in das deutsche Geistesleben« – wurde in Berlin griffiger zur Geltung gebracht – es galt ja, Schulung zu üben. Was der Rektor Heidegger in Berlin im einzelnen vorgebracht hat, ist vorerst unserer Kenntnis entzogen, es scheint jedoch so brisant gewesen zu sein, daß das von ihm erbetene Manuskript nur im kleinsten Kreis kursieren, keineswegs jedoch in irgendeiner Form publiziert werden sollte. Nach dem Bericht, der sich in der NS-Zeitschrift *Der Deutsche Student* (Augustheft 1933) findet, solle der Student der neuen Hochschule fest verankert sein

»durch die Verbundenheit mit einer aus unserem Geiste kommenden Wissenschaft: einer Wissenschaft, die wieder zur Lebenswirklichkeit der Natur und der Geschichte erwacht ist aus dem Zauberschlafe eines wirklichkeitsfernen, fruchtlosen Ideologismus aller Schattierungen, dem sie durch den Einbruch des Christentums in das deutsche Geistesleben verfiel und die sich wieder befreit hat aus der Gefangenschaft positivistischer Tatsachenkrämerei.«

Es stehe dahin, wieviele Wissenschaftslager durch Heidegger im Sommer und Herbst 1933 organisiert und geleitet worden sind – in einer Zeit großer Umwälzungen, als auch die Eliten der Führung der nationalsozialistischen Studentenschaft abgelöst und ausgetauscht worden und für einen in der Provinz behausten politischen Rektor viele Prozesse undurchschaubar geworden sind. Da diese Wissenschaftslager in einer gewissen Grauzone angesiedelt waren, nicht ganz offiziell wie z.B. die von der Studenten-SA betreuten Wehrlager, eher elitären Charakter hatten, können sie nur sehr schwer in einer historischen Studie herausgearbeitet werden.

Zwei bisher publizierte Hinweise auf die Innenansicht eines Wissenschaftslagers mögen den Weg bahnen – einmal die Schilderung eines Teilnehmers, des Theologiestudenten Heinrich Buhr, zum anderen Heideggers Ausführungen im 1983er Rechenschaftsbericht.

Der nachmalige evangelische Pfarrer Buhr schilderte seine Erfahrungen aus dem Todtnauberger Wissenschaftslager:

»Es war wohl im Herbst 1933 in Todtnauberg, daß ich – damals junger Student der evangelischen Theologie – Martin Heidegger zum ersten Mal sprechen gehört habe, vor Studentenvertretern der Universität Heidelberg, Freiburg und Tübingen. Ich war in diesem Kreis der einzige Theologe, einer, der sich zur Theologie bekannte. Martin Heidegger hielt eine Rede – soviel konnte ich damals gerade verstehen – gegen das Christentum, gegen die christliche Theologie, gegen diese Auslegung des Daseins, der Wirklichkeit. Wenn man das Christentum angreifen wolle, dann genüge es nicht, sich auf den zweiten Artikel dieser Lehre (von Jesus als dem Christus) zu beschränken. Schon der erste Artikel, daß ein Gott die Welt geschaffen habe und erhalte, – daß das Seiende bloß ein Gemachtes sei als von einem Handwerker hergestellt –, das müsse zuerst verworfen werden. Schon da liege der Grund einer falschen Weltentwertung, Weltverachtung und Weltverneinung; das sei weiter Ursache jenes falschen Gefühls von Geborgenheit, von Sicherheit, gegründet auf Vorstellungen von der Welt, die man sich eben gemacht hat, unwahr gegen das große, noble Wissen um Ungeborgenheit des ›Daseins‹. So habe ich es damals ungefähr verstanden und in Erinnerung behalten. Das war mir, dem Leser Ernst Jüngers (ich denke an ›Das abenteuerliche Herz‹) nicht fremd.«[154]

---

[154] In Neske 1977, S. 53.

Die Erinnerung Buhrs trügt nicht – es braucht bloß anderwärts in diesem Buch nachgelesen zu werden.

In der Verteidigungsschrift berichtet Heidegger erstmalig – diese Passagen sind in den Akten des politischen Reinigungsverfahrens von 1945 nicht enthalten – ausführlich über das »Todtnauberger Lager«. Er stellt dieses Lager, das gescheitert ist, in den Zusammenhang seiner Bestrebungen, gegen den Strom der Parteidoktrin zu steuern und den »Einfluß von Parteifunktionären« auszuschalten. Um den komplizierten Sachverhalt erfassen zu können, ist ein längeres Zitat aus dem Rechenschaftsbericht unumgänglich:

»Ein eigentümliches Vorzeichen für das Wintersemester 33/34 wurde das ›Todtnauberger Lager‹, das Dozenten und Studenten auf die eigentliche Semesterarbeit vorbereiten und meine Auffassung vom Wesen der Wissenschaft und der wissenschaftlichen Arbeit verdeutlichen und zugleich zur Erörterung und Aussprache stellen sollte.

Die Auswahl der Teilnehmer am Lager erfolgte *nicht* nach Gesichtspunkten der Parteizugehörigkeit und der Betätigung im Sinne des Nationalsozialismus. Nachdem in Karlsruhe der Plan für das Lager bekannt geworden war, kam alsbald von Heidelberg der nachdrückliche Wunsch, auch einige Teilnehmer schicken zu dürfen; insgleichen verständigte sich Heidelberg mit Kiel.

Durch einen Vortrag über Universität und Wissenschaft versuchte ich das Kernstück der Rektoratsrede zu klären und die Aufgabe der Universität mit Rücksicht auf die vorgenannten Gefahren eindringlicher vorzustellen. Es ergaben sich sogleich fruchtbare Gespräche in den einzelnen Gruppen über Wissen und Wissenschaft, Wissen und Glauben, Glauben und Weltanschauung. Am Morgen des zweiten Tages erschienen plötzlich unangemeldet im Auto der Gaustudentenführer Scheel und Dr. Stein und unterhielten sich eifrig mit den Heidelberger Teilnehmern des Lagers, deren ›Funktion‹ langsam deutlich wurde. Dr. Stein bat, selbst einen Vortrag halten zu dürfen. Er sprach über Rasse und Rassenprinzip. Der Vortrag wurde von den Lagerteilnehmern zur Kenntnis genommen, aber nicht weiter erörtert. Die Heidelberger Gruppe hatte den Auftrag, das Lager zu sprengen. Aber in Wahrheit handelte es sich nicht um das Lager, sondern um die Freiburger Universität, deren Fakultäten nicht durch Parteigenossen geleitet werden sollten. Es kam zu unerfreulichen Vorgängen z. T. schmerzlicher Art, die ich aber hinnehmen mußte, wenn ich nicht das ganze bevorstehende Wintersemester im vorhinein scheitern lassen wollte. Vielleicht wäre es richtiger gewesen, jetzt schon das Amt niederzulegen. Aber ich hatte damals noch nicht mit dem gerechnet, was alsbald an den Tag kam. Das war die Verschärfung der Gegnerschaft sowohl von seiten des Ministers und der ihn bestimmenden Heidelberger Gruppe, als auch von seiten der Kollegenschaft.« (Heidegger 1983, S. 35 ff.)

Konzeption und Binnenstruktur des vom 4. bis 10. Oktober 1933 angesetzten ersten Wissenschafts- bzw. Fachschaftslagers in Todtnauberg lassen sich ziemlich klar aus dem Nachlaß von Rudolf Stadelmann, des seinerzeitigen Privatdozenten für Geschichte an der Universität Freiburg, erhellen.[155] Für die Dozenten und Assistenten zeichnete Heidegger – nicht in der Funktion des Rektors! – verantwortlich: er hatte einen kleinen, handverlesenen Kreis »für diesen ersten Versuch« ausgewählt aus einer großen Zahl Interessierter. Diese Dozentengruppe sollte mit den ebenfalls sorgfältig ausgesuchten Studenten die »Lagerarbeit« leisten in dem Ritual nationalsozialistischer Lagerdisziplin: geschlossener Abmarsch von der Universität: »Das Ziel wird durch Fußmarsch erreicht« – immerhin eine große Strecke von Freiburg entfernt –, »SA- oder SS-Dienstanzug, eventuell Stahlhelmuniform mit Armbinde«; bei einem Tagesdienstplan, der vom 6-Uhr-Wecken bis zum Zapfenstreich um 22 Uhr reichte. Selbstverständlich sollte auch der Rückmarsch zu Fuß erfolgen. Wie Heidegger am 22. September 1933 den teilnahmeberechtigten Dozenten schrieb, waren folgende Ziele gegeben:

»Die eigentliche Lagerarbeit gilt der Besinnung auf die Wege und Mittel zur Erkämpfung der zukünftigen hohen Schule des deutschen Geistes. Das verlangt:
1.) Die Bewußtmachung der augenblicklichen Lage des Hochschulwesens (Studentenschaft, Dozentenschaft, Länder und Reichsregierung).
2.) Das lebendige Näherbringen der Ziele einer nationalsozialistischen Umwälzung des Hochschulwesens.
3.) Die Vorbereitung der weiteren Schritte in der unmittelbar bevorstehenden Arbeit (innere Gestaltung des Kameradschaftshauses; Anlage, Grenzen und Vorläufigkeit der Fachschaften; Aufgabe der Fakultäten und ihr Verhältnis zur Vorbereitung auf die höheren Berufe).
Die Lagerzeit darf nicht an einem leeren Programm entlanglaufen. Sie muß erwachsen aus wirklicher Führung und Gefolgschaft und soll sich von da ihre eigene Ordnung geben. Wenige Vorträge vor der ganzen Lagergemeinschaft sollen die Grundstimmung und Grundhaltung erwirken. Die entscheidenden Aussprachen in den Gruppen müssen die gemeinsamen Aussprachen tragen und befeuern.
Das Gelingen des Lagers hängt ab von dem Ausmass an neuem Mut, von der Klarheit und Wachheit für das Künftige, von der größtmöglichen Unbeschwertheit durch das Bisherige, von der Entschiedenheit des Willens zur Treue, zu Opfer und Dienst. Aus diesen Kräften ersteht wahre Gefolgschaft. Und diese erst trägt und festigt echte deutsche Gemeinschaft.«

Die führenden Köpfe – unterhalb des eigentlichen »Lagerführers« Heidegger – waren die Privatdozenten Stadelmann (für die Freiburger Gruppe und zugleich für die Heidegger-Linie), Johann Stein (für die

---

155 Nachlaß Stadelmann, Bundesarchiv Koblenz R 183. Dort finden sich neben den Rundschreiben vor allem die Briefe Heideggers an Stadelmann vom 11. und 23. Oktober 1933 sowie ein umfangreicher Brief Stadelmanns an Heidegger vom 16. Oktober 1933. Dieser Briefwechsel ist besonders aufschlußreich für das Verständnis von Gefolgschaft und Führung.

›Heidelberger‹)[156] und Otto Risse (für die Kieler Gruppe). Sie standen gleichzeitig für recht unterschiedliche Richtungen, nach denen der künftige Weg der neuen deutschen Hochschule gestaltet werden sollte. Dem Dozenten für Medizin, Otto Risse, kam dabei eine besondere Rolle zu: 1930 in Freiburg habilitiert, leitete er das Freiburger Radiologische Institut; er galt jedoch als »Kieler«, weil er an der dortigen Universität ab 1925 einige Zeit am Physiologischen Institut gearbeitet hatte und zum Kreis der Kieler NS-Aktivisten gehörte.[157]

Heideggers unbedingtes Ziel »einer nationalsozialistischen Umwälzung des Hochschulwesens« stieß offenkundig auf Opposition – nicht in erster Linie als Ziel, sondern hinsichtlich der Methoden: da gab es den sogenannten »Kieler Aktionismus«, der für Heidegger sich nur als Aktionismus von Radikalen darstellte. Jedenfalls erwies sich, daß Heideggers Führungsanspruch in Frage gestellt wurde. Man rufe sich in Erinnerung: soeben am 1. Oktober 1933 war Heidegger zum Führer-Rektor der Freiburger Universität ernannt worden; soeben hatte er den zweiten Ruf an die Universität Berlin abgelehnt, sollte freilich mit den »Berliner Stellen« wegen politischer Führungsaufgaben in engster Fühlung bleiben. Heideggers Position war demnach ganz hoch angesetzt.

Bereits in den ersten Tagen des Todtnauberger Lagers kam es zu heftigen Turbulenzen, zu Frontenbildungen, die Heidegger erwägen ließen, das Lager vorzeitig aufzulösen. Auf Bitten von Dr. Stein und Dr. Risse sah er von diesem Schritt ab, schloß jedoch einen Teil der Lagerangehörigen aus.

Jedenfalls widerspricht der aus den originalen Quellen (Briefwechsel Heidegger-Stadelmann Oktober 1933) erhobene Befund der oben gegebenen Darstellung Heideggers ganz eindeutig. Aus diesem Briefwechsel wird ersichtlich, daß Heidegger seinen Gefolgsmann Stadelmann gleichsam als Opferlamm eingesetzt hatte: Stadelmann, der einen Rahmenvortrag über die neue Wissenschaft übernommen hatte, mußte auf Befehl Heideggers darauf verzichten und sollte sogar das Lager verlassen, heimlich, in aller Morgenfrühe, ehe der Weckruf ertönte und ohne daß eine Erklärung darüber erfolgte. Offensichtlich diente dieser Schachzug Heideggers der Befriedung der Lageratmosphäre, da

---

[156] Vgl. *Semper Apertus* 1985, Register.
[157] Vgl. Werner Walz, Elisabeth Glatt, Eduard Seidler, *Radiologie in Freiburg 1895–1980*, Freiburg i.Br. 1980, S. 49 u. 54 f.

er seinen Vertrauten preisgegeben hatte – in einer für Heidegger typischen Disziplinierungsaktion.

Stadelmann beugte sich diesem »Befehl«, sah sich jedoch in seiner Gefolgschaftstreue vom »Führer« Heidegger zutiefst verletzt. Darüber entspann sich der erwähnte Briefwechsel, aus dem eben auch Verlauf und Konzeption des Todtnauberger Lagers rekonstruiert werden können.

Die von Heidegger mehrfach beschworene Gefolgschaft, für ihn *die* zentrale Größe in der Struktur der neuen nationalsozialistischen Hochschule, nämlich im Wechselspiel von Führung und echter »Gefolgschaft derer, die neuen Mutes sind« (Rektoratsrede), gewann bei Stadelmann eine zutiefst menschliche Qualität: er hatte sich, ähnlich und doch wieder anders als der Strafrechtler Erik Wolf, dem Führer Heidegger, dem Menschen, der in sich eine »ferne Verfügung« trug, zur Verfügung gestellt – bedingungslos? Wohl nicht, wenn der von einem romantisierenden Geschichtsverständnis beseelte Historiker Stadelmann den Satz aus Heideggers Rektoratsrede recht bedachte: »Alle Führung muß der Gefolgschaft die Eigenkraft zugestehen. Jedes Folgen aber trägt in sich den Widerstand. Dieser Wesensgegensatz im Führen und Folgen darf weder verwischt, noch gar ausgelöscht werden.«

Harsch fuhr Heidegger – brieflich – unmittelbar nach der Rückkehr von Todtnauberg seinen Gefolgsmann Stadelmann an: »Ich hatte angenommen, Sie würden am andern Morgen das Lager verlassen und war deshalb überrascht, Sie noch weiter im Gespräch mit Risse zu sehen.« Das Lager sei für jeden »eine gefährliche Luft« gewesen. »Es wurde für die, die blieben, und für die, die gingen, gleicherweise eine Probe.« Der ›Führer‹ Heidegger erwartete die ›Verantwortung‹ seines Gefolgsmannes: »Wir müssen lernen, heute Dinge zusammen zu denken – z.B. dieses: daß ich Ihnen riet, am anderen Morgen zu gehen, wo Sie gerade für diesen Tag eine besondere Aufgabe hatten, und daß ich Ihnen doch mein Vertrauen zusicherte.« Er wisse wohl, das seien Zumutungen. »Aber wir dürfen solchen Lagen nicht ausweichen; im Gegenteil – wenn sie nicht ständig wiederkehrten, müßten wir sie suchen und schaffen.« Diese Sehnsucht nach Proben der Bewährung, der Unterordnung, der Auseinandersetzung – unter erwachsenen Menschen, unter Wissenschaftlern, die sich in die Zucht des Lagerlebens nehmen ließen! Für uns Heutige schwer einsichtig und ganz fremd. Heidegger verwendet gar das zentrale Wort »denken«, um die Paradoxie der

Lebenswelt begreiflich zu machen. Sicher ist dies eine Attitüde, aufgesetzt und übergestülpt und gleichwohl im Zentrum der philosophischen Wissenschaftspolitik Heideggers verortet. Er spricht sich freilich selbst das Urteil über die Qualität seiner Konzeption von »der zukünftigen hohen Schule des deutschen Geistes«, der ja »die eigentliche Lagerarbeit« galt. Welches Herumstochern im Nebel, welche verbale Kraftmeierei und reale Unverbindlichkeit! Da wurde doch lediglich dekretiert: »Das lebendige Näherbringen der Ziele einer nationalsozialistischen Umwälzung des Hochschulwesens.« Was weiter? Die Lagerarbeit dürfe nicht an einem leeren Programm entlanglaufen. »Sie muß erwachsen aus wirklicher Führung und Gefolgschaft …« Treue – Opfer – Dienst – Gefolgschaft – Gemeinschaft: »deutsche Gemeinschaft«. Waren dies nicht Worthülsen, denen keine Wirklichkeit zukam?

Dem Gefolgsmann Stadelmann ruft Heidegger, den Brief beschließend, zu: »Langsam hart werden!« Die eigentümliche Sehnsucht nach Härte und Schwere – ein Grundzug Heideggers in jenen Jahren.

Der Gefolgsmann indes, so zur Rechenschaft gezogen und in die Verantwortung genommen, widersetzte sich, da er von Heidegger wußte, jedes »Folgen aber birgt in sich den Widerstand.« Im Antwortbrief vom 16. Oktober 1933 – Heidegger weilte zu dieser Zeit auf einem »Wissenschaftslager« in Bebenhausen unweit von Tübingen, um seine Ideen auch den württembergischen Kollegen und Studenten nahezubringen – entfaltete Stadelmann das grundsätzliche Problem von Revolution und Gefolgschaft: es gehe ihm nicht um Rechthaberei oder gar Wehleidigkeit. Etwas Höheres stehe in Frage. »Die ›Probe‹ des Lagers hat wahrscheinlich keiner bestanden« – d.h. auch Heidegger nicht! »Aber jeder hat das große Bewußtsein mitgenommen, daß die Revolution noch nicht zu Ende ist. Und daß das Ziel der Universitätsrevolution der SA-Student ist.« Er werde die bisherigen Formen der Studenten verdrängen. Das Ziel sei deutlich und sichtbar. »Und alle, die es wollen, gehören zusammen. Wenn sie einen Führer haben, der zu diesem Ziel hinführt, bilden sie eine Gefolgschaft – seine Gefolgschaft. Und jener kann Zumutungen an sie stellen.« Unbestritten, daß Heidegger jener Führer sei. Der Gefolgsmann habe sich dem Führer anheimzugeben, in die Pflicht nehmen zu lassen, um das »Lager« zu retten – sogar gegen sein »eigenes Wissen und Gewissen.« Und der Führer Heidegger habe diese Inpflichtnahme durch den »Handschlag« besiegelt, d.h. Gefolgschaft erneut begründet. An diese Gefolgschaft habe

Stadelmann geglaubt, doch Heidegger habe die Grenze überschritten und nur noch Disziplin verlangt. Der enttäuschte Stadelmann beschließt den bitteren Brief:

>»Und nie werde ich mich dieser Disziplin entziehen. Und noch nie ist mir so deutlich geworden wie in Todtnauberg, daß ich ins Lager der Revolution gehöre und weder zur Opposition noch unter die glossierenden Zuschauer. Disziplin werde ich halten – aber ich hatte mehr gehofft, ich hatte an die Möglichkeit einer Gefolgschaft geglaubt. Darum hat mich dieser Ausgang so betrübt und erschüttert.«

In diesem Syndrom von Wandervogelbewegung, Stefan-George-Kreis und nationalsozialistischem Revolutionsdenken, alles ins Männerbündische zielend, hat sich die Umwälzung der deutschen Universität vollziehen sollen. Im Grunde ist es erschütternd, daß in der Stunde des Aufbruchs nur dieser dünne Aufguß gereicht wurde anstatt stärkender Kost, wenn denn schon die Umwälzung erstrebt wurde: die Wegzehrung war unzureichend. Die Heroen traten in eine Kampfbahn, um Spiegelfechtereien zu frönen. Sie hatten keine Zuschauer, sondern agierten nur für sich. Die Tat wurde andernorts vollbracht, und sie schlug um in das schlimme Tun. Hier ereignete sich nur der verbale Kraftakt. Stadelmann stand Heidegger nicht nach in der beständigen Formulierung revolutionärer Definitionen: das »geschichtliche Wesen der deutschen Revolution« bedenkend[158], meinte er, »daß wir selbst in einer dritten nationalen Revolution des Deutschen drinstehen, die für Europa schließlich verbindliche Formen des staatlichen und völkischen Daseins aufstellen wird.« Die »Revolution« Martin Luthers und die deutsche Erhebung von 1810 sind ihm die eigentlichen deutschen Umwälzungen, die jeweils die Struktur der europäischen Mächtekonstellation veränderten. So auch gegenwärtig, da sich das deutsche Volkstum bewußt werde seiner selbst:

>»Es ist ein gewaltiger Moment, wenn dieses ruhende Volkstum seiner Kraft inne wird und unter einer heldischen Führung den Schritt von der dumpfen Zusammengehörigkeit des Volkes zur handlungsfähigen Gemeinschaft der Nation vollzieht.«

Und Stadelmann schließt diesen Beitrag, sich gleichsam selbst an die Hand nehmend: »Nur in der Revolution erfüllt der Deutsche sein Wesen, denn nur im Einsatz offenbart sich, was einer ist«, den Heideggerschen Denk- und Sprachduktus genau treffend.

---

[158] Rudolf Stadelmann, »Vom geschichtlichen Wesen der deutschen Revolutionen«, *Zeitwende* X, 1934, S. 109–116. Diese Studie dürfte auf Vortragstätigkeit Stadelmanns im Herbst 1933 zurückgehen.

Damals im Oktober 1933 jedoch galt es für Heidegger, das gestörte Vertrauensverhältnis zu Stadelmann wiederherzustellen, zu erklären, warum er ihn gewissermaßen individuell aus der Lagergemeinschaft ausgeschlossen hatte, ihn der Kieler und Heidelberger Richtung geopfert hatte. »Ich weiß, daß ich mir Ihre Gefolgschaft, die mir ungemindert wesentlich ist, nun erst wieder erwerben muß«, mit diesem Eingeständnis endet Heideggers Brief vom 23. Oktober 1933.

Die enge Gefolgschaftsbindung zwischen beiden Männern wurde neu begründet, und Heidegger betraute Stadelmann mit dem Eröffnungsvortrag der Universitätsreihe »Aufgaben des geistigen Lebens im nationalsozialistischen Staat«, einem Vortrag, dessen Thematik Heidegger unvergeßlich blieb: »Das geschichtliche Selbstbewußtsein der Nation«; so sehr, daß er im Juli 1945 noch ganz oder erst recht von dieser Problematik durchdrungen war, wie der erste Satz unseres Buches aufweist. »Die germanische Gefolgschaftsidee zum Ausgangspunkt einer neuen Volksordnung« – solches findet sich in diesem Aufsatz – Wesentliches war zu einer Ideologie entartet.[159]

---

[159] Stadelmann 1942, S. 17.

Die Peripetie des Rektorats

Im Folgenden soll aus einer etwas anderen Perspektive, nämlich von der Bewährung der Führer-verfaßten Universität her, Heideggers Rektorat betrachtet werden. Denn trotz seiner immer noch auf die Reichsebene zielenden Ambition blieb der Rektor ab dem Herbst 1933 auf seine Universität verwiesen, deren Selbstbehauptung auf dem Prüfstand war.

Ich muß dafür ein wenig ausholen, um den Zusammenhang herzustellen: In *Tatsachen und Gedanken* vermittelt Heidegger ein Erklärungsmodell seines Rückzugs. Das Todtnauberger »Wissenschaftslager« vom Oktober 1933, so wurde oben schon ausgeführt, habe von einer Heidelberger Gruppe, nämlich der von Gaustudentenführer Dr. Gustav Scheel, dem späteren Reichsstudentenführer und Reichsdozentenführer, entsandten, gesprengt werden sollen. In Wirklichkeit sei diese Heidelberger Aktion gegen seine Universität Freiburg gerichtet gewesen, deren Dekane Heidegger nicht nach parteipolitischen Erwägungen bestimmen haben wollte. Heidegger verbindet dieses Erlebnis des Todtnauberger Wissenschaftslagers mit dem Verlauf des Wintersemesters 1933/34, das ihm so bittere Erfahrungen bringen sollte: nämlich die Verschwörung von Freiburger Kollegen mit dem Kultusminister und mit der diesen beherrschenden Heidelberger Gruppe, wobei Heidegger den Gauleiter Dr. Scheel und den Frankfurter Rektor Ernst Krieck meinte: »Es war aber eindeutig klar geworden, daß Kreise der Universität, die gegen alles, was nach Nationalsozialismus aussah, empört waren, sich nicht scheuten, mit dem Ministerium und der es bestimmenden Gruppe zu konspirieren, um mich aus dem Amt hinauszudrängen.«[160] Wie auch immer das gewertet werden kann: Es bleibt im Ungewissen und die Heidelberger Sabotage-Theorie Heideggers ist hinzunehmen. Freilich steht davon kein Wort in dem genuinen Rechtfertigungsschreiben, das Heidegger Anfang November 1945 an die Bereinigungskommission bzw. an das Rektorat der Universität Freiburg richtete, geschweige denn, daß er dort die Verschwörungs-theorie auch nur im leisesten hatte anklingen lassen. Nur: das letztere könnte noch aus taktischen Gründen begreiflich erscheinen, aber die Lagergeschichte und die hinterhältigen Absichten eines Dr. Gustav Scheel – 1945 ein total erledigter Mann, der Reichsstudentenführer, Reichsdozentenführer und Gauleiter von Salzburg in einer Person war? Heideggers Rechenschaftsbericht hat ab 1945 verschiedene Stufen der Bearbeitung, Verfeinerung, Modifizierung, Gewichtung und Ver-fälschung durchlaufen, bis er zu der jetzt in aller Welt verbreiteten Fas-sung *Tatsachen und Gedanken* gelangte. Das muß bei allem bedacht werden.

Eine Feststellung, die durchgängig, zwar leicht variiert, bleiben wird, betrifft die von Heidegger am 1. Oktober 1933 ernannten Deka-ne Erik Wolf (Rechts- und Staatswissenschaftliche Fakultät) und Wil-helm von Möllendorff (Medizinische Fakultät). 1945 faßte sich Heideg-ger knapp: »Die zunehmende Ablehnung meiner Rektoratsarbeit von seiten des Ministeriums zeigte sich alsbald in der Zumutung, die Deka-ne der Juristischen und Medizinischen Fakultät (Professor Wolf, Pro-fessor von Möllendorff), weil sie politisch untragbar seien, durch ande-re Persönlichkeiten zu ersetzen. Ich weigerte mich, dieser Forderung zu entsprechen und legte das Amt nieder.« In *Tatsachen und Gedanken* erfährt dieser Prozeß eine breite und farbige Darstellung: Die Ver-schwörungsthese wird illustriert durch »ein Grinsen über das Gesicht des Studentenführers Scheel«, der, so berichtet es Heidegger, bei der im Februar 1934 anberaumten Besprechung im Karlsruher Ministe-rium anwesend war. Was wir sicher wissen, ist oben bereits ausführlich dargestellt: In diesen Februartagen war ein anderer Freiburger Profes-sor, nämlich Hermann Staudinger, ins Karlsruher Ministerium geladen – zum Verhör, was sich aktenmäßig bis ins Detail niedergeschlagen hat (sogar das stenographische Vernehmungsprotokoll ist, in einer Brief-hülle zusammengelegt, angeheftet), während sich seltsamerweise das

---

[160] Heidegger 1983, S. 38.

von Heidegger Berichtete nicht fassen läßt, dafür freilich ein anderer, wohl der tatsächliche Verlauf, wie wir noch sehen werden.

Bei den Kreisen der Universität, die mit dem Minister gegen Heidegger zusammengearbeitet haben sollen, handelt es sich vornehmlich um die Rechts- und Staatswissenschaftliche Fakultät, in der solch konservative Professoren saßen wie Großmann-Doerth, Walter Eucken (hochdekorierte Frontoffiziere), Freiherr von Bieberstein und Freiherr von Schwerin. Heidegger erwähnte sie nicht, meinte sie aber – wie überhaupt Heidegger selten Roß und Reiter nennt. Doch all diese Genannten haben nie und nimmer mit den Karlsruher Stellen zusammengearbeitet, gar konspirativ, um Heidegger zu stürzen. Von seiner juristischen Fakultät hielt Heidegger nicht viel – hier (in Freiburg) sei es leider sehr trostlos, ließ er am 22. August 1933 Carl Schmitt wissen, ihm dankend für die Zusendung der in 3. Auflage erschienenen Schrift *Der Begriff des Politischen* (angepaßt an die neue Zeit!).[161] Die beiden Gelehrten kamen derart in das Gespräch. Heidegger, Schmitts Nähe zu Heraklit betonend, warb um Mitarbeit: »Heute möchte ich Ihnen nur sagen, daß ich sehr auf Ihre entscheidende Mitarbeit hoffe, wenn es gilt, die juristische Fakultät im Ganzen nach ihrer wissenschaftlichen und erzieherischen Ausrichtung von Innen her neu aufzubauen.«[162] In Freiburg dagegen sah Heidegger nur das Widerständische obwalten.

Indes: Gegen den von Heidegger am 1. Oktober 1933 ernannten Dekan, den damals 31jährigen Erik Wolf, Strafrechtler, Vertrauter Heideggers, regte sich bald Opposition, nicht so sehr aus politischen Gründen, sondern deswegen, wie Wolf sein Amt führte. Heidegger wußte sehr genau, daß Wolf, der im Sommersemester als Mitglied des Senats tätig war, in seiner Fakultät bei weitem nicht alle Sympathien hatte. Noch zu Ende des Sommersemesters 1933 kam es im Verlauf der letzten Senatssitzung zu einer offenen und harten Auseinandersetzung zwischen Eucken und Wolf, die dem Nationalökonomen eine Frontalattacke in der Freiburger Studentenzeitung eintrug: Für solche Professoren sei in der neuen Zeit kein Platz mehr. Und am 8. August 1933, wenige Tage nach der Sitzung, besuchte Eucken den Prorektor Prälat Sauer, diesem klagend: in seiner Fakultät sei die Entrüstung gegen Wolf fast einhellig, da dieser sich in einen Fanatismus und in eine Verkennung der

---

[161] Hamburg 1933.
[162] Der Brief ist veröffentlicht in *Telos* Nr. 72, 1987, S. 132. Diese Nummer ist Carl Schmitt gewidmet. Herrn Dr. Johannes Gross verdanke ich den Hinweis.

Rechtslage hineingearbeitet habe; gleichzeitig aber in eine solche abgöttische Anbetung von Heidegger, daß er für normale Empfindungen nichts mehr übrig habe. Und Eucken berichtete weiter, Wolf habe, auf das Schicksal des mit ihm befreundeten Kollegen Gerhart Husserl angesprochen – wir haben davon schon gehört –, nur ein bedauerndes Achselzucken gehabt. Als Gerhart Husserl unlängst Erik Wolf getroffen habe, habe Wolf geäußert: »Es ist ja sehr bedauerlich, daß Sie jetzt in eine solche unangenehme Lage gekommen sind. Das ist aber ein von Gott geschicktes Martyrium, das Sie würdig tragen müssen und bei dem auch niemand Ihnen helfen darf.«

Wir sind inzwischen recht genau über Wolfs innere Einstellung und seine Haltung in jener Zeit des politischen Umbruchs unterrichtet durch einen langen Brief an Karl Barth, der freilich nie abgeschickt worden ist[163], und wissen, daß er ganz auf den »Meister« Heidegger hingeordnet, zurückgedrängt hat, was seinerzeit sich auch ereignete: Rechtsbrüche, Schikanen, gefährliche Entwicklungen. Das Schicksal von Gerhart Husserl, mit dem ihn doch eine jahrelange Freundschaft verbunden hatte, bleibt unerörtert.

Es war der Erik Wolf, der in dieser Zeit des Dritten Reiches sich in eine schwere Verirrung und Verstrickung begab und zwei rechtspolitische Studien publiziert hatte: »Richtiges Recht im nationalsozialistischen Staate«[164] und »Das Rechtsideal des nationalsozialistischen Staates«[165] – noch keineswegs der Erik Wolf der Bekennenden Kirche. Er hat sich erst später unter Qualen herausgewunden. Doch lesen wir einige Zeilen aus dem Brief an Karl Barth:

»Du kamest als einer der Ersten aus Basel im Mai 1945 zu mir. Wir sprachen, arbeiteten und lebten viel zusammen. Da faßte mich das Verlangen, Dir eine Art mögliche Erklärung für das zu geben, was Dich überrascht hat, als man Dir davon erzählte: meine Teilnahme an Heideggers Rektorat und meine beiden Aufsätze zur rechtsphilosophischen Standortbestimmung des Nationalsozialismus und was daraus als Konsequenzen sich ergeben hat. Es ist kein Anliegen der Selbstrechtfertigung. Als ich den Irrtum in dieser Sache erkannt hatte, habe ich ihn bekämpft.«

Wenn Martin Heidegger 1945 und später darauf abhob, er habe in Erik Wolf 1933 gewissermaßen einen Gegner des Nationalsozialismus zum

---

[163] Hollerbach 1986. Die folgenden Darlegungen beruhen auf Ott 1984a, wo sich auch die erforderlichen Einzelnachweise finden.

[164] *Freiburger Universitätsreden* 13. Dieser Vortrag wurde im Rahmen der öffentlichen Vorlesungsreihe »Aufgaben des geistigen Lebens im nationalsozialistischen Staate« WS 1933/34 gehalten.

[165] *Archiv für Rechts- und Sozialphilosophie* 28, 1934/35, S. 348–363.

Dekan ernannt, dann unterschiebt er den späteren Wolf. 1933 hatte sich Erik Wolf durchaus angepaßt verhalten, ja mehr als dies.

Bei den Spannungen und Zerwürfnissen innerhalb der juristischen Fakultät, bei der endlichen Isolierung des Dekans Wolf ging es in erster Linie um die Reform des juristischen Studienplans – auch auf dem Hintergrund des SA-Dienstes, der Wehrsportlager und was da an außeruniversitären Verpflichtungen den Studenten abverlangt wurde bzw. ab Sommersemester 1934 zugemutet werden sollte. Wolf war in so starke Konflikte mit Fakultätsmitgliedern geraten, daß er am 7. Dezember 1933 seinem Rektor den Rücktritt anbot. Aus diesem Schreiben wird deshalb zitiert, weil Atmosphäre und geistiger Hintergrund auf interessante Weise offenbar werden: Er tue diesen Schritt in dem überaus schmerzlichen Bewußtsein, »damit Euer Magnifizenz bei der Durchführung des von Euer Magnifizenz an dieser Hochschule erstrebten und gewollten augenblickliche Erschwernis zu bereiten.« Der Rektor werde seine Gründe aus beigefügtem Schreiben an ein Fakultätsmitglied erkennen und akzeptieren, zumal noch gesundheitliche Probleme hinzutreten. Er sei seelischen Qualen ausgesetzt.

»Ich muß es dem Urteil Eurer Magnifizenz, das tiefere Gründe kennt, als das anderer Menschen, vertrauensvoll überlassen zu entscheiden, ob das Scheitern meiner Bemühungen um eine sachliche erfolgreiche Amtsführung auf der Unzulänglichkeit meiner Kräfte, der Dürftigkeit meiner menschlichen Person, dem Ungeschick meiner Haltung oder darauf beruht, daß die mir übertragenen Aufgaben auf Widerstände stießen, die dem Wesen der beteiligten Personen und Sachen nach nicht überwunden werden konnten.« (Universitätsarchiv Freiburg)

Im Grunde: Fakultätszwistigkeiten, die jetzt stilisiert und in einer schwer erträglichen Form überhöht worden sind.

Für den Rektor Heidegger kam ein Rücktritt vom Dekanat nicht in Betracht – denn: »Es liegt im Sinne der neuen Verfassung und der gegenwärtigen Kampflage, daß Sie in erster Linie mein Vertrauen besitzen, nicht so sehr das der Fakultät. Weil Sie aber mein Vertrauen haben, kann ich Sie von dem überaus wichtigen Amt nicht entbinden.« Das war die Probe aufs Exempel: Führer und Gefolgsmann nach germanischem Treueverhältnis und angesichts der »gegenwärtigen Kampflage«, d. h. gegen die überlebte Fakultätsstruktur. »Nicht erledigt« sei, so ließ der Rektor wenig später (am 20. Dezember) alle Fakultäten und den gesamten Lehrkörper wissen, »die grundsätzliche Frage, inwieweit die Fakultät künftig den Willen zu einer positiven Mitarbeit durch Taten bekundet.« Und dann ausholend und sich nochmals aufbäumend wie im Angesicht einer drohenden Niederlage goß Heidegger sein Credo in diese Sätze: »Der bestimmende Grund und das eigentliche nur schrittweise zu erreichende Ziel ist seit den ersten Tagen meiner Amtsübernahme der grundsätzliche Wandel der wissenschaftlichen Erziehung *aus den Kräften und Forderungen des nationalsozialistischen Staates.*« Eine bloß formale Studienreform genüge nicht. Es komme »auf den *inneren Umbau*« der Lehrveranstaltungen an. Er sei für die »kleinste Hilfe, die das Ganze der Hochschule« voranbringe, dankbar.

»Was von unserer Übergangsarbeit Bestand hat, ist ungewiß. Gewiß aber bleibt, daß nie eine Arbeit oder gar ein Erfolg zur Gelegenheit werden kann, persönliche Tüchtigkeit und Eifer in Szene zu setzen. Gewiß bleibt, daß nur der unbeugsame Wille zum Künftigen der gegenwärtigen Bemühung Sinn und Halt gibt. Der Einzelne, wo er auch stehe, gilt nichts. Das Schicksal unseres Volkes in seinem Staat gilt alles.« (Universitätsarchiv Freiburg)

Soweit ich sehe, ist dies die einzig dastehende Verfügung des Rektors, gewissermaßen die generelle Handlungsanweisung für den inneren Umbau der Universität »aus den Kräften und Forderungen des nationalsozialistischen Staates«. Diese Verfügung war keine ferne, war eine aus der Hilflosigkeit geborene, sie verharrte erstarrt im Unverbindlichen, im Ungefähren, war nur Ausdruck von Kampfparolen und deshalb wertlos. Von der Selbstbehauptung der deutschen Universität war nichts mehr übrig geblieben als die neue Verfassung, und diese selbst war in den Augen Heideggers nur eine formale Veränderung.

Der Rektor Heidegger bewegte sich im Dezember 1933 in seiner eigenen Universität gleichsam in einem Teufelskreis. Er sei über die Weihnachtspause zu dem Entschluß gekommen, das Rektorat zum Ende des Wintersemesters zurückzugeben. Was Wunder angesichts solcher Verlautbarungen, die bereits der Abgesang Heideggers auf die Universitätsreform der Eigentlichkeit gewesen sind. Eine solche Einstellung ist sogar folgerichtig, da Heidegger nach einer führenden, vielleicht der führenden Position in der neuen Hochschulorganisation des Reiches gestrebt hatte. Diese Intention erwies sich als utopisch.

Nur wenige Wochen waren vergangen seit jener so überaus optimistischen Mitteilung an die Freiburger Dozentenschaft, er werde über die badische Universitätsverfassung versuchen, »den einheitlichen Aufbau der künftigen gesamtdeutschen Hochschulverfassung vorzubereiten« und dies in engster Fühlung mit den Berliner Regierungsstellen.

Das Führerprinzip sollte die Kraftquelle sein, aus der sich solches Bemühen speiste. Doch die Partei hatte im November die Führung der Rektorenkonferenz und den Aufbau des Hochschulwesens nach ihren Vorstellungen durchgesetzt und mittelmäßige, aber treue und alte Kämpfer nach oben gehievt. Es wurde der »Reichsverband der Deutschen Hochschulen« geschaffen, dessen Führer ein Würzburger Psychiatrie-Professor wurde, der seinerseits den Führer des Deutschen Rektorentages ernannte: den Rektor von Jena. Der Name Heidegger war nirgendwo mehr im Gespräch. Die Nationalsozialisten wollten ihn nicht haben und konnten ihn auch nicht gebrauchen. Er war gescheitert mit seinem Anspruch, die deutsche Universität im neuen Reich zu führen und dadurch den Willen »zum geschichtlichen geistigen Auftrag des deutschen Volkes als eines in seinem Staat sich selbst wissenden Volkes« ins Werk zu bringen. Er war jäh und jetzt endgültig – nur – auf seine Universität verwiesen, deren Gefolgschaft es zu entbergen galt. Doch eben dieses mißlang. Und wie blaß, blutleer, nichtssagend nehmen sich die Regieanweisungen Heideggers vom Dezember 1933 aus.

»Das Mißlingen des Rektorates – ein Pfahl im Fleisch«, so Heidegger 1935 an Jaspers. Aber: War er verantwortlich? 1983 lesen wir, die Freiburger Kollegenschaft habe ihn in seinem Wollen im Stich gelassen. Die Rektoratsrede sei in den Wind gesprochen gewesen: »Während des ganzen Rektorats kam es von keiner Seite der Kollegenschaft zu irgendeiner Aussprache über die Rede. Man bewegte sich in den seit Jahren ausgetretenen Bahnen der Fakultätspolitik.« Und Heidegger beklagt, seine Rede sei totgeschwiegen worden – so im Schreiben an das Rektorat vom November 1945: »Die Rektoratsrede, deren Auflage nicht höher war als die meiner Antrittsrede 1929, war im Jahr 1934 noch nicht vergriffen.« Vielleicht zu Recht? War sie nicht ephemer? Hatte sie sich nicht schon selbst überlebt, als Heidegger in die zweite Hälfte seines Rektorats eintrat? Wir halten trotz allem fest: Für Heidegger selbst gab es kein Verirren, Abirren oder gar Irren – sein Spruch ist wahr. Es liegt lediglich am Un-Verstand der Hörenden, einzig und allein.

Aber: war Heidegger Nationalsozialist? – die immer wieder gestellte Frage. In der Einleitung zur Neuausgabe der Rektoratsrede vernehmen wir, daß der Philosoph hier die Begriffe und Namen Nationalsozialismus, Führer, Reichskanzler oder Hitler nicht verwendet habe. Das freilich sind Spiegelfechtereien, da Heidegger zur Genüge mit diesen Begriffen umging – in den sonstigen Reden, Aufrufen, Schriftstücken – wir haben zureichende Beispiele kennengelernt. Die letzte außerhalb Freiburgs gehaltene Rede Heideggers war am 30. November 1933 in Tübingen: »Die Universität im nationalsozialistischen Staat.« Die Tübinger Zeitung *Tübinger Chronik* brachte eine ausführliche Wiedergabe, aus der Duktus, Tenor, Argumentation und viele wörtliche Elemente der Ansprache ersehen werden können, weshalb die folgenden Zitate aus diesem Zeitungsbericht höchst authentisch sein dürften. Diese Tübinger Rede ist der Abgesang Heideggers auf den frohgemuten Aufbruch des Mai 1933. »Einer der stärksten nationalsozialistischen Vorkämpfer unter den deutschen Gelehrten«, so wurde Heidegger vorgestellt, resignierte: man rede über den politischen Studenten, über die politischen Fakultäten, doch das sei nichts anderes als das übermalte Alte, allenfalls eine äußerliche Übertragung von gewissen Ergebnissen der Revolution bei einer sonst in der alten Ruhe dahinschleppenden Innerlichkeit. Aber: die Revolution sei zu Ende und habe der Evolution Platz gemacht, wie der Führer sage. Und Heidegger bäumte sich dem Zeitungsbericht gemäß noch einmal auf:

»Aber die Revolution in der deutschen Hochschule ist nicht nur nicht zu Ende, sie hat nicht einmal begonnen. Und wenn im Sinne des Führers die Evolution da ist, dann wird sie nur durch Kampf und im Kampf geschehen können. Die Revolution in der deutschen Hochschule hat nichts zu tun mit der Abänderung von Äußerlichkeiten. Die nationalsozialistische Revolution ist und wird werden die völlige Umerziehung der Menschen, der Studenten und nachher kommenden jungen Dozentenschaft.«

Und dann entwickelte Heidegger noch einmal das gesamte Tableau der Rektoratsrede, immer wieder auf den Kampf zurückgreifend. Und er schloß in Tübingen:

»Wir Heutigen stehen in der Erkämpfung der neuen Wirklichkeit. Wir sind nur ein Übergang, nur ein Opfer. Als Kämpfer dieses Kampfes müssen wir ein hartes Geschlecht haben, das an nichts Eigenem mehr hängt, das sich festlegt auf den Grund des Volkes. Der Kampf geht nicht um Personen und Kollegen, auch nicht um leere Äußerlichkeiten und allgemeine Maßnahmen. Jeder echte Kampf trägt bleibende Züge des Bildes der Kämpfenden und ihres Werkes. Nur der Kampf entfaltet die wahren Gesetze zur Verwirklichung der Dinge, der Kampf, den wir wollen, ist: wir kämpfen Herz bei Herz, Mann bei Mann.«

Soweit die wesentlichen Aussagen nach dem Bericht der *Tübinger Chronik* vom 1. Dez. 1933. Aber hat er sich mit dem Nationalsozialismus als solchem, mit dem gängigen sozusagen, auch identifiziert? Heidegger selbst berichtet in *Tatsachen und Gedanken*, der badische Kultusminister habe ihm nach der Rektoratsrede eine Art »Privat-

Nationalsozialismus« vorgehalten, der die Perspektiven des Parteiprogramms der NSDAP umgehe und nicht auf dem Rassegedanken aufgebaut sei. Jedenfalls hat Heidegger kraft seines Denker- und Wächteramtes den Führer Adolf Hitler, doch wohl die entscheidende Instanz in Sachen Partei-Programmatik, gleichsam in eine übermenschliche Stellung entrückt mit dem schon mehrfach zitierten Satz an die Studenten: »Der Führer selbst und allein *ist* die heutige und künftige deutsche Wirklichkeit und ihr Gesetz.« Wer auch nur annähernd das Wesen Heideggerschen Denkens kennt – oder zu kennen glaubt –, weiß, daß mit der Hervorhebung von »*ist*«, mit dieser Kopula der Logik, bei Heidegger mehr als nur eine konjugierte Form von »sein« steht, das vielmehr das »Sein« als solches anwest: »die heutige und künftige deutsche Wirklichkeit«. Vielleicht ist es hilfreich, bei der Diskussion dieser zentralen Frage die Wertung von Jaspers in seinem Gutachten vom 22. Dezember 1945 heranzuziehen, wo es – für unsere Fragestellung relevant – heißt:

»Ich erkenne in einem gewißen Umfang die tatsächliche Entschuldigung an, Heidegger sei seiner Natur nach unpolitisch; der Nationalsocialismus, den er sich zurecht gemacht habe, hätte mit dem wirklichen nur wenig gemein. Dazu würde ich jedoch erstens an das Wort Max Webers von 1919 erinnern: Kinder, die in das Rad der Weltgeschichte greifen, werden zerschmettert. Zweitens würde ich einschränken: Heidegger hat gewiß nicht alle realen Kräfte und Ziele der nationalsozialistischen Führer durchschaut. Daß er meinte, einen eigenen Willen haben zu dürfen, beweist es. Aber seine Sprechweise und seine Handlungen haben eine gewisse Verwandtschaft mit nationalsocialistischen Erscheinungen, die erst seinen Irrtum begreiflich machen. Er und Baeumler und Carl Schmitt sind die unter sich sehr verschiedenen Professoren, die versucht haben, geistig an die Spitze der nationalsozialistischen Bewegung zu kommen. Vergeblich. Sie haben wirkliches geistiges Können eingesetzt, zum Unheil des Rufes der deutschen Philosophie. Daher kommt ein Zug von Tragik des Bösen, den ich mit Ihnen wahrnehme.«

Hilft uns jedoch diese Charakterisierung viel weiter? Es stehe dahin und es wird uns noch beschäftigen, wenn die Zeit der Wende 1945 in das Blickfeld tritt.

Noch bewegen wir uns um die Jahreswende 1933/34, als, so will es Heidegger, sein Entschluß reifte, das Rektorat und damit sein politisches Engagement aufzugeben. Das hinderte ihn nicht, ein vernichtendes Gutachten aus nationalsozialistischer Haltung zu schreiben: Ende Dezember 1933 in der Angelegenheit Eduard Baumgarten zu Händen des Göttinger NS-Dozentenbundes, wir haben darauf schon abgestellt: »Baumgarten war jedenfalls hier alles andere als ein Nationalsozialist« – und da mußte er wohl die Beurteilungskriterien beherrscht haben, nach denen die Böcke von den Schafen getrennt wurden. Daß zu dieser Zeit der antikatholische Affekt Heideggers durchbrach, wen wundert es! Am 22. Dezember 1933 beispielsweise berichtete er nach Karlsruhe in Sachen der Besetzung des Lehrstuhls für Kirchengeschichte in der Katholisch-Theologischen Fakultät, wo es bestimmte Schwierigkeiten gegeben hatte. In diesem Zusammenhang nahm Heidegger die Gelegenheit zu grundsätzlichen Ausführungen über das Wesen der katholischen Kirche wahr:

»Wie bei allen künftigen Berufungsvorschlägen taucht zunächst die Frage auf, welcher der Kandidaten, seine wissenschaftliche und charakterliche Eignung vorausgesetzt, die größere Gewähr bietet für die Durchsetzung des nationalsozialistischen Erziehungswillens. Da nach katholisch-dogmatischer Auffassung die Kirche *über* dem Staat steht, wird in aller katholischen Erziehung, solange sie daselbst in Wahrhaftigkeit sein will, was zu sein sie beansprucht, der *staatlich-völkische Wille* notwendig *zurückgesetzt* werden gegenüber dem kirchlichen. Demzufolge ist ja auch durch die Kirche die Zugehörigkeit der Priester zur Partei verboten. Daher wird im Grunde jedes Abwägen unter den Kandidaten nach der politischen Seite hinfällig.« (Staatsarchiv Freiburg A 5)

Es ist ein weites Feld, das Heidegger hier umschreibt. Die Unvereinbarkeit jedenfalls von katholischer Lehre und Erziehungsarbeit mit der nationalsozialistischen Grundlage ist ihm unbezweifelbar. Solches Argumentieren steht im Zusammenhang mit Heideggers Aversion gegen die christliche (für ihn immer katholische) Philosophie, die für ihn ja Herkunft war.

Auch anderwärts macht Heidegger aus seiner anti-katholischen Haltung kein Hehl: so etwa, als im Frühjahr 1934 im Gefolge der Gleichschaltung der katholischen Studentenverbindungen eine Freiburger katholische Korporation ihre vom Reichsstudentenführer ausgesprochene Suspendierung wieder rückgängig machen konnte – für Heidegger ein Triumph des Katholizismus. Sein Schreiben an den Reichsstudentenführer Dr. Stäbel, einen überaus ruppigen und rabiaten Waffenstudenten, vom 6. Februar 1934:

»Dieser öffentliche Sieg des Katholizismus gerade hier (nämlich in Freiburg) darf in keinem Falle bleiben. Es ist das eine Schädigung der ganzen Arbeit, wie sie zur Zeit *größer nicht gedacht werden kann*. Ich kenne die hiesigen Verhältnisse und Kräfte seit Jahren bis ins kleinste ... man kennt katholische Taktik *immer noch nicht*. Und eines Tages wird sich das schwer rächen.« (Schneeberger 1962, Nr. 176)

Heidegger mochte dabei an seinen Landsmann, großen Anreger und Förderer, Dr. Conrad Gröber, gedacht haben, der seit Sommer 1932 als Erzbischof in Freiburg residierte und zu dem er die Beziehungen ausrinnen ließ, bis er im Dezember 1945 den Weg fand, um Unterstützung nachsuchend, weil seine Sache schlecht stand. Heidegger mochte an Mitglieder der Theologischen Fakultät gedacht haben, zu denen er teilweise wenigstens jahrzehntelange Kontakte gepflegt hatte. Jedenfalls warf er im Schreiben an diese mittelmäßige Figur des Reichsstudentenführers seine Intimkenntnisse in die Waagschale, Düsteres prophezeiend, falls die katholische Taktik nicht unterlaufen werde. Die »ganze Arbeit«, nämlich die große Umwandlung des Erziehungsauftrages der Universität in einen völkischen Erziehungswillen, vom Rektor den Studenten zum Wintersemester eingehend verordnet, werde in unvorstellbarem Maße geschädigt. Hier ist es schwer, keine Satire zu schreiben.

Über die Schlußphase des Rektorats hat Heidegger in *Tatsachen und Gedanken* sehr dezidiert sich geäußert – eine Darstellung, die sich aus den Akten nicht verifizieren läßt, natürlich auch nicht falsifizieren. Den Zeitpunkt, nämlich Februar 1934, dürfte inzwischen niemand mehr aufrechterhalten wollen, nachdem nachgewiesen worden ist, daß Heidegger exakt bis zum 23. April amtierte. Nun gut, kann eingewendet werden, eine mehr oder weniger unerhebliche Sache. Eine solche Angabe muß jedoch zusammengenommen werden mit den übrigen Äußerungen über die Modalitäten des Rektoratsendes. Im Bericht von 1945 ist der Vorgang viel nüchterner behandelt. Immerhin, wir haben darauf abgestellt, hat Heidegger durchgehend behauptet, das Karlsruher Ministerium habe die Entlassung der Dekane Wolf und von Möllendorff gefordert – und zwar aus politischen Gründen. Dies habe er nicht vertreten können und deshalb sein Rektorat niedergelegt.

Was sich aus den Quellen rekonstruieren läßt, ist kurz zusammengefaßt folgendes: Gegen von Möllendorff ist offensichtlich nicht das Geringste von der Ministerialseite eingewendet worden, wohl gegen Dekan Wolf, aber nicht in einem politischen Kontext. Die Gegnerschaft in der juristischen Fakultät gegen Wolf hatte angehalten, sie beruhte nur zum Teil auf Animositäten, so daß das Dekanat Wolf zum »Fall Wolf« wurde, so sehr, daß der Kultusminister dem Rektor Heidegger am 12. April 1934 mitteilte, gegen die Tätigkeit von Wolf als Dekan der Rechts- und Staatswissenschaften Fakultät seien von verschiedensten Seiten »sehr erhebliche und, wie ich glauben möchte, wohl nicht ganz unbegründete Bedenken erhoben worden«. Im Schreiben des Kultusministers heißt es weiter: »Ich beeile mich, Sie hiervon in Kenntnis zu setzen und bitte Sie, zu erwägen, ob nicht zweckmäßigerweise zu Beginn des Sommersemesters ein Wechsel im Dekanat stattfinden sollte.« Der Stellenwert dieses sehr sachlichen Ministerbriefes vom 12. April 1934 ist hoch zu veranschlagen, wenn die extrem apodiktische Darstellung Heideggers in *Tatsachen und Gedanken* dagegen gehalten wird. Nach Heidegger sei das Kesseltreiben gegen die beiden Dekane aus den jeweiligen Fakultäten im Wintersemester stark gewesen. Er habe das auf Rivalitäten und Zwistigkeiten zurückgeführt: »Bis ich im Spätwinter gegen Ende des Semester 33/34 nach Karlsruhe gebeten wurde, wo mir Ministerialrat Fehrle im Beisein des Gaustudentenführers Scheel eröffnete, der Minister wünsche, daß ich diese Dekane ihrer Posten enthebe.« Er habe sofort erwidert, dieser Zumutung nicht nachkommen zu wollen. Da jedoch darauf beharrt worden sei, habe er erklärt, sein Amt niederzulegen und um eine Unterredung mit dem Minister gebeten. »Während dieser Erklärung ging ein Grinsen über das Gesicht des Gaustudentenführers Scheel. Man hatte auf diesem Wege erreicht, was man wollte.« Und dann folgt der schlimme Satz von der Konspiration gewisser Universitätskreise mit den Nationalsozialisten, um Heidegger aus dem Amt zu drängen. Diese dramatische Zuspitzung soll also im Februar 1934 mit der Amtsniederlegung ihren Höhepunkt und Schlußpunkt zugleich erfahren haben. Und dies zu einer Zeit, da Heidegger im Fall Staudinger so klare Position bezogen hat, wie wir schon gesehen haben.

Das eben herangezogene Schreiben vom 12. April 1934 läßt sich überhaupt nicht in Einklang mit Heideggers Version bringen, nicht nur, um es noch einmal zu betonen, der unterschiedlichen Zeitangaben wegen. Auch die übrige Karlsruher Aktenlage stützt Heideggers Darstellung nicht im mindesten, im Gegenteil: Aufgrund des Ministerbriefes vom 12. April 1934 ist es nicht zweifelhaft, daß wegen Dekan Wolf zum ersten Mal aus Karlsruhe ein Signal gegeben wurde – dazu nicht einmal in ultimativer Form. Vor allem aber ging das Ministerium davon aus, Heidegger bleibe im Amt und nehme die gewünschte Umbesetzung zu Semesterbeginn als Führer-Rektor wahr. Es waren viele Fehlentscheidungen des Dekans Wolf, die als Hintergrund gesehen werden müssen. Dazu kam eine heftige Kontroverse zwischen Heidegger und Wolf auf der einen Seite und Mitgliedern der Rechts- und Staatswissenschaftlichen Fakultät auf der anderen Seite wegen der Vertretung eines vakanten nationalökonomischen Lehrstuhls im Sommersemester 1934.

Dieses Ordinariat war im Wintersemester durch den außerplanmäßigen Professor Adolf Lampe vertreten worden – ein national gesinnter Mann aus der Frontkämpfergeneration, aber eindeutiger Gegner des Nationalsozialismus, weswegen er schon im Sommersemester 1933 angeschwärzt worden ist. Lampe, nachmals Ordinarius in Freiburg, wurde 1944 zusammen mit Gerhard Ritter und Constantin von Dietze im Zusammenhang mit dem 20. Juli verhaftet, da er als prominentes Mitglied dem »Freiburger Kreis« angehörte, der Verbindungen zu den Widerstandsgruppen unterhalten hat. Es sei hier schon angemerkt, weil Lampe nach 1945 zu den schärfsten Gegnern Heideggers zählte und maßgeblich dafür sorgte, daß Heidegger sein Lehramt verlor. Lampe konnte also in den nationalsozialistischen Kreisen dieser Zeit als unzuverlässig gelten. Gegen die weitere Lehrstuhlvertretung waren Heidegger und Wolf eingestellt in enger Kampfgemeinschaft und zwar, weil ihnen Lampe zu liberal und nicht genügend national ausgerichtet erschien. Lampe hatte seit dem Sommersemester stark unter den Angriffen der NS-Studentenschaft zu leiden, die die Lehr- und Forschungsrichtung Lampes bekämpfte. Dem Rektor Heidegger war die Besetzung des Lehrstuhls also unter politischen Gesichtspunkten wichtig – und Dekan Wolf folgte ihm getreu. Da nun Wolf Ende März 1934 die Lehrstuhlvertretung durch Lampe hintertrieb, begab sich dieser zum Minister und legte Dienstaufsichtsbeschwerde gegen seinen Dekan ein. Dies führte dann zum Ministerbrief vom 12. April 1934, da sozusagen das Faß zum Überlaufen gebracht worden war. Und Heideggers unmittelbare Reaktion, aber ohne eine direkte Verbindung mit dem Ministeransinnen, war die Antwort vom 14. April 1934:

> »Herr Minister! Nach eingehender Überprüfung der nunmehrigen Lage der Hochschulen bin ich zu der Überzeugung gekommen, daß ich zu der unmittelbaren und durch Ämter unbehinderten Erziehungsarbeit innerhalb der Studentenschaft und der jüngeren Dozentenschaft zurückkehren muß. Die neue Verfassung ist durchgeführt und ihr zufolge die Umstellung der Einrichtungen vollzogen und die neue Arbeit in Gang gebracht. Ich erlaube mir daher die Bitte, zum Sommersemester 1934 einen neuen Rektor für die Universität Freiburg zu ernennen.«

Dieses Rücktrittsgesuch hielt Heidegger vorerst geheim. Als er jedoch von der Dienstaufsichtsbeschwerde gegen Wolf erfuhr, schrieb er am 23. April 1934 einen geharnischten Brief an den Minister – sein letztes amtliches Schreiben: »Ich halte es für grundsätzlich untragbar, daß Dozenten, die sich während eines schwebenden Berufungsverfahrens selbst um die freie Stelle bemühen, vom Ministerium – und das gar noch ohne Wissen des Rektors – gehört werden. Ich lehne nach dem

Vorgefallenen jede weitere Verantwortung in der Frage der Besetzung des Lehrstuhls für Volkswirtschaftslehre ab.« Und am gleichen Tage, am 23. April 1934, teilte Martin Heidegger in einer Führerbesprechung (Rektor, Kanzler, die fünf Dekane) mit, er habe beim Minister das Rücktrittsgesuch eingereicht. Wir aber kennen jetzt die wahren Motive und den wirklichen Zusammenhang! Heidegger nahm also diese eher formale Angelegenheit zum Anlaß, um die Flinte ins Korn zu werfen.

Sein Abgang von der Bühne der Universitätsöffentlichkeit war wenig dramatisch. Heidegger war nämlich nicht ins Ziel gelangt. Das Rektorat war ihm mißlungen, aber nicht bloß das Rektorat. Den großen Worten des Rektors Heidegger entsprach keine Wirklichkeit: da war keine Studentenschaft auf dem Marsch, den Heidegger meinte: »Und *wen* sie sucht, das sind jene Führer, durch die sie ihre eigene Bestimmung zur begründeten, wissenden Wahrheit erheben und in Klarheit des deutend-wirkenden Wortes und Werkes stellen will.« *(Rektoratsrede vom 27. Mai 1933)* Stattdessen häßliche Auseinandersetzungen des Rektors mit dem Freiburger SA-Amt und den Studentenfunktionären, die gar zu selbstherrlich sich aufführten und nichts von Gefolgschaft hielten.

»Alle Führung muß der Gefolgschaft die Eigenschaft zugestehen. Jedes Folgen aber trägt in sich den Widerstand. Dieser Wesensgegensatz im Führen und Folgen darf weder verwischt noch gar ausgelöscht werden. Der Kampf allein hält den Gegensatz offen …« *(Rektoratsrede)*.

Es spielten sich aber jämmerliche »Kampf«-Szenen im Wintersemester 1933/34 ab: Gezänke, aber keineswegs aufbauende Arbeit in der von Heidegger postulierten kämpferischen Auseinander-Setzung zwischen Führerschaft und Gefolgschaft – Kampf gedacht im Sinne von Heraklit, Fragment 53. Unvereinbar klaffte der Widerspruch von Forderung und Wirklichkeit. Doch: statt dies einzugestehen, suchte sich Heidegger seine Sündenböcke, denen er das Versagen aufbürden konnte, sie in die Wüste jagend – die anderen, die nicht begriffen haben die »Unerbittlichkeit jenes geistigen Auftrags, der das Schicksal des deutschen Volkes in das Gepräge seiner Geschichte zwingt.« Was sollte auch von einer Lehrerschaft erwartet werden, der Heidegger die vier Strophen des Horst-Wessel-Liedes auf die Rückseite des Festprogramms zur feierlichen Übernahme des Rektorats am 27. Mai 1933 drucken ließ, damit sie atmosphärisch in den Geist des Nationalsozialismus eingeführt werde. In der »Rede des antretenden Rektors« – so die Formulierung im Programm, und »antretend« ist ein spezifisches

Appell-Wort – ist der Schlußappell in die großen Worte gegossen, denen wir schon begegnet sind. Dieser »antretende« Rektor in der Inszenierung vom 27. Mai 1933 hält keinen Vergleich mehr mit dem »abtretenden« Rektor vom 23. April 1934 aus. Heidegger war gescheitert, zuletzt in seinem Bemühen, die Besetzung des nationalökonomischen Lehrstuhls mit einem Vertreter des neuen Geistes, mit einem Antipoden zu dem liberal-theoretischen Walter Eucken durchzusetzen. Dies war ihm auch mißlungen. Heideggers Rücktritt kam auch für die Universität Freiburg überraschend. An der Amtseinführung seines Nachfolgers, des Strafrechtlers Eduard Kern, nahm der Alt-Rektor Heidegger nicht teil, ließ den Bericht über sein Rektorat durch den Hochschulreferenten verlesen, da, wie er argumentierte, der Rektor ja vom Minister ernannt werde. Dies jedoch hatte er mit der badischen Universitätsverfassung selbst bewerkstelligt.

Im Rechenschaftsbericht stellte Heidegger mit dem Anspruch der zutreffenden Erinnerung fest, erst sein Nachfolger Kern sei in der Presse als »der erste nationalsozialistische Rektor der Freiburger Universität, der als Frontsoldat die Gewähr biete für einen kämpferischen-soldatischen Geist und dessen Ausbreitung an der Universität«, bezeichnet worden. Also sei sein Rektorat als nicht-nationalsozialistisch eingestuft worden »von der Partei und vom Ministerium, von der Dozentenschaft und Studentenschaft« – ein weiteres Mal diese pauschalierend anonyme Zuweisung. Indes: das ist schlicht unzutreffend. Die einschlägigen Tageszeitungen, die Freiburger NS-Zeitung *Der Alemanne* eingeschlossen, verbreiteten am 30. April 1934 – vorausgegangen war eine verzweifelte Suche des Ministeriums nach einem neuen Rektor! – die wohlausgefeilte ministerielle Erklärung, Wort für Wort, ohne einen Zusatz hinzuzufügen – ich habe die ministerielle Fassung mit den Zeitungsmeldungen genau verglichen. Da heißt es:

>»Der Minister des Kultus, des Unterrichts und der Justiz, Dr. Wacker, hat dem Wunsche des derzeitigen Rektors der Albert-Ludwigs-Universität in Freiburg, Professor Dr. Martin Heidegger, entsprechend, dessen Rücktritt von der Universitätsführung genehmigt und ihm gleichzeitig für die mühevolle Arbeit in der Führung der Universität seinen Dank und seine besondere Anerkennung ausgesprochen. Zum neuen Rektor der Universität Freiburg wurde vom Minister Dr. Wacker der ordentliche Professor für Strafrecht und Strafprozeßrecht, Dr. Eduard Kern, ernannt.«

Und dann folgte ein ausführlicher Lebenslauf des neuen Rektors in wissenschaftlicher und militärischer Hinsicht unter Aufzählung der militärischen Stationen und militärischen Auszeichnungen. Nicht mehr und nicht weniger verbreitete die gleichgeschaltete Presse gemäß den Anweisungen des Ministeriums an die Karlsruher NS-Pressestelle. Wie auch anders, da der Rücktritt des hochangesehenen Philosophen vom Amt des Rektors möglichst heruntergespielt werden sollte, war er doch der Führer-Rektor, sozusagen das Flaggschiff in der Armada. Und hätte eine Zeitung wie *Der Alemanne* besonderen Anlaß gehabt, Heidegger die nationalsozialistische Gesinnung abzusprechen, die erst einige Wochen zuvor Heideggers berühmten Radio-Essay »Warum bleiben wir in der Provinz?« veröffentlicht hatte? Im Gegenteil: *Der Alemanne* hob im Bericht über die Amtseinführung des neuen Rektors ausdrücklich hervor, der Karlsruher Hochschulreferent habe Alt-Rektor Heidegger gedankt für die »Durchdringung der Hochschule mit nationalsozialistischem Geist«, für die »Tätigkeit am Neuaufbau der Universität.« Keine Frage: Heidegger galt besonders nach seiner Ernennung zum Führer-Rektor als der Garant für »die Erfassung der Universität im Sinne der nationalsozialistischen Weltanschauung«, wie der Kultusminister an Heidegger unter dem 2. Oktober 1933 geschrieben hatte.

Die Tagebuchnotiz von Prälat Sauer zur Rektoratsfeier vom 29. Mai 1934 lautet: »Die ganze Feier einschließlich des Essens im [Hotel] ›Kopf‹ nahm sich wie die Beerdigung eines Selbstmörders für Heidegger aus; von ihm war überhaupt keine Rede.« Freilich: der Rückzug aus dem öffentlichen Leben war nicht einfach das Ende einer Wegstrecke. Wie sehr der Denker Heidegger als Rektor zur Stabilisierung des Dritten Reiches beigetragen hat und wie stark er in diesem auf die studentische Jugend eingewirkt hat, kann nicht exakt gewogen werden. Aber es wiegt schwer, meine ich.

Gescheitert, mißlungen war Heideggers Rektorat – eine Unternehmmung, die ja nicht nur auf die Universität Freiburg beschränkt sein sollte: Die geistige Führung des neuen Deutschland durch die neue Universität, durch die neue Wissenschaft der Philosophie im Verständnis Heideggers, die einen steten »bebenden Boden« hatte, da sie auf das Seins-Denken der Vorsokratiker gegründet war. Dies war das eigentliche Ziel Heideggers, der jetzt erkennen mußte, daß sein idealistischer Aufbruch einmündete in die schlimme Verflachung, die Führer-Verfassung der Universität im Organisatorischen hängenblieb, die Profile verschliffen wurden. Deshalb gab er auf. Sein Rektorat war von innen heraus mißlungen. Wo auch hätte ein Gelingen sein können angesichts der Banalität der Bewegung! Sie marschierte im Geiste von Horst Wessel. Sie spottete eines Heraklit und Parmenides. Heidegger wurde auf den Lagern als Phantast belächelt, ja verhöhnt. Das Todtnauberger Wissenschaftslager geriet ihm zur Katastrophe. Da gab es nicht Aufbruch zu dem Ort der Verwirklichung des »Staatswerkes«. Nirgendwo ein Zeichen, daß die deutschen Wissenschaftler, beseelt und geeint, neu ermutigt, die künftige Universität des deutschen Volkes in seinem Staat erwirken wollten.

So war Heidegger zurückgeworfen auf sich selbst, abgeschnitten vom Erwirken des Staatswerkes der Deutschen, verwiesen auf die Suche nach dem Sinn der Geschichte. Er fand die Antwort in Friedrich Hölderlin, dem fortan sein Denken galt, kongenial dem Dichten. Die Denker, die auf das Wort des Dichters hören, auch wenn es, »noch ungehört, aufbewahrt« ist »in die abendländische Sprache der Deutschen«, wissen, daß Geschichte selten ist: Der Kairos, das Ereignis, ist selten, »Geschichte ist nur dann, wenn je das Wesen der Wahrheit anfänglich beschieden wird.«[166] 1933 war das Ereignis – doch die Deutschen haben es nicht erkannt. Sie haben den Deuter des Ereignisses nicht aufgenommen. So verhüllte sich das Wesen der Wahrheit, sich flüchtend aus dem »einmaligen Zeit-Raum« in »die unvordenkliche Anfänglichkeit des Anfangs«. Das Heilige, das Friedrich Hölderlin – zeitlos – einst ins Wort gerufen hatte, wollte 1933 im Gewitter der Umwälzung des Daseins hereinbrechen, »in seinem Kommen einen anderen Anfang, einer anderen Geschichte« gründen. Das Heilige jedoch verfiel zum Heil in Hitler. Das Heilige barg sich aus dem Tagenden in die Hülle des Dunkels. In solcher Selbst-Identifikation Heideggers mit Hölderlin überdauerte er die Jahre des deutschen Un-Geistes, diesem freilich immer den geziemenden Tribut zollend.

Auch der »politische Auftrag«, der mit dem Ruf auf die Berliner Professur im Herbst 1933 verbunden war und auch nach der Ablehnung des Rufes aufrechterhalten wurde, rann zunächst in das Unverbindliche, schließlich ins Leere aus. Dafür sorgten schon die Geister des Mittelmaßes, die Alten Kämpfer, zum Beispiel vom Schlage eines

---

[166] Martin Heidegger, *Hölderlins Hymne »Wie wenn am Feiertage ...«*, Halle a.d.S. 1941, S. 31 f. Die folgenden Zitate *ebenda* und S. 30.

Ernst Krieck oder Erich Jaensch.[167] Sicher: die primitiven Anpöbelungen, die Heidegger durch Krieck in dessen Zeitschrift *Volk im Werden* seit dem Frühjahr 1934 widerfuhren, mußten ihn bitter treffen, da er doch mit diesem badischen Landsmann über einige Zeit, über die Zeit des großen Aufbruchs, gemeinsame Hochschulpolitik im nationalsozialistischen Geiste gemacht hatte, bis zum Umkippen um die Jahreswende 1933/34. Aber: Wer war schon Krieck, und was galt *Volk im Werden*? Wir wissen, daß der Markgräfler, ein »wildgewordener Volksschullehrer«, als Heidelberger Professor bald ins politische Abseits geriet, ihm zwar als »Altem Kämpfer« ein gewisser Respekt gezollt wurde, die Partei jedoch sich schwertat, bei den fälligen Jubiläen ihm die gebührenden Ehrenbezeugungen zu erweisen. Krieck also steht nicht unbedingt für die Parteilinie. Ob Alfred Baeumler,[168] mit Heidegger über die Beschäftigung mit Nietzsche seit den ausgehenden zwanziger Jahren bekannt, nach der Machtergreifung im Gleichklang mit Heidegger und dies über lange Zeit, ihn für die Berliner Professur äußerst wohlwollend begutachtend, zum ausgesprochenen Feind Heideggers im Amt Rosenberg geworden ist, mag dahingestellt bleiben.

Eines dürfte feststehen: Auf Parteiseite formierte sich spätestens seit dem Frühjahr 1934 eine Anti-Heidegger-Gruppe, angeführt von den einstigen Marburger Kollegen Erich Jaensch und eben Ernst Krieck, die über Alfred Rosenberg vorsorglich eine mögliche führende Position Heideggers in Preußen oder im Reich blockierten, weil sie ihn nicht als den »Philosophen des Nationalsozialismus« gelten lassen wollten – in Kenntnis, und das betraf vor allem Jaensch, von Heideggers politischer Einstellung zur Marburger Zeit und seinem damaligen Privatleben. Das philosophische Mittelmaß, das Jaensch repräsentierte,

---

[167] Zu Krieck vgl. die gründliche Freiburger Dissertation von Gerhard Müller, *Die Wissenschaftslehre Ernst Kriecks, Motive und Strukturen einer gescheiterten nationalsozialistischen Wissenschaftsreform*, Weinheim 1976. Zur Charakterisierung von Erich Jaensch gibt Löwith einen Hinweis. Er berichtet, daß Romano Guardini im Sommersemester 1933 in Marburg einen Vortrag über Pascal gehalten hatte: »Der nationalsozialistische Psychologe Jaensch, der inzwischen den ›Gegentypus‹ zum Deutschen erfunden hatte, war über diesen Vortrag sehr aufgebracht und erklärte, es sei eine Schande, daß sich die Universität von einem ›landfremden‹ Gelehrten (Guardini war von Geburt Italiener) im gegenwärtigen Augenblick einen Vortrag über einen Franzosen angehört habe.« (1986, S. 76 f.).

[168] Alfred Baeumler, der als Mitglied des Kampfbundes für deutsche Kultur schon vor der Machtergreifung mit Alfred Rosenberg verbunden war und von diesem zum Leiter des Amtes Wissenschaft berufen wurde, hatte zum Sommersemester 1933, wie oben dargestellt, einen Lehrstuhl für »Politische Pädagogik« an der Berliner Universität übernommen.

stand im umgekehrten Verhältnis zu seiner primitiven nationalsozialistischen Ideologie. Unter dem 26. Februar 1934 schrieb der Reichsleiter des Nationalsozialistischen Deutschen Ärztebundes, Dr. Walter Groß, der spätere Leiter des Rassenpolitischen Amtes der NSDAP, an das Außenpolitische Amt der NSDAP: Er werde von verschiedenen Seiten immer wieder auf die Aktivität von Heidegger in Freiburg aufmerksam gemacht, der es verstanden habe, heute schon in weitesten Kreisen »als der Philosoph des Nationalsozialismus zu gelten«. Da er selbst über Heidegger kein eigenes Urteil habe, habe er jüngst bei Jaensch in Marburg angefragt und habe als Antwort »eine total ablehnende Denkschrift bekommen«, die Jaensch auf eine gleiche Anfrage von Krieck hergestellt habe. Heidegger stehe als Leiter der Preußischen Dozentenakademie ernsthaft zur Wahl. Es solle mit Alfred Rosenberg gesprochen werden, damit er sich »dieser offenbar gefährlichen Angelegenheit« annehme.[169] Und der Reichsleiter Rosenberg schaltete sich ein – gegen Heidegger erwuchs ein Dossier aus dem von Jaensch parteioffiziös formulierten Pamphlet.

Das von Krieck erwähnte Gutachten des Marburger Philosophen Ernst Jaensch fand Eingang in die Akten des Preußischen Ministeriums für Wissenschaft, Kunst und Volksbildung[170] samt den von Jaensch geflissentlich mitgesandten Anlagen. Es ist das Produkt unglaublichen Pamphletierens, nicht zu überbieten die Primitivität des Argumentierens, der Herabwürdigung von Persönlichkeit und Philosophie Heideggers: Eine Berufung Heideggers zum Leiter der Akademie käme einer Katastrophe gleich. Es wäre ein Widerstreit gegen die Vernunft, »wenn auf einen für die deutsche Kultur entscheidenden Posten ein Mann gestellt würde, der in den entscheidenden Fragen der Weltanschauung das vergangene System gestützt hat, der umgekehrt auch seinerseits von diesem System gestützt wurde.« In Heideggers Werk und Schaffen ließen sich »alle geistigen Verfallserscheinungen jener unseligen

---

[169] Vgl. Poliakov/Wulf 1983, S. 548. Einbezogen in die Diskussion von Christoph von Wolzogen, »›Es gibt‹. Heidegger und Natorps ›Praktische Philosophie‹«, in Gethmann-Siefert/Pöggeler 1988, S. 330 f.

[170] Zentrales Staatsarchiv, Dienststelle Merseburg, Rep. 76 Va Sekt. 1, Tit. IV, No. 71. Wichtig daraus die Blätter 42–73, 476–487, 499–505. Ich bin dem Zentralen Staatsarchiv, Dienststelle Merseburg, für die Übersendung von Photokopien zu Dank verpflichtet. Herrn Kollegen Hans-Martin Gerlach (Martin-Luther-Universität Halle-Wittenberg) danke ich für die Vermittlung und überhaupt für mannigfachen Rat. – Farias hat die Vorgänge erstmals dargestellt (1987, S. 215 ff.), jedoch die Attacken der Krieck-Jaensch-Gruppe nur sehr kurz abgehandelt.

Epoche in einem Maße erkennen« wie kaum bei einer anderen Persönlichkeit im deutschen Hochschulleben. Heidegger sei ein Mann, über
dessen Vergangenheit niemals Gras wachsen kann und bei dem nicht
einmal eine äußere Gleichschaltung möglich ist, weil sein wahres Gesicht schwarz auf weiß in seinem Werk niedergelegt und daher jederzeit
hervorgeholt und der Öffentlichkeit gezeigt werden kann. Es wider-
spräche jeder gesunden Vernunft, »wenn auf die für das Geistesleben
der nächsten Zukunft vielleicht wichtigste Stelle einer der größten
Wirrköpfe und ausgefallensten Eigenbrötler berufen würde, die wir im
Hochschulbereich haben; ein Mann, über den im Kreise sehr vernünf-
tiger, gescheiter und dem neuen Staate treuer Männer gestritten wird,
ob er in den Grenzbereich zwischen geistiger Gesundheit und Krankheit *eben noch* der einen oder *schon* der anderen Seite angehört.« Heideggers Denken habe in Marburg »erzieherisch einen verheerenden
Einfluß« ausgeübt, da es nachgeahmt werde und sich wie eine psy-
chisch-infektuöse Krankheit unter den Jungakademikern ausbreite.
Und dieser Mann solle jetzt mit einer größeren Autorität ausgestattet
werden! »Einen solchen typischen Dekadenten und ausgesprochenen
Vertreter der Verfallsperiode in den Mittelpunkt einer Bewegung stellen, die eine Bewegung zur Gesundung sein will? Wir können nicht
glauben, daß ein solcher Widersinn Wirklichkeit werden kann.«

Solange Heidegger der Marburger Fakultät angehört habe, sei er
Führer einer jüdischen Clique gewesen, habe kurz vor seinem Weggang
noch den Halbjuden Löwith habilitiert und ihn den Marburgern hinterlassen. Er sei in Marburg immer ein Vorkämpfer in allem gewesen,
„was sich *gegen* die national eingestellten Gruppen richtete.« Er sei
von den Trägern des vergangenen Systems »*hoch*gelobt« worden, »von
Juden, Halbjuden und Vertretern neuscholastischer, ausgeprägt katholischer Weltanschauung.« Er sei ein Bündnis eingegangen mit der »dia-
lektischen Theologie«, die, so Jaensch, man wegen ihres Zusammen-
hangs, mit der verklungenen Epoche bezeichnenderweise »Theologie
der Krise« genannt habe. »Die Heidegger hier kannten, standen darum
wie vor einem Rätsel, als sie hörten, daß sich Heidegger unserer Bewegung angeschlossen habe.« Eine Erklärung ergebe sich daraus, daß
Heidegger immer revolutionär sein wollte, immer dort an der Spitzen
stehen wolle, von wo »gerade Revolution, Umsturz und Verneinung
des gerade Bestehenden« ausgehe. Deswegen habe er sich im vergangenen Jahr »*ohne jede Hemmung*« über die Universität, die Professoren

und alles Bestehende gegenüber den Studenten »ausschimpfen« können, angetrieben von einem persönlichen Ehrgeiz, zu dem das in Marburg bekannte »fast grenzenlose Geltungsbedürfnis Frau Heideggers«
hinzutrete.

In dieser Manier geht das Pamphlet von Jaensch über viele Seiten weiter. Offensichtlich hatte er selbst das Bedürfnis, das Gutachten über
Heidegger zusammenzufassen und zwar in folgenden Sätzen:

»1. Das Denken Heideggers hat genau den Charakter des talmudisch-rabulistischen
Denkens. Es übt daher auf Juden und Judenstämmige, sowie in ihrer seelischen Struktur Gleichgeartete, jederzeit die größte Anziehungskraft aus. Wenn Heidegger einen
entscheidenden Einfluß auf Formung und Auslese des akademischen Nachwuchses gewinnt, so bedeutet dies mit pupillarischer Sicherheit: die Auslese an den Hochschulen
und im Geistesleben zu Gunsten der unter uns verbliebenen Judenstämmlinge vollziehen. Diese werden, auch wenn ihr nichtarischer Bluteinschlag weit zurückliegt, den ra-
bulistischen Unsinn jederzeit mit Begeisterung aufnehmen, ausgestalten, auf die verschiedenen Einzelgebiete anwenden und dann natürlich auch im Hochschulleben entsprechend gefördert werden, während unsere jungen Deutschen hier nicht mitkönnen,
weil sie geistig zu gesund und zu verständig sind.
2. Die Denkprodukte Heideggers oder vom Heideggertypus – wie man besser sagt,
weil die Seuche ihrer Nachahmung schon beginnt –, sind aber nicht nur überhaupt Rabulistik gewöhnlicher Art, wie wir sie in der verklungenen Sprache reichlich kennengelernt haben, sondern eine Rabulistik, die sich bis ins geistig Krankhafte übersteigert, so
daß man sich jeden Augenblick fragt, was hier eben *noch* im normalen Sinne ver-
schraubt und abwegig und was *schon* schizophrenes Gefasel ist. Da diese Denkart dann
selbstverständlich von behenden Schreibfedern und geschäftstüchtigen Verlegern kon-
junkturgemäß ausgebeutet und propagiert wird –, womit seit den Berufungen Heideggers nach Berlin und nach München schon begonnen ist – so werden wir im Hochschulleben eine förmliche geistige Seuche, eine Art Massenpsychose bekommen.
Es werden, kurz zusammengefaßt, 1) mit Sicherheit die Judenstämmigen, sowie ihre gleichgearteten Freunde und Gefolgsmannen ausgelesen werden, 2) die Erkrankung
des höheren Geisteslebens, die die verklungene Epoche hinterlassen hat, wird nicht ge-
heilt, sondern noch verschlimmert werden.«

Ohne hier ausführlicher auf das Akademie-Projekt eingehen zu
können (vgl. dazu ausführlicher Farias 1987, S. 213 ff.), sei nur soviel gesagt: Im Unterschied beispielsweise zur Preußischen Akademie der
Wissenschaften oder der Academie française sollte die Hauptaufgabe
der Akademie sein die »Heranbildung der jungen Hochschullehrer zu
Wissenschaftlern und Erziehern im nationalsozialistischen Geist« und
die »politische Willensbildung des akademischen Nachwuchses.« In
den kommenden Jahren werde als wesentlichste Aufgabe die letzte
»Auslese des jungen Nachwuchses im Vordergrund stehen« und zwar
»nach der körperlichen, charakterlichen, kämpferischen und weltan-

schaulichen Seite hin, ebenso wie nach dem geistigen und wissenschaftlichen Rang und der erzieherischen Begabung der Habilitanden, mithin nach den Grundsätzen einer nationalsozialistischen Führertruppe.« Wenn die Akademie sich in dieser Weise entwickele, so könne sie »das Instrument dieser Planung werden und bestimmenden Einfluß auf die gesamte Wissenschaft und Forschung behalten, auch wenn die Deutsche Hochschule einmal wirklich nationalsozialistisch ist.« In der Übergangszeit könne sie entscheidenden Einfluß auf das Gesicht der deutschen Hochschule gewinnen und berge das Potential, »durch allmähliche Ausweitung zu einer Art politischer Universität ein integrierender Bestandteil zunächst einzelner, dann aller Hochschulen zu werden, der dann von innen heraus die Hochschule umzuwandeln imstande ist.«

Heidegger hat sich in seinem ausführlichen Gutachten vom 28. August 1934 mit der Konzeption weitgehend identifiziert, auf der Linie früherer Argumente sich bewegend:

»1. Die Einrichtung der Dozentenschule bestimmt sich nach ihrem *Ziel*. Dieses heißt *Erziehung* solcher Universitätslehrer, die willens und imstande sind, die künftige deutsche Universität zu verwirklichen. 2. Die *Erziehung* zum Lehrersein muß als Aufgabe anstreben: a. Weckung und Festigung der *erzieherischen* Haltung. (Der Dozent nicht als seiner und anderer Ergebnisse weitergebende Forscher). b. Umdenken der bisherigen *Wissenschaft* aus den Fragerichtungen und Kräften des Nationalsozialismus. c. Einsatzbereites Wissen um die künftige Universität als *erzieherischer Lebensgemeinschaft* aus geschlossener Weltanschauung.«

Viel wichtiger als alle Planung und Einrichtung hält Heidegger »die Gestalt, die Willensrichtung und das Können der Leiter und Lehrer.« Diese sollten vor allem dadurch wirken, »was und wer sie *sind* und nicht durch was und worüber sie ›reden‹.«

Er entwickelt für die innere Struktur eine Mischung aus frühgriechischer Akademie, römischer Rhetorenschule, mittelalterlicher Universität und klösterlichen Elementen. Er warnt vor einer bloßen Schulung, einem Kurssystem, das »man eben mit erledigt haben muß, um zur Habilitation zu kommen.« Vor allem:

»Die ›Vorschläge‹ unterschätzen die Anforderungen und Schwierigkeiten der ›Wissenschaftsplanung‹. Wenn der ohnehin schon allzu mächtige ›Amerikanismus‹ im heutigen Wissenschaftsbetrieb überwunden und künftig vermieden werden soll, dann gilt es, der Neugestaltung der Wissenschaften die Möglichkeit zu geben, aus ihren inneren Notwendigkeiten zu wachsen. Das ist noch nie und wird auch nie anders geschehen als durch den ›bestimmenden Einfluß einzelner Persönlichkeiten‹. Das bedeutet nicht einseitige Herrschaft einzelner Schulen und Richtungen, sondern ist nur die Forderung des ›Kampfes‹, der auch und gerade im Geistigen der ›Vater aller Dinge‹ ist.«

So sehr Heideggers Renommee beim Ministerium in Berlin weiter kultiviert worden ist, die wissenschaftspolitisch engagierten Nationalsozialisten waren auf seine Fährte gesetzt. Der Plan des preußischen Kultusministeriums, Heidegger die Leitung der künftigen Deutschen Dozentenakademie zu übertragen, zerschlug sich ebenso wie die Gründung dieser Akademie selbst. Mittlerweile war der Freiburger Philosoph eindeutig ins Visier der strammen Nationalsozialisten genommen worden – von verschiedenen Seiten beäugt. Immer wieder betätigten sich Krieck, Jaensch und Genossen als Hintermänner. Ein bezeichnendes Licht auf solches Kesseltreiben wirft ein Schreiben des Führers der Dozentenschaft der Frankfurter Universität an die Deutsche Dozentenschaft in Berlin – akkurat vom 30. Juni 1934 – mit folgendem Nachtrag:

»Es ist noch nicht vollständig gelungen, die Philosophische Fakultät Frankfurt-M von dem Einfluß der Tillich-Clique freizumachen. Von dieser Clique schienen Fäden zum Kreis um Heidegger zu führen. ›Man‹ hat es durchgesetzt, daß für dieses Semester als Vertreter auf den z.Z. vakanten Lehrstuhl für Philosophie ein typischer Heideggerianer, Krüger-Marburg gekommen ist. Wir behalten die Angelegenheit im Auge und erbitten gegebenenfalls Ihre Unterstützung.«[171]

Heidegger hat in der Tat nicht nur für die Lehrstuhlvertretung des am 6. Februar 1933 seines Lehramts enthobenen Paul Tillich (maßgeblicher Theoretiker des »religiösen Sozialismus«) gesorgt, sondern auch den gemäßigten Kräften der Frankfurter Philosophischen Fakultät den entscheidenden Hinweis auf den Göttinger Hans Lipps gegeben, der dann auch berufen worden ist.[172]

---

[171] Erstmals veröffentlicht bei Christoph von Wolzogen, a.a.O., [Anm. 169], S. 331.
[172] Vgl. das eindrucksvolle Kapitel »Hans Lipps« bei Gadamer 1977, S. 161–165.

Heideggers Wirken
nach dem Rektorat

Zurück aus Syrakus

Im Rechenschaftsbericht *Tatsachen und Gedanken* hat Heidegger mit knappen Strichen die Zeit nach dem Rektorat umrissen: endgültige Klarheit über die Konsequenzen seiner Amtsniederlegung nach dem Röhm-Putsch vom 30.6.1934. Er sei in der Folgezeit verdächtigt, ja angepöbelt worden. Die Namen Krieck und Baeumler stehen, so Heidegger, für diese Linie. Kesseltreiben, ja schließlich Überwachung durch den SD, Kontrolle wegen der Nähe zu »katholischen« Schülern, vor allem Ordensangehörigen, Beeinträchtigung von Publikationsmöglichkeiten, Verhinderung von Auslandsreisen und der Teilnahme an internationalen Kongressen, Hintansetzung seiner habilitierten Schüler bei Lehrstuhlbesetzungen. »Trotz dieses Totschweigens im eigenen Land versuchte man mit meinem Namen im Ausland Kulturpropaganda zu treiben, um mich zu Vorträgen zu bewegen. Ich habe alle derartigen Vortragsreisen nach Spanien, Portugal, Italien, Ungarn und Rumänien abgelehnt: auch mich nie an den Wehrmachtsvorträgen der Fakultät in Frankreich beteiligt.« (1983, S. 41 f.)

Bereits im Juli 1934 beantragte der Freiburger Rektor Kern in Karlsruhe für Heidegger die Genehmigung einer Reise nach Italien: der Kollege sei zu Vorträgen an dem durch die italienische Regierung errichteten Istituto Italiano di Studi Germanici eingeladen. Heidegger erhält die Glückwünsche der Karlsruher Regierung zugleich mit der Mitteilung, die Reise sei in Berlin beantragt worden. Es galten ja die strengen Devisenbestimmungen, und aus politischen Gründen wurden alle Auslandsreisen zentral kontrolliert. Nur weil Heidegger krank wurde, mußte der Italienaufenthalt verschoben werden. Im Frühjahr 1936 wiederholte das römische Institut seine Einladung, woraufhin Heidegger anstandslos zusammen mit seiner Familie Italien und Rom – das erste Mal in seinem Leben – besuchen durfte. Das Berliner Ministerium genehmigte in diesem Zusammenhang sogar noch die beantragten Vorträge in Mailand und Pisa, welch letztere Heidegger – wohl aus Zeitgründen – nicht mehr wahrgenommen hat.

In Rom traf er, wir haben es eingangs erwähnt, auf seinen Schüler Karl Löwith. Heidegger war also keineswegs eingeengt, trotz der vorhin skizzierten parteiinternen Gegenkampagne. Und so werden weitere Reisen genehmigt: in die Schweiz (Zürich) 1935/36, nach Wien 1936. Dann im Krieg die dringenden Einladungen nach Italien, Spanien und Portugal (1942), zu denen Heidegger zwar seine grundsätzliche Bereitschaft erklärte, jedoch hinzufügte, er könne »aber derartige Vorträge infolge anderweitiger Arbeitsbelastung für die Wehrmacht erst nach Ende des Wintersemesters, also im Frühjahr oder zu Beginn des Sommers 1943« halten. Bei den Veranstaltungen für die Wehrmacht dürfte es sich um die Fakultätsvorträge in Freiburg gehandelt haben. Im Herbst 1943 werden dann die Vorträge für Spanien (Madrid, Valencia, Granada) und Portugal vorbereitet, wobei Heidegger für diese beiden Länder als Themen vorschlug: »Platons Lehre von der Wahrheit (Höhlengleichnis)«, »Über die Metaphysik des Aristoteles«, »Hölderlin und das Wesen der Dichtung«. Daß die Vortragsreisen nicht mehr realisiert wurden, lag in der Entwicklung des Krieges begründet, der 1944 in sein Endstadium trat.

Vielleicht mag die Einladung durch die Züricher Studentenschaft, im Herbst 1935 ausgesprochen und von dem Berliner Ministerium umgehend genehmigt, etwas eingehender betrachtet werden, weil der Vortrag Heideggers »Vom Ursprung des Kunstwerks« eine erhellende Kontroverse in der *Neuen Zürcher Zeitung* ausgelöst hatte. Heidegger sprach am 17. Januar 1936 vor einer großen, aufmerksamen und gewichtigen Hörerschaft, wie Hans Barth, der Chefredakteur der *Neuen Zürcher Zeitung* vermerkte, seinem Bericht freilich einen zusammenfassenden »politischen« Vorspann gebend, der für die reservierte Einstellung gegenüber dem politischen Engagement Heideggers von Belang ist. Im Grunde läßt sich bereits aus dieser frühen, gewissermaßen zeitgenössischen Kontroverse all das ablesen, was die gegenwärtige Diskussion umgreift. Hans Barth leitete folgendermaßen ein:

»Es ist viel Wasser den Rhein hinuntergeflossen, seit Heidegger einer breiteren Öffentlichkeit neuere Ergebnisse seiner philosophischen Bemühungen preisgegeben hat. Die

Rektoratsrede von 1933 über ›Die Selbstbehauptung der deutschen Universität‹ kann mit bestem Willen nicht als wesentlicher Ausdruck seines Geistes bewertet werden. Dafür ist sie zu dürftig. Viele werden daher mit einiger Spannung seinem von der Züricher Studentenschaft veranstalteten Vortrag vom 17. Januar entgegengesehen haben. Wir müssen es uns ja offensichtlich zur Ehre anrechnen, daß Heidegger in einem demokratischen Staatswesen das Wort ergreift, galt er doch – mindestens eine Zeitlang – als einer der philosophischen Wortführer des neuen Deutschland. Vielen haftet aber auch in Erinnerung, daß Heidegger ›Sein und Zeit‹ in ›Verehrung und Freundschaft‹ dem Juden Husserl widmete und daß er seine Kant-Deutung mit dem Gedächtnis des Halbjuden Max Scheler auf immer verband. Das eine 1927, das andere 1929. Die Menschen sind in der Regel keine Heroen – auch die Philosophen nicht, obwohl es Ausnahmen gibt. Es kann daher kaum gefordert werden, daß einer gegen den Strom schwimmt; allein eine gewisse Verpflichtung der eigenen Vergangenheit gegenüber erhöht das Ansehen der Philosophie, die ja nicht nur Wissen ist, sondern einst Weisheit war.«

Diese Besprechung löste eine heftige Diskussion von dem damals 28 Jahre alten Literaturwissenschaftler Emil Staiger aus, der Barth vorwarf, »einen politischen Steckbrief« vorausgeschickt zu haben, »der ihm den Beifall des Publikums sichert«, die Sprache Heideggers bemäkelt zu haben, um schließlich in einigen Sätzen den Vortrag zusammenzustücken.

»Doch Heidegger steht nicht neben Oswald Spengler oder Tillich, um nur zwei Philosophen aus ganz entgegengesetzten Lagern zu nennen; sondern Martin Heidegger steht neben Hegel, neben Kant, Aristoteles und Heraklit. Und wenn man dies einmal erkannt hat, wird man es zwar noch immer bedauern, daß Heidegger sich überhaupt je auf den Tag einließ – wie es immer tragisch bleibt, wenn die Sphären verwechselt werden –; doch man wird in seiner Bewunderung ebensowenig irre werden, wie man in der Ehrfurcht vor der ›Phänomenologie des Geistes‹ [Hegels] durch die Vorstellung des preußischen Reaktionärs nicht irre wird.«

Von besonderem Interesse ist die Gewichtung der Rektoratsrede durch den Chefredakteur Hans Barth: zu dürftig – eine Bewertung, die viel für sich hat, wie anderwärts schon aufgezeigt worden ist. Das Starren auf diese Rede, soweit das Gesagte verstanden wird, sollte sich allmählich lösen. Daß einer so gesprochen hat und mit welchem Anspruch, ist das Entscheidende (*NZZ* vom 20. und 23.1.1936).

Heidegger erwuchs, es ist deutlich geworden, zunächst keine Gefahr oder irgend ein Nachteil deswegen, weil er jetzt in das zweite Glied zurückgetreten war und mißtrauisch beobachtet worden ist. Auch kein Nachteil dahingehend, daß seinen Veröffentlichungen ein Abtrag zuteil wurde: *Sein und Zeit* konnte bei Niemeyer/Halle ungehindert erscheinen – in mehreren Auflagen, die fünfte 1941 unter Wegfall der Widmung an Husserl (vgl. o.S. 173f.). Die Einbeziehung Heideggers in das Überwachungssystem des Sicherheitsdienstes scheint im Frühsommer 1936 erfolgt zu sein – nach der Rückkehr von der Italienreise. Ob ein Zusammenhang mit diesem Auslandsaufenthalt besteht, muß offenbleiben. Doch sei zunächst noch einmal die Fahrt nach Rom kurz erörtert, ehe die Frage der Überwachung behandelt wird.

Der mit dem antiken Erbe so vertraulichen Umgang pflegende Heidegger war erstmals in seinem Leben nach Rom gekommen, erfuhr dieses Bildungserlebnis als Fünfundvierzigjähriger. Die zehn Tage Rom waren angefüllt: zwei Vorträge »Hölderlin und das Wesen der Dichtung« am 2. April, »Europa und die deutsche Philosophie« am 8. April im Kaiser-Wilhelm-Institut, zu welch letzterem der Jude Karl Löwith nicht geladen war, wie wir schon gehört haben; denn in den Räumen, die einer jüdischen Stiftung verdankt waren, polterte seit geraumer Zeit der Geist des Rassedenkens. Dazwischen trank Heidegger Kultur und Landschaft in vollen Zügen: Frascati, Tusculum, Piazza Navona, Michelangelos Moses im Halbdunkel von San Pietro in vinculis. Er sei die ganzen zehn Tage in Rom eigentlich verwirrt gewesen, schrieb Heidegger am 16. Mai an Jaspers – es war der zweite Brief an Jaspers nach 1933 und zugleich sein letzter während der Dauer des Dritten Reiches –, ja »ärgerlich fast und wütend« und fand die Erklärung in der Überfülle der Eindrücke, die ihm eingesunken seien und jetzt erst in gewisser Ordnung in der Erinnerung auftauchten, unmittelbarer als bei der unmittelbaren Anschauung. Von Karl Löwith in diesem Brief kein Wort – und dabei war die Begegnung mit seinem Schüler aus der Marburger Zeit, dem so vertrauten, dem Hüter seiner Kinder, dem über Wilhelm Szilasi seit den frühen zwanziger Jahren verbundenen Weggenossen, doch wesentlich. Vielleicht von daher die ärgerliche und gar wütende Befindlichkeit? Wir haben das knappe Kapitel in Karl Löwith »Mein Leben in Deutschland vor und nach 1933. Ein Bericht« in diesem Zusammenhang schon kennengelernt. Es waren Tage in Rom, angefüllt durch die Intensität und Eindringlichkeit der Fragen Löwiths. Da gab es einen Anknüpfungspunkt, nämlich die Kontroverse in der *Neuen Zürcher Zeitung*, eben erst einige Wochen alt. Löwith erklärte sich weder mit Hans Barth noch mit Emil Staiger einverstanden, weil er der Meinung war, Heideggers Parteinahme für den Nationalsozialismus liege im Wesen seiner Philosophie.

Die Hölderlin-Stimmung in Rom 1936 – für Löwith unvereinbar mit Heideggers politischem Credo! Doch Heidegger sprach die 7. Strophe von »Brot und Wein« nicht von ungefähr: »Was zu tun indes und zu sagen«, als ein Wissender, der das Verhüllte und Verkannte hütet, »durchhält« – und »Halt« ist Heidegger »Hut«, wie er später im Humanismus-Brief deutet. »Durchhalten« in der Dürftigkeit, »im Nichtmehr der entflohenen Götter und im Nochnicht des Kommenden.« Im Brief an Jaspers vom 16. Mai 1936 klingt alles prosaischer:

»Eigentlich dürfen wir es als einen wunderbaren Zustand gelten lassen, daß die ›Philosophie‹ ohne Ansehen ist – denn nun gilt es, unauffällig für sie zu kämpfen; z.B. durch so eine Vorlesung über eine Schellingabhandlung,[173] was ja an sich absonderlich wirkt. Aber es wird doch zuweilen deutlich, was vor sich gegangen und was uns fehlt: nämlich das ernsthafte Wissen, *daß* uns solche [Vorlesung] fehlt.«

Welche Resignation eines Philosophen, der aus der Kulturkritik der Weimarer Zeit, der Zeit der Ohnmacht, hochgemut aufbrach in die Umwälzung des Daseins der Deutschen, um der Philosophie den »bebenden Boden« aus der Bodenlosigkeit zu erkämpfen, sich in ein politisches Abenteuer begebend. Jetzt kann für die »Philosophie ohne Ansehen« nur noch unauffällig gekämpft werden. Der bedrückte und ärgerliche Heidegger des Sommers 1936 hatte freilich auch Grund zu persönlicher Verärgerung: in Rom hatte ihm der Schüler Löwith vorgehalten, wie er in der »Akademie für das deutsche Recht« an einem Tisch »mit einem Individuum wie Julius Streicher« sitzen könne. Heidegger konnte die Ergüsse dieses Gauleiters von Franken nur als politische Pornographie werten, begab sich sonst in Ausflüchte und grenzte ein weiteres Mal den Führer Adolf Hitler von solchen Widerlingen aus.

Am 14. Mai 1936 frug der Leiter des Amtes für Kunstpflege und des Kulturpolitischen Archivs innerhalb des Amtes Rosenberg, Dr. Gerigk, beim NS-Dozentenbund in München an, »wie die Persönlichkeit von Professor Dr. Martin Heidegger, Freiburg, eingeschätzt wird.« (Der Vorgang ist im Bundesarchiv Koblenz, NS 15/209, aufbewahrt.) Der Anlaß ist nicht bekannt. Es fällt auf, daß der NS-Dozentenbund bemüht wird, da doch innerhalb des Rosenberg-Amtes im Leiter des Amtes »Wissenschaft«, Alfred Baeumler, ein Heidegger-Experte zur Verfügung stand. Dr. Gerigk führte weiter aus: »Seine Philosophie ist stark scholastisch gebunden, so daß es eigenartig ist, weshalb Heidegger stellenweise auch auf Nationalsozialisten einen nicht unbeträchtlichen Einfluß ausüben kann.« Diese eigenartige Charakterisierung der

---

[173] Heidegger las im Sommersemester 1935 »Schelling. Über das Wesen der menschlichen Freiheit«.

Heideggerschen Philosophie als »scholastisch gebunden« bleibe zunächst beiseite! Die Auskunft aus München muß so alarmierend gewesen sein, daß vom Amt für Kunstpflege am 29. Mai 1936 das Dossier an das Reichssicherheitshauptamt, Abteilung Wissenschaft, übermittelt wurde mit der Bitte, »sich wegen dieser Beurteilung noch mit Pg. Dr. Gerigk mündlich in Verbindung setzen zu wollen.« Die archivalische Überlieferung des Amtes Rosenberg und anderer Parteistellen ist sehr lückenhaft. Die meisten Bestände – vor allem des NS-Dozentenbundes – wurden vernichtet. Gleichwohl ist der Interpretationszusammenhang herzustellen: die Münchener Antwort war so brisant und negativ, daß eine Überwachung Heideggers durch die entsprechende Abteilung des SD geraten schien. Es wurde schon dargestellt, wie seit Frühjahr 1934 Material über (und gegen) Heidegger zusammengetragen wurde – aus dem Kreis von Krieck und Jaensch. Dieses Material dürfte weiter verdichtet worden sein.

Die Art und Weise sowie die Intensität der Observierung liegen im Dunkeln. Heidegger berichtet in *Tatsachen und Gedanken*, im Sommersemester 1937 habe ein Dr. Hancke aus Berlin in seinem Seminar mitgearbeitet, »sehr begabt und interessiert«. Dieser habe sich alsbald enttarnt: »er könne mir nicht länger verheimlichen, daß er im Auftrag von Dr. Scheel arbeite, der damals den SD-Hauptabschnitt Südwest leitete.« Heidegger sieht deshalb einen kontinuierlichen Zusammenhang zwischen dem »erzwungenen« Ende seines Rektorates (Rolle Scheels) und den Überwachungs-Aktivitäten des Jahres 1937. Wahrscheinlicher ist jedoch, daß die Einbeziehung Heideggers in das Observierungsraster ab 1936 erfolgte – aus anderen Motiven. Im SD herrsche die Auffassung vor, so Dr. Hancke, Heidegger arbeite mit den Jesuiten zusammen. Auf diesem Hintergrund gewinnt die Einschätzung von der »scholastisch gebundenen« Philosophie Heideggers erst ihre Aussagekraft. Doch: welch abgrundtiefe Mißdeutung![174]

---

[174] Wie uneinheitlich die Einschätzung der Person Heideggers durch parteiamtliche Stellen war, belegt ein im Archiv des Quai d'Orsay (Paris) aufbewahrter, von der Kreisleitung Freiburg ausgefüllter Fragebogen, der an die Gauleitung in Karlsruhe geschickt wurde (und der Zensurstelle für Lehrbücher zur Information über die Autoren diente). Dort wird in der allgemeinen Charakterisierung Heideggers vor allem seine erbitterte Gegnerschaft zum Katholizismus hervorgehoben. Dieses Dokument aus dem Frühjahr 1938 ist auch ein Indiz dafür, daß Heidegger damals zumindest in der örtlichen Partei durchaus noch als persona grata galt. (Einen ersten Bericht über dieses von mir nicht eingesehene Dokument gibt Jacques Le Rider in einem Artikel unter dem Titel »Le dossier d'un nazi ›ordinaire‹«, *Le Monde* vom 14. 10. 1988.)

»Was ist der Mensch?«

Heinrich Ochsner, der Studienfreund Heideggers, Trauzeuge bei der kirchlichen Trauung des Brautpaares Heidegger, seit dem Frühjahr 1933 aus der gebührenden Distanz den politischen Weg des großen Philosophen beobachtend – kritisch und ohne eigentliches Verständnis (»Das Fiasko des Heideggerschen Rektorats«), notierte in einem Brief vom 25. November 1933 den starken Eindruck, den das eben erschienene kleine Buch von Theodor Haecker *Was ist der Mensch?* auf ihn gemacht habe:[175] »Eines der besten und tiefsten Bücher, die in den letzten Jahren in Deutschland erschienen sind. Darin steht ein Satz, der die Situation blitzartig beleuchtet: Daß heute keine zwei Menschen sich mehr über dieselbe Sache verstehen, selbst wenn sie dieselben Worte gebrauchen.«[176]

Es war ein mutiges Buch in der Tat, wider den Zeitgeist geschrieben, konvulsivisch herausgeschleudert, anklagend und Hoffnung bringend – freilich auf der unerschütterlichen Grundlage von *Genesis* 1,26. Theodor Haecker, der scharfsichtige und unbestechliche Analytiker seiner Zeit, schrieb in pessimistischer Grundstimmung: »Wohin gehen wir in der Zeit? Wie wird die Gestalt der Welt sein, wie wird das Neue aussehen, nachdem vieles auf diesem Planeten, was heute noch nicht zerschlagen ist, zerschlagen sein wird? Wir wissen es nicht. Niemand weiß es außer Gott.«[177] Dieser Gott freilich war der Gott des Alten und Neuen Bundes, der Gott der Genesis. Und nicht ein Gott, der uns

---

[175] Haecker 1933.
[176] Ochwadt/Tecklenborg 1981, S. 109.
[177] Haecker 1933, S. 17.

noch retten kann, vor allem keiner der Götter der Griechen. Dieser
Gott der christlichen Offenbarung hatte auch nichts zu schaffen mit
dem Führer, dem zur gleichen Zeit der Philosoph Martin Heidegger
huldigte, einem Führer, der seinem Volk gibt »die unmittelbare Möglichkeit der höchsten freien Entscheidung, ob es – das ganze Volk – sein
Dasein will, oder es dieses *nicht* will.«[178] Dieses Volk, in der »gleichge-
richteten Gefolgschaft« aufgestanden, »gewinnt die *Wahrheit* seines
Daseinswillens zurück, denn Wahrheit ist die Offenbarkeit dessen, was
ein Volk in seinem Handeln und Wissen sicher, hell und stark macht«,
wie solche Erkenntnisse der Rektor Heidegger am 11. November 1933
dem deutschen Volk zusprach.[179] Also: auch gegen einen christlichen
Defaitismus vom Schlage Theodor Haeckers, der jetzt in der großen
Umwälzung, da sich Geschichte eigentlich ereignet, nämlich als Wahrheit, nur klagend schreiben kann: »In solcher Zeit, o meine Freunde,
wollen wir beizeiten überlegen, was wir mitnehmen sollen aus den
Greueln der Verwüstung. Wohlan: Wie Aeneas zuerst die Penaten, so
wir zuerst das Kreuz, das wir immer noch schlagen können, ehe es uns
erschlägt. Und dann: Nun, was einer am heißesten liebt. Wir aber wollen nicht vergessen unseren Vergil, der in eine Rocktasche geht« (1933,
S. 17) – ein Humanismus aus christlichem Geist.

Haeckers Buch, unter das Motto von *Genesis* 1,26 »Laßt uns den
Menschen machen nach unserem Bild und Gleichnis ...« gestellt, war
Kampfansage an die gegenwärtige Philosophie und Weltanschauung,
zugleich aber auch tröstliche Hilfe für Tausende von suchenden Menschen.[180] Heidegger hat Haecker genau gelesen und die wesentlichen
Fragen des Buches verstanden. Er gab bald die geziemende Antwort in
der Vorlesung »Einführung in die Metaphysik« des Sommersemesters
1935.[181] Diese Vorlesung, 1953 erstmals publiziert, ist über weite
Strecken auch eine Auseinandersetzung mit der christlichen Philosophie, noch genauer mit Haecker, ohne daß dies von der einschlägigen
Forschung bisher überhaupt gesehen wird. Heidegger nennt freilich

---

[178] Vgl. Schneeberger 1962, Dok. 129.
[179] Vgl. *ebenda*, Dok. 116 und 129.
[180] Die Resonanz des Haecker-Buches war überdurchschnittlich – sehr im Unterschied zu Heideggers Rektoratsrede.
[181] Die Auseinandersetzung mit dieser Vorlesung ist auch noch nicht ausreichend erfolgt. Die
folgenden Stellen sind zitiert nach der Ausgabe von 1953, erschienen in Tübingen (4. Aufl.
1976).

keine Namen, spricht verschlüsselt, verstehbar nur dem Kundigen. Die zentrale Frage, wer der Mensch sei, »das ist für die Philosophie nicht irgendwo an den Himmel geschrieben« – vielmehr hat sich der philosophische Mensch gefälligst nach Heraklit und Parmenides zu richten, in deren Fragmenten sich die Wahrheit des Seins offenbart: »Das Wesen und die Weise des Menschseins kann sich dann aber nur aus dem Wesen des Seins bestimmen.« Offenbarung nach Heraklit und Parmenides und Offenbarung des sich offenbarenden Gottes im Logos-Begriff des Neuen Testamentes werden schroff gegenübergestellt: »Die Verkündigung vom Kreuz ist Christus selbst; er ist der Logos der Erlösung, des ewigen Lebens ... Eine Welt trennt all dieses von Heraklit.« Wie wahr! Was ist wohl dies für eine trennende Welt? Eine Welt trennt auch den Philosophen Heidegger von dem die christliche Existenz bedenkenden Haecker, der sich der Offenbarung des christlichen Gottes ausgesetzt hat. Und deshalb trifft ihn der Bannstrahl vom Freiburger Katheder:

»Zwar gibt es jetzt Bücher mit dem Titel: ›Was ist der Mensch?‹ Aber diese Frage steht nur in Buchstaben auf dem Buchdeckel. Gefragt wird nicht; keineswegs deshalb, weil man das Fragen bei dem vielen Bücherschreiben nur vergessen hätte, sondern weil man eine Antwort auf die Frage bereits besitzt und zwar eine solche Antwort, mit der zugleich gesagt wird, daß man gar nicht fragen darf. Daß jemand die Sätze, die das Dogma der katholischen Kirche aussagt, glaubt, ist Sache des Einzelnen und steht hier nicht in Frage. Daß man aber auf den Buchdeckel seiner Bücher die Frage setzt: Was ist der Mensch?, obgleich man *nicht* fragt, weil man *nicht* fragen will und *nicht* kann, das ist ein Verfahren, das von vorneherein jedes Recht verwirkt hat, ernst genommen zu werden. Daß dann z.B. die Frankfurter Zeitung ein solches Buch, in dem lediglich auf dem Buchdeckel gefragt wird, als ›ein außerordentliches, großartiges und mutiges Buch‹ anpreist, zeigt auch dem Blindesten, wo wir stehen.«

Geschrieben wurde damals nur *ein* Buch mit dem fragenden Titel »Was ist der Mensch?« und das verächtlich gemeinte »man« traf nur auf Theodor Haecker zu, dessen schmales Buch einen beachtlichen Erfolg erzielte, 1935 in die dritte Auflage ging und in der noch nicht gleichgeschalteten *Frankfurter Zeitung* eine hervorragende Besprechung erfuhr, die Heidegger so sehr aufregte, daß er die qualifizierenden Attribute dieser Rezension regelrecht aufspießte und mit einer unglaublichen Invektive versah: der andere Standpunkt. Natürlich: nicht der seine, deshalb kann das nur mit der bittersten Lauge des Hohnes übergossen werden – in einem Zusammenhang des ur-eigentlichen Fragens der Frage des Heideggerschen Denkens. Und deshalb fährt er weiter:

»Warum nenne ich hier abwegige Dinge im Zusammenhang mit der Auslegung des Spruches des Parmenides? Diese Art von Schriftstellerei ist doch in sich gewichts- und bedeutungslos. Aber nicht bedeutungslos ist der schon lange anhaltende Zustand einer Lähmung jeder Leidenschaft des Fragens. Dieser Zustand bringt es mit sich, daß alle Maßstäbe und Haltungen sich verwirren und die meisten nicht mehr wissen, wo und wozwischen die eigentlichen Entscheidungen fallen müssen, wenn anders mit der Größe des geschichtlichen Willens, die Schärfe und Ursprünglichkeit des geschichtlichen Wissens sich verbinden soll.«

Die Abwege, die Heidegger dem hellsichtigen Theodor Haecker anlastet, weil er statt eines Parmenides-Fragments die Genesis-Überlieferung für die Deutung des Mensch-Seins zugrundelegt, sind nur als Bannfluch eines Propheten zu begreifen. Die »Leidenschaft des Fragens«, vielleicht nur ›rhetorischen‹ Fragens, kann auch als topisches Stilmittel aufgefaßt werden. Vielleicht enthüllt sich solche Leidenschaft als eine leblose Attitüde, dann nämlich, wenn hinter die Worte geblickt wird. Und hat einer das Recht, die Verwirrung aller Maßstäbe und Haltungen anklägerisch zu diffamieren, der selbst die Maßlosigkeit verkündet hat, indem er den »Führer« zum Maß aller Dinge, aller Wirklichkeit – auch der künftigen! – gesetzt hat? Der Röhm-Putsch jährte sich soeben das erste Mal, als Heidegger diese Vorlesung hielt, also auch das Gedenken an das tausendfache Morden jener Juninacht; die Konzentrationslager hatten Konturen erhalten. Wer sich zu seiner christlichen Überzeugung bekannte, wußte, wofür er stand und wo er stand. Die propagandistischen Vorbereitungen für die Verabschiedung des Reichsbürgergesetzes auf dem kommenden Reichsparteitag zu Nürnberg liefen auf vollen Touren. Aber: Martin Heidegger hat in diesem Sommersemester 1935 das Wissen »der inneren Wahrheit und Größe« des Nationalsozialismus ein weiteres Mal monopolisiert und das »Wissenwollen« dogmatisiert.

Heideggers Attacke gegen das Haecker-Buch ist noch in eine sehr konkrete Konstellation einzuordnen; denn sie vollzog sich auf dem Hintergrund von schwersten Angriffen auf Haecker, die von den nationalsozialistischen Studenten der Freiburger Universität im Mai 1935 unternommen wurden:[182] Haecker hatte den Mut, einer Einladung katholischer Studenten folgend, am 13. Mai im Hörsaal I (Heideggers Hörsaal) über das Thema «Der Christ und die Geschichte« zu spre-

---

[182] Die Vorgänge sind aufgrund archivalischer Quellen dargestellt bei Remigius Baeumer, »Die Theologische Fakultät Freiburg und das Dritte Reich«, *Freiburger Diözesanarchiv*, Nr. 103, 1983, S. 265–289, hier S. 285 f.

chen.[183] Bereits der Vortrag wurde gestört. Anschließend zogen »aufge-
brachte« Studenten vor das Theologische Konvikt (Collegium Borromaeum), um gegen diese ungeheure Provokation zu demonstrieren:
»Nieder mit Rom!« – »Stellt die Schwarzen an die Wand!« – »Schlagt
den Schwarzen die Knochen entzwei!« – »Nieder mit den schwarzen
Hunden!« – »Hängt die Juden!« waren die Parolen. Und die *Freiburger
Studentenzeitung* berichtete am 15. Mai über Haeckers Vortrag: der habe zwar nicht direkt negativ gegen die Ideen des Nationalsozialismus
gesprochen, dann: »Nein, das tut man nicht, dazu ist man viel zu klug.
Man ignoriert sie vollständig. Daß die nationalsozialistischen Studenten gegen diese Methoden des politischen Katholizismus Stellung nehmen, ist durchaus verständlich. Sie mußten es aus ihrem Nationalsozialismus heraus.« Und in derselben Nummer wird verlautbart: »Wir
kämpfen im geschlossenen Einsatz gegen den politischen Katholizismus, gegen Jesuitismus, gegen Judentum und gegen Freimaurerei.«
Selbstverständlich stelle ich keinen unmittelbaren Bezug zwischen diesen Vorfällen und Heideggers Vorlesung her. Aber: dies war das Ambiente in der kleinen Universitätsstadt Freiburg, wo man sich kannte.
Haecker wurde übrigens noch 1935 mit einem Redeverbot belegt.

Heideggers Vorlesung »Einführung in die Metaphysik«, die eine
Art Grundkurs der Seinslehre, ein Lehrstück für den Anfänger und etwas Fortgeschrittene darstellte, hörten im Sommersemester 1935 auch
zwei Jesuiten, die 1934 von den Innsbrucker Ordensoberen zum Studium der Philosophie mit Promotionsabschluß nach Freiburg geschickt worden waren: Karl Rahner und Johannes Lotz – freilich nicht
zu Heidegger gesandt, sondern zu seinem Kollegen auf dem Lehrstuhl
für (christliche) Philosophie, Martin Honecker.[184] Spätere Legenden-
bildungen, die beiden Jesuiten wollten bei Heidegger promovieren,
entbehren jeglicher Grundlage, da er zu jener Zeit keinen Jesuiten als
Doktoranden angenommen hätte. Gleichwohl reklamierte der Philosoph nach 1945 diese Jesuiten als seine »Schüler«, um seine klare Distanz dem Nationalsozialismus gegenüber gleichsam mit einem kleri-
kalen Argument zu erhärten. In *Tatsachen und Gedanken* schreibt Heidegger: »Eine Reihe von Semestern hindurch waren die Jesuiten-Patres
Prof. Lotz, Rahner, Huidobro Mitglieder meines Oberseminars; sie

---

[183] Haecker hatte 1935 sein Buch *Christ und Geschichte* (Leipzig) veröffentlicht mit einem dezi-
dierten Bekenntnis des Christenmenschen, daß Gott allein der Herr der Geschichte ist.
[184] Vgl. Ott 1988a.

waren oft in unserem Haus. Man braucht ihre Schriften nur zu lesen, um sogleich den Einfluß des Denkens zu erkennen, der auch nicht abgeleugnet wird.« (1983, S. 41 f.)

Die Auseinandersetzung mit Heideggers »Einführung in die Metaphysik« kann von mir in erster Linie nur unter historischer Fragestellung erfolgen. Eine solche Vorlesung, primär gegen die »verfälschende« christliche Philosophie gerichtet, war natürlich auch gegen den engsten Fachkollegen Honecker gesprochen, der den weltanschaulich geprägten Lehrstuhl vertrat. Daß sich Heidegger von seinem Werdegang her unaufhörlich an dem Phänomen der christlichen Philosophie wund rieb und die durch Konkordate völkerrechtlich gesicherten Lehrstühle für christliche Philosophie attackierte, ist naheliegend. An der Universität Freiburg kann diese Konstellation genau konkretisiert werden.

Honecker mußte seit der Berufung Heideggers nach Freiburg 1928 die Nachbarschaft dieses übermächtig wirkenden Denkers und Lehrers aushalten. Diese nur schwer zu ertragende Spannung verstärkte sich nach 1933 durch das politische Engagement Heideggers, der seitdem keinen Zweifel mehr daran ließ, daß für die weltanschaulich orientierten Philosophie-Lehrstühle das letzte Stündlein geschlagen hatte. Den Hebel hierzu setzte man am besten bei der Nachwuchs-Politik an. So gerieten auch die Schüler Honeckers, besonders wenn sie die Universitätslaufbahn einschlagen wollten, in diesen politisierenden Bannkreis – dies betraf die nahezu gleichaltrigen Aspiranten Max Müller und Gustav Siewerth. Ehe wir uns deren »Schicksal« zuwenden, insoweit es durch Heidegger seine Prägung erfuhr, sei kurz auf den Werdegang der Jesuiten Rahner und Lotz eingegangen, weil aus der Nach-Geschichte viel Verworrenes aufgestiegen ist, das bis heute das Bild bestimmt, nicht zuletzt deswegen, weil Rahners Promotionsversuch in Freiburg gescheitert ist.

Honecker vergab an die beiden Jesuiten Themen aus der thomistischen Philosophie – für Rahner ein erkenntnistheoretisches Problem aus der *Summa theologica*[185] des Thomas von Aquin, für Lotz die metaphysische Explikation des scholastischen Satzes »Ens et bonum convertuntur«.[186] Rahners Entwurf wurde von Honecker abgelehnt, nicht,

---

[185] *S. th.*I q. 84 a. 7.
[186] Promotionsakten, Universitätsarchiv Freiburg.

wie immer wieder zu lesen ist, als »zu sehr von Heidegger« inspiriert, sondern weil der von Honecker geforderte Standard nicht erreicht war. Die Dissertation von Lotz dagegen wurde ohne Bedenken akzeptiert, von Honecker ausführlich und genau gewürdigt, der »Ernst des hier entwickelten denkerischen Bemühens« attestiert. Lotz habe eine vorzügliche Untersuchung vorgelegt, die »sich ausgesprochen und bewußt im Bereich des scholastischen, näher: des thomistischen Gedankensystems« bewege, »ohne sich aber einer der vielen schwächlichen Abhandlungen des Thomismus im sogenannten Neuthomismus zu verschreiben.« Wie Heidegger, der ex officio als Zweitgutachter für die Doktoranden seines Kollegen fungierte, eine solche Arbeit bewertete, mag aus den folgenden Sätzen, aus denen das gesamte Gutachten besteht, klar werden:

> »Innerhalb des vorgegebenen Rahmens, der das Ergebnis im voraus entscheidet, ist die Arbeit eine ausgezeichnete Leistung einer jeweils dem Zeitalter sich anmessenden Scholastik. Die eigentlichen ›systematischen‹ Wurzeln der Frage der ›Vertauschbarkeit‹ von ens und bonum könnten erst ans Licht gebracht werden, wenn hinter den Bestand der scholastischen Lehre zurückgegangen und die Frage als eine ursprünglich griechische – und zwar platonisch-aristotelische begriffen würde.«

Es handelt sich um ein für Heidegger typisches Versatzstück, womit er argumentativ alles philosophische Bemühen diskreditierte, das von einer christlich begründeten Fragestellung geleitet war. Dem Verfasser wird zwar die ausgezeichnete Leistung zuerkannt, doch: leider ist er grundsätzlich befangen, nicht im mindestens vorurteilsfrei, eingebunden in ein Denkgebäude, in dem die eigentliche Frage nicht gefragt werden kann. Er muß in einem vorgegebenen Rahmen arbeiten, innerhalb dessen die Antwort auf eine uneigentliche Frage schon gegeben ist. Natürlich ist diese gutachterliche Stellungnahme eingebettet in die Vorlesung des Sommersemesters 1935, als Heidegger sich in seiner Person mit dem »Glauben der Herkunft« auseinandersetzte. In dieser Vorlesung befreite er sich ein weiteres Mal von der »außerphilosophischen Bindung«, d.h. von der Bindung an die christliche Lehre. Der die göttliche Offenbarung als Wahrheit hinnehmende Mensch kann die Heideggersche Frage nicht fragen, da er die Antwort immer schon weiß und sie als solche hinnimmt, nämlich: Gott als der Erschaffer alles Seienden ist selbst unerschaffen von Ewigkeit. Der überzeugte Christ, befrachtet mit diesem prinzipiellen Vor-Urteil, kann also den denkerischen Gang nicht mitgehen, es sei denn, er gäbe seinen Glauben auf.

»Er kann nur so tun als ob.« Für Heidegger sind gläubige Christen sowieso verdächtig, da sie eigentlich der Gleichgültigkeit verfallen sind: weder glauben noch fragen – aus Bequemlichkeit. Ihr Glaube ist »eine Verabredung mit sich, künftig an der Lehre als einem irgendwie Überkommenen festzuhalten.« Für Heidegger steht fest: »Eine ›christliche‹ Philosophie ist ein hölzernes Eisen und ein Mißverständnis.«

Höchste Zeit also, den Nachwuchs in dieser Disziplin in die Schranken zu weisen und den un-philosophischen Weg zu blockieren. Das Fach sollte »ausgehungert« werden. Heidegger erwies sich an seiner eigenen Universität als unerbittlicher Feind christlicher Philosophen, späte Rache übend für die früher erlittene Unbill. Diese Rache fiel um so leichter in der Zeit des totalitären Nationalsozialismus, der antikirchliche Bestrebungen aus der Universität nur zu gerne aufnahm. Die zuständigen Stellen der NSDAP waren bequeme Agenturen, wenn es galt, den Habilitierten die Dozentur und damit die materielle Sicherung zu verweigern.

Die Härte dieser nationalsozialistischen Wissenschaftspolitik am Universitätsort Freiburg traf in ganzer Massivität zwei hochbegabte und hoffnungsvolle Habilitanden bei Honecker, nämlich Gustav Siewerth (1903–1963)[187] und Max Müller (* 1906) – sie hatten den unzeitgemäßen Ehrgeiz, sich im Fach Philosophie mit christlicher Akzentuierung habilitieren zu wollen. Zugleich ließen sich beide Wissenschaftler in ihrer enthusiastischen Verehrung Heideggers nicht so leicht übertreffen, wie überhaupt ihr nachmaliges philosophisches Oeuvre sich Heidegger in nahezu vollkommener Form verpflichtet weiß – ungeachtet der schlimmen Erfahrungen, die sie mit Heidegger machen mußten: er blieb ihr eigentlicher Lehrer, dem sie huldigten und huldigen. Max Müller hat die komplexe Konstellation dieser Beziehung und die pure Paradoxie meisterhaft geschildert.[188] Wie da von Honecker 1937 die beiden Habilitationen regelrecht durchgekämpft werden mußten gegen heftigste weltanschaulich-politische Widerstände. Das begann im Falle der Habilitation von Siewerth schon im gutachtlichen Teil – wiewohl dieser Kandidat der glühendste Verehrer Heideggers war, schon im Mai 1930 nach der Ablehnung des 1. Berliner Rufes beim studentischen Fakkelzug Worte unsäglichen Jubels für Heidegger gefunden hatte. Des-

---

[187] Vgl. Franz Pöggeler, »Gedenkworte für Gustav Siewerth«, *Jahres- und Tagungsbericht der Görres-Gesellschaft* 1964, S. 55 ff.
[188] Vgl. Martin/Schramm 1986.

ungeachtet: Heideggers Korreferat zur Habilitationsbewerbung Siewerths war eisig-sachlich: Man werde dieser Arbeit nicht vorwerfen können, »daß sie voraussetzungslose Wissenschaft treibe; nur sind eben die Voraussetzungen eigener Art. Ihre wissenschaftliche Vertretung an der Universität ist durch das Konkordat sichergestellt.« Siewerth versuche eine spekulative Erörterung der Grundlagen des thomistischen Systems im festen Rahmen der katholischen Glaubenslehre, dabei Begriffe und Fragestellungen neuzeitlicher Denker verwertend. Dann wird Heidegger grundsätzlich und sitzt auf dem Richterstuhl, das Urteil sprechend:

»Da jedoch eine Wissenschaft und die Philosophie erst recht sich bestimmt aus der Art der Auffassung des Seins überhaupt und des Wesens der Wahrheit und der Stellung des Menschen, und da diese weltanschaulichen Voraussetzungen nicht nur den Inhalt, sondern ebenso die Behandlungsart einer Wissenschaft und erst recht der Philosophie vorgestalten, ergibt sich für die Beurteilung des vorliegenden Falles eine eindeutige Lage.«

Heidegger, der Künder der Wahrheit des Seins, verkündet jetzt das Urteil, obwohl er sich eigentlich für nicht zuständig hält und deswegen nur konditioniert sich äußert: »Für eine Stellungnahme, ob die vorliegende Habilitationsschrift im Rahmen *ihrer* eigenen glaubensmäßigen Voraussetzungen wissenschaftlich zureicht, ist, wenn die Fakultät klar sehen will, nur Herr Kollege Honecker zuständig.« Die so festgestellte Nichtzuständigkeit indes beeinträchtigt Heideggers Urteil nicht:

»Mein Urteil kann nur so lauten: Wenn solche Auslegungen und Darstellungen für zulässig erachtet und zur Verteidigung und Ausgestaltung des katholischen Glaubens als wertvoll angesehen werden, dann ist die vorgelegte Arbeit eine beachtenswerte Leistung. Aber das ist im Grund kein Urteil, weil das Wesentliche daran, die tragenden Bedingungen, unter denen auch die wissenschaftliche Beurteilung der Arbeit steht, von mir nicht entscheidbar sind.«[189]

Da tritt uns der ganze Heidegger entgegen, zerrissen, widersprüchlich, zwielichtig, voller Ressentiments, mit der Ambivalenz des Urteilens, Verantwortung von sich weisend.

Sieben Jahre zuvor, am 29. Mai 1930, hatte der cand. phil. Siewerth beim Fackelzug zu Heideggers Ehren u. a. ausgerufen:

»Wir möchten Sie aber bitten zu glauben, daß der gottentstammte Funke des ›Enthusiasmus‹, der schöpferisch zeugende der Geister, seinen verborgenen Anteil hat an dem Lichterreigen vor Ihren Augen, daß hier in gesammelter Bewegung äußerlich zum

---

[189] Universitätsarchiv Freiburg.

Ausdruck kommt, was in der Stille Ihres Wirkens heranwuchs: nämlich eine ehrfürchtige Ergriffenheit vor den Kostbarkeiten und Gründen des ›Logos‹, der göttlich waltet sowohl im frühgeborenen Genius der Sprache, wie in der ewigen Schöpfung der Griechen, in Gott erschüttertem Geisttum des Mittelalters und im geistesgewaltigen Ringen des deutschen Idealismus.«

Heideggers Dank für das entgegengebrachte Vertrauen der akademischen Jugend gipfelte in den Sätzen:

»Ihr Bekenntnis gilt nicht einem philosophischen Standpunkt oder einem System, es gilt der Forderung: sich halten inmitten des Daseins. Wir müssen klar sehen: in heutiger Zeit fehlt uns jeder Halt an einer objektiven, allgemein verbindlichen Erkenntnis oder Macht; die einzige Haltgewinnung, die uns heute bleibt, ist die Haltung.«

Die Forderung laute: »sich zu halten inmitten des Daseins.« Dies aber bedeute »Kampf«. »Sache der Jugend aber ist es zu kämpfen.«[190]

Das die hehren Worte aus dem Jahre 1930, als es galt, noch ein wenig »Haltung« zu bewahren angesichts der Macht-Losigkeit, der Ohn-Macht der Zeit. 1937 war die Macht-Frage längst entschieden. Der Kandidat der Philosophie Siewerth hatte 1933 den Ruf des Führers nicht vernommen und war nicht in sein Gefolge eingetreten, um den Gefolgschaftsdienst zu leisten. Er verharrte auf seinem Standpunkt. Vielleicht hatte Siewerth, der nur das politische Minimum erbrachte, nämlich den zwingend vorgeschriebenen Arbeitsdienst, jedoch keiner Gliederung der Partei angehörte, darauf vertraut, was Heidegger 1930 erklärt hatte: es komme nicht auf das philosophische System an. Siewerth war kein Anpasser und trug die Konsequenz, die sich aus dem von Heidegger zu Händen der Dozentenbundsführung verfaßten »politischen« Gutachten ergab: aus politisch-weltanschaulichen Gründen Verweigerung der Dozentur. Max Müller erging es keinen Deut anders, wie aus dem Gespräch mit ihm lebendig hervorgeht. Wiederum das vor Ambivalenz strotzende fachliche Gutachten Heideggers: der Verfasser erkläre zwar im Vorwort, »kein Thomist« zu sein.

»Der Verfasser ist aber sehr wohl ›Thomist‹, sofern er die entscheidenden theologischen Fragestellungen, die hinter der ›Philosophie‹ stehen, im vorhinein festhält, nicht nur nicht in Frage stellt, sondern sie, in heutige Denkweise einkleidet, zum Vortrag bringt. Wenn also in der Arbeit sehr viel von ›Problematik‹ die Rede ist, dann gilt das nur für den Bezirk einer selbst gar nicht ›problematischen‹ Dogmatik, in der die entscheidenden Fragen der Philosophie nicht gefragt sind, weil sie nicht gefragt sein können.«[191]

---

[190] Genauer Bericht mit wörtlicher Wiedergabe der Reden in *Freiburger Zeitung* Nr. 147 vom 30.5.1930.

[191] Nachlaß Clemens Bauer – im Besitz des Verfassers.

Indes: Heidegger hält den Bewerber Müller »für eine katholische Professur in einem *hervorragenden* Maße geeignet.« Gleichwohl verhinderte Heidegger die von der Fakultät beantragte Dozentur Müllers aus weltanschaulich-politischen Gründen, wiederum durch ein Gutachen 1938/39 an die Adresse der Freiburger Dozentenbundsführung, in dem die negative Einstellung Müllers dem nationalsozialistischen Staat gegenüber betont worden ist. Heidegger hat dazu überdies seinen grundsätzlichen Standpunkt ein weiteres Mal vertreten: ein Christ, so er ehrlich sei, könne nicht Philosoph sein. Ein echter Philosoph könne kein Christ sein. Die Universität müsse sich zugunsten eines radikal Neuen gegen das Christentum entscheiden. Solange das Christentum noch Anspruch auf gegenwärtige Geltung erhebe, müsse es bekämpft werden. Deswegen solle kein gebundener Anhänger einer christlichen Konfession mehr Dozent werden.[192]

Die Chance, eine der verhaßten Weltanschauungsprofessuren für Philosophie zu beseitigen, kam bald. Der Freiburger Kollege Honekker starb im Oktober 1941 einen frühen Tod. Heidegger hat im Verein mit den übrigen Kräften der Fakultät, denen die »gebundene«, also nicht voraussetzungslose, Philosophie zuwider war, aus der »Voraussetzungslosigkeit« der nationalsozialistischen Weltanschauung dafür gesorgt, daß der völkerrechtlich gesicherte Lehrstuhl umgewidmet wurde und zum 1. September 1942 mit einem Psychologen besetzt wurde.[193] In dem neuen Lehrstuhlinhaber Robert Heiß gewann Heidegger einen Anhänger, der vor allem nach 1945 bemüht war, Heideggers Position zu halten.

Am ehemaligen Honeckerschen Lehrstuhl, der jetzt seiner ursprünglichen Funktion entkleidet worden war, blieb als Seminarwart Dr. Heinz Bollinger tätig, Schüler Honeckers, von Heiß im kleinen Amt belassen. Bollinger wurde im März 1943 als zum Umkreis der »Weißen Rose« gehörig in Freiburg verhaftet und am 19. April 1943 zu einer hohen Zuchthausstrafe verurteilt wegen Mitwisserschaft und unterlassener Anzeige. Sein Freund Willi Graf wurde hingerichtet wie zuvor schon Professor Huber von der Universität München und die

---

[192] *Ebenda:* Antrag Müllers vom 1. Juni 1945 auf Zuweisung einer Dozentur. Im Anhang zu diesem Antrag stellt Müller die Vorgänge minutiös dar – deutlicher als im »Gespräch«, a.a. O. [Anm. 188], in dem Heidegger geschont wird.
[193] Vgl. Ott 1988a.

Geschwister Sophie und Hans Scholl.[194] Huber, Graf und Bollinger kamen aus der katholischen Jugendbewegung, letztere gehörten dem Bund »Neudeutschland« an.

Bis heute ist nicht geklärt, wer die Geheime Staatspolizei auf die Spur von Heinz Bollinger gebracht hat. Manche Anhaltspunkte sprechen für den Ursprung der Denunziation aus dem Philosophischen Seminar II, also dem jetzt mit Heiß frisch besetzten Lehrstuhl. In den wochenlangen Verhören wollte die Gestapo vor allem das Freiburger Umfeld von Bollinger erkunden, um die Verbreitung der »konspirativen« Aktionen festzustellen.

Es war nur ein kleiner Bekanntenkreis Bollingers, der verhaftet und überprüft wurde. Robert Heiß, mit dem Bollinger gelegentlich »politische« Gespräche geführt hatte, wurde verschont, obwohl Bollinger die Gespräche mit Heiß der Gestapo eingestanden hatte. Heidegger konnte schon gar nicht erfaßt werden, weil es zwischen Bollinger und ihm nie ein Gespräch oder einen sonstigen Kontakt gegeben hatte. Heidegger war lediglich vordem Korreferent für Bollingers Dissertation (über Max Scheler), von Honecker betreut. Heideggers Gutachten bewegt sich im üblichen Rahmen der bekannten grundsätzlichen Vorbehalte gegen eine christliche, also nicht-philosophische Fragestellung. Das Philosophische Institut von Heidegger sowie Heidegger selbst blieben im Zusammenhang der »Weißen Rose« unbehelligt. Die »entlastenden« Sätze Heideggers in *Tatsachen und Gedanken* entbehren demnach jeder Grundlage, nämlich die Gestapo habe wegen Dr. Bollinger nachgeforscht »im Zusammenhang der Münchener Studentenaktion Scholl, für welche Aktion man einen Herd in Freiburg und in meinen Vorlesungen suchte« (1983, S. 42). Das Umfeld von Heidegger wurde also in keiner Weise betroffen, da es säuberlich vom ehemals Honeckerschen Lehrstuhl getrennt war – nicht nur von der Denk-Richtung her gesehen.

Bei Professor Heiß indes herrschte helle Empörung darüber, daß der aus Honeckers Zeiten stammende Seminarwart Bollinger schmählichen Verrat begangen und das Ansehen seines Lehrstuhls beeinträchtigt hatte. Honeckers Witwe, Frau Irmgard, schrieb am 29. April 1943 an Heiß aus gegebenem Anlaß einen Brief, der ihr so wichtig war, daß

---

[194] Mit Prof. Heinz Bollinger habe ich ein längeres sehr informatives Gespräch geführt – auf dem Hintergrund des in Anm. 195 erwähnten Briefes. Die Informationen sind in diese Darstellung eingegangen.

sie ihn für ihre Unterlagen kopierte:[195] »Die Sache Bollinger will mir noch gar nicht aus dem Kopfe. Ich habe mich nochmals auf ihn besonnen und mußte wieder feststellen, daß er einen ruhigen, soliden und zuverlässigen Eindruck machte. Und ich bin fest davon überzeugt, daß mein Mann ihm auf Grund dieser Eigenschaften das Amt des Seminarwartes übertragen hat.« Auch andere Freiburger kannten Bollinger als bescheidenen Menschen. Und Frau Honecker weiter: »So habe ich ihn auch in Erinnerung, und ich kann mir nur denken, daß er durch eine gewisse Ungewandtheit in diese Affäre hineinverwickelt wurde. Es wäre mir nun sehr leid, wenn Sie durch den Namen ›Bollinger‹ in Ihrem Seminar Unannehmlichkeiten hätten, und ich hoffe, daß Sie mich bei Gelegenheit Näheres über die ganze Sache wissen lassen können.« Die Witwe des Vorgängers mußte sich rechtfertigen, weil ein potentieller Volksschädling, dem katholischen Milieu zugehörig, als Seminarwart eingestellt worden war. So sah der Alltag in den düsteren Jahren des Terror-Regimes aus, als der Mensch und des Menschen Leben nichts mehr galten. Wir erinnern uns, im Dezember 1933 hatte Heidegger seinem getreuen Gefolgsmann Erik Wolf geschrieben: »Der einzelne, wo er auch stehe, gilt nichts. Das Schicksal unseres Volkes in seinem Staat gilt alles.«

---

[195] Aus dem Nachlaß Martin und Irmgard Honecker. Herrn Dr. Raimund Honecker und Frau Jansen, geb. Honecker, danke ich für die Möglichkeit der Auswertung. Der Brief von Frau Honecker ist ein ganz wichtiges Dokument zur Erhellung innerer Zusammenhänge.

Die Verspottung der Philosophie – oder: Was ist Humanismus?

Im Amt Rosenberg, Hauptamt Wissenschaft und dessen Unterabteilung: Amt Wissenschafts-Beobachtung und Wertung (so kompliziert war der Funktionsapparat) wurden gleichfalls Materialien über Heidegger gesammelt, von denen mehrere Vorgänge erhalten sind, die die Methode des Sammelns illustrieren. Das reicht von Beobachtungen über den Einfluß Heideggers auf die Universitätslehre, die Mitgliedschaft Heideggers in Herausgebergremien bis hin zu ganz konkreten Zensurmaßnahmen, derer Heidegger in seinem Rechenschaftsbericht Erwähnung tut. Konkret handelt es sich um den Aufsatz »Platons Lehre von der Wahrheit«, erschienen im zweiten Band des von Ernesto Grassi herausgegebenen *Jahrbuchs für geistige Überlieferung* (1942), der in den Besprechungen nicht erwähnt werden durfte gemäß einer Anweisung des Reichspropagandaministeriums.[196]

Hinter dieser Zensurmaßnahme ist freilich ein größerer Zusammenhang verborgen, der mit der Sprachregelung im geisteswissenschaftlichen Bereich in Verbindung zu bringen ist. Ernesto Grassi, zu jener Zeit Honorarprofessor an der Universität Berlin, seit 1928 begeisterter Hörer und gleichsam Schüler Heideggers, damals dem ungarischen Juden Wilhelm Szilasi sehr nahestehend, von dem wir immer wieder gehört haben und auf den wir wieder stoßen werden, hatte als

---

[196] Heidegger zitiert die entsprechende Verfügung Z. D. 165/34 Ausgabe-Nr. 7514: »Der Aufsatz von Martin Heidegger ›Platons Lehre von der Wahrheit‹ in dem in Kürze im Verlag Helmut Küpper, Berlin, erscheinenden Jahrbuch für geistige Überlieferung darf weder gewürdigt noch genannt werden. Die Mitarbeit Heideggers an diesem Band II. des Jahrbuchs, das im übrigen durchaus besprochen werden kann, ist nicht zu erwähnen.«

Hauptaufgabe in der Reichshauptstadt die Vermittlung italienischer Kultur und die interdisziplinär angelegte Begegnung deutscher und italienischer Gelehrter geisteswissenschaftlicher Richtungen. Das von der Duce-Regierung geförderte Unternehmen hatte natürlich auch einen außenpolitischen Hintergrund. Grassi genoß die volle Unterstützung, ja Rückendeckung seiner Regierung. Nach dem Zweiten Weltkrieg hat Grassi Karriere gemacht: über die Station Universität Zürich – dort gab es erhebliche Bedenken wegen Grassis politischer Vergangenheit! – Professor an der Universität München und Direktor des dortigen Seminars für Philosophie und Geistesgeschichte des Humanismus.

Das kulturpolitische Programm Grassis wurde vom Hauptamt Wissenschaft des Amtes Rosenberg argwöhnisch beobachtet, ja mit Argusaugen verfolgt. Grassi hatte in engster Zusammenarbeit mit dem an der Universität Königsberg lehrenden Walter F. Otto und mit dem in Berlin lehrenden Altphilologen Karl Reinhardt bei Kriegsausbruch das *Jahrbuch für geistige Überlieferung* etablieren können, dessen erster Band 1940 erschien und die Problembereiche »Klärung des antiken Denkens und Weltbildes« und »Erhellung des Wesens von Humanismus und Renaissance und beider Vermittlung der Antike« und schließlich »Prüfung des Verhältnisses zur Antike im 19. und 20. Jahrhundert« behandelte. In den dem Amt Rosenberg nahestehenden *Nationalsozialistischen Monatsheften*, wo übrigens auch Grassi publizierte, erschien im November 1941 eine ausführliche Besprechung dieses ersten Bandes durch den evangelischen Theologen und Religionswissenschaftler Wilhelm Brachmann, einem führenden Mitglied der von Rosenberg geplanten Hohen Schule. Hauptanliegen dieses Aufsatzes »Antike und Gegenwart. Ein Beitrag zum Problem des gegenwärtigen Humanismus in Deutschland und Italien« war, eine verbindliche Sprach- und Begriffsregelung für »Humanismus« zu formulieren.[197] Brachmann subsumierte die Bemühungen Grassis, Ottos, Reinhardts und anderer unter dem Begriff »gegenwärtiger Humanismus« italienischer und deutscher Prägung, jedoch ganz im herkömmlichen Verständnis verharrend. Demgegenüber müsse jedoch dem »politischen Humanismus« Bahn gebrochen werden. Auf den »Rassen-Günther« (Hans F. K. Günther) sich berufend müsse die »Artverwandtschaft der Griechen

---

[197] *Nationalsozialistische Monatshefte*, Heft 140, November 1941, S. 926–932.

und Römer mit dem deutschen Volke« betont werden: »Die klassische
Antike als weltgeschichtlich überzeugendes großes Beispiel für das,
was das Indogermanentum überhaupt vermag – das ist der bestimmende Gedanke des politischen Humanismus«. (S. 926). Es gehe »um die
Realpräsenz des schicksalsgläubigen Indogermanentums.« Und Brachmann versteigt sich schließlich zu der Schlußfolgerung:

> »Daraus folgt nun aber wohl, daß die Rede vom ›Humanismus‹ der Rede von der ›indo-
> germanischen Geistesgeschichte‹ wird weichen müssen. Bringt sie doch klarer als jede
> andere Rede das spezifische Anliegen des deutschen politischen Humanismus zum
> Ausdruck. Er steht auf der Wacht für das blutbedingte Geisteserbe des Indogermanen-
> tums überhaupt, damit auch und gewiß sogar in erster Linie für das Erbe des klassi-
> schen Altertums. Dabei ist nicht zu bezweifeln, das der ›gegenwärtige Humanismus‹
> als bahnbrechender Wegweiser in die Tiefen dieses Erbes nur willkommen sein kann.«
> (S. 932).

Diese Definition wurde in den Rang einer Sprachregelung durch
das Amt Rosenberg erhoben. Und dementsprechend erfuhren die Manuskripte – auch der Beitrag von Heidegger »Platons Lehre von der
Wahrheit«, eine Auslegung des Höhlengleichnisses bei Plato, *Politeia*
VII – erstmals vorgetragen Herbst 1931 vor den Benediktinern des Klosters Beuron[198] – eine besonders genaue und kritische Prüfung. Die
Zensoren fanden in dem sehr schwierigen Text, der eine verläßliche
Kenntnis der griechischen Sprache und des griechischen Denkens vor-
aussetzte, eine Stelle, die helle Empörung bei ihnen auslöste. Heidegger hatte sich erkühnt, wider den Stachel zu löcken und der Brachmannschen Richtlinie nicht zu folgen und beliebig relativierend und
doch auf sein Denken ausrichtend zu schreiben:

> »Der Beginn der Metaphysik im Denken Platons ist zugleich der Beginn des ›Humanis-
> mus‹. Dieses Wort sei hier wesentlich und deshalb in der weitesten Bedeutung gedacht.
> Hiernach meint ›Humanismus‹ den mit dem Beginn, mit der Entfaltung und mit dem
> Ende der Metaphysik zusammengeschlossenen Vorgang, daß der Mensch nach je ver-
> schiedenen Hinsichten, jedesmal aber wissentlich in eine Mitte des Seienden rückt, oh-
> ne deshalb schon das höchste Seiende zu sein. ›Der Mensch‹, das bedeutet hier bald ein
> Menschentum oder die Menschheit, bald den einzelnen oder eine Gemeinschaft, bald
> das Volk oder eine Völkergruppe. Immer gilt es, im Bereich eines festgemachten meta-
> physischen Grundgefüges des Seienden den von hier aus bestimmten ›Menschen‹, das
> animal rationale, zu Befreiung seiner Möglichkeiten und in die Gewißheit seiner Be-
> stimmung und in die Sicherung seines ›Lebens‹ zu bringen. Das geschieht als Prägung
> der ›sittlichen‹ Haltung, als Erlösung der unsterblichen Seele, als Entfaltung der

---

[198] »Professor Dr. Martin Heidegger hielt uns einen gelehrten Vortrag« (Jahresbericht der Erzab-
teil St. Martin Beuron).

schöpferischen Kräfte, als Ausbildung der Vernunft, als Pflege der Persönlichkeit, als Weckung des Gemeinsinns, als Züchtung des Leibes oder als geeignete Verkoppelung einiger oder aller dieser ›Humanismen‹. Jedesmal vollzieht sich ein metaphysisch bestimmtes Kreisen um den Menschen in engeren oder weiteren Bahnen. Mit der Vollendung der Metaphysik drängt auch der ›Humanismus‹ (oder griechisch gesagt: die Anthropologie) auf die äußersten und das heißt unbedingten ›Positionen‹.«[199]

Dr. Erxleben vom Rosenberg-Baeumlerschen Hauptamt Wissenschaft – mit Heidegger seit dem frühen Aufbruch des Sommers 1933 von der Deutschen Studentenschaft her wohl bekannt – versuchte energisch, den Beitrag Heideggers zu vereiteln, nach Möglichkeit den ganzen Aufsatz zurückziehen zu lassen, war auch nicht einverstanden, nur die inkriminierte Humanismus-Passage zu streichen. In einem Schreiben an Dr. Lutz vom Reichsministerium für Volksaufklärung und Propaganda (Goebbels-Ministerium) heißt es am 17. Juni 1942, er habe in den vergangenen Tagen ohne Erfolg sich um einen telefonischen Kontakt bemüht und übermittle jetzt schriftlich die Stellungnahme seines Amtes zu dem Heidegger-Beitrag:

»Ich halte es für gut, wenn Professor Grassi auf die Aufnahme des heideggerschen Beitrages verzichtet. Die Stellungnahme, die Heidegger zum zentralen Problem des Humanismus einnimmt, ist geeignet, die Ansprüche zu stützen, die von italienischer Seite heute auch der deutschen Fachwissenschaft gegenüber erhoben werden. Indem er sagt, daß es, auf das Wesentliche gesehen, gleichgültig sei, ob der Humanismus christlichtheologisch oder politisch verstanden wird, wendet er sich gegen die Stellungnahme, die vor kurzem in den NS-Monatsheften vom Parteigenossen Dr. Brachmann vertreten wurde, und in der mit Nachdruck darauf hingewiesen wurde, daß es für uns in Deutschland einen gegenwärtigen Humanismus nicht mehr gibt und in der dem gegenwärtigen Humanismus gegenüber ein politischer Humanismus aufgewiesen wurde. Diese Stellungnahme wird von uns nachdrücklich unterstützt. Heideggers Tendenz, Grassis Bemühungen um die Wiederbelebung eines gegenwärtigen Humanismus auch in der deutschen Geisteswelt zu unterstützen, müssen sich verwirrend auf die gegenwärtige Lage in der Diskussion auswirken. Uns scheint, daß man mit der bloßen Entfernung des Satzes, den Sie herausgenommen haben, diese Tendenz Heideggers aus dem Aufsatz nicht entfernen kann. Bei aller Würdigung der fachlichen Bedeutung der heideggerschen Ausführungen können wir uns daher nicht dazu entschließen, von uns aus der Aufnahme dieses Beitrages in das Grassische Jahrbuch zuzustimmen.«[200]

Es ging also wesentlich um den relativierenden Humanismus-Begriff Heideggers, der nicht in Übereinstimmung zu bringen war mit dem vom Amt Rosenberg favorisierten »politischen Humanismus«, wie – und das mag dieser zentrale Vergleich zwischen Brachmann und

---

[199] *Jahrbuch für geistige Überlieferung*, 2. Bd., hier S. 122 ff.
[200] Alle diese Dokumente sind aufbewahrt im Bundesarchiv Koblenz: NS 15/209.

Heidegger zeigen – die Unvereinbarkeit der primitiven NS-Ideologie und des Denkens Heideggers schärfer nicht gesehen werden kann. Es muß offenbleiben, ob Heidegger seine Ausführungen in Kenntnis des Brachmannschen Elaborats geschrieben hat, weiter, ob er je – von Grassi – über die Hintergründe der nationalsozialistischen Meinungsbildung unterrichtet worden ist. Denn: das Amt Rosenberg drang mit seinem Interventionsversuch nicht durch. Der Duce höchstpersönlich schaltete sich über seinen Berliner Botschafter Alfieri ein und hat unmittelbar bei Goebbels »das ungekürzte Erscheinen des Jahrbuchs durchgesetzt«, wie Erxleben verärgert am 3. Juli 1942 in einem Aktenvermerk niedergelegt hat: »*Mit* dem Aufsatz von Heidegger.« Immerhin – und das war eine Art von Kompromiß – hat das Goebbels-Ministerium auf die Stellungnahme der Rosenberg-Gruppe hin »eine Sprachregelung für die Presse herausgegeben, nach der in allen Besprechungen eine Bezugnahme auf den Beitrag von Heidegger unterbleiben soll« – und das war die von Heidegger herangezogene Verfügung, die also in diesem größeren Zusammenhang steht. Übrigens notierte Erxleben noch, Lutz vom Goebbels-Ministerium habe ihn vom Plan unterrichtet, »eine italienische Übersetzung der gesammelten Werke von Heidegger herauszubringen. In dieser Angelegenheit wollten die beiden Ministerien miteinander Verbindung halten.«

Gegenüber dieser auf der sozusagen höchsten Parteiebene ablaufenden Auseinandersetzung mit Heideggers Philosophie nimmt sich eher bescheiden, ja provinziell aus, was die Partei auf der lokalen Freiburger Bühne gegen Heidegger inszenierte, was jedoch von Heidegger 1945 als besonders gravierendes Zeichen und Zeugnis der Gegnerschaft gewertet wurde und deswegen auch überprüft werden soll. Es kreist um einen Vorgang, den wir schon früher bei der Behandlung des Falles Staudinger angesprochen haben.[201] Es ging um den Vortrag Heideggers »Die Begründung des neuzeitlichen Weltbildes durch die Metaphysik«, am 9. Juni 1938 in Freiburg gehalten und zwar in einer Vortragsreihe »Die Begründung des Weltbildes der Neuzeit«, veranstaltet von der Kunstwissenschaftlichen, Naturforschenden und Medizinischen Gesellschaft in Freiburg. Die Veranstalter wollten »einen wertvollen Beitrag leisten« zu den großen Aufgaben unserer Zeit, die Reichsleiter Alfred Rosenberg als »die Überwindung des Mittelalters« bezeichnet

---

[201] Vgl. oben S. 211ff.

hat, wie schriftlich niedergelegt wurde. Ja, man war der festen Überzeugung, »damit dem Nationalsozialismus in Freiburg einen besonderen Dienst erwiesen zu haben.« Was Wunder, hatte doch der Verfasser vom *Mythus des 20. Jahrhunderts*, Reichsleiter und Chefideologe Alfred Rosenberg im Herbst zuvor, im Oktober 1937, auf dem Freiburger Münsterplatz eine Großkundgebung abgehalten, die vor allem das »schwarze« Freiburg das Fürchten lehren sollte – im Angesicht des erzbischöflichen Palais, wo der ungeliebte Erzbischof Gröber, der Landsmann und einstige Förderer Heideggers, residierte. Entsprechend überschwenglich fielen die Presseberichte aus, besonders der NS-Tageszeitung *Der Alemanne* – und die Freiburger Kreisleitung der NSDAP genoß noch bei der Wende zum Jahre 1938 die Stunde des Triumphes und kostete sie aus.[202] Dies also der eigentliche Hintergrund dieses Vorlesungszyklus des Sommersemesters 1938. Heideggers Vortrag bildete den Höhepunkt und zugleich den Abschluß der Reihe. Seine Ausführungen wurden von den Veranstaltern »als ein geistiges Ereignis von außergewöhnlicher Tragweite« bezeichnet.

Umso verärgerter wurde der fragliche Bericht im *Alemannen* zur Kenntnis genommen, ein miserabler und niveauloser Verriß des Vortrags von Heidegger, noch schlimmer, ein ungemein primitiver Schlag unter die Gürtellinie – gegen die Philosophie Heideggers, ja die Philosophie überhaupt –, von einem Schreiberling, der überfordert war und nur aus der Gossen-Perspektive zu seinen Sätzen fand, freilich gedeckt vom Hauptschriftleiter des *Alemannen*, einem Dr. Goebel, der schon einmal sein Blatt zum Sprachrohr gegen Heidegger hergab.[203] Die einleitenden Sätze mögen einen Eindruck vermitteln:

»Niemand wird geprüft in Philosophie in Deutschland, es sei denn, daß einer sich das besondere Vergnügen mache, in Philosophie zu promovieren. Es ist jedem überlassen, privat zu Hause unter Büchern oder an einer Universität bei einem der sechsunddreißig noch dozierenden ordentlichen Professoren. Das ist wesentlich und zu beachten, denn es hat sich gegenüber früher auf diesem Gebiet sehr viel geändert. Die eigentliche Philosophie ist ins Hintertreffen geraten, man macht sich nicht mehr soviel unnötige Sorgen um Metaphysiken und Systembauten und mischt sich nicht ein in den fruchtbaren oder unfruchtbaren Streit um schön geformte Worte. Nicht im geringsten berührt uns der Kampf und die Auseinandersetzung der Philosophen unter sich und wer wollte Böses denken, wenn ein Fachphilosoph über einen anderen schreibt: ›Es ist Sache der

---

[202] Vgl. meinen Aufsatz »Alfred Rosenbergs Großkundgebung auf dem Freiburger Münsterplatz am 16. Oktober 1937«, in: *Freiburger Diözesan-Archiv* 107, 1987, S. 303–319.
[203] *Der Alemanne*, Abendausgabe vom 10. Juni 1938.

Ausmalung, daß eine der erfolgreichsten der Anthropologien, Heideggers ›Sein und Zeit‹ sich selber als Fundamentalontologie bezeichnet und den Menschen weniger in seiner aktiven als in seiner passiven Rolle erfaßt. Die Scheinoriginalität der heideggerschen Existentialanalysen ist durchweg mit einem klassischen Satz *Kants* erledigt: ›Neue Worte zu künden, wo die Sprache schon so an Ausdrücken für gegebene Begriffe keinen Mangel hat, ist eine kindische Bemühung, sich unter der Menge, wenn nicht durch neue und wahre Gedanken, doch durch einen Lappen auf dem alten Kleid auszuzeichnen.‹ Die Wenigsten können urteilen, ob der Partner recht hat, denn Heideggers Werke sind nicht so geschrieben, daß sie jedermann zugänglich sind; und deshalb wurde auch seine Berühmtheit wesentlich gefördert.«

Der Berichterstatter, ein Parteigenosse Graf, der aus dem Württembergischen stammte, verulkte in diesem Ton den Vortrag, mußte freilich zugeben, daß die Vorlesung außerordentlich stark besucht war: »Das allgemeine Interesse für philosophische Probleme ist in *Freiburg* noch sehr stark und in gewisser Form nicht aus der Mode gekommen.« Zu guter Letzt brachte er den Gag, nämlich das Echo junger Hörer einzuflechten: »Es soll andeutungsweise offenbar werden, *was* die Hörenden etwa in sich aufgenommen. Es war anregend und interessant, einige Leute sprachen nachher über die Betriebsamkeit der Wissenschaft und der Notwendigkeit im Dienste des Vierjahresplanes, wo jeder einzelne seine ganze Kraft für die Gemeinschaft der Nation einsetzen muß und wo nicht die geringste Zeit übrig ist für konstruierte Wortfolgen und kurzweilige Betrachtungen. Es war aber für alle am Donnerstag eine angenehme Entspannung, trotz der Gewitterschwüle.« Und das Layout fügte die Ankündigung eines Vortrags von Hermann Staudinger über »Vierjahresplan und Chemie« unmittelbar im Anschluß an den Bericht hinzu. Dies wurde schon angesprochen. Wie sehr sich die Konstellationen verändert hatten. Diese kontrastierende Aufmachung konnte freilich nur Heidegger im Tiefsten begreifen.

Heidegger mag besonders erregt haben, daß der schiere Utilitarismus jetzt triumphierte und der Ordinarius für organische Chemie, Hermann Staudinger, den er während seines Rektorats denunziert hatte wegen nationaler und politischer Unzuverlässigkeit, jetzt in der Phase der Aufrüstung, der Mobilisierung aller wirtschaftlichen Ressourcen, Oberwasser erhalten hatte. Aber welcher Wandel gegenüber dem hohen Anspruch, mit dem seinerzeit der Rektor Heidegger als Philosoph in die wissenschaftspolitische Arena gestiegen war! Nun warf Heidegger in seinen Stellungnahmen, zuletzt in *Tatsachen und Gedanken,* der Universität vor, die Universitätsleitung habe ihn gewissermaßen allein gelassen und sich nicht mit ihm solidarisiert. Doch dem war nicht so. Freilich: zuständig war in erster Linie der Freiburger NS-Dozentenbund, dessen Mitglied Heidegger seit Bestehen dieser Vereinigung gewesen ist. Die Pressestelle der Universität – identisch mit der des NS-Dozentenbundes Freiburg – im Verein mit der Führung des Freiburger NS-Dozentenbundes, unternahm eine scharfe Demarche gegen die Art der Berichterstattung in der Form eines »offiziellen Protestes« und drohte mit Meldung an die Reichsdozentenführung, woraufhin vereinbart wurde, »daß Angriffe dieser Art auf Hochschullehrer und Dozentenbundsmitglieder im besonderen, künftig unterbleiben, und daß die Schriftleitung des ›Alemannen‹ künftig bei jeder persönlichen Stellungnahme zu der Lehre eines Hochschullehrers sich vorher mit der Pressestelle des Dozentenbundes in Verbindung setzt.« Von einer Meldung an die Reichsdozentenführung wurde daraufhin Abstand genommen – nur noch einmal die »unerhörte Tatsache dieses Angriffs betont«. Und im Schreiben der Wissenschaftlichen Gesellschaft, die die Vortragsreihe konzipiert und getragen hatte, kommt zum Ausdruck: »Wer sich in Freiburg am meisten darüber gefreut haben mag, daß ein Parteigenosse und Vorkämpfer des Nationalsozialismus an unserer Universität in dem führenden Parteiblatt öffentlich angegriffen wird, darauf brauchen wir Sie kaum aufmerksam zu machen.«[204] Hier also die eindeutige Zuordnung Heideggers zur Partei – als Genosse –, mehr noch als »Vorkämpfer des Nationalsozialismus an unserer Universität«, der jetzt in den Schmutz gezerrt wird, der Lächerlichkeit preisgegeben, dessen Philosophie auf dem öffentlichen Markt zum Gespött wird, zur Schadenfreude der nichtgenannten, aber gemeinten »Schwarzen« – Erzbischof Gröber und Anhänger beispielsweise.

Heidegger galt also als Nationalsozialist – wenigstens nach außen, was immer auch darunter verstanden werden sollte. Und dieser Partei blieb er auch treu, ihr Abzeichen tragend, wie dies Heideggers Schüler Karl Löwith, zutiefst verletzt, in Rom zur Kenntnis nehmen mußte. Kein Protestverhalten zu irgendeiner Zeit – auch nicht nach der »Reichskristallnacht« des Jahres 1938. Die innere Wende habe er jedoch nach dem Röhm-Putsch vorgenommen, so heißt es im Rechenschaftsbericht, wobei derjenige als Mitverantwortlicher markiert wird, der »nach dieser Zeit noch ein Amt in der Leitung der Universität

---

[204] Alle diese Unterlagen aus dem Nachlaß Clemens Bauer.

übernahm« – denn der »konnte eindeutig wissen, mit wem er sich einließ.« Aber war nicht auch das Tragen des Parteiabzeichens schon Ausdruck der Identifizierung mit dem totalitären Regime, dessen Fratze immer klarer zum Vorschein kam? War es nicht das schiere Bekenntnis zur Weltanschauung des Führers? Bedurfte es da eines Universitätsamtes? Zumal seinerzeit der Eintritt in die Partei unter einigem Theaterdonner erfolgt war.

Der Freiburger Historiker Gerhard Ritter, nachmaliges Mitglied der Bereinigungskommission, nach dem 20. Juli 1944 wegen seiner Beziehungen zu Carl Goerdeler und anderen Widerstandskreisen verhaftet, hatte Anfang 1946 in einem Brief an Jaspers mit Nachdruck betont, er wisse »aus sehr genauer und beständiger Kenntnis«, daß Heidegger »seit dem 30. Juni 1934 heimlich ein erbitterter Gegner des Nationalsozialismus war und auch den Glauben an Hitler, der ihn 1933 zu seiner verhängnisvollen Verirrung geführt hat, vollständig verloren hatte.«[205] Heidegger selbst hat stets in immer neuen Wendungen und Versionen auf wenige Tatbestände abgehoben: er habe seit der Niederlegung des Rektorats das Katheder zum Forum seiner geistigen Auseinandersetzung bzw. Kritik »an den ungeistigen Grundlagen der ›nationalsozialistischen Weltanschauung‹« ausersehen. Tausende seiner Hörer, so Heidegger zum Beispiel in dem schon mehrfach erwähnten Leserbrief-Entwurf an die *Süddeutsche Zeitung* vom Juli 1950, seien so zu abendländischer Verantwortung erzogen worden, hellhörig für diese widerstehende Haltung. Diese Opposition sei von der Partei schnell begriffen und mit den verschiedensten Schikanen beantwortet worden.

Dies gültig zu beurteilen, ist jetzt noch nicht die Zeit, wie ich meine. Erst wenn alles veröffentlicht ist, was Heidegger in jenen entscheidenden Jahren geschrieben hat, mag die Bilanz gezogen werden. Einstweilen müssen wir uns mit dem bisher Publizierten begnügen, auch wenn für denjenigen, der gediegene Wissenschaft betreiben möchte, die Art der Edition immer wieder Fragen aufwirft. Da wird stets die Vorlesung des Sommersemesters 1935, »Einführung in die Metaphysik«, mit der wir uns schon eingehend beschäftigt haben, heranzuziehen sein. Aufsehen erregte eine Textstelle der 1953 erstmals publizierten Vorlesung, nämlich der Satz von der »inneren Wahrheit und Größe der Bewegung«. Unmittelbar nach der Veröffentlichung 1953 hatte der

---

[205] Brief Nr. 132, in: Schwabe u.a. 1984.

damalige Student Jürgen Habermas in einer groß angelegten Besprechung die Kontroverse heraufgeführt.[206] Inzwischen ist die Vorlesung in der Gesamtausgabe erneut veröffentlicht, mit einem Nachwort der Herausgeberin versehen, worin sie doch mehr verunklart als klarlegt, was die inkriminierte Stelle betrifft. Wir verdanken Otto Pöggeler, dem eindringlichen Erforscher des »Denkweges« von Heidegger, der den Komplex nochmals regelrecht durchwalkt hat, die endgültige Präzisierung.[207] Wir sehen jetzt deutlich, daß Heidegger im Sommersemester 1935 gegen Schluß der Vorlesung, als er das kurze Kapitel »Sein und Sollen« behandelte, also ungefähr das Problem einer philosophischen Ethik, folgende Sätze gesprochen hat:

»Mit dem Sein der Werte ist das Höchstmaß an Verwirrung und Entwurzelung erreicht. Da der Ausdruck ›Wert‹ sich jedoch allmählich als abgegriffen ausnimmt, zumal er auch noch in der Wirtschaftslehre eine Rolle spielt, nennt man die Werte jetzt ›Ganzheiten‹, aber mit diesem Titel haben nur die Buchstaben gewechselt. Allerdings wird an diesen Ganzheiten eher das sichtbar, was sie im Grunde sind, nämlich Halbheiten. Halbheiten aber sind im Bereich des Wesenhaften immer verhängnisvoller als das so sehr gefürchtete Nichts. Im Jahre 1928 erschien eine Gesamtbibliographie des Wertbegriffs I. Teil. Hier sind 661 Schriften über den Wertbegriff aufgeführt. Vermutlich sind es inzwischen tausend geworden.[208] *Und wenn man jetzt noch jene Wissenschaft der Aporetik auf die Wertlehre anwendet, wird alles noch komischer und überschlägt sich in den Unsinn.* Dies alles nennt sich Philosophie. Was heute vollends als Philosophie des Nationalsozialismus herumgeboten wird, aber mit der inneren Wahrheit und Größe *des Nationalsozialismus* nicht das geringste zu tun hat, das macht seine Fischzüge in diesen trüben Gewässern der ›Werte‹ und der ›Ganzheiten‹.«

Heidegger hat also nicht, wie er später purgierend veröffentlichen ließ, vorgetragen: »Aber mit der inneren Wahrheit und Größe der Bewegung (nämlich mit der Begegnung der planetarisch bestimmten Technik und des neuzeitlichen Menschen) nicht das geringste zu tun hat.« Solches mag unerheblich scheinen, freilich: für den Historiker sind Ur-Fassungen entscheidend. Da fragt sich, wo denn bei Heidegger der innere Umbruch erfolgt sein soll. In diesem Abschnitt »Sein und Sollen«, der sich mit der Werte-Philosophie auseinandersetzt, rechnet Heidegger mit den Philosophen-Kollegen ab, die eine Philosophie des Nationalsozialismus beanspruchen und feilhalten, die aber Unwissende sind und deswegen ihre Fischzüge in den trüben Gewässern

---

[206] *Frankfurter Allgemeine Zeitung* v. 25. Juli 1953.
[207] Pöggeler 1983, Nachwort, S. 340 ff.
[208] Heidegger zielt mit Sicherheit ab auf die Arbeiten von Fritz Joachim von Rintelen, auf solche Bereiche wie »philosophia perennis«.

einer Wertephilosophie unternehmen, denn all dies hat »mit der inneren Wahrheit und Größe des Nationalsozialismus« nicht das geringste zu tun, welch innere Wahrheit und Größe sich allein dem Denker des Seins, dem Wissenden, der die innere Wahrheit entborgen hat und fortwährend entbirgt, zufällt – freilich in einem Volk, das immer verwirrter wird, bei Menschen, von denen »die meisten nicht mehr wissen, wo und wozwischen die Entscheidungen fallen müssen.« Am Denker des Seins liegt es nicht: »Die innere Wahrheit und Größe des Nationalsozialismus« ist schlechthin gegeben, ein Fanum, unberührbar, nicht frag-würdig, deshalb auch nicht der Interpretation bedürftig – 1935 – denn die Hörer konnten und mußten diese Worte des Philosophen verbinden mit den Parolen, die ihnen je und je eingehämmert wurden und in den Liedern und Gesängen, bei den Sonnwendfeiern, wo auch immer, gegenwärtig wurden. Nicht 1935. Aber 1953 erfährt dieser Satz eine Veränderung: statt Nationalsozialismus wird »Bewegung« – unverbindlicher – gesetzt und er erfährt eine Deutung: »nämlich mit der Begegnung der planetarisch bestimmten Technik und des neuzeitlichen Menschen«. Doch diese Hermeneutik braucht den Historiker nicht mehr zu interessieren, da sie im nachhinein erfolgt ist. Registrieren wird der Historiker, daß die Stereotype geblieben ist: In der Vorlesung »Ister« – Sommersemester 1942 – wird gegen wiederum anonym und pauschal figurierende Wissenschaftler polemisiert, die das Griechentum nur politisch sehen und die Griechen »als die reinen Nationalsozialisten« erscheinen lassen.« Damit jedoch erwiesen sie »dem Nationalsozialismus und seiner geschichtlichen Einzigartigkeit durchaus keinen Dienst ..., den dieser außerdem gar nicht benötigt.« Gibt es schon eine Untersuchung über die Stereotypie bei Martin Heidegger! Auch 1942 bleibt der erratische Block »Nationalsozialismus« unangetastet – gedeutet in seiner »geschichtlichen Einzigartigkeit«. Zwischen 1935 und 1942 bewegt sich nicht das mindeste, so mag es uns erscheinen. Wohl hatte der Nationalsozialismus Krieg und Verderben über die Welt gebracht, und Verbrechen wider die Menschlichkeit wurden im Namen des Nationalsozialismus millionenfach verübt. Theodor Haekker schrieb seine Tag- und Nachtbücher, verzweifelt schier und zutiefst leidend an der seherischen Gabe, die ihn kassandragleich geschlagen hatte.

Als der Krieg in das Nichts fiel

»Überall hinausfahrend unterwegs,
erfahrungslos ohne Ausweg
kommt er zum Nichts.
Dem einzigen Andrang vermag er, dem Tod,
durch keine Flucht je zu wehren,
sei ihm geglückt auch vor notvollem Siechtum
geschicktes Entweichen.«

(Sophokles, *Antigone* V. 357–361)[209]

Für das Wintersemester 1944/45 hatte Heidegger eine Vorlesung »Denken und Dichten« sowie ein Seminar »Leibniz. Die vierundzwanzig Thesen« angekündigt. Zur Vorlesung des Winterhalbjahres 1944/45 merkte er an: »Nach der dritten Stunde am 8. November abgebrochen, weil durch die Parteileitung zum Volkssturm eingezogen.« Und Heidegger merkte in diesem Zusammenhang weiter an: »Seit den Maßnahmen der nationalsozialistischen Partei November 1944 bis 1951 keine Lehrtätigkeit mehr, da die Besatzungsmacht 1945 ein Lehrverbot aussprach.«[210] Eine eigenwillige Verbindungslinie zwischen NSDAP und französischer Besatzungsmacht! In dieser Formulierung schwingt ein Ton mit, der von Heidegger immer wieder angeschlagen wurde, andernorts aber voller zum Klang gebracht wurde: »Und zuletzt die bei meinem Alter und meiner Stellung ungewöhnliche Einziehung zum

---

[209] Von Heidegger übersetzt und publiziert in *Einführung in die Metaphysik«*, Tübingen, 1953, S. 112 f.

[210] Der amerikanische Jesuit William F. Richardson hat in seinem wichtigen Buch über Heidegger auch ein von Heidegger autorisiertes Verzeichnis sämtlicher von Heidegger gehaltenen, respektive angekündigten Lehrveranstaltungen beigegeben (1963, S. 670 f.).

Volkssturm, von der viele weit jüngere Kollegen verschont blieben«
(Leserbriefentwurf an die *Süddeutsche Zeitung* 1950). Zwar hat Heidegger 1945 in den verschiedenen Stellungnahmen noch nicht darauf
abgehoben, die Heranziehung zum Volkssturm sei die letzte bittere
Schikane der Partei gewesen, ja der Versuch, ihn wie den weiland von
David in den Kampf geschickten Urias, zum Verderb, im Untergang
des deutschen Volkes dem Tod anheim zu geben. Zu nahe an den Ereignissen war man im Herbst 1945. Doch zieht sich der Volkssturm-Topos
durch alle die Aufstellungen in englischer und französischer Sprache
hindurch und erfährt bei Petzet seine Aufgipfelung:

>»Erschütternder noch als mancherlei Ränke und kaum glaubliche Pläne, die damals ge-
gen den unbequem gewordenen Philosophen gesponnen worden sind, war das, was er
aus der Zeit des Kriegsendes erzählte. Man hatte ihn, als ›abkömmlich‹ von seinem
Universitätsberuf, als einen der ersten auf die Liste derer gesetzt, die zum ›Volkssturm‹
eingezogen wurden – wohl in der Hoffnung, ihn endlich loszuwerden, eine Perfidie,
die freilich ihren Zweck verfehlte. Mit dem Fahrrad hatte er sich schließlich aus dem
zerbombten, vom Einmarsch der Alliierten bedrohten Freiburg in seine Heimat Meßkirch aufgemacht.«[211]

Hier wird eine Zeitspanne umrissen, die vom 8. November 1944 bis
Mitte Dezember 1944 reicht, nur wenige Wochen zwar, doch inhalts-
schwer und folgenreich gerade für das Oberrheingebiet und die Universitätsstadt Freiburg. Der Krieg stürzte der Katastrophe entgegen. Die
Westfront war seit dem Sommer 1944 dem Vogesenkamm immer näher
gerückt und in den Novembertagen waren die Vogesen durch die französischen Verbände überwunden, während Hitler, die Südflanke vernachlässigend, alle Kräfte in die Ardennenoffensive warf. Die Stadt
Freiburg fiel am 27. November 1944 einem furchtbaren Bombenangriff
englisch-amerikanischer Geschwader zum Opfer – das Ende jeder Tätigkeit war gekommen. Der Universitätsbetrieb wurde eingestellt – de
facto wenigstens. Bergung und Rettung waren die Losungsworte jener
Tage.

Zuvor schon, am 8. November 1944, wurde Heidegger für den
Volkssturm erfaßt – in der ersten Gestellungswelle, seitdem Hitler
durch Führererlaß vom 18. Oktober 1944 dieses letzte Aufgebot aus
den waffenfähigen Männern im Alter von 16 bis 60 Jahre befohlen hatte. Heidegger war 55 Jahre alt und zählte zu dem Kontingent, aus dem
der Volkssturm sich aufbauen sollte. Eine UK-Stellung war grundsätz-

---

[211] Petzet 1983, S. 52.

lich ausgeschlossen, und die Tauglichkeit ergab sich aus der Arbeitsfähigkeit: »In Zweifelsfällen entscheidet ein vom Kreisleiter zu bestimmender Arzt.« Die Erfassung der aufgerufenen Jahrgänge erfolgte ohne bürokratische Hemmnisse, ohne daß ein eigener Meldeapparat eingerichtet wurde, »mit Hilfe der bereits bestehenden Unterlagen und Einrichtungen durch die Ortsgruppen der NSDAP.« Die für Heidegger zuständige Ortsgruppe war Freiburg-Zähringen. Nun will es die von Heidegger genährte Fama, »man« habe ihn zu guter Letzt loswerden wollen. Es müßten die Mechanismen der Erfassung in jenen hektischen Tagen freigelegt werden, was hier nicht geleistet werden kann. Insofern bleibe diese Deutung auf sich beruhen. Einziges Indiz für Heidegger ist: er als älterer wurde zuerst eingezogen, während die jüngeren Kollegen verschont blieben. Die unterschiedliche Erfassungspraxis der Freiburger Ortsgruppen der NSDAP spielte wohl die entscheidende Rolle. Freilich war Heidegger nicht der einzige Universitätslehrer, den dieses Los traf. Indes: seine beiden Söhne standen an der Front. Es war genug Opfereinsatz von der Familie Heidegger erbracht, deren Einsatzwillen außer Frage stand. Aber es galt die Losung: Ein Volk steht auf, ein Sturm bricht los!

Am 23. November 1944 marschierte Heidegger mit seiner Volkssturm-Einheit in Richtung Breisach ab, um das linksrheinische Neu-Breisach als letzten, gewissermaßen äußersten Vorposten im Wehrdienst zu verteidigen, »Einsatz bis ins letzte« leistend. Die Truppe kam nicht weit, kaum über die riesigen Panzergraben an der sogenannten Mengener Bucht hinaus, aufgeworfen von den Kolonnen der jugendlichen Schanzer im späten Herbst 1944, als die Trauben am nahen Tuniberg die letzte Süße einfingen. Denn: Neu-Breisach war inzwischen gefallen, und just am 23. November nahmen französische Panzerverbände Straßburg ein. Die Bewährung im Kampf jedenfalls wurde nicht gefordert.

Die Nachricht vom Abmarsch des Volkssturmbataillons an die nahe Front am 23. November 1944 löste aber hektische Betriebsamkeit in der restlichen Philosophischen Fakultät aus: Der amtierende Dekan, der Kunsthistoriker Kurt Bauch, mit Heidegger seit 1933 engstens verbunden, setzte alles ein, um den Philosophen aus der Phalanx herauszuholen – »wenigstens *ihn* freizubekommen«, wie Bauch schrieb. So kam es dann, daß Eugen Fischer, Mitglied der Führungskommission beim Reichsdozentenbundsführer Dr. Scheel, sich für Heidegger einsetzte, wie oben bereits geschildert worden ist. Und Eugen Fischer schloß seinen Brief an Scheel, der noch in dem schönen Salzburg als Gauleiter amtete, mit einem bezeichnenden Treueschwur: »Wenn wir in schwerster Zeit, angesichts der Tatsache, daß der Feind im deutschen Elsaß keine fünfzig Kilometer von unserer Stadt entfernt ist, diese Bitte vorbringen, zeigen wir damit unser Vertrauen auf die Zukunft deutscher Wissenschaft. Und wir geloben, uns alle bis zum Letzten für Führer und Reich einzusetzen in der festen Zuversicht, daß wir den Sieg doch noch erringen.« Der »Feind« stand an diesem Tag nur noch dreißig Kilometer von Freiburg entfernt, getrennt durch den Rheinstrom.

Der Gauleiter von Salzburg und Reichsdozentenführer antwortete dem Mitglied seines Führungskreises erst am 12. Dezember 1944, von der noch sicheren Mozartstadt, Eckpfeiler der Alpenfestung, aus, sich für die verspätete Antwort wegen der Turbulenzen der vergangenen Tage entschuldigend. Fischers Telegramm war eingegangen just zur gleichen Zeit der Bekanntgabe von Straßburgs Besetzung. »Ich konnte wegen der ungeklärten Lage für Heidegger nichts unternehmen. Ich hoffe, daß die Angelegenheit Heidegger inzwischen geklärt ist. Sollte dies nicht der Fall sein, bitte ich um Ihre Nachricht.« Es war nicht mehr vonnöten, daß der Erzfeind Heideggers, wie er von Heidegger nimmermüd geschildert wird, eingreife, daß der Philosoph durch ärztliches Attest – der einzigen Möglichkeit, freizukommen – aus dem militärischen Verband entlassen wurde und auch fürderhin nicht mehr aufgeboten wurde, schon gar nicht mehr zum letzten Gefecht um seinen Wohnplatz Zähringen im dortigen Volkssturmkontingent. Die »Angelegenheit Heidegger« also war in der Zwischenzeit geklärt, Heidegger selbst mit der Bergung seiner Manuskripte nach Bietingen bei Meßkirch befaßt – in den Tagen nach dem schweren Angriff auf Freiburg. Und von seiner Heimat aus bat er den Universitätsrektor um Urlaub, welcher Bitte leicht entsprochen wurde, da niemand ihm Steine in den Weg legen wollte, um am heimatlichen Ort zu verweilen »bis zur Wiederaufnahme der Lehrtätigkeit am neuen Ort«, zumal in Freiburg alles drunter und drüber ging und der Sinn nicht nach anderem stand.

Freilich: offiziell war der Lehrbetrieb nicht eingestellt und die Universität war nicht geschlossen. Prüfungen (Staatsexamina und Rigorosa) wurden abgehalten, zum Teil verlagert in noch intakte Schulgebäude. Auch die Institutsverwaltungen funktionierten noch leidlich, soweit die Gebäude nicht zerstört waren. Doch die Not war drängend.

Noch waren nicht alle Toten unter den Trümmern der schwergeschlagenen, wehrlosen Stadt Freiburg geborgen, noch stand den Menschen der Schrecken des furchtbaren Luftangriffs vom 27. November 1944 in den Gesichtern geschrieben, noch mußten alle Kräfte zusammengefaßt werden, um die fürs Überleben in einem harten Winter erforderlichen Voraussetzungen zu schaffen, da zwang die nahegerückte Westfront, deren Geschützdonner seit Wochen zu hören war, zu weiteren noch tiefer greifenden Maßnahmen. Angesichts der unvermeidlichen Katastrophe, auf die dieser schreckliche Krieg zutrieb und die abzuwenden nur noch einige Unverbesserliche hofften, galt es, möglichst viele Institutionen zu verlegen, darunter die für die Stadt Freiburg zentrale Einrichtung Universität, und zwar in sicher geglaubte Rückzugsgebiete.

Es war keine herkömmliche Universitätsveranstaltung, die am 31. Januar 1945 in der notdürftig instandgesetzten Universität abgehalten wurde, nein: eine stürmische Senats- und Plenarsitzung – eigentlich gab es dies gar nicht mehr seit der von Heidegger initiierten Führerverfassung – aber: jetzt in der Stunde der Not! Der Rektor der Universität und der Oberbürgermeister der Stadt Freiburg, letzterer in seiner Eigenschaft als »Leiter der Sofortmaßnahmen«, entwickelten die Pläne für eine Verlegung der Universität, wobei der Rektor betonte, die Universität bleibe de iure in Freiburg bestehen, auch wenn einzelne Fakultäten vorübergehend verlegt werden müßten. Es handele sich um eine nur vorübergehende Aktion; Freiburg könne selbstverständlich nicht auf Dauer seine Universität entbehren, aber da seit dem Luftangriff, der die Universität stark in Mitleidenschaft gezogen habe, der Lehrbetrieb praktisch eingestellt sei und nur die wichtigsten Prüfungen und Verwaltungsakte durchgehalten werden könnten, sei das Sommersemester 1945 am sinnvollsten außerhalb Freiburgs zu organisieren.

In der Geschichte der Freiburger Universität war es nicht das erste Mal, daß Professoren und Studenten die Stadt verließen, weil Kriegsgefahr bestand oder weil Pestilenz und Epidemien wüteten. Immer wieder kehrten die Akademiker in die Breisgaumetropole zurück. Dieses Mal jedoch erschien die Lage hoffnungsloser denn je zuvor. Die nationale Katastrophe zeichnete sich ab, in deren Strudel Vieles hinuntergerissen zu werden drohte. Am raschesten reagierte die Philosophische Fakultät, die, wie aus Heideggers Schreiben an den Rektor vom 16. Dezember 1944 hervorgeht, schon damals Pläne für eine Verlegung in den Hegau ventiliert hatte. Jetzt hatte sie Anfang Februar 1945 das obere

Donautal mit Beuron bzw. der Umgebung von Beuron ins Auge gefaßt. Auch die Theologische Fakultät hätte gerne das berühmte Bene-
diktinerkloster gewählt, was auch angesichts der dort befindlichen hervorragenden Bibliothek einen Sinn gegeben hätte. Indes: Beuron war
seit langem Reservelazarett und quoll über von Menschen, die von der
unmittelbaren Front bedroht Zuflucht suchten. Die Insel Reichenau
hätte ein Refugium für die ganze Universität abgeben können, wäre die
Planung rechtzeitig in Gang gebracht worden, notierte der Theologe
Sauer, der Rektor vor Heideggers Rektorat, ins Tagebuch. Die anderen
Fakultäten schmiedeten zwar auch Pläne, unternahmen jedoch, dem
Gesetz der Trägheit folgend, nichts Konkretes. Nur die Geisteswissenschaftler der Philosophischen Fakultät hatten den Wildenstein mit seiner geschlossenen Burganlage fest gebucht – einen formlosen Vertrag
mit dem Eigentümer, dem Haus Fürstenberg zu Donaueschingen, geschlossen. Man ging also ans Bücherpacken, und noch im März über-
querte ein kleiner Vortrupp den Schwarzwald, dem eine weitere Gruppe von Dozenten und Studenten folgte – bis auf wenige in Freiburg verbleibende »Außenposten«. Es waren abenteuerliche Fahrten mit allen
möglichen Verkehrsmitteln, dem Fahrrad vor allem, durch den mit
Flüchtlingen und sich absetzenden Truppenteilen überfüllten Schwarzwald, das Höllental hinauf, über die Baar der Donau entlang, bis Beuron sich zeigte in dem weiten Talkessel und eine Donauwindung weiter
die stolze Burg Wildenstein heruntergrüßte. So versammelten sich
schließlich gegen zehn Professoren und dreißig Studierende, Studen-
tinnen überwiegend, auf dem Wildenstein.

Über dem Tal der jungen Donau, die sich vor Jahrmillionen den
Weg durch die Kalkfelsen der Schwäbischen Alb gebissen hat, ragt auf
steilem freistehenden Fels, einem Doppelkegel, die Burg Wildenstein
auf, eine alte Bergfeste, aus Quadern festgefügt, mit dem Felsgestein
verwachsen, ein wohlerhaltenes Prachtexemplar aus früher Zeit, unein-
nehmbar, da die Natur und die Festungsbaukunst eine harmonische
Verbindung eingegangen waren. Vielen Herrschaften zugehörig, lange
Zeit auch Anhängsel der Herrschaft Meßkirch, gelangte das Festungs-
werk im 17. Jahrhundert in den Besitz des Hauses Fürstenberg, das diesen Platz verschiedenen Zwecken zuführte: immer wieder Zuflucht-
sort, Waffenkammer, sichere Stätte für wertvolles Gut, aber auch Staats-
gefängnis und Stätte der Verbannung. Den schönen Altar der Burgka-
pelle, vom Meister von Meßkirch gemalt, hatten die Fürstenberger in

die Gemäldesammlung ihrer Residenz Donaueschingen verbracht.

Weit geht der Blick über das Tal nach Norden in den Kernbereich der Schwäbischen Alb, auf den Großen Heuberg, zu Füßen am Gegenfels über der Donau ist St. Maurus geschmiegt, von den Benediktinern des nahen Beuron errichtet, Zentrum der Beuroner Kunst. Graureiher verlassen ihre Kolonie und schwingen sich über die mäandernde Donau zur Beutesuche empor. Schwanenpaare durchpflügen die Luft und landen elegant auf dem Wasser der Donau. Hölderlin hatte diese Landschaft vor Augen, als er den »Ister« dichtete:

> »Es brauchet aber Stiche der Fels
> Und Furchen die Erd,
> Unwirtbar wär es ohne Werk.
> Was aber jener tuet, der Strom,
> Weiß niemand.«

Und oberhalb von Beuron, ehe sich das Wasser ein schmales Tal gräbt, da steht fast der Strom:

> »Der scheinet aber fast
> Rückwärts zu gehen.
> Ich mein' er müsse kommen von Osten.«[212]

Eine Idylle, zumal wenn das Jahr sich anschickt, aufzuwachen. Der Kriegslärm war noch nicht heraufgedrungen, auch wenn die Vorzeichen nicht gut standen und die schlimmen Nachrichten sich häuften. Die Aufrechten der Freiburger Philosophischen Fakultät richteten sich also in dieser Beschaulichkeit ein, bezogen Quartiere in der weitläufigen Burganlage, brachten Küche und Burgschenke in Schwung und bereiteten sich auf das Sommersemester 1945 vor, die wenigsten wohl noch in der Siegeszuversicht, fernab von Freiburg, die Professoren nahmen meist Wohnung im nächsten Ort, in Leibertingen, wo sich die Straßen gabeln nach Meßkirch und nach Kreenheinstetten, Heimat des Abraham a Sancta Clara.

Zu den Professoren, die ins obere Donautal gekommen waren, zählte jetzt auch Heidegger, beurlaubt zwar, aber der Gruppe sich zugehörig fühlend, Pfadfinder gewissermaßen, weil der Gegend sehr kundig von früher Jugend an, da sie ihm Heimat ist. Ihm war wohl der

---

[212] Zitiert nach Heideggers Vorlesung in der Gesamtausgabe Bd. 53, S. 4.

Plan zu danken, den Wildenstein zum letzten Zufluchtshort zu nehmen. Denn: mit dem Philosophen war auch eine seiner Hörerinnen gekommen, die Prinzessin von Sachsen-Meiningen, in ihre Wahlheimat gefahren, ins Forsthaus zu Hausen im Tal, unweit der Burg Wildenstein, im Angesicht des herrlich ragenden Schlosses Werenwag. Dort, bei Prinz Bernhard von Sachsen-Meiningen, dem Gatten der Prinzessin, genoß Heidegger Gastfreundschaft, immer wieder nach Meßkirch fahrend und die Manuskripte sichernd. Kaum eingerichtet und nur wenig heimisch geworden in der schroffen Idylle der weißen Donaukalkfelsen, da erlebten die Freiburger Universitätsleute am 21. April 1945 die Panzerspitzen der französischen Verbände, die über Freudenstadt und Horb eingeschwenkt waren, das obere Donautal durchfuhren, Beuron kampflos nahmen und gegen Sigmaringen, den Stammsitz der Hohenzollern, vorstießen, den Wildenstein vernachlässigend und Heideggers Quartierort kaum zur Kenntnis nehmend. Es gab keinen Widerstand mehr, so wenig wie in Freiburg, das am 22. April, glücklicherweise zur offenen Stadt erklärt, von einer französischen Kolonialinfanterie-Division besetzt wurde.

Die Idylle schien zu dauern, auch wenn sich die versprengten Reste der Freiburger Philosophischen Fakultät auf neue Gegebenheiten einstellen mußten: Auf die Proklamationen der französischen Militärregierung, deren eine die Schließung aller Erziehungsanstalten verordnete, bis die politische Säuberung, l'épuration, der Lehrerschaft und der Lehrinhalte geleistet sei. Obwohl auch auf dem Wildenstein und in den umliegenden Ortschaften diese Bekanntmachung angeschlagen war, glomm der Vorlesungsbetrieb in den Gemächern der Burg unter der Asche des verlorenen Krieges. Der Historiker Clemens Bauer, indirekter Nachfolger des katholischen Heinrich Finke, des frühen Förderers des jungen Heidegger, las zweistündig über »Epochen der mittelalterlichen Geschichte«, der Philosoph Gisbert trug »Kants Kritik der reinen Vernunft« vor. Auch Übungen wurden gehalten – in Althochdeutsch beispielsweise. Und all dies in der nicht alltäglichen, ja ungewohnten Verbindung mit der landwirtschaftlichen Arbeit, der Mithilfe etwa bei der Heuernte, brachte doch dieses Mittun bei den bäuerlichen Arbeiten im Mai und Juni die gesicherte Ernährungsgrundlage, während die spärlichen Nachrichten, die aus der Universitätsstadt Freiburg einsickerten, von schlimmen Zuständen in der zerstörten, mit Besatzungstruppen und französischen Zivilpersonen überschwemmten Stadt Kunde gaben. Wenn es sich hier oben auch leben ließ, so kamen sich die Verlegten doch eher wie in einem weiträumigen Gefängnis vor, weil die Franzosen die Passierscheinpraxis außerordentlich restriktiv handhaben. Über allem jedoch: diese kleine universitäre Gruppe verstand sich gewissermaßen als legitime Fortsetzung der Freiburger Universität, von deren Schicksal nur Ungefähres heraufdrang.

Als der Heumond sich neigte, zeichnete sich das Ende des idyllischen Aufenthaltes ab. Doch ehe die Fakultät auf dem Wildenstein sich auflöste, wurde zum Fest auf der Burg geladen mit gutem Essen, wie es dieses lange nicht mehr geben würde, bei Reden, ja bei Tanz im Rittersaal – es war ein Sonntag, 24. Juni. Doch die eigentliche Abschiedsveranstaltung folgte drei Tage später, am Mittwoch, 27. Juni, drunten im Tal, in Hausen, wohin Prinz Bernhard von Sachsen-Meiningen und seine Gattin Margot ins Forsthaus geladen hatten: zu einem Klavierkonzert und zu einem Vortrag des prominenten Gastes, Martin Heidegger. Alles in feierlicher Atmosphäre. Die Hörer, vom Heuen braungebrannt, vernahmen den letzten Vortrag Heideggers in seiner Position als Ordinarius der Philosophischen Fakultät der Universität Freiburg. Er handelte über ein Hölderlin-Zitat, das die heutige Hölderlin-Forschung als zweifelhaft ansieht: »Disposition. Es concentrirt sich bei uns alles auf's Geistige, wir sind arm geworden, um reich zu werden.« Ein beziehungsreiches Thema, wie auch immer Hölderlins Verfasserschaft gewertet werde – aktuell und assoziativ.[213] Es war zugleich auch der Abschied von der oberen Donau, vom »Ister« Hölderlins, über den Heidegger im Sommersemester 1942 einstündig gelesen hatte, die Hölderlinsche Übersetzung von Sophokles' *Antigone* miteinbeziehend – das Menschenbild bei Sophokles. Ob er noch die Sätze im Sinn hatte die er im Sommer 1942 – noch war Stalingrad fern – seinen Hörern zusprach:

»Man kann heute, wenn man es überhaupt tut, kaum eine Abhandlung oder ein Buch über das Griechentum lesen, ohne nicht überall auf die Versicherung zu stoßen, daß hier, bei den Griechen nämlich, ›Alles‹ ›politisch‹ bestimmt sei. Die Griechen erscheinen in den meisten ›Forschungsergebnissen‹ als die reinen Nationalsozialisten. Dieser Übereifer der Gelehrten scheint gar nicht zu merken, daß er mit solchen ›Ergebnissen‹ dem Nationalsozialismus und seiner geschichtlichen Einzigartigkeit durchaus keinen Dienst erweist, den dieser außerdem gar nicht benötigt.«[214]

---

[213] F. Hölderlin, *Sämtliche Werke*, hg. von F. Beissner (Große Stuttgarter Ausgabe, Bd. 4, 1. Stuttgart 1961, S. 309).
[214] *Hölderlins Hymne der »Ister«*, a.a. O. [Anm. 22], S. 98 u. 106.

Dieser Juni-Vortrag Heideggers war überhaupt für lange Zeit sein letztes offizielles Auftreten. Denn seit Wochen schon waren drunten in Freiburg die Weichen gestellt für andere Richtungen, gingen die Uhren anders, war eine neue, andere Zeit angebrochen – in der Stadt sowohl wie an der Universität. Nur: In der festlichen Atmosphäre des prinzlichen Hauses hielt es schwer, sich solches vorzustellen. Wie seine Kollegen konnte auch Heidegger Ende Juni nach Freiburg zurückkehren – viel früher, als dies sonst zu lesen ist, etwa bei Petzet, der diese Heimkunft erst in den verschneiten Dezember 1945 legt.

Heidegger auf dem Prüfstand einer neuen Zeit

Die Auseinandersetzung mit der politischen Vergangenheit

Bereits drei Tage nach dem Einmarsch der französischen Truppen in Freiburg, am 25. April 1945, traten die in der Stadt verbliebenen Professoren – die Ordinarien nur – zu einem konstituierenden Plenum zusammen, um Rektor und Prorektor – nach zwölfjährigem Zwischenspiel – zu wählen, die Dekane und Senatoren zu bestimmen, die Philosophische Fakultät ausgenommen, da sie noch nicht präsent war. Damit sollte manifestiert werden, daß die Universität als selbständige Körperschaft, als Korporation eigenen Rechts, auch unter den Bedingungen der militärischen Besetzung der Feindesmacht zu handeln habe. Vor allem jedoch wollten die Professoren bekunden, daß sie die Tradition der Universität Freiburg aus der Zeit vor dem Sommersemester 1933 ungebrochen wieder aufnehmen, verwerfend, was seitdem an Verfassungsänderung erfolgt war: Das Ende der Führer-Universität war am 22. April 1945 gekommen. Neubeginn und zugleich innerer rechtlicher Wiederaufbau – das war die Losung des 25. April 1945. Und dementsprechend vermerkt das Protokoll dieser Plenarsitzung: »Die Plenarversammlung ist ferner der Ansicht, daß Rektor und Prorektor Verbindung suchen sollen mit dem neuen Oberbürgermeister der Stadt Freiburg im Breisgau, dem Herrn Polizeipräsidenten, dem Herrn Erzbischof und besonders auch mit dem Stadtkommandanten. Die Universität Freiburg im Breisgau wird hierbei in ihrer Eigenschaft als selbständige Körperschaft auftreten.«

Es sollte sich indes bald herausstellen, daß hier Anspruch und Entsprechung auseinanderklafften: Selbstverständlich akzeptierten die Franzosen diese Rechtsauffassung nicht, unterstellten vielmehr auch die »selbständige Körperschaft« dem Besatzungsrecht, und dies auf dem Hintergrund des in Frankreich geltenden Universitätssystems. Dennoch versuchte die Universität Freiburg, soweit nur möglich, die Entscheidungsspielräume wahrzunehmen, wie dies auch für die andere in französischem Besatzungsgebiet liegende Universität – Tübingen – zutraf. Wichtig war jedenfalls die personelle Konstellation: Wer die Universität repräsentierte und welche Personen auf der französischen Seite vor Ort und bei der Militärregierung in Baden-Baden die Weichen stellten. Bald trat eine dritte Komponente hinzu: die badische Kultusverwaltung, die sich sehr langsam und sehr diffus entfaltete unter der Rechts- und Fachaufsicht der Besatzungsbehörden – zunächst noch in Karlsruhe für beide badischen Besatzungsmächte: die US-amerikanische und die französische, seit Sommer 1945 dann in Freiburg selbst, als sich allmählich abzeichnete, daß der südliche Teil des Landes Baden in der französischen Besatzungszone ein eigenes territoriales Gebilde werden sollte mit Freiburg als Sitz der Regierung, später auch des Landtages. Die Persönlichkeit von Dr. Leo Wohleb, bisher Oberstudiendirektor in Baden-Baden, trat ab Herbst 1945 in die politische Öffentlichkeit und wurde in vielem maßgebend für den Gang der Freiburger Universitätsgeschichte in diesen schweren Nachkriegsjahren, in denen sich auch das Schicksal Heideggers entschied. Schließlich muß zum Verständnis des Folgenden mitbedacht werden, daß nach dem Untergang von Hitler-Deutschland und bei der Entfaltung demokratischen Lebens sich auch Kräfte bemerkbar machten, die nicht nur von lauteren Motiven gespeist waren, in der Grau- und Dunkelzone agierten. Es wird versucht, die Verläufe so zu strukturieren, daß die wichtigsten Phasen, die inhaltlichen Schwerpunkte und endlich die Entscheidungen präzis herausgearbeitet werden.

Der Lehrbetrieb an der Universität war durch alliierte Verfügung vorerst eingestellt. Umso intensiver befaßten sich die Professoren nach der Konstituierung der akademischen Gremien mit der Frage des äußeren und inneren Wiederaufbaus. Die Serie von Plenar- und Senatssitzungen wurde alsbald von dem Problem der politischen Reinigung beherrscht, der *épuration*, wie die französische Besatzungsmacht den Begriff geprägt hat. Bereits am 5. Mai 1945 wurde im Senat auf Antrag des Nationalökonomen Walter Eucken über die »Parteileute« diskutiert. Die Atmosphäre war spannungsvoll geladen, da der neue Rektor vortrug, der französische Stadtkommandant habe ihm heftige Vorwürfe wegen der Haltung der Universitäten im Dritten Reich gemacht. Er habe darauf verwiesen, Freiburg sei eine der am wenigsten vom Nazigeist durchtränkten Hochschulen gewesen, im Gegenteil: geradezu eine Hochburg des Klerikalismus. Dagegen bezog Walter Eucken, dessen wissenschaftlicher Stern durch das zentrale Buch *Die Grundlagen der Nationalökonomie* jetzt erst im Aufgehen war, dezidiert Stellung: Die deutschen Universitäten hätten insgesamt einen reichlichen Schuldanteil an dem, was in den zwölf unseligen Jahren sich ereignet habe, weil sie am Anfang nicht energisch widerstanden hätten.

Die Fronten begannen sich abzuzeichnen. Und am 8. Mai, als Deutschland bedingungslos kapitulierte, war der Senat in einer ausführlichen Diskussion mit dem berührten Punkt befaßt, beschloß eine inneruniversitäre Fragebogenaktion und einen Kriterien-Katalog für die Beurteilung der politischen Vergangenheit der Universitätsangehörigen. Die Linie war klar: Die Universität war bemüht, das Verfahren nach Möglichkeit umfassend zu steuern und exogene Faktoren möglichst abzuwehren. Es wurden drei Gruppen vorgesehen: Denunzianten (weitgehend SD-Vertrauensleute) – Funktionäre (Dozentenbundsführer und dergleichen) – Rektoren/Dekane. Die Untersuchung der Amtsführung der Rektoren wurde fürs erste vertagt. Der Prominenteste im Kreis der Betroffenen war freilich Heidegger, noch nicht in Freiburg weilend, wie überhaupt die Abwesenheit der Philosophischen Fakultät in den ersten entscheidenden Wochen des inneren Aufbaus der Universität sicher einen hohen Stellenwert hat – negativ betrachtet. Robert Heiß, der Psychologe, und Hugo Friedrich, der Romanist, wurden wegen ihrer Zugehörigkeit zu einer Luftnachrichten-Abwehr-Einheit von den Franzosen verhaftet, der Historiker Gerhard Ritter war noch nicht aus seiner Haft in Berlin zurückgekehrt – jetzt die große Gestalt des Widerstands im Umkreis des 20. Juli 1944. Und der größere Teil der Fakultät war auf dem Wildenstein festgezurrt. Heidegger selbst aber befand sich im Gespräch mit Friedrich Hölderlin.

Daß die Universität von Anfang bemüht war, die von der Militärregierung verhängten Entlassungen und Strafen – meist aufgrund von Denunziationen – durch inneruniversitäre Verfahren zu steuern, ist nochmals zu betonen. Denn: an Willkür war kein Mangel in den ersten Wochen nach dem Zusammenbruch – wie überall – so auch in der Stadt Freiburg, angesichts von Grauzonen demokratischen Neubeginns und einer zwielichtigen Atmosphäre, in der konspirative Handlungen

gediehen, zum Beispiel »schwarze Listen«, entstanden für den Arbeitseinsatz und die Beschlagnahme von Wohnungen, wenn diese als »Par-
teiwohnungen« deklariert werden konnten. Rektor und Senat taten alles, um bei solchen Aktionen Klarheit zu schaffen, dies besonders als
die Zahl der von solchen Maßnahmen Betroffenen anwuchs. Das bedeutete freilich, daß die Universität in den einschlägigen Gremien vertreten war, die von der kommissarischen Stadtverwaltung auf Befehl
der Militärregierung gebildet wurden.

Auch und gerade Martin Heidegger samt seiner Familie geriet sehr
früh in diese Dunkelzone – noch als er selbst ahnungslos im oberen Donautal weilte. Wenn im Folgenden auf die Beschlagnahme des Heideggerschen Hauses am Rötebuck 47 – bescheiden gebaut, als der Philosoph den Ruf nach Freiburg 1928 angenommen hatte – eingegangen
wird, dann nicht deswegen, um in einen Intimbereich einzudringen,
sondern deshalb, weil dieser Komplex an anderer Stelle bereits ange-
rührt wurde[215] – freilich auf einer unzureichenden Quellengrundlage,
die über etwas eigenartige Kanäle zur Verfügung gestellt worden ist.
Vor allem befassen wir uns damit, weil das Schicksal der Privatbiblio-
thek des Philosophen und so die grundlegende Arbeitsmöglichkeit für
einige Jahre in der Schwebe blieben. Die leidigen Vorgänge[216] lassen
sich genau nachzeichnen, es kann aber auch verdeutlicht werden, mit
welcher Vehemenz die Universität sich für ihre Mitglieder, nicht zuletzt
für Heidegger verwandte, um einem rechtmäßigen Verfahren zur Geltung zu verhelfen – aber nicht nur die Universitätsleitung, auch andere
Persönlichkeiten traten für Heidegger ein, vor allem sein Landsmann,
der Freiburger Erzbischof Dr. Gröber, dem wir immer wieder begegnen werden.

Das Haus Heideggers wurde schon Mitte Mai 1945 auf eine schwarze Liste gesetzt – von einer kommissarischen Stadtverwaltung, die im
Auftrag der französischen Militärregierung amtierte – neben vielen anderen Häusern von Professoren sowohl wie kleinen Leuten, denen gemeinsam war, daß sie als Nazis galten. Die entsprechenden Recherchen
über Größe, baulichen Zustand, Ausstattung, Personenzahl wurden
unmittelbar eingeleitet und eine vorläufige Beschlagnahme angeordnet, wogegen Frau Elfride Heidegger am 10. Juni Widerspruch einlegte

---

[215] Moehling 1972.
[216] Sie sind dokumentiert im Stadtarchiv Freiburg (C 5/402 c) und in Ott 1985 detaillierter dargestellt.

mit der Bitte, es möge zugewartet werden, bis Heidegger von »seiner nach Wildenstein/Donau verlegten Dienststelle« nach Freiburg zurückgekehrt sei. Da der Beauftragte des Wohnungsamts nebenbei äußerte, es könne sich um eine politische Maßnahme handeln, fügte Frau Heidegger vorsorglich hinzu:

>»Mein Mann ist nach 1933 Parteimitglied geworden, hat sich aber niemals weder in der Partei noch in einer ihrer Gliederungen betätigt. Er hat 1933 das öffentliche Amt des Rektors der Universität Freiburg bekleidet (aufgrund der Wahl des Plenums), das er 1934 unter Protest gegen die Regierung niederlegte. Seitdem widmete er sich wieder ausschließlich seinen philosophischen Arbeiten. Die Besprechung seiner Bücher war seit Jahren von den zuständigen Stellen der Partei verboten, außerdem bestand seit drei Jahren Druckverbot für weitere Veröffentlichungen seiner Bücher. Nähere Angaben über seine politische Stellungnahme kann natürlich nur mein Mann selber machen.«

Erstmals werden die Grundelemente der nachmaligen apologetischen Linie von Heidegger erkennbar, wir verspüren die Atmosphäre der Sprachregelung. Der kommissarische Oberbürgermeister wies die Beschwerden zurück, wobei dieser Zurückweisung eine Notiz zugrunde lag, die lautet: »Heidegger gilt in der Stadt als Nazi (sein Rektorat); sein Name hat Weltruf (?), arbeiten sollte er können. Er wird bei Kollegen unterkommen können, abzulehnen.« Neben dem Atmosphärischen, das in dieser Formulierung durchscheint, ist besonders die Charakterisierung Heideggers als »Nazi« bezeichnend, denn damit war er eingestuft als – in der französischen Version – »nazi-typique«. Heideggers Haus galt fortan als sogenannte Parteiwohnung, die für die Bedürfnisse der französischen Besatzungsmacht verfügbar war: eine wichtige Vorentscheidung, ja Vorverurteilung, ehe die offiziellen Verfahren eingeleitet waren. Die Freiburger Stadtverwaltung befand sich indes in einem echten Dilemma, da sie das überbordende Verlangen der Franzosen nach Wohnraum angesichts so vieler Zerstörung eigentlich nicht befriedigen konnte. Dies wird aus dem Antwortbescheid des kommissarischen Oberbürgermeisters vom 9. Juli an Frau Heidegger ersichtlich:

>»Die Militärregierung verlangt, daß die Stadt für Bedürfnisse der Regierung und zur Unterbringung bevorrechtigter Kreise eine große Zahl von Wohnungen bereitstellt. Gemäß der Anordnung der Militärregierung sind hierbei in erster Linie Wohnungen von Parteigenossen in Anspruch zu nehmen. Nachdem Herr Professor Dr. Heidegger Parteigenosse war, sind die Voraussetzungen für die Beschlagnahme gegeben.«

Die vorgebrachten Argumente könnten die Beschlagnahme nicht abwenden. Er sehe keine Möglichkeit, Heideggers Haus von der Liste abzusetzen. Es wird dann noch im einzelnen mitgeteilt, daß der Umfang der Beschlagnahme sich nach den jeweiligen Bedürfnissen richte und sogar die Beschlagnahme des ganzen Hauses umfassen könne. Das Wohnungsamt werde dann Ersatzwohnraum anweisen. Es müsse auch damit gerechnet werden, daß die unentbehrlichen Einrichtungsgegenstände im Hause belassen werden müßten. Eine Enteignung der Einrichtung sei damit freilich nicht verbunden. Der Oberbürgermeister verfügte dann an das Wohnungsamt: »Die Eingabe Dr. Heidegger ist damit als endgültig abgelehnt zu betrachten.«

Der soeben aus der Idylle des oberen Donautals Heimgekehrte sah sich existentieller Bedrängnis ausgesetzt, mußte ungehöriges Verhalten subalterner Beamter über sich ergehen lassen, die ihm unter anderem bedeuteten, daß er die Bibliothek zurücklassen müsse, da er ohnedies in der nächsten Zeit seinen Beruf nicht mehr ausüben könne. Aus dieser Gefährdung heraus schrieb Heidegger selbst am 16. Juli an den Oberbürgermeister,[217] wobei er die Grundlinien seiner Verteidigung erstmals auszog, wie sie dann in zahlreichen Fassungen bis hin zu dem 1983 veröffentlichten Rechenschaftsbericht bestimmend blieben. Auf das Schikanöse der Beschlagnahme einschließlich Bibliothek abhebend, schrieb Heidegger:

»Mit welchem Rechtsgrund ich mit einem solchen unerhörten Vorgehen betroffen werde, ist mir unerfindlich. Ich erhebe gegen diese Diskriminierung meiner Person und meiner Arbeit den schärfsten Einspruch. Warum soll gerade ich nicht nur durch die Art der Wohnungsbeschlagnahme, sondern auch durch die völlige Entziehung meines Arbeitsplatzes bestraft und vor der Stadt – ja ich sage vor der Weltöffentlichkeit – diffamiert werden? Ich habe in der Partei niemals ein Amt innegehabt, und auch nie in ihr oder in einer ihrer Gliederungen eine Tätigkeit ausgeübt. Wenn man aber in meinem Rektorat eine politische Belastung sehen will, dann muß ich verlangen, daß mir die Möglichkeit gegeben wird, mich gegen irgendwelche, von irgendwem vorgebrachten Einwände und Anschuldigungen zu rechtfertigen, das besagt, allererst Kenntnis davon zu erhalten, was sachlich gegen mich und meine öffentliche Amtstätigkeit vorgebracht wird.«

Er habe im Frühjahr 1934 als einziger von allen damaligen Universitätsrektoren gewagt, sein Amt niederzulegen, was deutlich seine Stellung zur Partei kennzeichne. Die Partei ihrerseits müsse ihre Gründe gehabt haben, schon während der Rektoratszeit und erst recht nach der Amtsniederlegung in steigendem Maße ihn zu belästigen und zu hemmen

---

[217] Der Brief ist in englischer Version auszugsweise bei Moehling (1972) veröffentlicht.

und in ihren Zeitschriften – Heidegger verweist auf alle Jahrgänge der Zeitschrift *Volk im Werden* und auf den *Alemannen* – bis zur Anpöbelung zu verunglimpfen. Die Partei müsse ihre Gründe gehabt haben, durch Druckverbot und durch Verbot der Nennung seines Namens ihm große wirtschaftliche Einbußen zuzufügen. Im Fortgang des Briefes führt Heidegger bewegte Klage gegen diese Stadt Freiburg, in der er seit 1906 ansässig sei, wo er das Bertholds-Gymnasium besucht habe, seine ganze Studienzeit ausschließlich an der hiesigen Universität verbracht habe und fast ständig, »von einer kurzen Unterbrechung an der Marburger Universität abgesehen«, für die Freiburger Universität tätig gewesen sei.

»Im Jahr 1930 habe ich einen Ruf an die Universität Berlin abgelehnt, um an meiner Heimatuniversität einen der international bekanntesten Lehrstühle für Philosophie weiter zu verwalten und die Universität im ganzen zur Geltung zu bringen. Aus dem gleichen Grunde habe ich 1932 einen zweiten Ruf an die Universität Berlin und einen Ruf an die Universität München abgelehnt.«

Seine seit 1927 erschienenen Werke seien in mehreren Auflagen in alle Weltsprachen, ja sogar in das Rumänische, Türkische und Japanische übersetzt worden.

»Und jetzt soll in der Stadt Freiburg gegen mich aufgrund von Beschuldigungen, deren Inhalt und Herkunft mir gar nicht bekannt sind, so verfahren werden, wie man bisher nur gegen hohe Parteifunktionäre vorgegangen ist. Ich muß es aufs Schärfste ablehnen, auch nur in irgendeiner Weise mit diesen Leuten zusammengebracht zu werden, mit denen ich weder während meiner Rektoratszeit noch vollends nach der Amtsniederlegung in irgendeiner politischen oder persönlichen Beziehung stand.«

Sein Einspruch richte sich gegen die Diffamierung seiner Person und seiner Arbeit. Selbstredend sei er bereit, die allgemeine Not mitzutragen und sich aufs Äußerste einzuschränken, wobei er die bevorzugte Behandlung der aus dem Konzentrationslager Entlassenen durchaus anerkenne. Eine solche Einschränkung falle ihm nicht schwer, da er »aus einem armen und einfachen Elternhaus« stammend, seine Studenten und Privatdozentenjahre mit großen Opfern und Verzichten durchgehalten habe und sein Haus »jederzeit den einfachen Lebensstil behalten habe.« »Ich habe daher eine Belehrung darüber, was sozial Denken und Handeln heißt, nicht nötig.«

Die Gefahr der Beschlagnahme der Bibliothek wurde zunächst gebannt, und der Familie die Möglichkeit, sehr eingeschränkt im eigenen Hause zu verbleiben, eingeräumt, wenn auch für die nächsten Jahre die äußerst eingeengten Wohnungsverhältnisse fortbestanden, da zeitweise zwei Familien in das nicht allzu geräumige Haus eingewiesen wurden. Die Universität Freiburg erhob, nicht zuletzt angesichts des Vorgehens gegen Heidegger, schärfsten Widerspruch gegen solche Verfahren, denen die Rechtsgrundlage fehlten und die aus dem Dunst von Haß, Verfolgungssucht, Verbitterung und Willkür zu regelrechten Proskriptionslisten führten. Der Freiburger Rektor Janssen formulierte bereits in einem Schreiben vom 13. August an den Oberbürgermeister die grundsätzlichen Bedenken, und in der Folge wurden eine Reihe von Gutachten und weiterer Stellungnahmen zwischen Universität und Stadt gewechselt. Der Tenor all dieser Schreiben: eine Verquickung von Wohnungspolitik und politischen Strafmaßnahmen bewirke eine Vergiftung des öffentlichen Lebens und verhindere einen Neubau demokratischen Rechts. Die politische Abrechnung, eine notwendige Aufgabe, werde pervertiert, wenn sie dem Gutdünken irgendwelcher Behörden und deren politischer Ratgeber überlassen bleibe. Die Frage, welche Angehörigen der Universität Freiburg als politisch belastet anzusehen seien, dürfe nicht der Justiz der Stadt Freiburg oder einem ihrer Ämter unterstehen. »Für die Feststellung politischer Schuld kann – wenn gerecht verfahren werden soll – nach der Auffassung der Universität Freiburg überhaupt nur eine richterliche Instanz in Frage kommen, und zwar auch dann, wenn die Rechtsfolgen, die sich an die Feststellung der Schuldfrage knüpfen, verwaltungsmäßiger Natur sind.« Diese bedeutende Stellungnahme der Universität, beruhend auf einem ausführlichen Rechtsgutachten des angesehenen, politisch unbelasteten Franz Böhm, in den folgenden Jahren maßgebend am Aufbau Deutschlands beteiligt, steht in einem Zusammenhang sehr intensiven Suchens nach dem richtigen Recht. Was im Sommer und im Frühherbst 1945 in den Akten sich niedergeschlagen hat, verdiente eine rechtsphilosophische Untersuchung.

Nur eine richterliche Instanz sei kompetent für die Feststellung politischer Schuld, lautete also die Forderung der Universität im August 1945. Doch zuständig war die französische Militärregierung – wie auch immer diese die politische Schuld markierte und die Strafe bemaß. Die politische Reinigung, die épuration, beherrschte den Tag. Die Universität Freiburg freilich, die sich, wie wir gesehen haben, bereits wenige Tage nach der französischen Besetzung der Stadt aus eigenem Recht gewissermaßen konstituiert und ihre Selbstverwaltungsorgane gewählt hatte, stand auf schwankender Verfassungsgrundlage. Es lag demnach bei der Militärregierung, ob sie dem Verfassungsverständnis der Universität folgte. Sie tat es nicht unbedingt.

Der von der Militärregierung eingesetzte Verbindungsoffizier zur Universität, der Curateur, trat Ende Juli 1945 an die aus der Berliner Haft entlassenen Professoren Constantin von Dietze, Gerhard Ritter und Adolf Lampe mit dem Ansuchen heran, künftig die Universität bei der Militärregierung zu vertreten, was der Senat zu billigen hatte, indem er diesen Kollegen das Vertrauen aussprach. Diese sogenannte Kommission hatte als eigentliche Aufgabe die Repräsentation der Universität gegenüber der französischen Militärregierung, deren Vertrauen sie besaß. Dies aber war innig verbunden mit der politischen Säuberung des Lehrkörpers. Das Gremium konnte erweitert werden: ein Professor der theologischen Fakultät und der Botaniker Friedrich Oehlkers traten hinzu. Oehlkers war seit einigen Jahren mit Karl Jaspers befreundet – es ergab sich diese Beziehung, weil beide mit einer Jüdin verheiratet waren und während des Dritten Reiches in großen Ängsten lebten. Zur Hauptaufgabe dieser rechtlich schwer zu definierenden Kommission wurde die Erarbeitung von Gutachten für die politische Reinigung – ein mühsames und quälendes Geschäft, da zahlreiche Fälle zu behandeln waren, der wichtigste und prominenteste jedoch Martin Heidegger, der, eben noch mit der Ausweisung aus seinem Hause bedroht, sich schon am 23. Juli vor der Kommission zu verantworten hatte. Deren Mitglieder, um dies hier gleich festzustellen, waren dem Philosophen gegenüber überwiegend wohlwollend eingestellt. Es wurde nach Art eines Prozesses verfahren; freilich gab es keine Anklageschrift im eigentlichen Sinn, da der Tatbestand eo ipso als gegeben zugrunde gelegt wurde. Der so Beschuldigte wurde einvernommen, Zeugen wurden gehört, wobei das Für und Wider aus der Erinnerung abzuwägen war. Aus der Aktenlage des Rektorats wurde nicht viel erhoben. Jedenfalls war Heidegger in die Nähe existentieller Gefährdung geraten. Das war auch nach Tübingen gedrungen, von wo aus Rudolf Stadelmann in jenen Tagen den rettenden Brief schrieb, Heidegger die Möglichkeit des Rückzugs von der Freiburger Front anbietend, wie bereits in der ersten Wegweisung dargetan worden ist.

Es war also der 23. Juli 1945, als das Verfahren Heidegger auf den Weg gebracht wurde, der über Höhen und Tiefen verlief. Wenn indes der Darstellung von Heinrich Wiegand Petzet gefolgt wird, der diesen

Vorgang knapp behandelt und zwar mit den Worten Heideggers, dann liest sich dies völlig anders. Petzet berichtet zunächst die schon erwähnte Version der Heranziehung Heideggers zum Volkssturm und wie Heidegger sich mit dem Fahrrad aus dem zerbombten und mit dem Einmarsch der Alliierten bedrohten Freiburg nach Meßkirch aufgemacht habe. Und dann wird folgendermaßen angeschlossen: Doch Schlimmstes habe Heidegger erst nach seiner Rückkehr erwartet:

»Als ich damals – im Dezember 1945 – völlig unvorbereitet vor der Fakultät in das Inquisitionsverhör der dreiundzwanzig Fragen genommen wurde und darauf zusammenbrach, kam der Dekan der Medizinischen Fakultät, Beringer (der den ganzen Schwindel und die Absicht der Ankläger durchschaut hatte), zu mir und fuhr mich einfach weg nach Badenweiler zu Gebsattel. Und was tat der? Er stieg erst mal mit mir durch den verschneiten Winterwald auf den Blauen. Sonst tat er nichts. Aber er half mir als Mensch. Und nach drei Wochen kehrte ich gesund zurück.«[218]

Diese Darstellung freilich stimmt in keiner Weise. Es war ein brütend heißer Hochsommer, als Heidegger von der Bereinigungskommission vernommen wurde, die mit der Philosophischen Fakultät selbst nicht das Geringste zu tun hat. Das Verfahren zog sich, um es nochmals zu betonen, über Monate hin – die einzelnen Phasen können gar nicht nachgezeichnet werden. Heidegger begab sich erst im Frühjahr 1946 in die Behandlung des Freiherrn Viktor von Gebsattel, der damals Chefarzt in einem Sanatorium in Badenweiler gewesen ist.

Hilfe freilich hatte er nötig, und er suchte diese Unterstützung bei Personen, zu denen er lange Zeit keine sonderliche Beziehung mehr aufrechterhalten hatte. Zum Beispiel zu Romano Guardini, dem Heidegger schon am 6. August 1945 schrieb, worauf er von Guardini erst am 14. Januar 1946 Antwort erhielt: Heidegger hatte Guardini ermuntert, den Lehrstuhl für Philosophie II, den sogenannten Konkordatslehrstuhl, in der Philosophischen Fakultät zu übernehmen, also jenen Lehrstuhl, für dessen Umwidmung nach Honeckers Tod 1941 Heidegger maßgeblich mitgesorgt hatte. Eine der ersten Wiedergutmachungsmaßnahmen nach dem Zusammenbruch war die Restituierung des zweckentfremdeten Konkordatslehrstuhls im Sommersemester 1945. So rasch hatten sich die politischen Konstellationen und das Bedingungsgefüge gewandelt und so schnell hatte sich Heidegger den neuen Gegebenheiten angepaßt, jetzt den von katholischen Kreisen der Uni-

---

[218] Petzet 1983, S. 52.

versität und der Stadt Freiburg favorisierten Guardini seinerseits willkommen heißend. »Sie müssen mich für sehr undankbar halten, daß ich auf Ihren Brief, der ein so freundliches Interesse für die Frage meiner Berufung zeigte, noch nicht geantwortet habe«, schreibt Guardini, die Geschichte der Berufung nach Tübingen berichtend, wo er ab Wintersemester 1945/46 las – unter besonders günstigen Bedingungen. Und Guardini fügte hinzu: »Wie gerne würde ich mit Ihnen über die verschiedensten Dinge sprechen. Es ist ja so lange her, seit wir uns das letzte Mal gesehen haben. Ich erinnere mich noch genau an meinen Besuch in Zähringen und an Ihr schönes Studierzimmer.«[219] Dieser Besuch hatte freilich schon im Jahre 1930 stattgefunden.

Die Kommission, so wurde bereits festgehalten, hatte eine wohlwollende Einstellung Heidegger gegenüber. Freilich saß mit Adolf Lampe ein kritischer Kopf, ja vielleicht ein erbitterter Gegner Heideggers in der Bereinigungskommission, verständlich, da die Angelegenheit Lampe 1934 mitursächlich für das Zerwürfnis Heideggers mit dem Karlsruher Ministerium gewesen ist, wie wir bereits berichtet haben. Mit Lampe eng verbunden war Walter Eucken, 1933 entschiedenster inneruniversitärer Gegenspieler Heideggers, von Anfang an von klarer Frontstellung gegen den Nationalsozialismus, in naher Beziehung zu Husserl stehend – jetzt darauf bedacht, daß Rechenschaft abgelegt werde. Das Team Lampe-Eucken zog dann auch maßgeblich den »Fall« Heidegger bis zur Entscheidung im Januar 1946 (soweit die Universität befaßt war) durch.

Heidegger selbst hatte aus der ersten Vernehmung vor der Kommission am 23. Juli erkannt, daß er seine Verteidigungslinie vor allem auf Lampe auszurichten hatte, und suchte deshalb unmittelbar um eine persönliche Aussprache mit Lampe nach, die am 25. Juli 1945 erfolgte. Lampe hat über die zweistündige Unterredung eine umfangreiche Aktennotiz zu Händen der Bereinigungskommission und Heideggers selbst gefertigt.[220] Lampe machte seinem Gesprächspartner deutlich, daß er wegen der persönlichen Erfahrungen des Frühjahrs 1934 sich nicht befangen fühle, vielmehr aus der Sache selbst – der Rektoratsführung nämlich – zu einer für Heidegger negativen Entscheidung gekommen sei und deswegen in offenem Gedankenaustausch eine Überprüfung

---

[219] Nachlaß Romano Guardini, Bayer. Staatsbibliothek München.
[220] Nachlaß Adolf Lampe, Archiv für Christlich-Demokratische Politik, Konrad-Adenauer-Stiftung St. Augustin.

dieser Entscheidung vornehmen wolle. Lampe faßte noch einmal seine Anklagepunkte zusammen: Heidegger habe Ansehen und Würde der Universität schwer geschädigt, besonders durch die Aufrufe an die Freiburger Studentenschaft, durch die Rundschreiben an die Mitglieder des Lehrkörpers, wodurch »wesentlichste Universitätsinteressen« beeinträchtigt worden seien. Es sei unmöglich, diese Vorgänge beiseite zu lassen, da sonst anderen Betroffenen aus der Universität eine große Ungerechtigkeit zugefügt würde. Lampe betonte nachdrücklich, daß der internationale Rang, den Heidegger als Gelehrter einnehme, nicht als entlastendes, sondern umgekehrt als erschwerendes Moment zu werten sei:

> »*Einmal* weil sein Wort weit über die Mauern der Universität, ja über die Grenzen des Reiches hinaus gewirkt habe und damit zu einer wesentlichen Stützung der damals besonders gefährlichen Entwicklungstendenzen im Nationalsozialismus geworden sei; *sodann* weil von einem Gelehrten solchen Rufes eine in höchstem Sinne verantwortungsbewußte Haltung auch in Fragen der Hochschulpolitik als Selbstverständlichkeit verlangt werden müsse.«

Heidegger war bereits im ersten Verhör gefragt worden, ob er Hitlers *Mein Kampf* gelesen habe, worauf er antwortete, er habe dieses Buch »aus Widerstreben gegen seinen Inhalt« nur teilweise lesen können. Lampe wertete dies als schwere Belastung, weil Heidegger dann in seinem Aufruf an die Freiburger Studentenschaft vom 3. November 1933 mit der Verherrlichung Hitlers in einen unlösbaren inneren Widerspruch geraten sei. Heideggers apologetische Antwort:

- er habe in einer Unterstützung des Nationalsozialismus die einzige und letzte Möglichkeit gesehen, einem Vordringen des Kommunismus Einhalt zu gebieten;
- er habe sein Rektorat nur mit größtem Widerstreben und ausschließlich im Interesse der Universität angetreten;
- er sei nur deshalb trotz ständiger schlechter Erfahrungen im Amt geblieben, um Schlimmeres zu verhüten;
- es müßten ihm die besonders turbulenten Verhältnisse, unter denen sein Rektorat zu führen war, zugute gehalten werden;
- er habe effektiv viele drohende Gefahren einer noch fataleren Zuspitzung der Lage abwenden können, ohne daß ihm diese Leistung jetzt als Aktivum zugerechnet würde;
- er habe keinerlei Resonanz für die eigentlichen von ihm verfolgten Ziele im Kollegenkreis gefunden;

– er habe späterhin in seinen Vorlesungen, vor allem in seinen Nietzsche-Seminaren, deutliche Kritik geübt.

Lampe vermerkt dann weiter, eine sachliche Verständigung sei nicht zu erreichen gewesen; er habe Heidegger darauf hingewiesen, daß er in seiner Rektoratszeit das Führerprinzip mit einem derartigen Radikalismus durchgehalten habe, daß jede konstruktive Mitarbeit im Senat zur Erfolglosigkeit verurteilt gewesen sei. Heidegger habe die volle persönliche Verantwortlichkeit für alles Geschehene zu übernehmen, könne sich also nicht zurückziehen auf Quertreibereien oder die Übermacht mehr oder weniger zuständiger anderer Instanzen. Die spätere, nur mittelbare Kritik könne nicht als Kompensation gewertet werden, gerade angesichts der Unangreifbarkeit seiner persönlichen Stellung als Gelehrter von Weltruf.

Heidegger gab dann zu bedenken, daß ein negatives Votum des Ausschusses ihn vogelfrei werden ließe. Damit wurde ein wesentlicher Punkt berührt: die französische Besatzungsmacht griff in einzelnen Fällen drastisch durch und ließ Professoren in Haft nehmen, die unter Bedingungen von Konzentrationslagern stand. So war in diesen Julitagen der Freiburger Ordinarius für Anatomie wegen Mitgliedschaft im SD in KZ-Haft genommen worden. Lampe erörterte den Vorgang und machte deutlich, daß er gegebenenfalls aus der Kommission ausscheiden werde und schon gar nicht gewillt sei, etwas zu tun, was Heidegger »auch nur entfernt einem solchen Schicksal ausliefern könne.« Für Heidegger war jedenfalls klar geworden, daß er nicht unbeschadet aus dem Verfahren gelangen werde, also nicht voll umfänglich in seinem Lehramt verbleiben könne. Lampe schlug vor, Heidegger könne das Verfahren abkürzen »durch freiwilligen Übergang in eine Honorarprofessur«, nachdem Heidegger beiläufig geäußert habe, für ihn sei die Lehrtätigkeit nicht das letztlich Entscheidende, vielmehr komme es ihm darauf an, »die – unter nationalsozialistischem Druck nicht zur Veröffentlichung gekommenen – Ergebnisse seiner Arbeit publizieren zu können.« Freilich wolle er nicht die Initiative ergreifen, vielmehr müsse der Ausschuß die Verantwortung übernehmen. Bei einem nicht völlig positiven Urteil sei er nicht abgeneigt, in eine Honorarprofessur überzugehen, »falls es *zuvor* gelungen ist, eine Zusicherung des Gouvernements Militaire zu erhalten, daß der ›Fall H.‹ damit für die Besatzungsmächte als abgeschlossen gilt, sodaß keine weiteren Beeinträchtigungen seiner Forschungsarbeit, insbesondere aber seiner Publikationsmöglichkeit zu gewärtigen sind«, hält Lampe in seiner Aktennotiz fest.

Sowohl im Argumentativen wie im Prozessualen sind mit dieser Bestandsaufnahme die Grenzen gezogen. Heidegger konnte damit rechnen, daß sein Verfahren einen glimpflichen Ausgang nehmen werde. Er war zuversichtlich. In den Briefen an Stadelmann in jenen Wochen des Sommers 1945 – wir haben sie zur Einleitung dieses Buches ausgewertet – wird freilich klar, daß er eher mit einer positiven Einstellung der Franzosen rechnen könne als mit der der Deutschen, die jetzt »Belastendes« in seinem Rektorat entdecken wollten. So war es geraten, sich auf die französische Schiene zu setzen: zum Beispiel durch Beschäftigung mit französischer Philosophie. Heidegger wolle eine kleine Arbeitsgemeinschaft über Pascal: *Esprit de géometrie et de finesse* einrichten, schrieb Heideggers früherer Freund Heinrich Ochsner am 5. August 1945. Er selbst sei dazu eingeladen, falls das Gouvernement diese genehmige.« Natürlich wisse niemand, wann die Universität wieder aufmache. Ochsner gab der Hoffnung Ausdruck, Heidegger sei »aus jeder Gefahr allmählich herausgeschlagen.«[221]

Ein Arbeitskreis über Blaise Pascal – aus dessen *Pensées* – war taktisch klug angesetzt. Übrigens hätte Heidegger – die Arbeitsgemeinschaft kam unter den gegebenen Voraussetzungen nicht zustande – sich auf einen Philosophen berufen können, dem er in *Sein und Zeit* große Reverenz erwiesen hatte. Und sicher kannte Heidegger Pascals *Mémorial*, diese subjektive Confessio, die eingeleitet wird: »Feu. Dieu d'Abraham, Dieu d'Isaac, Dieu de Jacob – non des philosophes et des savants.« (»Licht = Feuer. Der Gott Abrahams, der Gott Isaaks, der Gott Jakobs – nicht der Gott der Philosophen und Gelehrten«). War es auch ein Zeichen der religiösen Umkehr?

Also: es schien zunächst, Heideggers Verfahren gehe glimpflich aus. Es galt, seine politische Verstrickung durch das Rektorat 1933/34 abzuwägen gegen eine Art innerer Emigration, die Heidegger glaubhaft machen konnte, dabei vor allem von Gerhard Ritter unterstützt, der aus eigener »sehr genauer und beständiger Kenntnis« wußte, Heidegger sei nach dem Röhm-Putsch heimlich ein erbitterter Gegner des Nationalsozialismus gewesen und habe den Glauben an Hitler voll

---

[221] Ochwadt/Tecklenborg 1981, S. 125 f.

ständig verloren. Aber: das Rektorat! Die Bereinigungskommission konnte diese entscheidende Phase der akademischen Laufbahn Heideggers trotz höchsten Wohlwollens nicht so weit entkräften, daß es zu einer völligen Entlastung des Philosophen gereicht hätte. Im September 1945 war das Kommissionsgutachten zur Vorlage beim Senat der Universität Freiburg fertig. Dieses Gutachten ist in einer frisierten Fassung in englischer Sprache in der Dissertation von Moehling veröffentlicht und zwar dergestalt, daß der Leser überrascht ist, daß ein solches Gutachten auch nur zu einer geringsten Sühnemaßnahme gegen Heidegger führen konnte. Heidegger hat dafür gesorgt, daß nur die positiven Stellen, nicht aber das Belastende in den anglophonen Sprachraum gelange. So gebietet es die historische Pflicht, das Gutachten in vollem Umfang zu veröffentlichen:

»Gutachten des politischen Bereinigungsausschusses, Sept. 1945
Mitglieder: Prof. v. Dietze (Vorsitz.) Ritter, Oehlkers, Allgeier, Lampe.

Der Philosoph Professor *Martin Heidegger* lebte vor dem Umbruch von 1933 in einer völlig unpolitisch geistigen Welt, stand aber in freundschaftlicher Berührung (auch durch seine Söhne) mit der damaligen Jugendbewegung und gewissen literarischen Wortführern der deutschen Jugend, wie Ernst Jünger, die das Ende des bürgerlich-kapitalistischen Zeitalters und das Heraufkommen eines neuen deutschen Sozialismus ankündigten. Von der nationalsozialistischen Revolution erwartete er eine geistige Erneuerung des deutschen Lebens auf völkischer Grundlage, gleichzeitig, wie sehr viele deutsche Gebildete, eine Aussöhnung der sozialen Gegensätze und eine Rettung der abendländischen Kultur von den Gefahren des Kommunismus. Von den politisch-parlamentarischen Vorgängen, die der Machtergreifung des Nationalsozialismus vorangingen, besaß er keine klare Vorstellung, glaubte aber an die geschichtliche Mission Hitlers, die ihm selbst vorschwebende Geisteswende herbeizuführen.
Der Partei trat er erst am 1. Mai 1933 bei, mit der Bedingung, niemals irgend ein Amt in der Partei oder ihren Gliederungen übernehmen zu müssen, da er sich selbst zur Lösung praktisch-politischer Aufgaben für ungeeignet hielt. Der Eintritt in die Partei hing eng zusammen mit seiner Übernahme des Rektorats, zu der er sich durch seine Freunde und Verehrer überreden ließ. Viele hofften, das wissenschaftliche Ansehen des berühmten Philosophen (seine Werke sind in viele Kultursprachen, auch nichteuropäische, übersetzt) werde ihm ermöglichen, in seiner Universitätsführung eine gewisse Unabhängigkeit gegenüber der Partei zu bewahren und unsere Universität vor unerträglichen Zumutungen radikaler Elemente zu schützen. Eben deshalb fand sich eine Mehrheit von Ordinarien aller Fakultäten zu seiner Wahl als Rektor zusammen. Tatsächlich verhinderte er auch das Hineintragen der groben Judenhetze des April 1933 in die Räume der Universität und entwickelte in einer Rektoratsrede über ›Die Selbstbehauptung der deutschen Universität‹, die großes Aufsehen im In- und Ausland erregte, ein eigenes Programm der Hochschulreform. Er vermied darin ein Festlegen auf die Rassenpolitik und auf andere Schlagworte der Partei und entwickelte statt dessen seine

eigenen Ideen von echter Wissenschaft, die im Grund weit entfernt waren von einer einfachen Dienerschaft gegenüber der Taktik des Tages; indem er aber gleichzeitig den ›Arbeitsdienst‹ und den ›Wehrdienst‹ als gleichberechtigt neben den ›Wissensdienst‹ für den Studenten stellte, lieferte er der Nazipropaganda selbst die Handhabe, um seine Rede parteipolitisch auszunützen. Während ihm eine Verinnerlichung, Vertiefung und Neuausrichtung des deutschen Wissenschaftsbetriebes im Sinne seiner eigenen philosophischen Metaphysik vorschwebte (Gedanken, die er auch vor den versammelten Dozenten ausführlich entwickelte), benützte die Partei die bloße Tatsache, daß ein Gelehrter seines geistigen Rangs ihr beigetreten war und ihren Sieg in öffentlichen Reden feierte, als hochwillkommenes Propagandamittel. Er selbst hat ihr das erleichtert, indem er in dem Bemühen, sich einen sicheren Anhang in der akademischen Jugend zu verschaffen, sich bis zur Aufhetzung der Studenten gegen ihre als »reaktionär« gekennzeichneten akademischen Lehrer hinreißen ließ. Er hoffte, so seine eigenen Reformpläne zu fördern und auch innerhalb der Partei eine ansehnliche Stellung zu gewinnen, die es ihm ermöglichen sollte, seine eigene Linie zu bewahren und womöglich die innere Entwicklung der Partei in günstigem Sinn zu beeinflussen. Natürlich wurden diese Hoffnungen sehr rasch enttäuscht; die Studenten wurden übermütig und anmaßend, die Mehrzahl der Professoren durch seine oft ungeschickten und als anmaßlich empfundenen Erlasse tief verletzt und rasch in die Opposition getrieben; die Partei aber rückte umso mehr von ihm ab, je deutlicher sie allmählich die innere Gegensätzlichkeit seiner wissenschaftspolitischen Ziele zu ihren eigenen erkannte. Auch die Tatsache, daß er eifrige Mitarbeit leistete an der Umwandlung der Universitätsverfassung im Sinn des neuen ›Führerprinzips‹, an der Einführung äußerer Formen des Hitlertums (z.B. des sogenannten ›deutschen Grußes‹) in das akademische Leben, antinazistische Persönlichkeiten zurücksetzte oder preisgab, ja daß er sich in Zeitungsaufrufen direkt an der nationalsozialistischen Wahlpropaganda beteiligte, änderte nichts an dieser gegenseitigen Entfremdung. So endete sein Rektorat schon am Schluß des W.S. 1933/34 in einem schweren Zusammenstoß mit dem Kultusminiser Wacker, der teils politische, teils verwaltungstechnische Gründe hatte. Seitdem hat sich Heidegger ganz und gar auf seine philosophischen Studien zurückgezogen, der Partei immer tiefer entfremdet, zuletzt in schärfster innerer Oppositionshaltung, ohne diese jedoch irgendwie nach außen klar hervortreten zu lassen. Seine Vorlesungen, Übungen und Vorträge wurden vom SD mißtrauisch überwacht, seine literarische Arbeit auf Betreiben des parteihörigen, von ihm tief verachteten Pseudophilosophen Krieck (Heidelberg) in der Parteipresse verfemt, ein Teil seiner Bücher sogar mit dem Druckverbot belegt, ihre Besprechung und die Nennung seines Namens in der parteioffiziösen Literatur nach Möglichkeit unterdrückt.

Trotz dieser späteren Entfremdung kann daran kein Zweifel sein, daß Heidegger den großen Glanz seines wissenschaftlichen Namens und die eigentümliche Kunst seiner Rede in dem Schicksalsjahr 1933 bewußt in den Dienst der nationalsozialistischen Revolution gestellt und dadurch ganz wesentlich dazu beigetragen hat, diese Revolution in den Augen der deutschen Bildungswelt zu rechtfertigen, die auf sie gesetzten Hoffnungen zu steigern, die Selbstbehauptung deutscher Wissenschaft im politischen Umbruch wesentlich zu erschweren. Als ‹Nazi› kann er schon seit 1934 nicht mehr bezeichnet werden, und eine Gefahr, daß er jemals wieder nazistischen Ideen Vorschub leisten würde, besteht nicht. Wir müßten es als schweren Verlust beklagen, wenn unsere Universität um seiner politischen Vergangenheit willen diesen berühmten Geisteswissenschaftler vollständig verlieren sollte; andererseits halten wir es für undenkbar, nach so verhängnisvollen politischen Entgleisungen seine äußere Stellung an der Universität unverändert zu lassen. Die beste Lösung wäre nach unserer Ansicht seine Emeritierung, die ihm die Möglichkeit beschränkter Lehrtätigkeit belassen, ihn jedoch aus der aktiven Beteiligung an der Selbstverwaltung, den Prüfungen und Habilitationen entfernen würde. Eines der Mitglieder unserer Kommission ist jedoch der Meinung, daß aus den oben geschilderten Tatsachen noch weitergehende Konsequenzen gezogen werden müßten.

Vorschlag: Gruppe B.«[222]

Es war Adolf Lampe, der weitergehende Konsequenzen verlangte. Die Wende in der Sache Heidegger läßt sich ziemlich genau markieren: Als dieses Gutachten mit dem Vorschlag der Emeritierung einschließlich Beibehaltung der venia legendi, also der Lehrbefugnis, verabschiedet war, wurde bekannt, daß die französische Militärregierung den Philosophen nur als disponibel erklärt hatte, die geringste Maßnahme, die die völlige Rehabilitierung zuließ; weiter liefen in Freiburg Gerüchte um, Heidegger sei nach Baden-Baden zu Vorträgen vor französischen Offizieren und anderen Gruppen geladen. Diese Informationen veranlaßten Lampe, Walter Eucken und den Prorektor Franz Böhm Anfang Oktober, in ausführlichen Stellungnahmen sich an das Rektorat zu wenden mit dem Ziel, das Gutachten der Kommission zu Fall zu bringen und Heideggers Reintegration zu verhindern. Die Argumente lassen sich knapp zusammenfassen: Heideggers Verantwortung aus der Frühzeit des Dritten Reiches sei so enorm, daß kein anderes Mitglied der Universität zur Verantwortung gezogen werden könne, wenn Heidegger weitgehend ungeschoren davonkomme. Nun seien aber zwei Rektoren – gemeint waren die Rektoren Metz und Süß – bereits betroffen, mehrere Professoren der Medizinischen Fakultät ihrer Ämter enthoben und sogar in französischen Lagern unter extrem schweren Haftbedingungen interniert. Es sei ein Hohn, wenn der intellektuelle Verführer Heidegger, der viele jüngere Gelehrte auf die schiefe Bahn geführt habe – Böhm nennt u.a. die Namen Stadelmann, Heimpel, Schadewaldt –, derart schonend behandelt werde, könne auch sonst niemand aus dem Kreis der Betroffenen darüber zu Fall kommen. Böhm, der künftige Kultusminister von Großhessen, drohte mit der Niederlegung seines Prorektorates, falls Heidegger wieder in sein Amt gelange oder auch nur emeritiert werde – »denn auch die Emeritierung ist eine Restitution«. Böhm hatte in seiner ausführlichen Begründung die Sache auf den Kern zurückgeführt:

---

[222] Aus dem Nachlaß Clemens Bauer.

»Angesichts der Tatsache, daß die Militärregierung in einer ganzen Reihe von Fällen strenger verfahren ist, als Universität und Vertrauensausschuß vorgeschlagen haben, wirkt es auf mich verbitternd, daß einer der verantwortlichsten intellektuellen Urheber des politischen Verrats deutscher Universitäten, ein Mann, der im entscheidenden Augenblick an der prominenten Stelle als Rektor einer großen deutschen Grenzlandsuniversität und als international bekannter Philosoph mit lauter Stimme und unduldsamem Fanatismus das politische Steuer falsch gestellt und verderbliche Irrlehren gepredigt hat – Irrlehren, die von ihm bis zum heutigen Tage niemals zurückgenommen worden sind –, daß ein solcher Mann lediglich mit der Maßnahme der disponibilité belegt worden ist und offenbar auch gar nicht das Bedürfnis empfindet, für die Folgen seines verantwortlichen Handelns einzustehen.« (Schreiben an das Rektorat vom 9. Oktober 1945).[223]

Heidegger, durch den Rektor vom Stimmungsumschwung unterrichtet und von der drohenden Verschärfung durch einen entsprechenden Senatsbeschluß, stellte umgehend (10. Oktober) den Antrag auf Emeritierung mit folgendem Text:

»Die französische Militärregierung hat im Vollzug der épuration entschieden, daß ich im Amt verbleibe und zur Verfügung bin. Dieses Amt verwaltet einen der ersten europäischen Lehrstühle der Philosophie. Da ich nach den Vorgängen der letzten Monate die Überzeugung gewonnen habe, daß die Fakultät kein Gewicht auf meine amtliche Mitarbeit legt, bitte ich hiermit, beim Ministerium meine Emeritierung zu beantragen.«

Das angebliche Desinteresse bei der Fakultät indes war nur vorgeschoben, die Gewichte im Senat hatten sich zu Heideggers Ungunsten verlagert, so daß es ratsam schien, statt der Wiedereinsetzung in das Lehramt – für Heidegger die einzige akzeptable Lösung, besonders auch in den späteren Jahren – aus taktischen Erwägungen auf die mittlere Linie zu gehen und Kompromißbereitschaft zu signalisieren.

Aber: was hatte es mit den Baden-Badener Vorträgen auf sich? Die umlaufenden Gerüchte hatten überzeichnet, bargen aber einen echten Kern. Wie der Rektor am 5. November 1945 in der Aktennotiz einer Besprechung mit Heidegger festhielt, war der Freiburger Philosoph zu einem persönlichen Zusammentreffen mit Jean Paul Sartre in Baden-Baden eingeladen worden, »der die Existentialphilosophie in Frankreich besonders vertritt. Man hat ihm dann gesagt, wenn sich aus den philosophischen Diskussionen die Möglichkeit zu einer größeren Darlegung in der Existentialphilosophie vor einem größeren Kreis ergäbe, dann sei dieses Professor Heidegger freigestellt.« Heidegger habe noch

---

[223] Nachlaß Clemens Bauer.

keine Entscheidung getroffen. Doch wichtiger war, was dann auch bekannt wurde: der Besuch eines jungen Leutnants der französischen Militärregierung in Baden-Baden, nebenbei Korrespondent der *Revue Fontaine* – es war Edgar Morin, gerade vierundzwanzig Jahre alt, der Philosophie und Soziologie verbunden, eben damit beschäftigt, *L'an zero de l'Allemagne* zu schreiben (1946 veröffentlicht). Morin besuchte Ende September Heidegger und überbrachte einen Brief von Max-Pol Fouchet, dem Direktor der *Revue Fontaine*, welcher folgende Vorschläge unterbreitete: Heidegger möge eine Studie oder auch ein Fragment einer Arbeit zur Übersetzung ins Französische und zur Veröffentlichung überlassen. Weiter sei man daran interessiert, in der Buchreihe zur Zeitschrift eines der Heidegger-Bücher herauszubringen oder auch Vorlesungen oder Zusammenfassungen von Heidegger-Studien. Die Übersetzung ins Französische werde von ihm selbst besorgt, wobei Heidegger zusammen mit den Mitarbeitern die Überprüfung vor Drucklegung vorbehalten sei. Die Korrespondenz könne über den Leutnant Morin oder aber auch über General Arnaud bei der Militärregierung in Baden-Baden, den Chef des Presse- und Informationsamtes, geführt werden – also erste Adressen! Sollte jedoch Heidegger weder für die Zeitschrift noch für die Editionsreihe Arbeiten zur Verfügung stellen können, dann seien sie brennend daran interessiert, von ihm einen Aufsatz über seine Haltung zur aktuellen Lage oder auch zur Philosophie in Frankreich, also einen Originalbeitrag zu bekommen. Die hohe Auflage und die weite Verbreitung der Zeitschrift garantierten ein zureichendes Echo.

Der Rektor teilte diesen Brief und das Einladungsschreiben vom Gouvernement Supérieur in Baden-Baden auf der Senatssitzung vom 21. November 1945 mit, der entscheidenden in der Angelegenheit Heidegger, weil in der Zwischenzeit das milde und verbindliche Gutachten des Bereinigungsausschusses überarbeitet worden war und in einer zweiten Fassung, einer wesentlich schärferen, dann der Senatsentscheidung vom 19. Januar 1946 zugrunde gelegt wurde.

Wiederum waren es Eucken, Lampe und Böhm, die ihrer Empörung über das Ansinnen der *Revue Fontaine*, Heidegger solle Stellung beziehen zur gegenwärtigen Lage, vehement Ausdruck verliehen: »Ich habe auch in der letzten Senatssitzung nicht gehört«, formuliert Adolf Lampe in einer ausführlichen Stellungnahme,

»daß Herr Heidegger die vollendete Unmöglichkeit einer derartigen Mitwirkung am gegenwärtigen Geschehen empfunden und zum Ausdruck gebracht hätte. So ist denn nach wie vor zwingend zu schließen, daß Herr Heidegger – entgegen der Annahme des vorliegenden Gutachtens unseres Bereinigungsausschusses – keinesfalls jene durchgreifende Wandlung seines politischen Denkens an sich erfahren hat, die zum allermindesten als gegeben angenommen worden ist. Ohne diese Voraussetzung konnten und durften wir Herrn Heidegger nicht so weitgehend von den Konsequenzen seines Verhaltens als erster Rektor unserer Universität im Dritten Reich freisprechen, wie es im abschließenden Votum des Ausschusses geschehen ist.« (Nachlaß Lampe)

Es wurde also die Total-Revision des Gutachtens gefordert, was dann auch erfolgte. Lampe brachte seine Argumentation auf die Spitze: Sollte Heidegger allen Ernstes meinen: »daß er, ausgerechnet und gerade er, berufen sei, jetzt über die – durch Hitler und seine blinde oder verbrecherische Gefolgschaft über alle Welt gebrachten – Nöte ein Wort zur Klärung und Wegweisung sprechen zu dürfen«, dann gäbe es nur zwei Möglichkeiten: entweder wisse Heidegger um die Größe seiner Schuld, »als er unsere Universität mit brutalem Machteinsatz auf den Weg des Nationalsozialismus trieb und, kraft seines international bekannten Namens als Philosoph, tausende und abertausende von Menschen blendete und irreführte« oder Heidegger sei auch heute noch »in einem geradezu erschreckendem Maße wirklichkeitsblind«.

Zuvor noch, als sich der Stimmungsumschwung zu Ungunsten Heideggers abzeichnete – Ende Oktober/Anfang November –, versuchten die zuständigen französischen Stellen, also die Hochschulreferenten in der Funktion des Curateur, Heidegger aus der Freiburger Schußlinie herauszunehmen und in das ruhigere, weniger aufgeregte Tübingen zu bringen, wo der sehr umtriebige Germanist Capitaine Cheval als Curateur mit der württembergischen Kultusverwaltung Kontakt aufnahm. Der Boden war ja bereitet, da der kommissarische Dekan Stadelmann seit geraumer Zeit das Netz geknüpft hatte, damit Heidegger nicht ins Bodenlose stürze. Eine gewisse Bereitschaft war auch von seiten der Kultusverwaltung zu erwarten, sorgte doch der amtierende Landesdirektor für Kultus, Carlo Schmid, dafür, daß die Tübinger Universität einigen Glanz erhielt – zum Beispiel durch den an der Philosophischen Fakultät auf einem neu eingerichteten Lehrstuhl berufenen Romano Guardini. Der Ministerialbeamte, mit dem Cheval die Angelegenheit besprach, notierte, die französische Militärregierung würde die Berufung Heideggers nach Tübingen begrüßen. Es sei kein Befehl, lediglich eine Anregung. Die Fakultät sei frei in ihrer Entscheidung. Die Militärregierung wolle nur zum Ausdruck bringen, daß sie einer Berufung Heideggers nichts in den Weg legen würde. In der Tübinger

Fakultät freilich kam es im November 1945 zu erheblichen Spannungen ob des Vorschlags; Heidegger wurde intensiv diskutiert – sehr kontrovers –, aber nicht auf vorderer Stelle der Liste plaziert. Die Tübinger wollten letztendlich nicht die Alibi-Funktion übernehmen.

So blieb die Universität Freiburg Front der Auseinandersetzung: Das Verfahren gegen Heidegger wurde inneruniversitär wieder aufgenommen. Er mußte sich dieses Mal unter geänderten Bedingungen und in deutlich gespannterer Atmosphäre ein weiteres Mal verantworten. Und genau diese im Dezember 1945 ablaufende Vernehmung bildet den Hintergrund für Heideggers Bericht in Petzets Buch *Auf einen Stern zugehen* – nur mit dem wesentlichen Unterschied, daß ein langandauernder Prozeß vorangegangen war mit all den dargelegten Komplikationen und daß einzig und allein der Bereinigungsausschuß und der Senat mit dem Verfahren Heideggers zu tun hatten. Es stand jetzt schlecht um seine Sache. Heidegger, der angesichts der Verschärfung bereit war, die Emeritierung hinzunehmen, kämpfte jetzt um das Recht der Lehrbefugnis.

Die Philosophische Fakultät wurde zum ersten Mal am 1. Dezember 1945 mit Heideggers Fall befaßt. Nach dem ausführlichen Bericht Gerhard Ritters beschloß die Fakultät einstimmig, erstens ein Gesuch an die französische Militärregierung zu richten mit der Bitte um Reintegrierung von Heidegger, zweitens ein Gesuch an das Ministerium zu stellen, Heidegger entsprechend seinem eigenen Wunsch zu emeritieren, drittens »Herrn Heidegger selbst zu schreiben, daß wir die beiden Gesuche gestellt haben, seine Ausscheidung aber grundsätzlich bedauern und Wert darauf legen, daß er in einschneidenden Fällen auch in Zukunft uns sein Mitwirken in der Fakultät nicht versagt«[224] – immer noch davon ausgehend, daß Heidegger lehren dürfe. In den Mittelpunkt der erregten Diskussionen dieser Wochen traten vor allen Dingen Heideggers Verhalten gegenüber Husserl und das Telegramm des Rektors Heidegger vom 20. Mai 1933 an den Reichskanzler Adolf Hitler.

Daß Heideggers unglückliches Verhalten seinem Lehrstuhlvorgänger – und wohl auch Lehrer – gegenüber vornehmlich während der langen Krankheit Husserls 1937/38, Heideggers Fehlen beim Begräbnis und sein Schweigen nach dem Tod Husserls jetzt besonders schwer ins

---

[224] Protokolle der Philosophischen Fakultät der Universität Freiburg (stehende Registratur).

Gewicht fielen, ist verständlich. Das war der eine gravierende Punkt. Das Telegramm an Hitler, in dem er darum ersucht, den Vorstand des Hochschulverbands vorerst nicht zu empfangen »bis zu dem Zeitpunkt, in dem die Leitung des Hochschulverbandes im Sinne der gerade hier besonders notwendigen Gleichschaltung vollzogen ist«, ist besonders wegen des Begriffs »Gleichschaltung« gewichtet worden. Terminus und Begriff »Gleichschaltung« waren im Mai 1933 eindeutig, wie schon dargestellt worden ist.

Heidegger versuchte, in einer Reihe von Schreiben – an den Rektor und an den Bereinigungsausschuß – die neu entstandenen bzw. neu akzentuierten Vorwürfe zu entkräften. In einem letzten Kraftakt schrieb er an den Vorsitzenden des politischen Bereinigungsausschusses, Constantin von Dietze, am 15.12., nochmals die Argumente zusammenfassend und eine grundsätzliche Stellungnahme abgebend:

> »Ich stand schon 1933/34 in derselben Opposition gegen die nationalsozialistische Weltanschauungslehre, war damals aber des Glaubens, daß die Bewegung geistig in andere Bahnen gelenkt werden könne und hielt diesen Versuch vereinbar mit den sozialen und allgemein politischen Tendenzen der Bewegung. Ich glaubte, Hitler werde, nachdem er 1933 in der Verantwortung für das ganze Volk stand, über die Partei und ihre Doktrin hinauswachsen und alles würde sich auf dem Boden einer Erneuerung und Sammlung zu einer abendländischen Verantwortung zusammenfinden. Dieser Glaube war ein Irrtum, den ich aus den Vorgängen des 30. Juni erkannte. Er hatte mich aber 1933/34 in die Zwischenstellung gebracht, daß ich das Soziale und Nationale (nicht Nationalsozialistische) bejaht und die geistige und metaphysische Grundlegung durch den Biologismus der Parteidoktrin verneinte, weil das Soziale und Nationale, wie ich es sah, nicht wesensmäßig an die biologisch-rassische Weltanschauungslehre geknüpft war.«

Er danke noch einmal für die verständnisvolle und entgegenkommende Haltung des Bereinigungsausschusses, der seine Intentionen von 1933/34 richtig beurteilt habe. Er habe viele Fehler »im Technischen und Personalen der Universitätsverwaltung« gemacht. »Ich habe aber niemals den Geist und das Wesen der Wissenschaft und der Universität an die Partei preisgegeben, sondern die Erneuerung der universitas versucht.« Er müsse es jetzt der Entscheidung der Universität überlassen, ob ihr noch in irgendeiner Weise an seiner Mitarbeit gelegen sei. Er bitte die Universität nur um den Schutz seiner dreißigjährigen philosophischen Arbeit,

> »von der ich allerdings glaube, daß sie eines Tages für das Abendland und die Welt noch etwas zu sagen haben wird. Im Ertragen des allgemeinen und geistigen Schicksals, und

der Sorge um das Geschick unserer beiden in Rußland verschollenen Söhne sind meine Kräfte ohnedies in einer Verfassung, die vielleicht gerade noch ausreicht, einiges von dem zu vollenden, was mir um der Zukunft der Philosophie willen am Herzen liegt.« (Nachlaß Lampe)

Parallel hierzu besann sich Heidegger auf zwei Freunde, die vielleicht eine Entlastung bringen könnten, deren Wort jetzt gewichtig war, weil sie jetzt als Autoritäten galten: Karl Jaspers und Erzbischof Conrad Gröber. Im Zusammenhang mit der Zuspitzung der Lage im Dezember bat Heidegger, bei Jaspers eine gutachterliche Stellungnahme über ihn einzuholen. Dieser Bitte wurde entsprochen und zwar in der Weise, daß das Kommissionsmitglied Oehlkers an Jaspers nach Heidelberg schrieb, wie schon angedeutet worden ist. Oehlkers, der Botaniker, war mit Jaspers seit einigen Jahren befreundet. Beide Professoren tauschten nach dem Sturz des Dritten Reiches ihre aktuellen Erfahrungen und Probleme aus. Oehlkers schilderte zum Beispiel am 26. Mai 1945 die besonders prekäre Lage der stark zerstörten Freiburger Universität – vor allem im Institutsbereich – unter den Bedingungen der französischen Besatzungsmacht, deren universitätspolitische Ziele noch vernebelt waren, wie überhaupt in jenen Wochen für deutsche Beobachter nicht deutlich erkennbar war, ob die Zuordnung der badischen Landesteile – Südbaden französisch, Nordbaden amerikanisch – endgültig bleibe, ob die Hauptstadt Karlsruhe für beide Universitäten, nämlich Freiburg und Heidelberg, zuständig sei. Oder am 12. Juli 1945 informierte er Jaspers ausführlich über Bildung, Kompetenz und erste Erfahrungen der Bereinigungskommission, in die er als Vertreter der naturwissenschaftlichen Disziplin gewählt worden war:

»Die Kollegen baten dringend um meine Mitarbeit, und so trat ich dann aus meiner Reserve heraus, und seit etwa 14 Tagen haben wir nahezu täglich vormittags und nachmittags Sitzungen, Verhandlungen und Besprechungen etc. Das Maß an Arbeit häuft sich in erschreckender Weise. Von Menschen werden wir überlaufen: Bitten, Drohungen, Warnungen, Ermunterungen prasseln in wirklichem Wechsel auf uns herunter. Nun, ich weiß das selbst: der Vorwurf des Collaboratismus liegt sehr nahe, ich weiß das durchaus. Uns liegt aber daran, daß wir einen Lehrkörper an der Universität bekommen, der nach *unserer* und nicht nach französischer Auffassung arbeitsfähig ist.« (Nachlaß Jaspers)

Als Oehlkers solches nach Heidelberg schrieb, hatte die Kommission noch nicht den Fall Heidegger auf dem Schreibtisch. Am 15. Dezember 1945 nun unterbreitete Oehlkers seinem Freund und Kollegen die Angelegenheit Heidegger, darauf abhebend, daß der Fall sich äußerst kompliziert darstelle, weil jetzt die Rückverweisung in den Ausschuß erfolgt sei, neue Fakten vorgelegt worden seien. Heidegger selbst sei als erster nationalsozialistischer Rektor »natürlich sehr belastet«. Oehlkers macht aber kein Hehl daraus, daß sich in den Anklagen gegen Heidegger auch die schweren Vorwürfe gegen Frau Elfride Heidegger einschoben, wie oben schon dargestellt worden ist. Was wurde nun von Jaspers erwartet? Eine Beurteilung »über die Fakten seines Rektorats hinaus« – also eine umfassende, allgemeine Würdigung der Persönlichkeit Heideggers – und besonders ob Heidegger Antisemit gewesen sei. »Er bittet, daß man Sie gerade über diesen Punkt befragt.« Oehlkers wird nicht müde, zu betonen, daß Heidegger nicht »ein ›Nazi‹ im gewöhnlichen Sinn des Wortes ist.« Es liege eine Tragik in der fatalen Rektoratszeit.

»Er war eben durch und durch unpolitisch und der Nationalsozialismus, den er sich zurecht gemacht hatte, hatte mit der Wirklichkeit nichts gemein. Aus diesem luftleeren Raum heraus agierte er als Rektor, fügte der Universität entsetzlichen Schaden zu und sah plötzlich überall Scherben um sich herumliegen. Erst heute fängt er an zu begreifen, wie sie zustande kamen. Alles das ist leicht zu verurteilen, aber sehr schwer, wirklich zu verstehen.«

Oehlkers Wunsch, die Bitte Heideggers an seinen einstigen philosophischen Freund, der quasi-amtliche Charakter des Oehlker-Briefes – all das brachte Jaspers in eine schwierige Lage, für ihn schier ausweglos, nahezu ein Dilemma. Jaspers' Gutachten vom 22. Dezember 1945 – der Philosoph setzte sich sofort nach Eingang des Oehlkers-Briefes an den Schreibtisch, blieb über das Wochenende liegen, Jaspers fügte am Heiligabend dem vierseitigen maschinengeschriebenen Brief noch ein handschriftliches Postskriptum zu: »24/12 Da ein Sonntag dazwischen lag, blieb der Brief noch hier. Ich habe überlegen können, ob ich in Rücksicht auf meine früheren Beziehungen zu Heidegger um Verzicht auf meine Antwort bitten solle. Antwort wie Nichtantwort, beides ist mir in diesem Falle gegen meine Natur. Schliesslich überwiegt die Forderung einer amtlichen Instanz und vor allem auch Heideggers selbst. So geht der Brief ab.« Jaspers mochte sich bewußt sein, daß sein Votum ausschlaggebend sein werde, aber auch daß er die Brücke zwischen sich und Heidegger abbreche, falls eine Brücke überhaupt noch vorhanden war und nicht nur ein Traum sich auferbaute.[225]

---

[225] Das Original des Jaspersschen Gutachtens ist über einige Umwege an mich gelangt, und zwar aus dem Nachlaß von Robert Heiß, der 1946 Dekan der Philosophischen Fakultät gewesen ist und dieses Gutachten sowie Korrespondenz mit Jaspers in einer Handakte bei sich geführt hat.

»Heidelberg, den 22. XII. 1945

Lieber und verehrter Herr Oehlkers!

Ihr Brief vom 15. Dezember gelangte heute zu mir. Ich freue mich, dass die Sache Gentner[226] läuft. Er ist inzwischen vielleicht schon bei Ihnen gewesen, wenigstens plante er es anlässlich einer Reise nach Paris, von der wir ihn dieser Tage zurückerwarten.

Die Hauptfrage Ihres Briefes will ich gleich beantworten. Bei meiner früheren Freundschaft mit Heidegger ist es unumgänglich, dass ich Persönliches berühre, auch um eine eventuelle Befangenheit meines Urteils nicht zu verschleiern. Sie nennen die Sache mit Recht kompliziert. Wie alles Komplizierte muss man versuchen auch dies auf das Einfache und Entscheidende zurückzubringen, damit man sich nicht im Gestrüpp des Komplizierten verfängt. Erlauben Sie, dass ich einige Hauptpunkte gesondert ausspreche:

1) Ich hatte gehofft, schweigen zu können ausser zu vertrauten Freunden. So dachte ich seit 1933, als ich nach der furchtbaren Enttäuschung still zu sein beschloss in Treue zu guten Erinnerungen. Das wurde mir leicht, weil Heidegger bei unserem letzten Gespräch 1933 seinerseits auf heikle Fragen schwieg oder ungenau – besonders in der Judenfrage – antwortete, und weil er seine durch ein Jahrzehnt regelmässigen Besuche nicht fortsetzte, sodass wir uns nicht wiedergesehen haben. Er schickte mir zwar bis zuletzt seine Publikationen, nach meinen Zusendungen hat er 1937 und 1938 nicht mehr den Empfang bestätigt. Jetzt hoffte ich nun erst recht, schweigen zu können. Aber Sie fragen mich nun nicht nur offiziell im Auftrag des Herrn von Dietze, sondern berufen sich auf Heideggers Wunsch, dass meine Meinung gehört werde. Das zwingt mich.

2) Ausser dem öffentlich Bekannten, gelangte zu mir die Kenntnis einiger Tatbestände, von denen ich zwei wichtig genug finde, sie mitzuteilen.

Im Auftrag des nationalsocialistischen Regimes gab Heidegger ein Gutachten über Baumgarten an den Dozentenbund Göttingen, das mir vor langen Jahren in Abschrift bekannt wurde. Darin finden sich folgende Sätze: ›Baumgarten war jedenfalls hier alles andere als ein Nationalsocialist. Er stammt verwandtschaftlich und der geistigen Haltung nach aus dem liberal-demokratischen Heidelberger Intellektuellenkreis um Max Weber. Nachdem er bei mir gescheitert war, nahm er rege Verbindungen zu dem früher in Göttingen tätigen, jetzt von hier aus entlassenen Juden Fraenkel auf. Durch ihn liess er sich in Göttingen unterbringen ... Das Urteil über ihn kann natürlich noch nicht abgeschlossen sein. Er könnte sich noch entwickeln. Es müsste aber doch eine gehörige Bewährungsfrist abgewartet werden, ehe man ihn zu einer Gliederung der nationalsocialistischen Partei zuläßt.‹ Wir sind heute an Greuel gewöhnt, an denen gemessen man vielleicht kaum noch versteht, welches Entsetzen mich damals beim Lesen dieser Sätze ergriff.

Der Assistent am philosophischen Seminar bei Heidegger, Dr. Brock, war Jude. Dieser Tatbestand war Heidegger bei der Anstellung nicht bekannt. Brock mußte im Gefolge der nationalsocialistischen Maßnahmen seine Stellung verlassen. Nach Mittei-

---

[226] Es handelt sich um den Physiker Wolfgang Gentner, der an die Stelle des aus politischen Gründen entlassenen Ordinarius für Physik Steinke, des örtlichen Führers des NS-Dozentenbundes, nach Freiburg berufen wurde.

lungen Brocks, die ich damals unmittelbar mündlich erhielt, hat sich Heidegger ihm gegenüber einwandsfrei benommen. Er hat ihm durch freundliche Zeugnisse das Fortkommen in England erleichtert.

In den zwanziger Jahren war Heidegger kein Antisemit. Jenes durchaus unnötige Wort vom Juden Fraenkel beweist, daß er 1933 wenigstens in gewissen Zusammenhängen Antisemit geworden ist. Er hat in dieser Frage nicht nur Zurückhaltung geübt. Das schliesst nicht aus, dass ihm, wie ich annehmen muss, in anderen Fällen der Antisemitismus gegen sein Gewissen und seinen Geschmack ging.

3) Heidegger ist eine bedeutende Potenz, nicht durch den Gehalt einer philosophischen Weltanschauung, aber in der Handhabung spekulativer Werkzeuge. Er hat ein philosophisches Organ, dessen Wahrnehmungen interessant sind, obgleich er m. E. ungewöhnlich kritiklos ist und der eigentlichen Wissenschaft fern steht. Er wirkt manchmal, als ob sich der Ernst eines Nihilismus verbände mit der Mystagogie eines Zauberers. Im Strom seiner Sprachlichkeit vermag er gelegentlich den Nerv des Philosophierens auf eine verborgene und grossartige Weise zu treffen. Hier ist er unter den zeitgenössischen Philosophen in Deutschland, soweit ich sehe, vielleicht der einzige.

Daher ist dringend zu wünschen und zu fordern, dass er in der Lage bleibe, zu arbeiten und zu schreiben, was er vermag.

4) Bei der Behandlung einzelner Menschen muss man heute unausweichlich unsere Gesamtlage im Auge behalten.

So ist es unumgänglich, dass zur Verantwortung gezogen wird, wer mitgewirkt hat, den Nationalsocialismus in den Sattel zu setzen. Heidegger gehört zu den wenigen Professoren, die das getan haben.

Die Härte der Ausschließung zahlloser Menschen, die innerlich nicht Nationalsocialisten gewesen sind, aus ihren Stellungen, geht heute sehr weit. Was sollen, wenn Heidegger uneingeschränkt bleibt, die Kollegen sagen, die gehen müssen, in Not geraten, und die nie nationalsocialistische Handlungen begangen haben! Die ungewöhnliche geistige Leistung kann ein berechtigter Grund sein für die Ermöglichung der Weiterführung dieser Arbeit, nicht aber für die Fortsetzung von Amt und Lehrtätigkeit.

In unserer Lage ist die Erziehung der Jugend mit grösster Verantwortung zu behandeln. Eine volle Lehrfreiheit ist zu erstreben, aber nicht unmittelbar herzustellen. Heideggers Denkungsart, die mir ihrem Wesen nach unfrei, diktatorisch, communikationslos erscheint, wäre heute in der Lehrwirkung verhängnisvoll. Mir scheint die Denkungsart wichtiger als der Inhalt politischer Urteile, deren Aggressivität leicht die Richtung wechseln kann. Solange in ihm nicht eine echte Wiedergeburt erfolgt, die sichtbar im Werk ist, kann m. E. ein solcher Lehrer nicht vor die heute innerlich fast widerstandslose Jugend gestellt werden. Erst muss die Jugend zu selbständigem Denken kommen.

5) Ich erkenne in einem gewissen Umfang die persönliche Entschuldigung an, Heidegger sei seiner Natur nach unpolitisch; der Nationalsocialismus, den er sich zurechtgemacht habe, hätte mit dem wirklichen wenig gemein. Dazu würde ich jedoch erstens an das Wort Max Webers von 1919 erinnern: Kinder, die in das Rad der Weltgeschichte greifen, werden zerschmettert. Zweitens würde ich einschränken: Heidegger hat gewiss nicht alle realen Kräfte und Ziele der nationalsocialistischen Führer durchschaut. Dass er meinte, einen eigenen Willen haben zu dürfen, beweist es. Aber seine Sprechweise und seine Handlungen haben eine gewisse Verwandtschaft mit nationalsocialistischen

Erscheinungen, die seinen Irrtum begreiflich machen. Er und Bäumler und Carl Schmitt sind die unter sich sehr verschiedenen Professoren, die versucht haben, geistig an die Spitze der nationalsocialistischen Bewegung zu kommen. Vergeblich. Sie haben wirkliches geistiges Können eingesetzt, zum Unheil des Rufes der deutschen Philosophie. Daher kommt ein Zug von Tragik des Bösen, den ich mit Ihnen wahrnehme.

Eine Veränderung der Gesinnung durch Hinüberwechseln in das antinationalsocialistische Lager ist nach den Motiven zu beurteilen, die sich zum Teil aus dem Zeitpunkt erschliessen lassen. 1934, 1938, 1941 bedeuten grundsätzlich verschiedene Stufen. M.E. ist die Gesinnungsveränderung für die Beurteilung fast bedeutungslos, wenn sie erst seit 1941 erfolgte, und von geringem Wert, wenn sie nicht schon nach dem 30. Juni 1934 mit Radikalität geschehen ist. –

6) Für ungewöhnliche Fälle lässt sich eine ungewöhnliche Ordnung finden, wenn man es will, weil man den Fall wirklich wichtig findet. Daher ist mein Vorschlag:

a) Bereitstellung einer persönlichen Pension für Heidegger zum Zweck der Fortführung seiner philosophischen Arbeit und des Herausbringens seiner Werke, mit der Begründung durch seine anerkannten Leistungen und durch die Erwartung, dass noch Wichtiges entstehen wird.

b) Suspension vom Lehramt für einige Jahre. Dann Nachprüfung auf Grund der inzwischen erfolgten Publikationen und auf Grund der erneuerten akademischen Zustände. Es ist dann die Frage zu stellen, ob die volle Wiederherstellung der alten Lehrfreiheit gewagt werden kann, bei der auch das der Universitätsidee Gegnerische und Gefährliche, wenn es mit geistigem Rang vertreten wurde, zur Geltung kommen durfte. Ob ein solcher Zustand erreicht wird, liegt am Gang der politischen Ereignisse und an der Entwicklung unseres öffentlichen Geistes.

Falls eine solche ausdrückliche Sonderregelung für Heidegger verweigert würde, halte ich eine Bevorzugung im Rahmen der allgemeinen Maßnahmen für ungerecht. –

Damit hätte ich in einer Kürze, die gewiss voll möglicher Missverständnisse ist, meine Meinung gesagt. Falls Sie Heidegger von diesem Briefe Kenntnis geben wollen, ermächtige ich Sie, ihm in Abschrift die Punkte 1, 2, 6 mitzuteilen und dazu aus Punkt 3 den Absatz: ›Daher ist … er vermag.‹

Entschuldigen Sie die apodiktische Form mit der Kürze. Lieber würde ich im Gespräch mit Ihnen die Sache hin und her diskutieren und weiter klären, wenn ich Ihre Auffassungen hörte. Das geht nun nicht.

Sie schreiben von den Winternöten. Diese sind dort gewiss erheblich grösser als hier, obgleich auch wir leiden. Aber es geht bis jetzt. Möchte nur kein harter Frost kommen.

Meine herzlichsten Grüsse für Sie und Ihre verehrte liebe Frau von meiner Frau und Ihrem

Karl Jaspers«

Da das Problem eines möglichen Antisemitismus Heideggers schon in anderem Zusammenhang behandelt ist, sei hier nur resümierend festgehalten: Jaspers legt den Fall Baumgarten vor, das Gutachten Heideggers zu Händen der Göttinger NS-Dozentenführung mit der primitiven Formulierung vom »hier entlassenen Juden Fraenkel«, stellt aber auch dar, daß Heidegger sich für seinen entlassenen Assistenten, den Privatdozenten Dr. Brock, eingesetzt und ihm »durch freundliche Zeugnisse das Fortkommen in England erleichtert« habe. In den zwanziger Jahren sei Heidegger kein Antisemit gewesen, freilich: Heidegger habe bei seinem letzten Gespräch im Hause Jaspers – anläßlich des Heidelberger Vortrags vom 30. Juni 1933 – auf heikle Fragen geschwiegen »oder ungenau – besonders in der Judenfrage –« geantwortet. Wichtig ist vor allem, daß Jaspers Heideggers politischen Einsatz in Verbindung bringt mit dem von Carl Schmitt und von Alfred Baeumler – also eine Trias herstellend, da alle drei bemüht gewesen seien, »geistig an die Spitze der nationalsocialistischen Bewegung zu kommen.« Dieses Gutachten, das so viele Elemente enthält und etwas unsystematisch ausgefallen ist, war im Grundton vernichtend, sowohl hinsichtlich der Verurteilung des Philosophierens Heideggers – auch wenn seine Stimme weiter gehört werden sollte –, als auch hinsichtlich der Sühnemaßnahmen. Jaspers' Votum für die zeitweilige Suspension korrespondierte dem französischen Sprachgebrauch ›suspendu‹, d.h. keine Emeritierung mit dem Recht zu lesen, noch nicht einmal die herkömmliche Pensionierung, vielmehr Entlassung in der Sonderform der »persönlichen Pension«, was eine Art »Gratialrente« bedeutete, Gnadenbrot also, das sogar nur ausnahmsweise gereicht werden sollte.

Das Gutachten von Jaspers wurde in der Tat ausschlaggebend für die Entscheidung des Freiburger Senats und wirkte meinungsbildend auf die französische Militärregierung. Dementsprechend geriet Jaspers ins Gerede: Der Dekan Heiß ließ ihn am 14. April 1946 wissen, daß Heideggers Situation schwierig sei und daß er, Heiß, anderer Meinung als Jaspers sei. In dem Antwortbrief von Jaspers vom 28. Mai 1946 hebt der Philosoph darauf ab, daß es nicht um Meinungen gehe, sondern um zwingende Gründe und Zusammenhänge. Wenn Heiß sein Gutachten kennte, müßte er anders schreiben. Das Gutachten sei ihm wohlbekannt – amtlich –, so Heiß am 5. Juli 1946. Er habe seit vielen Jahren die Entwicklung Heideggers verfolgt, habe selbst zwei Heidegger-Kollegs gehört, andere aus den Kolleg-Nachschriften kennengelernt. Zumindest werde man sagen müssen, daß Heidegger seine Meinung bald und völlig geändert habe. Er wolle in keiner Weise entschuldigen, was Heidegger 1933 getan habe, aber er habe seine Entwicklung mit großem Ernst verfolgt und glaube sagen zu können, daß er sie genauestens kenne. Er sei auch über vieles entsetzt und erschüttert, was Heidegger 1933 getan habe. Aber er wisse auch, was danach gekommen sei.

»Sie werden verstehen, daß mir bei dieser Kenntnis die meisten Urteile über Heidegger nicht viel sagen. Ihres war mir außerordentlich wichtig.« Ihm persönlich sei nicht zweifelhaft, »daß Herr Heidegger in eine Art von Exil geht; man mag sagen, daß er erntet, was er gesät hat. Dagegen kann ich nichts sagen.« (Handakte Robert Heiß – im Besitz des Verfassers)

Und als im Spätherbst 1946 Hans-Georg Gadamer, Heideggers Schüler, von Leipzig nach Freiburg reiste auf der Suche nach einem Lehrstuhl in den westlichen Besatzungszonen und sich für die Nachfolge Martin Heideggers interessierend, dessen Sache damals sehr schlecht stand, da schrieb er, wieder nach Leipzig zurückgekehrt, an Jaspers unter dem 6. Oktober 1946: Heideggers Lage verschlechtere sich ständig. Es gehe um die Frage, »ob ›Emeritierung‹ oder ›Entlassung‹. Das Letztere wohl – mit seinen wirtschaftlichen Konsequenzen. Deshalb kam *Ihre* Stellungnahme taktisch ungünstig, da Sie ja nur von ›Pension‹ schrieben – fürchte ich.« (Nachlaß Jaspers) Gadamer muß bei seinem Besuch in Freiburg, wo er auch mit dem Dekan Heiß wegen einer möglichen Nachfolge auf dem Heideggerschen Lehrstuhl Gespräche führte, das Gutachten Jaspers' gelesen haben. Jaspers verwand das Gutachten und die Reaktionen nicht so ohne weiteres, autorisierte die Kommission, Heidegger das Gutachten in vollem Umfang zur Kenntnis zu bringen. Es trieb ihn der Fall Heidegger um, bis er – wie wir eingangs schon erfahren haben – bald nach seiner Übersiedlung nach Basel die Brücke zu Heidegger nach Freiburg zu schlagen versuchte.

Der Hoffnungsträger Jaspers also erwies sich als Fehlschlag – und kein Zweifel: Heidegger erfuhr noch zwischen den Jahren, also unmittelbar nach Weihnachten, den wesentlichen Inhalt, besonders die konkreten Vorschläge von Jaspers. Da die Bereinigungskommission ihr Votum weitgehend von Jaspers' Urteil abhängig machte, blieb Heidegger nur noch der Gang zu seinem Meßkircher Landsmann, väterlichen Freund, Förderer und wohlmeinenden Helfer, Erzbischof Conrad Gröber – in jenen Wochen für viele eine Zuflucht, denn der Freiburger Oberhirte galt als Eckpfeiler des kirchlichen Widerstands in der Zeit des nationalsozialistischen Unrechtsstaates und war jetzt unerschütterliche Autorität, gerade der französischen Militärregierung gegenüber. Sein Wort hatte Geltung und sein Einsatz Gewicht. So schlüpfte Heidegger in die Rolle des verlorenen Sohnes, begab sich zur Wohnung des Erzbischofs, nach langen Jahren der Ferne, wiewohl am gleichen Ort, unmittelbar wieder die Wärme und Herzlichkeit der Meßkircher Bodenständigkeit spürend, zumal des Erzbischofs Schwester, Fräulein Marie, die Peinlichkeit des Bittgangs, des Gangs nach Canossa, rasch milderte, die Bitternis dieser ersten persönlichen Begegnung nach langen Jahren – und was für Jahren! – durch die heimische, vertraute Mundart von Heidegger nahm. Ein zweiter Besuch schloß sich unmittelbar an, und Gröber setzte noch im ausgehenden Jahr 1945 ein befürwortendes Schreiben an die französische Militärregierung ab, schaltete in Baden-Baden den Abbé Virrion ein, der bei der französischen Militärregierung, Abteilung Unterrichtswesen, arbeitete. Es war Gröber darum zu tun, daß sein Gutachten möglichst rasch an die zentrale Stelle in Baden-Baden gelange, da Gefahr in Verzug war und ein negatives Votum des Freiburger Senats nur noch durch die Militärregierung »gebessert« werden konnte. Das erzbischöfliche Gutachten selbst ist nicht überliefert, läßt sich jedoch in seinem positiven Trend aus einem Brief des besagten Abbé erschließen, der am 2. Januar 1946 nach Freiburg gerichtet war: Das erzbischöfliche Gutachten liege hier in Baden-Baden noch nicht vor; wahrscheinlich sei es von Freiburg noch nicht weitergeleitet worden. Er werde es nach Eingang sofort bearbeiten. Den Fall Heidegger werde er mit dem zuständigen Colonel besprechen, sobald dieser aus dem Urlaub zurück sei. »Es wird aber schwer sein, Heidegger wieder an die Universität zuzulassen, wenn der Rektor dagegen stimmt. Jedenfalls werde ich mein Möglichstes tun, da Sie den Mann empfehlen.«[227]

Hier werden die Schwierigkeiten offen angesprochen, die sich bei einem negativen Votum des Senats der Freiburger Universität auftun würden. Denn: die französische Universitätspolitik gab dem Selbstverwaltungsverlangen der deutschen Universitäten genügend Spielraum. Die Bereinigungskommission galt der Militärregierung als kompetentes Gremium, gewissermaßen als Brücke. Und wenn der Senat auf Vorlage der Bereinigungskommission votierte, konnte nicht leicht opponiert werden. Gröber jedenfalls hat das Gewicht seiner Autorität in die Waagschale gelegt. Das sollte betont werden gegenüber allen anderslautenden Meinungen, die sich zäh hielten: die katholische Kirchenbehörde Freiburgs habe mit allen Mitteln Heideggers Entfernung von der Universität betrieben – so vor allem Robert Minder, der meinungs-

---

[227] Erzbischöfliches Archiv Freiburg, Nachlaß Gröber/67.

bildend geworden ist, ohne je einen Beleg für seine These beigebracht zu haben: »Verbürgt ist jedenfalls, daß der Kirchenfürst (gemeint ist Erzbischöf Gröber) nach der Besetzung mit allen Mitteln versuchte, den Häretiker von der Universität fernzuhalten.«[228] Das Gegenteil trifft zu. Freilich: Martin Heidegger hat geraume Zeit später, als es 1949 um die Revision und damit um die Rehabilitierung ging, ebenfalls die katholische Kirche mitverantwortlich gemacht für die Verhinderung seiner vollen Rehabilitierung, nämlich die Wiedereinsetzung in das Amt. Dies ebenfalls ohne die Spur eines Beweises, einfach auf Verdacht hin, da es wohl keine Versöhnung zwischen der dogmatisch gebundenen Lehre und dem von »außerphilosophischen« Bindungen freien Denken Heideggers geben könne. Heidegger auf immer der »Häretiker«.

Angesichts der inneruniversitären Entwicklung sah sich Heidegger Anfang 1946 gezwungen, seinem Emeritierungsgesuch eine Erklärung nachzuschieben, daß er sich der Lehrtätigkeit enthalte, bis die Universität ihn um deren Wiederaufnahme ersuche.[229] Das in der Senatssitzung vom 19. Januar 1946 – einziger Tagesordnungspunkt war der Fall Heidegger – gefällte Urteil war hart: Emeritierung unter Versagung der Lehrbefugnis, Ablehnung der von der Kommission vorgeschlagenen Nachprüfung innerhalb einer bestimmten Frist, darüber hinaus: »Der Senat bittet den Rektor, Professor Heidegger mitzuteilen, daß bei ihm Zurückhaltung bei den öffentlichen Veranstaltungen der Universität erwartet wird.«[230] Die einmütig verabschiedete Stellungnahme der Philosophischen Fakultät zu dieser scharfen Entscheidung des Senats war ein Beweis des ungebrochenen Wohlwollens der Fakultät, der Heidegger angehörte.

Der Senat nahm das Schreiben der Fakultät ohne Diskussion zu den Akten. Prälat Josef Sauer, der Jahrzehnte den Weg Heideggers verfolgt hatte, spottete in seinem Tagebucheintrag zum 27. Februar 1946 über das »«komisch-konfuse Elaborat« der Philosophischen Fakultät, das mit allgemeinem Lachen entgegengenommen worden sei; diese Fakultät suche krampfhaft jeden Anlaß, sich lächerlich zu machen. Gerhard Ritter, Mitglied der Bereinigungskommission, bringt in einem Brief an

---

[228] Robert Minder, *Hölderlin unter den Deutschen und andere Aufsätze zur deutschen Literatur*, Frankfurt/M., 1968, S. 140.
[229] Protokoll der Philosophischen Fakultät vom 6. Januar 1946.
[230] Protokolle des Senats der Universität Freiburg.

Hermann Heimpel, einstens unter Heideggers Rektorat zur eigenen Gefolgschaft zählend, von Ende Januar 1946 das Dilemma zum Ausdruck:

»Was Herrn Heidegger anlangt, so wird Ihnen dieser wohl selbst berichten können, wie sehr und wie erfolgreich ich mich bemüht habe, gegen heftige Widerstände im Senat und im Bereinigungsausschuß statt seiner Dienstentlassung eine Emeritierung durchzusetzen; die Fakultät hat mir dafür einstimmig ihren Dank und ihr Vertrauen in feierlichster Form ausgesprochen. Die Verantwortung Heideggers am Abrutsch der deutschen Universitäten in das Fahrwasser der Partei war gleichwohl eine sehr große, und er selbst ist sich auch dessen heute voll bewußt. Für mich selbst war es 1933 ein tiefer, ja ein sehr tiefer Schmerz (ich habe damals wochenlang von Unruhe über die geistige Katastrophe nicht schlafen können).«[231]

Auch Jaspers, dessen Gutachten so stark die Entscheidung beeinflußt hatte, meldete sich am 4. Februar 1946 bei Gerhard Ritter brieflich und brachte zum Ausdruck: »Mein Nebengedanke ist, daß diese Situation bei Heidegger die geistig fruchtbarste sein kann. Öffentliches Auftreten brächte ihn in Schwierigkeiten, könnte ihn eher lähmen, wie mir scheint. Auch wird er so vor Entgleisungen bewahrt, die jetzt unsere Gefahr sind.«[232]

Daß Heidegger in dieser Phase seines Lebens, die ihn in tiefe Not – auch materielle Not – stürzte, als er abgeschnitten wurde vom Wurzelgrund der akademischen Wirksamkeit und sich diffamiert fühlte, daß er jetzt umkehre, das hofften manche. Aber wohin umkehren? Meinte auch Jaspers, Heidegger werde umkehren? Der körperlich und seelisch unter den Belastungen zusammengebrochene Heidegger befand sich im Frühjahr 1946 im Sanatorium Schloß Haus Baden in Badenweiler zu psychosomatischer Behandlung bei Viktor Freiherr von Gebsattel, wo übrigens der Grund gelegt bzw. verstärkt wurde für die nachmalige enge geistige Zusammenarbeit mit einer bestimmten Richtung der Psychiatrie, nämlich der daseinsanalytisch-anthropologischen Richtung von Ludwig Binswanger und Medard Boss, der auch Gebsattel, später Professor für Psychiatrie in Würzburg, angehörte. Erzbischof Gröber jedenfalls rechnete mit einer Umkehr Heideggers. In einem Brief an den deutschlandpolitischen Berater des Papstes Pius XII., Pater Leiber, vom 8. März 1946 – ein Brief, in dem ein Lagebericht über die politische Situation zu Händen des Papstes gegeben wurde – heißt es:

---

[231] Brief Nr. 132 in: Schwabe/Reichardt 1984, S. 408 f.
[232] Brief Nr. 133, ebd., S. 409.

»Der Philosoph Martin Heidegger, mein früherer Schüler und Landsmann, ist emeritiert und darf keine Vorlesungen halten. Er hält sich zur Zeit im Haus Baden bei Badenweiler auf und geht in sich, wie ich von Professor Gebsattel gestern gehört habe. Für mich war es ein großer Trost, als er bei Beginn seines Unglücks zu mir kam und sich wirklich erbaulich benahm. Ich habe ihm die Wahrheit gesagt, und er hat es unter Tränen entgegengenommen. Ich breche die Beziehungen zu ihm nicht ab, denn ich hoffe auf einen geistigen Umschwung in ihm.«[233]

Indes war der Fall Heidegger damit noch nicht abgeschlossen: Zu Beginn des Jahres 1946 hatte die französische Militärregierung die Bildung eines »Landesbereinigungsausschusses« verfügt, der nach dem Proporz der inzwischen lizensierten politischen Parteien zusammengesetzt wurde und an den grundsätzlich alle Verfahren abgegeben werden mußten – auch die bereits behandelten Fälle des universitären Bereinigungsausschusses. Auch für diesen Bereich galt, daß große Unsicherheit über die Kompetenz vorlag ebenso darüber, wie weit die Universität in dem Ausschuß vertreten sein solle zum Schutz ihrer Interessen. Der Senat der Freiburger Universität war während des Frühjahrs 1946 mehrmals mit der Angelegenheit befaßt, entsandte schließlich Constantin von Dietze als seinen Repräsentanten. Aus den Berichten von Dietzes erhellt, daß der Landesbereinigungsausschuß nicht bereit war, die universitätsspezifischen Beschlüsse zu respektieren; vielmehr drängte er auf Gleichbehandlung und Einstufung in die jeweiligen Sühne-Kategorien mit den entsprechenden beamtenrechtlichen Konsequenzen. So setzte sich trotz Gegenvorstellungen der Universität Freiburg die Ansicht durch, alle Rektoren während der Zeit des Dritten Reiches müßten zu den »Belasteten« gerechnet werden.

Für Heidegger zeichnete sich im August 1946 ab, daß er nicht, wie von der Universität im Januar vorgeschlagen, emeritiert, sondern pensioniert werde, was gleichbedeutend war: Verlust des Professorenamtes und Verlust der Lehrbefugnis auf Dauer. Da der Landesausschuß unter Aufsicht und nach Weisung der französischen Militärregierung arbeitete, stand der Ratifizierung der Vorschläge nichts im Wege. Demgemäß erging die Entscheidung durch die Militärregierung am 5. Oktober 1946 in einer vorläufigen Form, präzisiert am 28. Dezember 1946: »Il est interdit à M. Heidegger d'enseigner et de participer a toute activité de l'Université.« Das badische Kultusministerium hat in Gemäßheit dieser Entscheidung am 11. März 1947 Martin Heidegger

---

[233] Erzbischöfliches Archiv Freiburg, Nachlaß Gröber/54.

eröffnet: »Im Verfahren der politischen Reinigung der Verwaltung ist am 28. Dezember 1946 über Sie die folgende endgültige Entscheidung getroffen worden: Lehrverbot, keine Funktion in der Universität. Das Lehrverbot tritt sofort in Kraft. Die Bezahlung der Bezüge wird mit Ende 1947 eingestellt.«[234] Diese finanzielle Härte lediglich wurde im Mai 1947 beseitigt, da die Militärregierung ein Ruhegehalt in voller Höhe genehmigte, jedoch zugleich aus gegebenem Anlaß eine Emeritierung Heideggers ausdrücklich verwarf. Rechtlich maßgebend und verbindlich blieb die Entscheidung des 28. Dezember 1946 – zu einer Zeit, da der *Brief über den Humanismus* an Jean Beaufret schon auf dem Weg war.

Denn: phönixgleich erhob sich Heidegger aus der Asche des durch die französische Militärregierung aufgerichteten Scheiterhaufens, um in das geistige Leben Frankreichs als die bestimmende philosophische Kraft einzudringen. Heideggers Denken begab sich auf den Triumphzug durch die Romania.

Die Entscheidung der Militärregierung vom Herbst 1946, die eine Reintegrierung Heideggers in die Universität ausschloß, lag nicht im Sinne der Universität. Anderslautende Gerüchte entbehren jeder Grundlage. Wie die französische Besatzungsmacht jeweils in diesem und anderen Fällen sich verhielt, ist für den Historiker so lange nicht zu erhellen, als die einschlägigen Akten unzugänglich bzw. schwer zugänglich bleiben. Jedenfalls soviel steht fest: Die französische Militärregierung zu Baden-Baden war in Sachen Heidegger in eine härtere Gangart gefallen, die in der folgenden Zeit noch rigider wurde – natürlich auch im Zusammenhang mit den innenpolitischen Umbrüchen in Frankreich, die sich auf die Besatzungspolitik auswirkten. Selbst die Bibliothek Heideggers geriet erneut – diesmal ernsthaft – in Gefahr der Beschlagnahme, so daß es der Anstrengung vereinter Kräfte bedurfte, 1947 diese Bedrohung abzuwenden. Der Freiburger Historiker Clemens Bauer und Erzbischof Gröber haben sich dabei verdient gemacht, ihre indirekten Kontakte zu dem Allgewaltigen der französischen Kulturpolitik in Baden-Baden, General Raymond Schmittlein, einsetzend.

Einem Ondit zufolge sollte Heideggers Bibliothek zur Ausstattung

---

[234] Diese Verfügungen finden sich in der Personalakte Heidegger im Hauptstaatsarchiv Stuttgart, Kultusministerium Baden-Württemberg E A III/1.

der durch die französische Besatzungsmacht wiedergegründeten Universität Mainz dienen. Es war Franz Josef Schöningh, Lizenzträger und Schriftleiter der *Süddeutschen Zeitung* und Herausgeber des *Hochland*, mit Clemens Bauer eng befreundet und gute Kontakte zu Erzbischof Gröber unterhaltend, der auf beider Bitte hin bei Schmittlein gegen die drohende Beschlagnahme der Heideggerschen Bibliothek intervenierte. Schöningh hatte im Sommer 1947 in Lahr/Baden an einer Tagung deutscher und französischer Schriftsteller teilgenommen und dort den General näher kennengelernt. Bei seinem Aufenthalt in Freiburg traf er mit Erzbischof Gröber und Clemens Bauer zusammen. Unter dem 6. September 1947 schrieb er an Schmittlein u. a.:

»Bei meinem Aufenthalt in Freiburg wurde mir von mehreren Seiten mitgeteilt, daß die Bibliothek des bekannten Philosophen Martin Heidegger in Gefahr stehe, beschlagnahmt zu werden. Die Personen, die mich hierauf aufmerksam machten, gehören keineswegs dem Freundeskreis Heideggers an (den ich persönlich übrigens nicht kenne), sondern lehnen sowohl seine früher vertretene Philosophie wie die politischen Konsequenzen ab, die Heidegger selbst zu Beginn der nationalsozialistischen Herrschaft daraus gezogen. Ich selbst habe in meinem Vortrag während der genannten Tagung auf die verhängnisvolle Bedeutung des Heideggerschen Nihilismus hingewiesen. Aber ich habe auch darauf aufmerksam gemacht, welche Bedeutung dieser Philosoph bedauerlicherweise nicht zuletzt durch Sartre in Frankreich gewonnen hat. Dies beweist zur Genüge, daß Heidegger einen Platz in der europäischen Geistesgeschichte einnimmt, wie man auch immer zu ihm stehen möge. Infolgedessen würde die Beschlagnahme seiner Bibliothek (an der, wie man mir sagt, die Mainzer Universität interessiert sei) einiges Aufsehen erregen und – ich fürchte – als eine Härte empfunden werden, die am Ende der französischen Militärregierung zur Last gelegt werden würde. Ich halte es daher für meine Pflicht, Ihr Interesse auf diesen Fall zu lenken und Sie zu bitten, die Möglichkeit zu erwägen, daß dieser so mißverständliche Schritt verhindert wird.«[235]

Schöningh hatte in seinem Lahrer Vortrag darauf abgestellt, daß Sartre »Heidegger wie eine Entdeckung nach Frankreich« trage, »daß in dem erschreckenden Nihilismus etwa Heideggers oder Sartres nur die Spiegelung einer politisch-sozialen Katastrophe gesehen« werde. »In Heidegger und Sartre ist der europäische Geist dort angekommen, wohin es ihn seit Jahrhunderten unablässig zieht: vor dem Nichts. – Sie kennen alle Heideggers politische Vergangenheit. Wenn ich sie erwähne, so wirklich nur deshalb, weil hierdurch der Zusammenhang zwischen Nihilismus und Nationalsozialismus unmittelbar anschaulich gemacht werden kann.« Er wisse freilich, daß dieser Zusammenhang verschiedene Komponenten berge, die nur aus spezifisch deutschen

---

[235] Dieser Vorgang im Nachlaß Clemens Bauer.

Voraussetzungen zu erklären seien, zu denen Hegel, Nietzsche, Wagner und Bismarck zählten, doch dürfe darüber nicht ein Phänomen vergessen werden, »das uns in allen Ländern Europas entgegen grinst: die totale Glaubenslosigkeit des Nihilismus. Er ist das Ergebnis unserer gemeinsamen geschichtlichen Entwicklung und wir müssen uns deshalb gemeinsam mit ihm auseinandersetzen.«[236]

Heidegger fühlte sich verkannt, verfolgt, verfemt – und dies alles in seinen Augen zu Unrecht. Die Demütigungen, die ihm seit dem Sommer 1945 zugefügt wurden: Beschlagnahme von Teilen seines Hauses, stete Gefährdung seiner Bibliothek, Einsatz zur Trümmerbeseitigung in Freiburgs Straßen (als Strafmaßnahme verhängt), die auf den verschiedenen Ebenen ablaufenden politischen Reinigungsverfahren, alle diese Demütigungen gipfelten in der endgültigen Entscheidung der französischen Mitliärregierung: der Entlassung aus dem Amt verbunden mit Lehrverbot, also Entzug der venia legendi. Für Heidegger war dies eine fremdbestimmte Verfügung, da die Deutschen zu jener Zeit keine politische Gewalt besaßen, sondern nur als Erfüllungsgehilfen und Ausführungsorgane der Besatzungsmacht handelten. Heidegger konnte und wollte seine Einordnung in das Heer tausender kleiner Beamter, die wegen ihrer politischen Vergangenheit auf die Straße gesetzt waren und nicht wußten, wie es weitergehen solle, nicht hinnehmen – nicht wie der Volksschullehrer aus der Nachbarschaft behandelt sein, der wegen der Zugehörigkeit zur NSDAP und als kleiner Parteifunktionär entlassen war. Solidarität dieser Art wird vergeblich bei ihm gesucht, da er sich zum Widerstand rechnete. Daß die Deutschen nicht untergegangen sind und erst noch durch die Nacht hindurch müssen, um dann aufgehen zu können: von solcher Überzeugung mag Heidegger auch 1946 noch durchdrungen gewesen sein: Er, der alles langfristig Bedenkende, der klärenden Ferne vertrauend, wie sie ihm auf der Hütte am Todtnauberger Hang beständig vor Augen war – die Fernsicht auf die alpinen Höhenzüge der Schweiz. Mehr und mehr war Heidegger auf den Ort am Berg verwiesen, Zufluchtstätte. Ihr widmete er 1947 das Hüttenbüchlein *Aus der Erfahrung des Denkens* (Pfullingen 1954), wo er auch den Satz niederschrieb: »Wer groß denkt, muß groß irren.« Hier auf der Hütte wurde 1946/47 der Versuch unternommen, das Werk des Lao-tse ins Deutsche zu übersezten – Bemühungen, die

---

[236] Das Vortragsmanuskript im Nachlaß Clemens Bauer.

arbeitstherapeutischen Charakter trugen, da Heidegger zur universitären Untätigkeit verurteilt war.

Aber auch juristisch-praktisch akzeptierte Heidegger das Baden-Badener Urteil nicht, es einer zukünftigen Revision und Wiedergutmachung vorbehaltend. Und dies konnte für Heidegger nur heißen: die Wiedereinsetzung in das Lehramt durch die Universität, sobald deren Handlungsspielraum im Rahmen der Autonomie wiederhergestellt sei. Was Heidegger, der erst 57 Jahre alt war und noch elf Jahre bis zur Erreichung des ordentlichen Emeritierungsalters vor sich hatte, wünschte: war das Freihalten seines Lehrstuhls, also einen Schwebezustand. Doch Heidegger hegte utopische Vorstellungen. Um die Realität des universitären Alltags in jenen kritischen Jahren nüchtern zur Kenntnis zu nehmen, ist es geboten, nochmals zur Entscheidungsebene des Herbstes 1946 zurückzukehren. Damit die juristische und die mentale Konstellation deutlich werden, soll das Problem der Nachfolge auf Heideggers Lehrstuhl kurz skizziert werden.

Um die Nachfolge Heideggers

Heidegger selbst hätte sich eine philosophische Zusammenarbeit mit Guardini (Heideggers Brief vom 6. August 1945 an Guardini), den er seit Jahrzehnten kannte, sehr wohl vorstellen können: Freilich in der Weise, daß Guardini auf dem Freiburger Lehrstuhl für Christliche Philosophie sitze, er selbst auf der traditionsreichen, durch Heinrich Rickert und Edmund Husserl geadelten Lehrkanzel, auf einem, »der ersten europäischen Lehrstühle der Philosophie«, wie Heidegger im Oktober 1945 dem Rektorat gegenüber die Position charakterisierte. Das Werben um Guardini für die Vertretung der Christlichen Philosophie in Freiburg faßte der damalige, für den Aufbau der Universität zuständige Prorektor Franz Büchner, hochangesehener Pathologe und einer, der offen war für interdisziplinäre Arbeiten, zusammen. In einem Brief an Guardini vom 2. Mai 1946[237] entwickelte der Prorektor sein Aufbauprogramm. Er wollte durch die Gewinnung Guardinis ein interdisziplinär strukturiertes Lehrangebot auf christlicher Grundlage ermöglichen, Medizin, Naturwissenschaften, Theologie durch die Philosophie Guardinis befruchten lassen. In diesem Kontext führte er auch aus:

»Da ist ferner die Tatsache, daß Martin Heidegger in Freiburg lebt und hoffentlich in nicht zu ferner Zeit wieder liest, dem die Geborgenheit des Christen zwar verloren ging, durch dessen Philosophie sich aber das Heimweh nach dieser Geborgenheit immer heftiger meldet und der nun schon so lange mit dem Engel ringt, daß er ihn endlich segne. Ich weiß, welche hohe Achtung ihn vor Ihnen und Ihrem Werk erfüllt, und ich könnte mir nichts Schöneres denken, als daß sie beide an der gleichen Hochschule wirkten und in einem großen Zwiegespräch zueinander ständen.«

---

[237] Nähere Belege für diese und die folgenden Darlegungen finden sich in Ott 1988d.

Das war zwar gut gemeint, aber utopisch: Weder war Guardini von Tübingen, wohin ihn die kluge Berufungspolitik des Kulturdirektors Carlo Schmid geführt hatte, weg zu bewegen, weil er – das freilich schrieb er nicht in seinem Antwortbrief – nach München strebte, noch würde es zu diesem universitätsöffentlichen Zwiegespräch zwischen Guardini und Heidegger gekommen sein, da Heideggers Stern als Universitätsphilosoph in den folgenden Monaten erlosch. Der Lehrstuhl für Christliche Philosophie wurde mit dem Dozenten Dr. Max Müller besetzt.

Nach der Entscheidungsgrundlage vom Herbst 1946 war die schwelende Frage der Nachfolge Heideggers in ein akutes Stadium getreten. Namen möglicher Nachfolger wurden gehandelt – auch in der Philosophischen Fakultät der Universität Freiburg, die am 19. September 1946 beschloß, die Kommission für den Lehrstuhl Heidegger neu zu bilden, Briefe eher unverbindlichen Charakters zu schreiben an Nicolai Hartmann, Hans-Georg Gadamer (damals noch in Leipzig) und Gerhard Krüger und vor allem an Guardini. Der Prorektor Büchner war solchem Beschluß vorausgeeilt, am 3. August 1946 bei Guardini anfragend, ob er sich nicht für die Nachfolge Heideggers bereithalten könne. Obwohl das Verfahren der politischen Reinigung gegen Heidegger noch nicht entschieden war, zeichnete sich der negative Ausgang ab. Büchner hielt es für dringend geboten, die Nachfolge Heideggers zu regeln, da Heidegger wohl kaum in sein Lehramt zurückkehren werde, wenigstens in absehbarer Zeit nicht: »Was es tatsächlich und auch symbolhaft bedeutete, wenn Sie diesen Lehrstuhl übernähmen, brauche ich Ihnen nicht zu sagen. Würden Sie, trotz Ihrer ersten Ablehnung, noch irgend eine ernsthafte Chance für uns sehen, Sie für diesen Lehrstuhl zu gewinnen?« Von Guardinis Antwort hänge für ihn viel ab, da er nach einem neuen geistigen Profil der Freiburger Universität strebe, das christlich ausgerichtet sein solle. Die Studenten, so Büchner, suchten die eindeutige Führung durch geprägte Christen. Alle Hoffnung ruhe auf Guardini. Im Hin und Her der Korrespondenz zwischen den beiden, die im Herbst 1946 geführt worden ist, ergab sich: Guardini hielt sich für völlig ungeeignet, in die Fußstapfen Heideggers zu treten. Zur Nachfolge Heideggers sei mehr nötig, als er könne, zumal seine Arbeitsrichtung völlig anders liege, von der Rangordnung einmal abgesehen. Er tauge nicht für eine philosophische Fachprofessur: »Ich beherrsche nirgendwo ein Fach, sondern bin ein Mann, der sich unter den Dingen und in der Geschichte umsieht und sich seine Gedanken darüber macht; wenn Sie wollen, ein Interpret« (Brief Guardinis vom 4. September 1946). Der Prorektor Büchner ließ vorerst nicht locker, alle Register seiner Eloquenz und Argumentationskunst ziehend, Guardini goldene Brücken bauend, den großen Umbruch beschwörend: »Es wäre doch wohl ein Symbol von besonderer Kraft, wenn gerade Sie den Heideggerschen Lehrstuhl übernähmen, und es käme darin unmißverständlich zum Ausdruck, daß die deutsche Hochschule nach dem Durchgang durch die Not der Existenzphilosophie das befreiende Wort von einem Mann erwartet, der immer wieder über den Bereich des Geistigen in den des Geistlichen vorgestoßen ist und für den letzten Endes Philosophie und Fundamentaltheologie eine Einheit ist.« Der Prorektor griff Guardinis Argumente, die gegen eine Nachfolge auf dem Heidegger-Lehrstuhl sprachen, auf, sie ins Positive wendend und mit ihnen bei Guardini werbend – vor allem das Argument, Guardini sei nur ein Interpret: ob denn nicht alles genuine Philosophieren Interpretation, Übersetzungskunst, die Fähigkeit sei, in irgendwelchen bedeutungsvollen Phänomenen das Verborgene an den Tag zu bringen? »Hat nicht Heidegger sein Bestes dadurch gegeben, daß er die Not seines in die Gottferne geworfenen Herzens interpretiert hat? Hat er nicht, um seine Gedanken über die Wahrheit zu entwickeln, zu Platon seine Zuflucht genommen, um vom Heiligen zu sprechen zu Hölderlin?« Die Interpretation der ungedeuteten Zeichen sei eine Aufgabe, dringlicher denn je. (Brief Büchners an Guardini vom 21. September 1946)

Wie immer auch diese aufgeworfenen Zusammenhänge verstanden werden sollen, der Prorektor mochte mit Engelszungen reden – die Absage Guardinis stand fest: Er sei nicht der Mann, der auf diesen Lehrstuhl gehöre (6. Oktober 1946). Immerhin: mit dem Freiburger »Ruf« ließ sich Guardini von der Landesdirektion für Kultus, Erziehung und Kunst (Vorläufer des nachmaligen Kultusministeriums) in Tübingen in aller Form seine persönliche Professur mit all den Privilegien bestätigen, eine genaue Lehrstuhlbeschreibung geben: »Religionsphilosophie und christliche Weltanschauung« (17. Dezember 1946). Eine Schreibmaschine, in jener Zeit eine schier unerschwingliche Kostbarkeit, sprang bei den »Bleibeverhandlungen« auch heraus. So gerüstet, konnte Guardini seinem großen Ziel, nämlich München, entgegensehen, das just in diesen Tagen in greifbare Nähe gerückt war, weil der neue

bayerische Kultusminister Alois Hundhammer als eine seiner ersten
Amtshandlungen die Berufung Guardinis nach München in die Wege
leitete (30. Dezember 1946).

Daß Guardini in Freiburg absagen würde ebenso wie Nicolai Hartmann, wenn es auf die Nagelprobe ankomme, davon war Gadamer
überzeugt, der im Herbst 1946 von Leipzig aus Freiburg aufsuchte und
sich große Hoffnungen auf den Freiburger Lehrstuhl machte (Brief Ga-
damers an Jaspers vom 9. Oktober 1946). Lediglich die Unsicherheit sei
vorhanden, daß die Franzosen wohl unter dem Einfluß der Kirche und
aus politischen Erwägungen einem Protestanten und Nicht-Badener
distanziert gegenüberstünden. Gadamer konnte sich vorstellen, daß
bis zum Jahresende der Listenvorschlag beim Ministerium eingereicht
sei, eine Einschätzung, die daneben lag, denn mit Guardinis Absage
war in Freiburg der Elan dahin, zumal da nicht ein durchgehendes Interesse bestand, den Lehrstuhl Heidegger endgültig zu besetzen und
sich so die Möglichkeit einer späteren Rückberufung Heideggers bzw.
des Wiedereintritts ins Lehramt nach einer Phase der »Beurlaubung«
zu versperren. Eine beachtliche Gruppe innerhalb der Philosophischen
Fakultät, Heidegger außerordentlich wohlwollend gegenüberstehend,
hielt an dieser Linie fest und verfolgte jetzt eine Politik der Lehrstuhlvertretung – auf unbestimmte Zeit gewissermaßen, bis wieder geordne-
te und berechenbare Verhältnisse eingetreten seien, Dunst und Nebel
sich verzogen hätten und ein helles Licht über der hochschulpolitischen Landschaft leuchte.

Am 4. Juni 1947 trug der Vertreter der Philosophischen Fakultät im
Senat der Universität Freiburg vor, es sei beabsichtigt, den zur Zeit in
der Schweiz wohnhaften Gelehrten Szilasi für einige Vorträge, eventuell auch zur Abhaltung eines Kolloquiums mit Studierenden zu gewinnen, wobei die Senatoren über Persönlichkeit und Bedeutung Wilhelm
Szilasis unterrichtet wurden, der uns schon oben ausführlich begegnet
ist als ein früher Schüler und Freund Heideggers im Zusammenhang
mit Edmund Husserl. Der Senat gab grünes Licht für die erforderlichen Verhandlungen mit Ministerium und Militärregierung und segne-
te wenige Wochen später die Anträge ab, Szilasi mit der Abhaltung von
Vorlesungen zu beauftragen und ihn zum Honorarprofessor an der
Universität Freiburg zu ernennen.

Damit begann die Ära Wilhelm Szilasis als Lehrstuhlvertreter, eine
Zeit voller Irrungen und Wirrungen, da Außenstehende, vor allem

auch das Ausland, nicht so klar unterschieden und vielerorts die Meinung vorherrschte – und vielleicht auch bewußt kultiviert wurde –, Szilasi sei Heideggers Nachfolger. Der mit Heidegger nahezu gleichaltrige Szilasi lebte seit 1933, als er Freiburg als rassisch Verfolgter verlassen mußte, in Brissago/Locarno als Unternehmensberater, so nah an der Grenze nach Italien, daß durch das Villengrundstück die schweizerisch-italienische Grenze verlaufen sein soll. Er existierte offenbar als ein wohlsituierter, unabhängiger Mann, der nach dem totalen Zusammenbruch Deutschlands in der sicheren neutralen Schweiz die Möglichkeit nutzte, die ihm dieser Hort der Geborgenheit und des Wohlstands bot. Dazu gehörte nicht zuletzt auch ein großes Verlagsprogramm »Sammlung, Überlieferung und Auftrag«, das bei Francke in Bern schon 1945 gestartet wurde: Herausgeber war der uns bekannte Ernesto Grassi in Verbindung mit Wihelm Szilasi. In mehrere Abteilungen gegliedert, wurde das fortgesetzt, was Grassi vordem als Honorarprofessor an der Universität Berlin (seit 1940/41) und als kulturpolitischer Mittler des faschistischen Italien in der Reichshauptstadt in die Wege geleitet hatte: geistige Überlieferung, Humanismusforschung, Auseinandersetzung mit der deutschen Philosophie in Italien. Grassi verfügte in den Kriegsjahren über beträchtliche Mittel und konnte, gestützt vom Staate des Duce, auch die Klippen der Papierzuteilung umschiffen, notfalls, indem er Arbeiten in Italien drucken ließ, wo ihm genügend Papierkontingente zu Gebote standen.

Szilasi und Grassi freilich hatten sich, wie wir längst wissen, nicht erst in der Schweiz kennengelernt, wohin es den Italiener gegen Kriegsende gezogen hatte – sogar einen Lehrauftrag erhielt er an der Universität Zürich, der indes prekär war, weil ihm sein faschistischer Hintergrund vorgehalten wurde.[238] Der Ungar Wilhelm Szilasi und der Italiener Ernesto Grassi, wir haben es bereits angedeutet, hatten 1928–1933 gemeinsame Jahre in Freiburg verbracht, wohin sie der als Nachfolger Husserls berufene Martin Heidegger zog. Für Szilasi war es bereits der zweite längere Aufenthalt in Freiburg, wo er, wie gewohnt, gastliches Haus führte und als Privatgelehrter tätig war. Seine Übersiedlung in die Schweiz ging einher mit einer Distanz zu Martin Heidegger. Diese Distanz aber sollte jetzt nach 1945 wieder aufgehoben werden, und Freiburg sollte den entscheidenden Punkt in einer großen Traditionslinie

---

[238] Das Nähere dazu bei Ott 1988d.

bilden. Es ist nicht ausgeschlossen, daß Szilasi nach 1945 versucht hat, mit Georg Lukács Verbindung aufzunehmen, um in Budapest eine angemessene Position zu erhalten, ein Versuch, der jedoch an unvereinbaren Gegensätzen scheiterte.

Die Lehrbeauftragung Szilasis in Freiburg 1947 kam also nicht von ungefähr, da zahlreiche Freunde ihn stützten und Szilasi sich durch das in Grassis »Sammlung« 1946 erschienene Buch *Macht und Ohnmacht des Geistes* empfohlen hatte, besonders durch das Geleitwort »An Ernesto Grassi«. Hier wird die beiden gemeinsame Tradition beschworen:

»Die Tradition, der wir unser geistiges Dasein verdanken, ist mit den Namen Husserl und Heidegger und mit den schon sagenhaft gewordenen, nie wiederkehrenden wunderbaren Jahren in Freiburg verbunden. Die Werke der beiden sind unverlierbarer Besitz der Menschheit geworden. Die persönlichen Eindrücke sterben hin mit dem, der sie erfahren. Uns obliegt es, ihnen Dauer zu geben, denn wir haben uns mit dieser Schriftenreihe die Aufgabe gestellt, uns um die Gemeinschaft zu bemühen, welche die geistige Überlieferung wachhalten und als Auftrag weitergeben soll«,

formulierte Szilasi, um dann ausführlich und impressiv auf Husserl und Heidegger einzugehen, das beide Unterscheidende hervorhebend. Indes: das sei für ihn Vergangenheit, »weil diese Zeit so sehr der Vergangenheit angehört, daß ich von den Arbeiten und Schriften Heideggers seit bald fünfzehn Jahren kaum etwas weiß.«

Die Ambivalenz, ja Multivalenz der Anwesenheit Szilasis in Freiburg seit 1947 liegt auf der Hand: in der Funktion als Lehrbeauftragter und Honorarprofessor, Vertreter des »vakanten« Lehrstuhls für Philosophie I, von Semester zu Semester mit der Vertretung beauftragt, in den Vorlesungsverzeichnissen abwechselnd als »Versehung«, »Wahrnehmung«, »vertretungsweise Wahnehmung« bezeichnet, was leicht als de-facto-Besetzung gewertet werden konnte und auch wurde. Aber es herrschte an der Freiburger Universität die Meinung vor, Szilasi sei als Freund Heideggers gekommen, um das philosophische Wirken Heideggers unter den Studenten und einer interessierten Öffentlichkeit wachzuhalten, es zu verlebendigen, Heidegger den Boden neu zu bereiten, ein Stellvertreter in des Wortes unmittelbarster Bedeutung zu sein, in dienender Funktion, eingesenkt in einen Wurzelgrund nahezu dreißigjähriger Freundschaft, Gewähr bietend gegen Mißdeutung, Unaufrichtigkeit, Unlauterkeit, Mißgunst, Doppelspiel und was dergleichen auf dem Markt der öffentlichen Meinung verhandelt wird. Doch das Bild der folgenden Jahre war eher durch Parteiungen gekennzeichnet.

Wie Heidegger rehabilitieren?

Am 26. September 1949 wurde Heidegger 60 Jahre alt. Im Vorfeld dieses runden Geburtstages, zu dem für Gelehrte üblicherweise eine Festschrift dargeboten wird, sollte eine Bresche in die Mauer des Schweigens um Heidegger geschlagen werden. Hans-Georg Gadamer, Heideggers Schüler, bemühte sich redlich, eine Festgabe zustande zu bringen, an der sich namhafte Philosophen, mit Heideggers Denken in irgendeiner Weise verbunden, beteiligen sollten. Ein Arbeitstitel: »Festschrift, dem Philosophen Martin Heidegger dargebracht«, hätte den kleinsten gemeinsamen Nenner abgeben können – ohne daß weitere Dedikationsworte hinzugefügt werden sollten.[239] Gadamer mußte das Projekt wie ein rohes Ei behandeln: Verklausulierte Zusagen, bedingte Bereitschaft, schließlich Absagen. Die Philosophen schienen zunächst abseits zu stehen. Doch gelang das Vorhaben, ein wenig verspätet. 1950 erschien: *Anteile. Martin Heidegger zum 60. Geburtstag.* (Frankfurt/Main). Ein paralleles Unternehmen, von Wilhelm Szilasi, dem Vertreter des Heideggerschen Lehrstuhls, kam rechtzeitig ins Ziel: *Martin Heideggers Einfluß auf die Wissenschaften* (Bern 1949). Auch die Freunde Heideggers aus den Sprachwissenschaften dedizierten eine Festgabe.[240] Der verkrustete Boden war sichtlich gelockert, die wissenschaftliche Welt hatte Heidegger wieder etwas in das Licht gerückt und Farbe bekannt. Die Schatten wichen, auch wenn der »Fall« Heidegger

---

[239] Die Vorgänge sind in der Korrespondenz Guardini-Gadamer von 1949 niedergelegt (Nachlaß Guardini, Bayerische Staatsbibliothek).

[240] *Lexis. Studien zur Sprachphilosophie, Sprachgeschichte und Begriffsforschung*, Bd. II 1.2. Lahr/Baden 1949-1951.

noch ungelöst blieb. Wichtig war auch, daß die Medien den 26. September 1949 zum Anlaß nahmen, um überwiegend positive Stellungnahmen abzugeben, Verwunderung ausdrückend, daß Heidegger noch zum Schweigen verurteilt sei.

Zu Beginn des Jahres 1949, als das Grundgesetz vor seiner Verabschiedung stand, die Gründung der Bundesrepublik Deutschland in greifbare Nähe gerückt war, die Westdeutschen allmählich ein gutes Stück Staatlichkeit wiedererlangen sollten, die Fesseln des Besatzungsrechts sich zusehends lockerten, die Entnazifizierungsverfahren lästig wurden – endlich einen Schlußstrich ziehen! – und Gras über die jüngste Vergangenheit wuchs, mochte auch der Zeitpunkt gekommen sein, Heidegger aus der Verfemung zu holen und seine Stellung in der Universität Freiburg rechtlich zu klären. Die Zeichen standen günstig, da für das Amtsjahr 1949/50 der Historiker Gerd Tellenbach zum Rektor gewählt worden war. Damit war die Philosophische Fakultät, Heideggers Fakultät, an der Spitze der Universität Freiburg vertreten. Dekan der Fakultät dieser Amtsperiode war Clemens Bauer. Beide Kollegen hatten ein wohlwollendes Verständnis für Heideggers Schwierigkeiten bereits in den vorausgegangenen Jahren bewiesen: Der Einsatz Bauers für Heideggers Bibliothek ist oben schon erwähnt worden; Tellenbach hatte eine schützende Hand für Heidegger, als es darum ging, ihn vor weiteren Wohnungsbeschränkungen und Beschlagnahmen von Möbelstücken zu bewahren oder dem Zugriff des Arbeitsamtes für den Arbeitseinsatz zu entziehen. Das war im Sommer 1947 eine sehr konkrete bedrohliche Situation.[241]

Jetzt, zu Beginn des Jahres 1949, war Optimismus angezeigt: Am 9. Januar 1949 übermittelte Heidegger an Tellenbach, den gewählten Rektor, eine kurze Darstellung: »Mein Verhältnis zur Universität«, dort die Vorgänge ab 1945 knapp umreißend und schließend: »Wenn die Fakultät jetzt daran denkt, diesen Zustand zu beseitigen, dann kann es sich nach dem Vorausgegangenen nur darum handeln, daß die Universität bei der Militärregierung die Aufhebung des Lehrverbotes erwirkt, damit danach der von mir gestellte Entpflichtungsantrag ordnungsgemäß erledigt werden kann«. Dieser von Heidegger selbst vorgeschlagene

---

[241] Aus der Handakte und den Aktenunterlagen von Gerd Tellenbach, dem ich für die Einsichtnahme danke. Hier: Korrespondenz Tellenbach – Heidegger vom Juni 1947. Auch für die folgende Darstellung stützte ich mich auf diese Unterlagen, die ergänzt sind aus dem schon mehrfach angezeigten Nachlaß von Clemens Bauer.

Aktionsplan muß beachtet werden, weil bald erhebliche Irritationen einsetzten und durch manipulierte Kampagnen die Universität Freiburg ins Unrecht gesetzt werden sollte, da sie Heidegger nicht zureichend rehabilitiert habe. Für Heidegger war also am 9. Januar 1949 seine rechtliche Lage, sein »Verhältnis zur Universität« klar: er war mit Lehrverbot belegt, dies sollte aufgehoben werden, damit er danach den Entpflichtungsantrag (Emeritierung) stellen könne. Dieser juristische Befund muß im Auge behalten werden. Daran änderte auch das Spruchkammerverfahren, dem sich Heidegger wie alle Parteigenossen unterziehen mußte, zunächst nichts. Er wurde im März 1949 vom Staatskommissar für politische Säuberung als Mitläufer eingestuft mit der Entscheidung: keine Sühnemaßnahmen.[242]

Die Fakultät war bereit, den Antrag auf Emeritierung Heideggers zu stellen, wobei unstrittig war, daß es keine inhaltliche Revision der Entscheidung des Freiburger Senats vom Januar 1946 sein könne, sondern nur die formale Revision, also die Emeritierung und damit indirekt die Aufhebung des Lehrverbots. Gänzlich verfehlt wäre es gewesen, zunächst zu versuchen, Heidegger wieder auf seinen früheren Lehrstuhl zu berufen. Auf dem Hintergrund von Sondierungsgesprächen, die Rektor Tellenbach mit dem französischen Verbindungsoffizier und der südbadischen Landesregierung geführt hatte, stellte die Philosophische Fakultät im Mai 1949 beim Senat den Antrag, Heidegger mit allen Rechten eines Emeritus zu entpflichten.[243] Es wurde unter anderem darauf abgehoben, daß wegen der internationalen Bedeutung des Philosophen Martin Heidegger die Regelung seines Verhältnisses zur Universität nicht in dem normalen Verfahren getroffen worden sei, sondern eine Sonderbehandlung erfahren habe, deren endgültige Entscheidung sich der Militärgouverneur vorbehalten habe. Es scheine nun der Fakultät richtig, den Weg innerhalb der Universität für eine Rehabilitierung zu beschreiten. Inzwischen seien neue Umstände eingetreten: »Das Interesse, das der Philosophie Heideggers und ihren Entwicklungen in aller Welt weiter entgegengebracht wird, läßt es wünschenswert erscheinen, daß Heidegger selbst wieder das Wort gegeben wird. Die ausgesprochene Zurückhaltung, die Herr Heidegger geübt hat, hat auch verhindert, daß er Dinge nicht aussprach, die er

---

[242] Beilage Nr. 101 vom 16. Juli 1949 (S. 280) zum *Badischen Gesetz- und Verordnungsblatt*, Nr. 27 vom 16. Juli 1949.

[243] Protokoll der Philosophischen Fakultät vom 2. Mai 1949.

früher in seinem Kolleg, wie vielfach bezeugt, gegen verderbliche Zeiterscheinungen äußerte und daß damit die neueste Entwicklung, die sein Denken genommen hat, gar nicht bekannt ist.« Es sei schließlich auf die Dauer ein unhaltbarer Zustand, daß in einem Staatswesen, das auf der Meinungsfreiheit aufbaue, einem Mann vom Range Heideggers das Wort verboten werde, was ein Lehrverbot bedeuten würde. Die Fakultät würde es als einen Gewinn für die ganze Universität ansehen, wenn Heidegger, bei dessen bevorstehendem 60. Geburtstag seine Bedeutung der Öffentlichkeit besonders deutlich werde, die Universität wieder betreten dürfe und in der bescheidenen Rolle eines Emeritus zwar nicht mehr an der Bestimmung der Geschicke der Universität Anteil habe, aber das, was er seit 1934 nicht mehr habe sagen dürfen, in würdiger Form vortragen könne.

Die damit eingeleitete Diskussion im Senat, der Plattform der Freiburger Universität, rührte an alte Wunden. Es gab, wie die Senatssitzungen vom Mai 1949 zeigen[244], erhebliche Widerstände. Nach zwei langen Senatssitzungen (4. und 18. Mai 1949) wurde dem Fakultätsantrag schließlich stattgegeben, freilich nur mit knapper Mehrheit (7 : 5). Das Klima war, wie die zahlreichen Gegenstimmen zeigen, also noch lange nicht bereinigt. Bei den Gegenpositionen wurden vor allem Zweifel an der Qualität der Philosophie Heideggers laut: Die Fakultät überschätze bei weitem den geistigen Rang Heideggers, der wohl eher ein Modephilosoph sei oder gar ein Scharlatan, dessen Lehre gefährlich sei und zu Recht unter das Lehrverbot falle. Die Philosophische Fakultät wehrte sich mit einer Erlärung, in der sie erneut präzisierte: Ihr, als der fachlich kompetenten Fakultät sei nicht das zukommende Gewicht beigemessen worden. Die Bedeutung Heideggers als Philosoph allein sei für ihre Beschlüsse ausschlaggebend gewesen:

»Ist Heidegger eine so wesentliche Stimme in dem philosophischen Gespräch neben Hegel, Kierkegaard, Nietzsche, Dilthey, Husserl und anderen Männern von hervorragendem Rang, daß es unsere Idee der Universität und der Wissenschaft trotzdem fordert, daß er wieder in angemessener Weise zu Wort kommt, ohne Rücksicht darauf, ob man sich gegen ihn wehren oder ob man ihm folgen will? Die Fakultät hat diese Frage für sich bejaht und möchte sich trotz vollster Würdigung aller Bedenken nicht für immer von Martin Heidegger trennen.«

Es wurde mitgeteilt, daß die Fakultät zur Unterstützung ihres Antrags Gutachten auswärtiger Gelehrter einholen werde, und zwar die

---

[244] Näherer Nachweis in Ott 1985.

Voten vom Romano Guardini (München), Karl Jaspers (Basel), Nicolai Hartmann (Göttingen), Charles Bayer (Paris), Emil Staiger (Zürich) und Werner Heisenberg (Göttingen) – also ein internationales Feld. Der Senat war mit diesem Vorgehen einverstanden.

Eine führende Rolle bei diesem Akt der »Wiedergutmachung« spielte Max Müller, der Inhaber des Lehrstuhls für Christliche Philosophie, sich als Schüler Heideggers verstehend, wiewohl ihm seinerzeit kein sonderliches Wohlwollen entgegengebracht worden ist vom »Alten vom Berg« (Wortschöpfung Müllers). Max Müller übernahm auch den Part ›Korrespondenz mit Guardini‹, um dessen gutachterliche Stellungnahme zugunsten Heideggers einzuholen. Gar keine leichte Aufgabe, weil Guardini, inzwischen in München wirkend, sich lieber einer Äußerung enthalten hätte, obwohl oder weil er mit dem Fall Heidegger durchaus vertraut war. Heidegger selbst sehne sich, so Müller im Brief an Guardini vom 11. Juni 1949, mit all seinen Kräften nach der Möglichkeit, als Emeritus die Universität, »deren Stolz und Ruhm er so lange gewesen ist«, wieder betreten zu dürfen.

> »Wir halten, gleichgültig, ob wir seine Ansichten teilen oder für echte Einsichten halten oder ob wir sie bekämpfen, seine Stimme im philosophischen Gespräch für so wesentlich und unentbehrlich (gerade auch gegenüber der Fülle von Mißverständnissen, denen er ausgesetzt ist), daß wir ein weiteres Lehrverbot für nicht mehr verantwortbar halten. Nicht um irgendwelche politischen Beurteilungen oder Revisionen geht es uns, sondern *einzig um die Frage, ob der ungewöhnliche geistige Rang Heideggers es nicht gebietet, wenigstens im beschränkten Rahmen eines Emeritus ihm die von ihm ersehnte Möglichkeit eines erneuten Wirkens im Raum der Universität zuzugestehen.*«

Müller meinte, je individueller und persönlich gefärbter die Stellungnahme ausfalle, umso erwünschter sei dies der Fakultät. Übrigens wisse Heidegger von dieser Aktion nichts.[245] Er fühle sich nicht berechtigt, so Guardinis Antwort vom 1. Juli 1949, »die Art und Weise der Aufhebung des an Martin Heidegger ergangenen Lehrverbotes zu beurteilen.« Persönlich stehe er zu Heidegger seit über dreißig Jahren in einer sehr wichtigen Beziehung. Was das Geistige angehe, so sei er der Meinung, daß Heidegger »zur Zeit die stärkste philosophische Potenz in Deutschland ist«, und er hoffe, das auch öffentlich dokumentieren zu können. Es sei dringend zu wünschen, Heidegger möge wieder in aller Freiheit, schriftlich sowie mündlich, seine Überzeugungen entwickeln können. »So wäre ich bei allen Vorbehalten in politischer wie

---

[245] Nachlaß Romano Guardini (Bayerische Staatsbibliothek).

in philosophischer Hinsicht, mit Freuden bereit, zu tun, was in meinen Kräften steht, um ihm zu nützen.« Aber als Außenstehender könne er nicht darüber urteilen, welche Stellung Heidegger in der Freiburger Universität einnehmen solle. Auf Drängen Müllers erklärte sich Guardini schließlich doch bereit, daß sein Brief an den Senat weitergeleitet werden konnte. Auch die Stellungnahmen der übrigen Gutachter fielen positiv aus – besonders tat sich Karl Jaspers hervor, der auf diese Weise sein vernichtendes Gutachten vom Dezember 1945 abmildern konnte.

Von seiten der Freiburger Universität waren also im Sommer 1949 die Weichen gestellt für eine Entwicklung, wie diese von Heidegger selbst gewünscht worden war: Emeritierung nach Rücknahme des Lehrverbots. Doch: zunächst stieß der Emeritierungsantrag auf formaljuristische Schwierigkeiten. Nach einem lange dauernden Gutachterkrieg wurde festgestellt, daß gemäß geltendem Beamtenrecht eine Emeritierung vor dem vollendeten 62. Lebensjahr nicht möglich sei – Heidegger erreichte aber erst im September 1951 dieses Lebensalter. Es mußte also zu Hilfskonstruktionen gegriffen werden. Den zähen Verhandlungen des Rektors Tellenbach mit den beteiligten Ministerien ist es zu verdanken, daß Heidegger, wenn er dies beantrage, unter Aufhebung des Lehrverbots zunächst mit vollen Pensionsbezügen in den Ruhestand versetzt werden könne, und zwar mit der Maßgabe, nach Vollendung des 62. Lebensjahres emeritiert zu werden. Die Gehaltsdifferenz bis zu diesem Zeitpunkt sollte durch Erteilung von Lehraufträgen ausgeglichen werden. Das Staatsministerium unter der Leitung des badischen Staatspräsidenten Leo Wohleb garantierte die Rechtswirksamkeit der Emeritierung zum 26. September 1951.

Im Zuge der eben erwähnten Diskussion über die beamtenrechtlich diffizilen Probleme hatte der badische Staatspräsident Wohleb, ein hochgebildeter Mann, der Universität Freiburg von Herzen zugetan, auch angeregt, eine Wiederberufung Heideggers zu erwägen – freilich in Verkennung der Kräfteverhältnisse im Freiburger Senat. Hinter diesem Wohlwollen des Staatspräsidenten steckte wiederum Max Müller, in wissenschaftspolitischer Hinsicht die graue Eminenz von Wohleb. Als Ende März 1950 die Verhandlungen dem Ende zugingen, kam aus der Philosophischen Fakultät ein Minderheitsantrag, Heidegger zu reintegrieren, d. h. wieder in sein Lehramt einzusetzen (1. April 1950) –, viel Wirbel verursachend und die Atmosphäre trübend, ja vergiftend. Heidegger begrüßte dieses Vorpreschen: Wenn jetzt aus der Fakultät heraus der Antrag auf Reintegrierung gestellt werde, dann müsse er allerdings diese bisher nicht zur Sprache, gekommene Möglichkeit »als die der Situation gemäßere ansehen, besonders nachdem fünf Jahre lang ›Strafmaßnahmen‹ gegen mich angewendet wurden, die weit über das hinausgehen, was der Bereinigungsausschuß der Universität im Jahre 1945 für richtig hielt« (Brief Heideggers an den Rektor Tellenbach vom 6. April 1950). Da freilich setzten Rektor und Dekan entschiedenen Widerstand entgegen, Realisten wie sie waren und wissend, daß die Universität Freiburg in nicht zu verantwortender Weise aufgewühlt werde, wenn diesem Ansuchen stattgegeben werde. Dieser Minderheitsantrag, mit Heidegger offenkundig abgesprochen, veranlaßte den Rektor zu einer entschiedenen Demarche bei Heidegger, ihn auffordernd, sich dezidiert zu äußern, ob er den vom Rektor vorgeschlagenen Weg zu gehen beabsichtige oder sich für den Antrag der Minderheit der Philosophischen Fakultät entscheide. Nach intensiv geführten Verhandlungen gab Heidegger nach und erklärte sich bereit, den vom Rektor und Dekan eingeschlagenen Weg der Pensionierung mit garantierter Emeritierung zu verfolgen, zumal das Lehrverbot alsbald aufgehoben werde. So wurde verfahren. Martin Heidegger konnte ab dem Wintersemester 1950/51 offiziell wieder lesen, er war aus dem Bannkreis getreten und rehabilitiert: Heidegger selbst hat diese Art der Wiedergutmachung freilich nur als drittklassig werten können und blieb zeitlebens den dafür Verantwortlichen gram.

Die Öffentlichkeit hatte ihn auf andere Weise rehabilitiert: in elitären Zirkeln (seit 1949 im Club von Bremen) drängten sich die Hörer um Heidegger. »Wer ist Zarathustra?« – »Der Satz vom Grund« und andere Themen wurden dort vorgetragen – wiederholt am 25./26. März 1950 just, als an der Universität Freiburg sich die Entscheidung zuspitzte, im mondänen und leicht versnobten Kurhaus »Bühler Höhe«, wo sich ein sehr gemischtes Publikum um den Philosophen scharte.[246] Der eigentliche Durchbruch jedoch gelang Heidegger mit der von der Bayerischen Akademie der Schönen Künste in München im Sommer 1950 getragenen Veranstaltung: »Über das Ding«. Auch wenn politischer Wirbel entfacht wurde – das ging zu Lasten der Neider. Als Heidegger im Sommersemester 1952 in Freiburg wieder öffentlich las (in den vorangegangenen Semestern hatte er nur Übungen angeboten) – ein leiser

---

[246] Vgl. Petzet 1983, S. 59 f. und 71 f.

Triumph –, faßte der Hörsaal die Studenten nicht. Aufgestaute Wißbegier, auch Neugier und die Sehnsucht nach dem denkerischen Wort Heideggers brachen sich Bahn. Man mußte Heidegger gehört haben, wenn er fragte: »Was heißt Denken?«[247] Und immer wieder die Bayerische Akademie der Schönen Künste: 1953–1957, deren Vortragsreihen im engsten Kreis vorbereitet wurden, zu dem neben Heidegger Werner Heisenberg, Carl Friedrich von Weizsäcker, Friedrich Georg Jünger und Ernst Jünger, Carl J. Burckhardt und andere gehörten – herausragend die Vortragsreihe »Die Künste im Technischen Zeitalter« (1953). »Als Heidegger«, so lesen wir bei Petzet (1983, S. 81), »mit dem berühmt gewordenen Satz schloß: ›Denn das Fragen ist die Frömmigkeit des Denkens‹, erhob sich ein Sturm aus tausend Kehlen zu einer Ovation, die nicht enden wollte. Ich hatte das Gefühl, als sei der Ring des Mißtrauens und der Gehässigkeit um den Meister und Freund endlich gesprengt. Es war vielleicht sein größter öffentlicher Erfolg.« Auch Ehrungen blieben nicht aus: Ehrenbürgerwürde der Heimatstadt Meßkirch zum 70. Geburtstag 1959 – der Hebel-Preis des Landes Baden-Württemberg 1960, der auch schon Albert Schweitzer und Carl Jacob Burckhardt zugesprochen worden war.

Das Spätwerk reifte. Der wenig Gereiste suchte Stätten Europas auf, denen er sich bisher nur literarisch nähern konnte. Todtnauberg wurde zum Ort der Pilgerschaft, die nicht selten die Stille der Schwarzwaldhöhe unterbrach: Ungebetene und Gebetene. Was vermochte da die immer wieder aufflackernde Diskussion über die politische Vergangenheit! Wie in Frankreich, wo Jean Beaufret und andere dafür sorgten, daß an Heidegger kein Makel haften blieb, so gingen auch bei den Deutschen die kritischen Stimmen unter. Immer warfen sich Freunde in die Bresche, wenn denn je eine geschlagen wurde. Erhart Kästner, weit vorausschauend und strategisch denkend, drängte Heidegger 1966, als gerade im *Spiegel* das leidige Thema diskutiert wurde, auf ein Gespräch mit dem *Spiegel*. Das kam dann auch zustande, wohl vorbereitet, als der Sommer 1966 sich neigte – aufbewahrt zur Veröffentlichung für die Zeit nach Heideggers Tod.[248]

Wenig später das Erlebnis, Paul Celan, dem Juden, begegnen zu dürfen, der zu Ende des Sommersemesters 1967 (24. Juli) in der Frei-

---

[247] Jetzt in der Gesamtausgabe Bd. 8.
[248] Vgl. *Martin Heidegger. Erhart Kästner. Briefwechsel 1953–1974*, hg. von Heinrich W. Petzet, Frankfurt/Main 1986.

burger Universität vor einem riesigen Auditorium aus seinen Gedich-
ten lesen sollte: »Schon lange wünsche ich, Paul Celan kennenzuler-
nen. Er steht am weitesten vorne und hält sich am meisten zurück. Ich
kenne alles von ihm, weiß auch von der schweren Krise, aus der er sich
selbst herausgeholt hat, soweit dies ein Mensch vermag.«[249] Eine
schwierige Begegnung, da sich die Vergangenheit lastend und lähmend
zwischen die beiden legte und keine Nähe erlaubte – zunächst. Doch
wider alle Erwartung nahm Celan Heideggers Einladung nach Todtnauberg auf die Hütte an: der 25. Juli 1967 barg das erlösende Gespräch
und brachte es doch nicht zum Licht. Celans Enttäuschung zittert in
den Zeilen nach, die er ins Hüttenbuch schrieb: »Ins Hüttenbuch, mit
dem Blick auf den Brunnenstern, mit einer Hoffnung auf ein kommen-
des Wort im Herzen. Am 25. Juli 1967/Paul Celan.«[250]

Immerhin: am 1. August 1967 schrieb Paul Celan in Frankfurt das
Gedicht Todtnauberg, das 1968 zunächst in einer bibliophilen Aufmachung erschien.

> »ARNIKA, AUGENTROST, der
> Trunk aus dem Brunnen mit dem
> Sternwürfel drauf,
>
> in der
> Hütte,
>
> die in das Buch
> – wessen Namen nahms auf
> vor dem meinen? –,
> die in das Buch
> geschriebene Zeile von
> einer Hoffnung, heute,
> auf eines Denkenden
> kommendes (un-
> gesäumt kommendes)
> Wort
> im Herzen,
>
> Waldwasen, uneingeebnet,
>
> Orchis und Orchis,
> einzeln,
>
> Krudes, später, im Fahren,
> deutlich,

---

[249] Dies aus einem Brief Heideggers an Gerhart Baumann in: Gerhart Baumann, *Erinnerungen an Paul Celan*, Frankfurt/Main 1986, S. 59 f.

[250] Vgl. Otto Pöggeler, *Spur des Worts. Zur Lyrik Paul Celans*, Freiburg/München 1986, S. 259.

der uns fährt,
der Mensch,
der's mitanhört,

die halb-
beschrittenen Knüppel-
pfade im Hochmoor,

Feuchtes,
viel.«[251]

---

[251] Zitiert nach Clemens Podewils »Die nachbarlichen Stämme«, in: Neske 1977, S. 211.

Epilog

Das hohe Alter, das Heidegger geschenkt wurde, forderte seinen physischen Tribut: Krankheit und Gebrechlichkeit, die eine späte Lebensphase begleiten. Der Tod von Freunden, Verwandten, Menschen, die ihm nahestanden, gemahnte beständig an die bleibende Aktualität des endgültigen Abschieds. Das Reden über den Tod, auch das philosophische Reden, sei doch etwas anderes als das Dabeisein bei Sterbenden, hatte er einmal in einem Gespräch mit dem Tübinger Philosophen Walter Schulz ausgeführt[252] – das war im Gasthaus »Hirsch«, im Areal des ehemaligen Zisterzienserklosters Bebenhausen gelegen. Seine Todesanalyse in *Sein und Zeit* habe er für die Mediziner abgefaßt, erklärte er im nämlichen Gespräch. In der Tat: vielleicht nirgends sah Heidegger die Ausgrenzung der »praktischen Philosophie« wesentlicher als im Phänomen »Tod«, nicht zuletzt weil hier die Frage »Glaube und Philosophie« sich stellt und zwar nicht mehr als eine reine »Schreibtischfrage«, wie Heidegger schon am 1. März 1927 an Jaspers geschrieben hatte, als Heideggers Mutter dem Tod entgegensah. Vielleicht war sein ganzes Leben eine einzige Vorbereitung auf seinen eigenen Tod. Wie sonst vermögen wir die Strophe aus dem ersten Chorlied der sophokleischen »Antigone« begreifen, in der Weise von Heidegger:

> »Überall hinausfahrend unterwegs,
> erfahrungslos ohne Ausweg
> kommt er zum Nichts.
> Dem einzigen Andrang vermag er, dem Tod,

---

[252] »... als ob Heraklit danebensteht.« in: Neske 1977, S. 223–228.

durch keine Flucht je zu wehren,
sei ihm geglückt auch vor notvollem Siechtum
geschicktes Entweichen.«[253]

Am 26. Mai 1976 starb Heidegger in Freiburg. Sein Begräbnis war am 28. Mai. Heidegger wollte in heimatlicher Erde bestattet sein, dort, wo er eigentlich heimisch war, wo das Andenken an die Ahnenschaft gegründet war, wo sich der Himmel über dem freien, offenen und lichten Land wölbt, dessen herbe Strenge doch das Heitere birgt. Er wollte dorthin zurückkehren, von wo er seinen Ausgang genommen hatte: vom Bodenständigen, vom Quellenhaften. Er wolle heimfinden aus einer Welt des Betriebs, der Raserei und der Verödung zu dem versammelten Erbe der Heimat, gewonnen aus den irdischen und himmlischen Kräften über die Jahrhunderte: So wie die St. Martinskirche zu Meßkirch zeichenhaft für diese beständige Dauer steht. Er wollte in diese geweihte, christliche Heimat sein gemehrtes Erbe zurückbringen, einlösen, was ihm zum Geheiß geworden war: »Die Not der gottfernen Zeit denkend mitzutragen und auch sonst den Weg der Zeit und Welt zu deuten als einen Weg dahin«, nämlich »der Epiphanie des göttlichen Gottes entgegenzuharren«, wie der katholische Priester und Theologe Bernhard Welte, der Landsmann und Wegbegleiter im Denken, in der Friedhofskapelle von Meßkirch dem toten Heidegger zusprach.[254] Dieser Zuspruch des Geistlichen, geschöpft aus dem Propheten Jeremias: Da sprach der Herr zu mir: »Nicht sprich: ›Ich bin zu jung‹ wohin ich Dich nur sende, wirst Du gehen. Verkünde, was ich Dich heiße!« (Jer. 1, 7), ist der schwere Versuch, die Frage zu beantworten, ob Martin Heidegger als Christ, gar als katholischer Christ in die heimatliche Erde zurückgekehrt sei. Das schlichte Grabmal ziert ein Stern, doch scheint das Zeichen des Kreuzes, eingegraben auf den nachbarlichen Grabsteinen der Eltern und des Bruders, auch an des Philosophen Grab zu rühren. Ob es der Sache angemessen sei, Martin Heidegger christlich zu beerdigen, fragte Bernhard Welte:

»Ist es der Botschaft des Christentums angemessen, ist es dem Denkweg Heideggers angemessen? Er jedenfalls hat es gewünscht. Er hat auch sonst seine Verbindung zu der Gemeinschaft der Glaubenden nie unterbrochen. Er ist freilich seinen eigenen Weg gegangen, und er hat ihn wohl gehen müssen, seinem Geheiß folgend, und man wird

---

[253] Zitiert nach der *Einführung in die Metaphysik*, Tübingen 1953, S. 113.
[254] Erstveröffentlichung in: *Christ in der Gegenwart* Jg. 1976. Wiederabdruck in: Neske 1977, S. 253–256.

diesen Weg nicht ohne weiteres einen christlichen im üblichen Sinn des Wortes nennen können. Aber es war der Weg des vielleicht größten Suchenden dieses Jahrhunderts. Er suchte wartend und auf die Botschaft horchend den göttlichen Gott und seinen Glanz. Er suchte ihn auch in der Predigt Jesu. So darf man wohl über dem Grab dieses großen Suchers die Worte des Trostes des Evangeliums sprechen und die Gebete des Psalms, vor allem des Psalms ›De profundis‹, und das größte der Gebete, jenes, das Jesus uns gelehrt hat.«

Die Sprache der liturgischen Formen war christlich – der priesterliche Neffe, Heinrich Heidegger, handhabte sie behutsam, dem Wunsche des Onkels gemäß und vertraut mit dessen Nähe und Ferne zur katholischen Kirche. Den frei formulierten Gebeten in der Friedhofskapelle folgten die festgelegten Texte und Riten katholischer Begräbnisliturgie. War dies die Heimholung des verlorenen Sohnes in den Schoß der Kirche? Der Volksschriftsteller Albert Krautheimer, für mehr als ein Jahrzehnt Pfarrer in Bietingen, Meßkirch benachbart, pflegte zu sagen: Die Kirchenleute sähen es gerne, wenn der Martin im Büßergewand durch das Hauptportal der Meßkircher Martinskirche schritte; doch sei der längst wie früher als Mesnerbub durch die Sakristeitür in die Kirche gelangt. Und Krautheimer wußte, was er sagte, hatte er doch Heideggers Manuskripte über die Wirren und Unsicherheiten des Kriegs und der Nachkriegszeit im Geschoß des mächtigen, gedrungenen Kirchturms von Bietingen geborgen und aufbewahrt für die Zeit.

Literaturverzeichnis

ARENDT, Hanna/JASPERS, Karl (1985), *Briefwechsel 1926–1969*, hg. v. Lotte Köhler/Hans Sauer, München

BIEMEL, Walter (1973), *Martin Heidegger in Selbstzeugnissen und Bilddokumenten*, Reinbek

CASPER, Bernhard (1980), »Martin Heidegger und die Theologische Fakultät Freiburg 1909–1923«, *Freiburger Diözesan-Archiv*, Nr. 100, S. 534–541

DAHMS, Hans-Joachim (1987), »Aufstieg und Ende der Lebensphilosophie: Das Philosophische Seminar der Universität Göttingen zwischen 1917 und 1950«, in: *Die Universität Göttingen unter dem Nationalsozialismus. Das verdrängte Kapitel ihrer 250jährigen Geschichte*, hg. v. Heinrich Becker/Hans-Joachim Dahms/Cornelia Wegeler, München

FARIAS, Victor (1987), *Heidegger et le nazisme. Morale et politique*, (übers. a. d. Spanischen u. Deutschen), Lagrasse

FRANZEN, W. (1976), *Martin Heidegger*, Stuttgart
– (1988), »Die Sehnsucht nach Härte und Schwere«, in: Gethmann-Siefert/Pöggeler 1988, S. 78 ff.

GADAMER, Hans-Georg (1977), *Philosophische Lehrjahre. Eine Rückschau*, Frankfurt/M.

GETHMANN-SIEFERT, Annemarie/Otto PÖGGELER (Hg.) (1988), *Heidegger und die praktische Philosophie*, Frankfurt/M.

GETHMANN-SIEFERT, Annemarie/Kurt Rainer MEIST (Hg.) (1988), *Philosophie und Poesie. Spekulation und Erfahrung* (Otto Pöggeler zum 60. Geburtstag gewidmet), Stuttgart

GRASSI, Ernesto (1970) *Macht des Bildes: Ohnmacht der rationalen Sprache*, München

HAECKER, Theodor (1933), *Was ist der Mensch*, Leipzig

HAEFFNER, Gerd (1981), »Martin Heidegger (1889–1979)«, in: Otfried Höffe (Hg.), *Klassiker der Philosophie*, Band II, München, S. 361–384

HEIDEGGER, Martin (1983), *Die Selbstbehauptung der deutschen Universität. Das Rektorat 1933/34 – Tatsachen und Gedanken*, hg. von Hermann Heidegger, Frankfurt/M.

HOLLERBACH, Alexander (1986), »Im Schatten des Jahres 1933. Erik Wolf und Martin Heidegger«, *Freiburger Universitätsblätter*, Heft 92, S. 33 ff.

JASPERS, Karl (1977), *Philosophische Autobiographie*, Erweiterte Ausgabe, München
– (1978), *Notizen zu Martin Heidegger*, hg. v. Hans Saner, München (Neuaufl. 1988)

KISIEL, Theodore (1988a), »The Missing Link in the Early Heidegger«, in: Kockelmans, Joseph (ed.), *Hermeneutic Phenomenology: Lectures and Essays*, Washington D.C., S. 1–40

– (1988b), »War der frühe Heidegger tatsächlich ein ›christlicher Theologe‹?« in: Gethmann-Siefert/Meist 1988

LÖWITH, Karl (1986), *Mein Leben in Deutschland vor und nach 1933*, Stuttgart

MARTEN, Rainer (1988), »Heideggers Geist«, *Allmende*, Nr. 20, S. 82–95ff.

MARTIN, Bernd/SCHRAMM, Gottfried (1986), »Ein Gespräch mit Max Müller«, *Freiburger Universitätsblätter*, Nr. 92, S. 13–31

MOEHLING, Karl August (1972), *Martin Heidegger and the Nazy Party: An Examination*, Diss. phil. Northern Illinois University

MÖRCHEN, Hermann (1984), »Zur Offenhaltung der Kommunikation zwischen dem Theologen Rudolf Bultmann und dem Denken Martin Heideggers«, in: Bernd Jaspert (Hg.) *Rudolf Bultmanns Werk und Wirkung*, Darmstadt 1988, S. 234-252ff.

MUSSGNUG, Dorothee (1985), »Die Universität zu Beginn der nationalsozialistischen Herrschaft«, in: *Semper Apertus* 1985, Bd. III, S. 464–503

NESKE, Günter (Hg.) (1977), *Erinnerung an Martin Heidegger*, Pfullingen

OCHWADT, Curd/TECKLENBORG, Erwin (1981), *Das Maß des Verborgenen. Heinrich Ochsner zum Gedächtnis*, Hannover

OTT, Hugo (1983), »Martin Heidegger als Rektor der Universität Freiburg i. Br. 1933/34, I. Die Übernahme des Rektorats der Universität Freiburg i. Br. durch Martin Heidegger im April 1933«, *Zeitschrift des Breisgau-Geschichtsvereins* (»Schau-ins-Land«), Nr. 102, S. 121–136

– (1984 a), »Martin Heidegger als Rektor der Universität Freiburg i. Br. 1933/34, II. Die Zeit des Rektorats von Martin Heidegger (23. April 1933 bis 23. April 1934)«, *Zeitschrift des Breisgau-Geschichtsvereins* (»Schau-ins-Land«), Nr. 103, S. 107–130

– (1984 b), »Martin Heidegger als Rektor der Universität Freiburg i. Br. 1933/34«, *Zeitschrift für die Geschichte des Oberrheins*, Nr. 132, S. 343–358

– (1984 c), »Der junge Martin Heidegger. Gymnasial-Konviktszeit und Studium«, *Freiburger Diözesan-Archiv*, Nr. 104, S. 315–325

– (1984 d), »Der Philosoph im politischen Zwielicht. Martin Heidegger und der Nationalsozialismus«, *Neue Zürcher Zeitung*, 3./4. November 1984

– (1985), »Martin Heidegger und die Universität Freiburg nach 1945. Ein Beispiel für die Auseinandersetzung mit der politischen Vergangenheit«, *Historisches Jahrbuch*, Nr. 105, S. 95-128

– (1986), »Der Habilitand Martin Heidegger und das von Schaezler'sche Stipendium. Ein Beitrag zur Wissenschaftsförderung der katholischen Kirche«, *Freiburger Diözesan-Archiv*, Nr. 106, S. 141–160

– (1987 a), »Edith Stein (1891–1942) und Freiburg. Ein Beitrag anläßlich der Seligsprechung am 1. Mai 1987«, *Freiburger Diözesan-Archiv*, Nr. 107, S. 253–274

– (1988 a), »Die Weltanschauungsprofessuren (Philosophie und Geschichte) an der Universität Freiburg – besonders im Dritten Reich«, *Historisches Jahrbuch* Nr. 108, S. 157–173

– (1988 b), »Martin Heidegger und der Nationalsozialismus«, in: Gethmann-Siefert/Pöggeler 1988, S. 64 ff.

– (1988 c), »Edmund Husserl und die Universität Freiburg«, in: *Edmund Husserl und die phänomenologische Bewegung. Zeugnisse in Text und Bild*, im Auftrag des

Husserl-Archivs in Freiburg i. Br. hg. v. Hans Reiner Sepp, Freiburg/München 1988, S. 95–102

– (1988d), »Um die Nachfolge Martin Heideggers nach 1945«, in: Gethmann-Siefert/ Meist 1988

PETZET, H. W. (1983), *Auf einen Stern zugehen. Begegnungen und Gespräche mit Martin Heidegger 1929 bis 1976*, Frankfurt/M.

PÖGGELER, Otto (1983), *Der Denkweg Martin Heideggers*, Pfullingen (Erstausgabe 1963)

– (1985), »Den Führer führen; Heidegger und kein Ende«, Sammelrezension in *Philosophische Rundschau*, Jg. 32, S. 26 ff.

– (1988), »Heideggers politisches Selbstverständnis«, in: Gethmann-Siefert/Pöggeler 1988, S. 17–63

POLIAKOV, L./J. WULF (1983), *Das Dritte Reich und seine Denker* , Frankfurt/Wien/ Berlin (1. Aufl. 1959)

RICHARDSON, William F. (1963), *Heidegger. Through Phenomenology to Thought*, Den Haag

SCHNEEBERGER, Guido (1962), *Nachlese zu Heidegger*, Bern

SCHUHMANN, Karl (1977), *Husserl-Chronik*, Den Haag

– (1978), »Zu Heideggers Spiegel-Gespräch über Husserl«, *Zeitschrift für Philosophische Forschung* 32

SCHWABE, K./R. REICHARDT (Hg.) (1984), *Gerhard Ritter. Ein politischer Historiker in seinen Briefen*, Schriften des Bundesarchivs, Bd. 33, Boppard

SCHWAN, Alexander (1965), *Politische Philosophie im Denken Heideggers*, Opladen

Semper Apertus Sechshundert Jahre Ruprechts-Karl-Universität Heidelberg 1386–1986, Bd. III: 1918–1986, Heidelberg 1985

SHEEHAN, Thomas (1981), *Heidegger. The Man and the Thinker*, Precedent

– (1988), »Heidegger and the Nazis«, *The New York Review of Books*, 15. Juni 1988, S. 38–47

STADELMANN, Rudolf (1942), *Vom Erbe der Neuzeit*, Bd. 1, Leipzig

STERNBERGER, Dolf (1984), »Die großen Worte des Rektors Heidegger. Eine philosophische Untersuchung«, *Frankfurter Allgemeine Zeitung*, 2. März 1984

WILLMS, Bernard (1977), »Politik als Geniestreich? Bemerkung zu Heideggers Politikverständnis«, in: *Martin Heidegger. Fragen an sein Werk*, Stuttgart, S. 16-20

Personenregister

Reihe »Theorie und Gesellschaft« im Campus Verlag

Fritz W. Scharpf
Sozialdemokratische Krisenpolitik in Europa
2. Auflage 1987. 358 Seiten, ISBN 3-593-33791-6

Charles Perrow
Normale Katastrophen
Die unvermeidbaren Risiken der Großtechnik
Mit einem Vorwort von Klaus Traube
Aus dem Englischen von Udo Rennert
1987. 448 Seiten, ISBN 3-593-33840-8

Claude Meillassoux
Anthropologie der Sklaverei
Aus dem Französischen von Eva Moldenhauer
1988. Ca. 400 Seiten mit 15 Abb., ISBN 3-593-33979-X
Gemeinschaftsverlag mit Editions de la Maison des Sciences de l'Homme, Paris

Victor Turner
Das Ritual
Struktur und Anti-Struktur
Aus dem Englischen von Sylvia M. Schomburg-Scherff
1989. Ca. 280 Seiten mit 20 Abb., ISBN 3-593-33963-3

Paul Veyne
Brot und Spiele
Gesellschaftliche Macht und politische Herrschaft in der Antike
Aus dem Französischen von Klaus Laermann
1988. 698 Seiten, ISBN 3-593-33964-1
Gemeinschaftsverlag mit Editions de la Maison des Sciences de l'Homme, Paris

Lucien Goldmann
Mensch, Gemeinschaft und Welt in der Philosophie Immanuel Kants
Mit einem Vorwort von Dieter Böhler
1989. Ca. 240 Seiten, ISBN 3-593-33966-8
Gemeinschaftsverlag mit Editions de la Maison des Sciences de l'Homme, Paris

Campus Verlag — Frankfurt am Main